A ERA DAS REVOLUÇÕES

ERIC HOBSBAWM
A ERA DAS REVOLUÇÕES 1789-1848

Tradução
Maria Tereza Teixeira
Marcos Penchel

1ª edição

Paz & Terra

Rio de Janeiro
2025

© Eric J. Hobsbawm, 1977

Título original em inglês:
The Age of Revolution 1789-1848
First published in Great Britain by Weidenfeld & Nicolson

Revisão técnica: Marc Garabed Arabyan
Projeto gráfico de box e capa: Leonardo Iaccarino

CIP-BRASIL. CATALOGAÇÃO NA PUBLICAÇÃO
SINDICATO NACIONAL DOS EDITORES DE LIVROS, RJ

H599e Hobsbawm, E. J. (Eric J.), 1917-2012
A era das revoluções : 1789-1848 / Eric J. Hobsbawm ; tradução Maria Tereza Teixeira, Marcos Penchel. – 1. ed. – Rio de Janeiro : Paz e Terra, 2025.

ISBN 978-65-5548-089-4

1. Indústrias - História. 2. Europa - História - 1789-1900. I. Teixeira, Maria Tereza. II. Penchel, Marcos. III. Título

23-86442 CDD: 940
CDU: 94(4)

Meri Gleice Rodrigues de Souza - Bibliotecária - CRB-7/6439

Todos os direitos reservados. Proibida a reprodução, armazenamento ou transmissão de partes deste livro, através de quaisquer meios, sem prévia autorização por escrito.

Reservam-se os direitos desta edição à
EDITORA PAZ E TERRA LTDA.
Rua Argentina, 171 – 3º andar – São Cristóvão
20921-380 – Rio de Janeiro, RJ
Tel.: (21) 2585-2000.

Seja um leitor preferencial Record.
Cadastre-se no site www.record.com.br
e receba informações sobre nossos
lançamentos e nossas promoções.

Atendimento e venda direta ao leitor:
sac@record.com.br

Impresso no Brasil
2025

SUMÁRIO

LISTA DE ILUSTRAÇÕES   7

LISTA DE MAPAS   13

PREFÁCIO   15

INTRODUÇÃO   19

PRIMEIRA PARTE
EVOLUÇÃO

1. O mundo na década de 1780   27
2. A revolução industrial   57
3. A Revolução Francesa   97
4. A guerra   133
5. A paz   167
6. As revoluções   181
7. O nacionalismo   215

SEGUNDA PARTE
RESULTADOS

8. A terra   237
9. Rumo a um mundo industrial   265
10. A carreira aberta ao talento   287
11. Os trabalhadores pobres   313
12. A ideologia religiosa   337
13. A ideologia secular   361

14. As artes   389
15. A ciência   425
16. Conclusão: rumo a 1848   455

TABELAS   472

MAPAS   475

NOTAS   487

BIBLIOGRAFIA COMPLEMENTAR   499

ÍNDICE REMISSIVO   511

LISTA DE ILUSTRAÇÕES

1. *Rei Luís XVI*, J. S. Duplessis, Galeria Maria Antonieta, Versalhes (Foto: Giraudon).
2. *O Faetonte*, Stubbs, National Gallery, Londres (Foto: National Gallery).
3. *Caçada aos Coelhos*, Franz Krilger (1807-1857), Galeria Gemälde, Dessau (Foto: Marburg).
4. Príncipe Augusto da Prússia, Galeria Nacional, Berlim (Foto: Marburg).
5. *A família Flaquer*, Espalter, Museu do Prado, Madri (Foto: A. Castel-lanon, Madri).
6. *O professor Claassen e sua família*, I. Milde, Museu de Hamburgo (Foto: Marburg).
7. *A família Stamarty*, J. D. Ingres (1780-1867), Museu do Louvre, Paris (Foto: Coleção Mansell).
8. *Autorretrato*, c. de 1836, Karl Blecher (1789-1840), Galeria Nacional, Berlim (Foto: Marburg).
9. *Sala da Guarda dos Estudantes na Universidade de Viena*, 1848, Franz Shams, Museu Histórico do Estado, Viena (Foto: Bildarchiv der Osterreichischen Nationalbibliotek).
10. *Na Real Bolsa de Valores*, Richard Dighton (Foto: Radio Times, Hulton Picture Library).
11. *A conferência*, Honoré Daumier (1808-1879) (Foto: Marburg).
12. Levante camponês na Morávia (Foto: Marburg).
13. *Os tártaros maltratando os camponeses russos*, de uma gravura do início do século XIX (Foto: Radio Times, Hulton Picture Library).
14. *O trabalhador agrícola*, S. H. Graine, Museu Britânico (Foto: Museu Britânico).
15. Dois camponeses russos em 1823 (Foto: Radio Times, Hulton Picture Library).

A ERA DAS REVOLUÇÕES

16. *Os fabricantes de aço de Sheffield*, M. Jackson (Foto: Coleção Mansell).
17. *Recepção matinal ao Rei Hudson*, Punch* (Foto: Museu Britânico).
18. *O porto e as fábricas*, T. A. Prior (Foto: Coleção Mansell).
19. *Saguão da Carlton House* (Foto: Galeria Parker).
20. Church Lane, St. Giles, Londres (Foto: Radio Times, Hulton Picture Library).
21. Bierdermeier, Schabbelhaus, Lübeck (Foto: Marburg).
22. O cortiço, St. Giles, Londres (Foto: Radio Times, Hulton Picture Library).
23. *Esboços das minas de carvão de Northumberland e Durnham*, G. H. Harris (Foto: Museu da Ciência).
24. *Uma cena dos jardins de Kensington ou modas e sustos de 1823*, Cruik-shank (Foto: Coleção Mansell).
25. *Parade unter den Linden*, G. A. Schrader (pintado entre 1811 e 1836), Galeria Nacional, Berlim (Foto: Marburg).
26. A capela wesleyana na City Road de Londres (Foto: Coleção Mansell).
27. Interior da capela de Great Ilford, Essex (Foto: Coleção Mansell).
28. Catedral de S. Isaac, Leningrado (Foto: Coleção Mansell).
29. *A Tomada da Bastilha*, Prieur, Museu do Louvre, Paris (Foto: Giraudon).
30. Transporte militar para Montmartre, Prieur, Museu do Louvre, Paris (Foto: Giraudon).
31. *O povo invadindo o Palácio das Tulherias*, Prieur, Museu do Louvre, Paris (Foto: Giraudon).
32. *A Marselhesa* (Foto: Archiv für Kunst and Geschichte, Berlim).
33. Modelo da guilhotina, Museu Carnavalet, Paris (Foto: Bulloz).
34. *A Rainha Maria Antonieta a caminho da execução*, esboço de J. L. David (Foto: Coleção Mansell).
35. Robespierre, Museu Ballotz (Foto: Coleção Mansell).
36. Marat, Museu Ballotz (Foto: Coleção Mansell).
37. Danton, Museu Ballotz (Foto: Coleção Mansell).
38. St. Just, Museu de Condère (Foto: Coleção Mansell).
39. Mirabeau, Museu de Condère (Foto: Coleção Mansell).

---

* *The Punch* (*O Polichinelo*) ou *The London Charivari* (*O Charivari de Londres*), hebdomadário satírico inglês fundado em 1841 e que posteriormente evoluiu para tendência conservadora. (*Grande Enciclopédia Delta Larousse, vol. 12, Rio de Janeiro, 1971*). (*Nota da edição brasileira*)

LISTA DE ILUSTRAÇÕES

40. *Morte do General Marceau*, gravura de Eichler baseada em Girade (Foto: Archiv für Kunst and Geschichte, Berlim).
41. Gravura de *Os desastres da guerra*, Goya (Foto: The Hispanic Society of America).
42. Couraceiros franceses atacando na Batalha de Moscou, Albrecht Adam, Museu de Munique (Foto: Marburg).
43. *Napoleão Bonaparte, Primeiro Cônsul*, J. L. David (Foto: Coleção Man sell).
44. A independência venezuelana proclamada em Caracas em 1821 (Foto: Centro Audiovisual).
45. *O adeus dos poloneses à pátria*, 1831, Dietrich Monten (1799-1843), Galeria Nacional, Berlim (Foto: Marburg).
46. *Nemesis na Baia de Anson* (Foto: Galeria Parker).
47. Mohammed Ali, governante do Egito (Foto: Coleção Mansell).
48. *Giuseppe Mazzini aos vinte e cinco anos de idade*, G. Isola, Instituto Mazziniano (Foto: D. Cipriani).
49. Toussaint Louverture (Foto: Coleção Mansell).
50. *O povo ateando fogo ao trono ao pé da Coluna de Julho*, 1848 (Foto: Coleção Mansell).
51. *Um popular armado*, Museu Histórico do Estado, Viena (Foto: Bildarchiv der Osterreichischen Nationalbibliotek).
52. *A guarda móvel* (Foto: Illustrated London News).
53. *A barricada*, Delacroix (1789-1863), Museu do Louvre, Paris (Foto: Coleção Mansell).
54. Estação de Euston, George Stephenson (Foto: Coleção Mansell).
55. A ponte suspensa de Clifton, Isambard Kingdom Brunel (Foto: National Buildings Record).
56. Fachada do Museu Britânico (1842-1847) (Foto: National Buildings Record).
57. *Enterro das cinzas de Napoleão no Arco do Triunfo*, 15 de dezembro de 1840, litografia de Adam baseada em Bichbois, vol. I, Cabinet des Estampes, Paris (Foto: Marburg).
58. Prisão dos conspiradores da rua Cato, 1819 (Foto: Coleção Mansell).
59. *Visão da Praça de S. Pedro e a maneira pela qual a Reunião Reformista de Manchester foi dispersada pelo Poder Civil e Militar*, 16 de agosto de 1819, Illustrated London News (Foto: Biblioteca John Rylands).

A ERA DAS REVOLUÇÕES

60. *Vida, julgamento, confissão e execução de T. H. Hooker* (Foto: Coleção Mansell).
61. *Abrigo de indigentes* (Foto: Coleção Mansell).
62. Funeral em Skibbereen, 1884 (Foto: Coleção Mansell).
63. Acorrentados da cidade de Hobart, 1856 (Foto: Coleção Mansell).
64. Monumento comemorativo a Walter Scott, Edimburgo (Foto: Tony Scott).
65. Gravura contemporânea da Bolsa, Paris (Foto: Coleção Mansell).
66. Fanny Elssler (Foto: cortesia do Mercury Theatre, Nottinghill Gate).
67. *Madame Recamier*, J. L. David, Museu do Louvre, Paris (Foto: Coleção Mansell).
68. *A égua Molly Longleggs segura por seu jóquei*, Stubbs (Foto: Coleção Mansell).
69. *O garanhão selvagem*, Delacroix, Galeria de Arte de Budapeste (Foto: Museu de Belas Artes, Budapeste).
70. *Unter den Linden*, Eduard Gaerlner (1801-1877), Galeria Nacional Berlim.
71. Cenário para o primeiro ato de Otelo, de Rossini, Friedrich Schinkel (1781-1841), Teatro da Ópera de Berlim, 1847 (Foto: Archiv für kunst und Geschichte, Berlim).
72. Paisagem de Caspar David Friedrich (Foto: Marburg).
73. *Lua nascendo sobre o mar*, Caspar David Friedrich, Galeria Nacional, Berlim (Foto: Marburg).
74. *A Fábrica de Swainson*, Birley & Cia., G. Tingle (Foto: Coleção Mansell).
75. *A forja de ferro*, Joseph Wright, Coleção da falecida Condessa de Mountbatten de Burma, Royal Academy of Arts, Londres (Foto: Royal Academy of Arts).
76. *O mercado de escravos*, 1836, Horace Vernet (Foto: Marburg).
77. Dois oficiais europeus sendo entretidos por uma dança em uma casa da Índia por volta de 1800 (Foto: Commonwealth Relations Office).
78. *Mulheres de Argel em um Harém*, Delacroix, Museu do Louvre, Paris (Foto: Coleção Mansell).
79. *O foguete*, de George Stephenson (Foto: Museu da Ciência).
80. Modelo do *P. S. Britannia* (Foto: Museu da Ciência).
81. A lâmpada a óleo de Argand e a lâmpada química (Foto: The Illustrated London News).
82. A primeira rua iluminada a gás, Terraço da Carlton House, Pall Mall, 1809 (Foto: Coleção Mansell).

LISTA DE ILUSTRAÇÕES

83. *Desenhando retortas no grande estabelecimento de gás*, Brick Lane, 1830 (Foto: Museu Britânico).
84. *O túnel do Tâmisa*, 1825-1843, Isambard Kingdom Brunel (Foto: Coleção Mansell).
85. Fachada da loja Priest logo depois de sua inauguração (Foto: Radio Times, Hulton Picture Library).
86. Casa das Palmeiras no Jardim Botânico de Kew, Decimus Burton (Foto: *Sir* John Summerson).
87. A carruagem de Brighton em frente aos escritórios da empresa em Londres, 1840 (Foto: Coleção Mansell).
88. Inauguração da Estrada de Ferro Nápoles — Portici, Salvatore Fergola, Museo Nazionale di San Martino (Foto: Galeria Soprintendenza, Nápoles).
89. Método usado pelas crianças nas minas de carvão, Real Comissão sobre o Emprego de Crianças nas Minas, 1842 (Foto: Coleção Mansell).
90. Meio de trazer os trabalhadores infantis do fundo das minas de carvão, Real Comissão sobre o Emprego de Crianças nas Minas, 1842 (Foto: Coleção Mansell).
91. A plaina de Whitworth, 1842 (Foto: Crown Copyright).
92. Michael Faraday ministrando uma palestra no Instituto Real, 1846 (Foto: Crown Copyright).
93. Estante de minerais no ateliê de Goethe (Foto: Nationale Forchung: und Gedenkstätten in Weimer).
94. Alexandre von Humboldt (Foto: Coleção Mansell).
95. Alexandre Sergeievich Pushkin (Foto: Coleção Mansell).
96. Ludwig von Beethoven (Foto: Radio Times, Hulton Picture Library).
97. Johan Wolfgang von Goethe (Foto: Marburg).
98. George Wilhelm Friedrich Hegel (Foto: Coleção Mansell).
99. Autorretrato de Francisco de Goya y Lucientes (Foto: Coleção Mansell).
100. Charles Dickens (Foto: Coleção Mansell).
101. Honoré de Balzac (Foto: Coleção Mansell).

LISTA DE MAPAS

1. A Europa em 1789
2. A Europa em 1810
3. A Europa em 1840
4. A população mundial nas grandes cidades: 1800-1850
5. A cultura ocidental, 1815-1848: Ópera
6. A industrialização da Europa em 1850
7. A expansão do direito francês
8. A oficina do mundo

PREFÁCIO

Este livro traça a transformação do mundo entre 1789 e 1848 na medida em que essa transformação se deveu ao que aqui chamamos de "dupla revolução": a Revolução Francesa de 1789 e a revolução industrial (inglesa) contemporânea. Portanto, não se trata estritamente de um livro de história da Europa, tampouco do mundo. Na medida em que um determinado país tenha sentido as repercussões da dupla revolução nesse período, tentei referir-me a ele, embora frequentemente de maneira superficial. Sempre que esse impacto da revolução fosse irrelevante, omiti-o. Logo, o leitor encontrará aqui alguma coisa sobre o Egito, mas não sobre o Japão; mais sobre a Irlanda do que sobre a Bulgária, mais sobre a América Latina do que sobre a África. Naturalmente isto não significa que as histórias dos países e povos omitidas neste livro sejam menos interessantes ou menos importantes do que as que aqui se incluem. Se sua perspectiva é primordialmente europeia, ou mais precisamente franco-britânica, é porque nesse período o mundo — ou pelo menos uma grande parte dele — transformou-se a partir de uma base europeia, ou melhor, franco-britânica. Contudo, certos tópicos que poderiam perfeitamente ter recebido um tratamento mais detalhado foram também deixados de lado, não só por razões de espaço, mas também (como a história dos EUA) porque foram analisados extensamente em outros livros desta série.

Este livro não pretende ser uma narrativa minuciosa, mas sim uma interpretação que os franceses chamam de *haute vulgarisation*. Seu leitor ideal seria aquele construtor teórico, aquele cidadão culto e inteligente, que não tem uma simples curiosidade sobre o passado, mas que deseja compreender como e por que o mundo veio a ser o que é hoje, e para onde se dirige.

Consequentemente, seria pedante e desnecessário sobrecarregar o texto com o pesado aparato acadêmico que exigiria um público mais erudito. Portanto, minhas notas referem-se quase que inteiramente às fontes das citações e dos números que aparecem no texto, ou em alguns casos recorrem à autoridade em se tratando de declarações particularmente controvertidas ou surpreendentes.

Todavia, não seria justo deixar de dizer algumas palavras sobre o material em que se baseou um livro tão amplo. Todos os historiadores são mais versados (ou colocando o fato de outra maneira, mais ignorantes) em alguns campos do que em outros. Fora de uma área razoavelmente estreita, eles precisam contar em grande parte com o trabalho de outros historiadores. Para o período que vai de 1789 a 1848, esta literatura auxiliar constitui por si só uma massa impressa tão vasta que está além do conhecimento de qualquer indivíduo, mesmo daquele que saiba ler em todas as línguas em que se acha escrita. (De fato, é claro, todos os historiadores estão restritos a umas poucas línguas.) Muito do que se encontra neste livro é portanto de segunda ou mesmo de terceira mão, e inevitavelmente ele contém erros, bem como as inevitáveis simplificações de que se ressentirá o estudioso, assim como se ressente o próprio autor. Fornecemos uma bibliografia como guia para um estudo mais detalhado.

Embora a teia da história não possa ser desfeita em linhas separadas sem que seja destruída, uma certa subdivisão do assunto é essencial por motivos práticos. Procurei muito rudimentarmente dividir o livro em duas partes. A primeira trata amplamente dos principais desenvolvimentos históricos do período, enquanto a segunda esboça o tipo de sociedade produzida pela dupla revolução. Há, no entanto, superposições deliberadas e a distinção é uma questão não de teoria mas de pura conveniência.

PREFÁCIO

Devo meus agradecimentos a várias pessoas com as quais discuti aspectos deste livro ou que leram capítulos em rascunho ou em provas tipográficas, mas que não são responsáveis pelos meus erros; principalmente J. D. Bernal, Douglas Dakin, Ernst Fischer, Francis Haskell, H. G. Koenigsberger e R. F. Leslie. O capítulo 14, particularmente, deve muitas de suas ideias a Ernst Fischer. Ajudou-me consideravelmente como secretária e assistente de pesquisa a Srta. P. Ralph. O índice foi compilado pela Srta. E. Mason.

E. J. H.

INTRODUÇÃO

As palavras são testemunhas que muitas vezes falam mais alto que os documentos. Consideremos algumas palavras que foram inventadas, ou ganharam seus significados modernos, substancialmente no período de 60 anos de que trata este livro. Palavras como "indústria", "industrial", "fábrica", "classe média",* "classe trabalhadora", "capitalismo" e "socialismo". Ou ainda "aristocracia" e "ferrovia", "liberal" e "conservador" como termos políticos, "nacionalidade", "cientista" e "engenheiro", "proletariado" e "crise" (econômica). "Utilitário" e "estatística", "sociologia" e vários outros nomes das ciências modernas, "jornalismo" e "ideologia", todas elas cunhagens ou adaptações deste período.** Como também "greve" e "pauperismo".

---

* *"Middle class"* no original. Talvez seja esta a palavra mais frequentemente empregada por E. Hobsbawm, e sua tradução exata é infelizmente impossível: "classe intermediária" (entre a "classe alta", por um lado, constituída pela monarquia, nobreza e Igreja, e pela "classe baixa" dos camponeses com ou sem terra, dos artífices e domésticos, dos "trabalhadores pobres" (*labouring poor*), ou "classe burguesa e pequeno-burguesa" ainda diferenciada no período que nos ocupa. O inglês britânico possui duas séries de termos paralelos: *"bourgeoisie"* e *"upper middle class"* ("classe média superior") para a burguesia propriamente dita, *"petty-bourgeoisie"* e *"lower middle class"* ("classe média inferior") para a pequena burguesia, esta última também chamada de "classe média" em português. Na medida em que o período é da emergência das *"middle classes"* ("intermediárias") contra as superiores, e da sua principiante estratificação interna, a expressão "classe(s) média(s)", longe de designar única e especificamente a pequena burguesia, vai receber várias acepções, desde a de "conjunto das novas camadas sociais, políticas e profissionais emergentes na época" até a de "categoria social intermediária específica", cujas situação e composição são determinadas pelo contexto ou pelo momento histórico.

** A maioria destas palavras tem livre trânsito internacional, ou foram literalmente traduzidas em várias línguas. Assim, "socialismo" ou "jornalismo" são internacionais, enquanto a combinação "estrada de ferro" é a base do nome desse sistema de transporte em todo o mundo, exceto em seu país de origem (*railway*).

A ERA DAS REVOLUÇÕES

Imaginar o mundo moderno sem estas palavras (isto é, sem as coisas e conceitos a que dão nomes) é medir a profundidade da revolução que eclodiu entre 1789 e 1848, e que constitui a maior transformação da história humana desde os tempos remotos, quando o homem inventou a agricultura e a metalurgia, a escrita, a cidade e o Estado. Esta revolução transformou, e continua a transformar o mundo inteiro. Mas ao considerá-la devemos distinguir cuidadosamente entre os seus resultados de longo alcance, que não podem ser limitados a qualquer estrutura social, organização política ou distribuição de poder e recursos internacionais, e sua fase inicial e decisiva, que estava intimamente ligada a uma situação internacional e social específica. A grande revolução de 1789-1848 foi o triunfo não da "indústria" como tal, mas da indústria *capitalista;* não da liberdade e da igualdade em geral, mas da *classe média* ou da sociedade *"burguesa" liberal*; não da "economia moderna" ou do "Estado moderno", mas das economias e Estados em uma determinada região geográfica do mundo (parte da Europa e alguns trechos da América do Norte), cujo centro eram os Estados rivais e vizinhos da Grã-Bretanha e França. A transformação de 1789-1848 é essencialmente o levante gêmeo que se deu naqueles dois países e que dali se propagou por todo o mundo.

Mas não seria exagerado considerarmos esta dupla revolução — a francesa, bem mais política, e a industrial (inglesa) — não tanto como um fato que pertença à história dos dois países que foram seus principais suportes e símbolos, mas sim como a cratera gêmea de um vulcão regional bem maior. O fato de que as erupções simultâneas ocorreram na França e na Inglaterra, e de que suas características difiram tão pouco, não é nem acidental nem sem importância. Mas do ponto de vista do historiador, digamos, do ano 3000, assim como do ponto de vista do observador chinês ou africano, é mais relevante notar que elas ocorreram em algum ponto do noroeste europeu e em seus prolongamentos de além-mar, e que não poderiam sob hipótese alguma ter ocorrido naquela

INTRODUÇÃO

época em qualquer outra parte do mundo. É igualmente relevante notar que elas são, neste período, quase inconcebíveis sob qualquer outra forma que não a do triunfo do capitalismo liberal burguês.

É evidente que uma transformação tão profunda não pode ser entendida sem retrocedermos na história para bem antes de 1789, ou mesmo das décadas que imediatamente a precederam e que refletem claramente (pelo menos em retrospectiva) a crise dos *anciens régimes* da parte noroeste do mundo, que seriam demolidos pela dupla revolução. Quer consideremos ou não a Revolução Americana de 1776 uma erupção de significado igual ao das erupções franco-britânicas, ou meramente como seu mais importante precursor e estimulador imediato, quer atribuamos ou não uma importância fundamental às crises constitucionais e às desordens e agitações econômicas de 1760-1789, elas podem no máximo evidenciar a oportunidade e o ajustamento cronológico da grande ruptura e não explicar suas causas fundamentais. Para nossos propósitos é irrelevante o quanto devemos retroceder na história — se até a Revolução Inglesa da metade do século XVII, se até a Reforma e o princípio da conquista do mundo pelo poderio militar europeu e a exploração colonial do início do século XVI, ou mesmo mais para trás, já que a análise em profundidade nos levaria muito além das fronteiras cronológicas deste livro.

Aqui precisamos simplesmente observar que as forças econômicas e sociais, as ferramentas políticas e intelectuais desta transformação já estavam preparadas, pelo menos em uma parte da Europa suficientemente grande para revolucionar o resto. Nosso problema não é traçar o aparecimento de um mercado mundial, de uma classe bastante ativa de empresários privados, ou mesmo de um Estado dedicado (na Inglaterra) à proposição de que o aumento máximo dos lucros privados era o alicerce da política governamental. Tampouco constitui problema nosso traçar a evolução da tecnologia, do conhecimento científico ou da ideologia de uma crença no progresso individualista, secularista e racionalista.

A ERA DAS REVOLUÇÕES

Por volta de 1780 podemos considerar a existência destas crenças como certas, embora não possamos ainda assumir como certo que elas fossem suficientemente poderosas ou disseminadas. Ao contrário, devemos, quando muito, evitar a tentação de desprezar a novidade da dupla revolução ante a familiaridade de suas roupagens externas, ante o inegável fato de que as roupas, maneiras e prosa de Robespierre e Saint-Just não estariam deslocadas em um salão do *ancien régime,* de que Jeremy Bentham, cujas ideias reformistas expressavam a burguesia britânica por volta de 1830, era exatamente o mesmo homem que propusera as mesmas ideias à Catarina, a Grande, da Rússia, e de que as mais extremadas declarações da economia política da classe média vieram de membros da Câmara dos Lordes inglesa do século XVIII.

Assim, nosso problema é explicar não a existência destes elementos de uma nova economia e sociedade, mas o seu triunfo; traçar não a evolução do gradual solapamento que foram exercendo em séculos anteriores, minando a velha sociedade, mas sua decisiva conquista da fortaleza. E é também problema nosso traçar as profundas mudanças que este súbito triunfo trouxe para os países mais imediatamente afetados e para o resto do mundo que se achava então exposto a todo o impacto explosivo das novas forças, o "burguês conquistador", para citar o título de uma recente história do mundo deste período.

Inevitavelmente, visto que a dupla revolução ocorreu em uma parte da Europa, e seus efeitos mais imediatos e óbvios foram mais evidentes lá, a história de que trata este livro é sobretudo regional. Também inevitavelmente, visto que a revolução mundial espalhou-se para fora da dupla cratera da Inglaterra e da França, ela inicialmente tomou a forma de uma expansão europeia e de conquista do resto do mundo. De fato, sua mais notável consequência para a história mundial foi estabelecer um domínio do globo por uns poucos regimes ocidentais (e especialmente

INTRODUÇÃO

pelo regime britânico) que não tem paralelo na História. Ante os negociantes, as máquinas a vapor, os navios e os canhões do Ocidente — e ante suas ideias —, as velhas civilizações e impérios do mundo capitularam e ruíram. A Índia tornou-se uma província administrada pelos procônsules britânicos, os Estados islâmicos entraram em crise, a África ficou exposta a uma conquista direta. Até mesmo o grande Império Chinês foi forçado a abrir suas fronteiras à exploração ocidental em 1839-1842. Por volta de 1848, nada impedia o avanço da conquista ocidental sobre qualquer território que os governos ou os homens de negócios ocidentais achassem vantajoso ocupar, como nada a não ser o tempo se colocava ante o progresso da iniciativa capitalista ocidental.

E ainda assim a história da dupla revolução não é meramente a história do triunfo da nova sociedade burguesa. É também a história do aparecimento das forças que, um século depois de 1848, transformariam a expansão em contração. E mais ainda, por volta de 1848, esta extraordinária mudança de destinos já era até certo ponto visível. Naturalmente, a revolta mundial contra o Ocidente, que domina a metade do século XX, era então apenas escassamente discernível. Somente no mundo islâmico podemos observar os primeiros estágios do processo pelo qual os que foram conquistados pelo Ocidente adotaram suas ideias e técnicas para se virar contra ele: no início da reforma interna de ocidentalização do Império Turco, na década de 1830, e sobretudo na desprezada e significativa carreira de Mohammed Ali no Egito. Assim, na Europa, as forças e ideias que projetavam a substituição da nova sociedade triunfante já estavam aparecendo. O "espectro do comunismo" já assustava a Europa por volta de 1848, sendo exorcizado nesse mesmo ano. Depois disso, durante muito tempo ficaria impotente como são de fato os espectros, especialmente no mundo ocidental mais imediatamente transformado pela dupla revolução. Mas, se dermos uma olhada no mundo nos anos

1960, não seremos tentados a subestimar a força histórica do socialismo revolucionário e da ideologia comunista nascidos de uma reação contra a dupla revolução e que em 1848 tinham encontrado sua primeira formulação clássica. O período histórico que começa com a construção do primeiro sistema fabril do mundo moderno em Lancashire e com a Revolução Francesa de 1789 termina com a construção de sua primeira rede de ferrovias e a publicação do *Manifesto comunista*.

PRIMEIRA PARTE
EVOLUÇÃO

1. O MUNDO NA DÉCADA DE 1780

"Le dix-huitième siècle doit être mis au Panthéon."＊

Saint-Just[1]

1.

A primeira coisa a observar sobre o mundo na década de 1780 é que ele era ao mesmo tempo menor e muito maior do que o nosso. Era menor geograficamente, porque até mesmo os homens mais instruídos e bem informados da época — digamos, um homem como o cientista e viajante Alexander von Humboldt (1769-1859) — conheciam somente pedaços do mundo habitado. (Os "mundos conhecidos" de comunidades menos evoluídas e expansionistas do que as da Europa ocidental eram obviamente ainda menores, reduzindo-se a minúsculos segmentos da terra onde os analfabetos camponeses sicilianos ou o agricultor das montanhas de Burma viviam suas vidas, e para além dos quais tudo era e sempre seria eternamente desconhecido.) A maior parte da superfície dos oceanos, mas não toda, de forma alguma, já tinha sido explorada e mapeada graças à notável competência dos navegadores do século XVIII como James Cook, embora os conhecimentos humanos sobre o fundo do mar tenham permanecido insignificantes até a metade do século XX. Os principais contornos dos continentes e da maioria das ilhas eram conhecidos, embora,

---

＊ Em francês no original: "O século XVIII deveria ser colocado no Panteon."

pelos padrões modernos de maneira não muito acurada. O tamanho e a altura das cadeias de montanhas da Europa eram conhecidos com alguma precisão, as localizadas em partes da América Latina o eram de forma aproximada, as da Ásia, quase totalmente desconhecidas, e as da África (com exceção dos montes Atlas), praticamente ignoradas. Com exceção dos da China e da Índia, o curso dos grandes rios do mundo era um mistério para todos, a não ser para alguns poucos caçadores, comerciantes ou andarilhos que tinham ou tiveram conhecimento dos rios que corriam por suas regiões. Exceto por algumas áreas — em vários continentes, elas não passavam de alguns quilômetros terra adentro, a partir da costa —, o mapa do mundo consistia em espaços brancos cruzados pelas trilhas demarcadas por negociantes ou exploradores. Não fosse pelas informações descuidadas; de segunda ou terceira mão; colhidas por viajantes ou oficiais em postos militares remotos, estes espaços brancos teriam sido bem mais vastos do que de fato eram.

Não só o "mundo conhecido" era menor, mas também o mundo real, pelo menos em termos humanos. Já que para fins práticos não se dispunha de recenseamentos, todas as estimativas demográficas eram pura especulação, mas é evidente que a Terra abrigava somente uma fração da população de hoje; provavelmente não muito mais que um terço. Se as suposições mais comumente citadas não estiverem muito longe da realidade, a Ásia e a África comportavam uma proporção maior da população mundial do que hoje; a Europa, com aproximadamente 187 milhões de habitantes em 1800 (contra cerca de 600 milhões hoje), tinha uma proporção menor, e as Américas tinham obviamente uma proporção ainda menor. Aproximadamente, dois de cada três seres humanos eram asiáticos em 1800; um de cada cinco, europeu, um de cada dez, africano, e um de cada 33, americano ou da Oceania. É óbvio que esta população bastante menor era muito mais esparsamente distribuída pela face do globo, exceto talvez em algumas pequenas regiões de agricultura intensa ou de

O MUNDO NA DÉCADA DE 1780

alta concentração urbana, tais como partes da China, Índia e Europa central e ocidental, onde densidades comparáveis às dos tempos modernos podem ter existido. Se a população era menor, também era menor a efetiva colonização humana. As condições climáticas (provavelmente fazia mais frio e havia mais umidade que hoje, embora não fosse tão frio nem tão úmido como no pior período da "pequena era do gelo" de 1300-1700) fixaram os limites da colonização na região ártica. Doenças endêmicas, como a malária, ainda restringiam a colonização em muitas áreas, como o sul da Itália, onde as planícies do litoral, por muito tempo virtualmente desocupadas, só foram gradativamente povoadas durante o século XIX. As formas primitivas da economia, principalmente a caça e a emigração dos rebanhos (na Europa) devido às condições climáticas, com o seu desperdício territorial, mantiveram vastas populações fora de regiões inteiras — como as planícies da Apúlia; as gravuras turísticas da planície romana do início do século XIX são conhecidas ilustrações destas paisagens: a *campagna* era um espaço vazio infestado de malária, com algumas ruínas, algumas cabeças de gado e o estranho e pitoresco bandoleiro. E naturalmente muitas terras que vieram a ser cultivadas posteriormente ainda eram, mesmo na Europa, charnecas estéreis, pântanos, mato cerrado ou florestas.

A humanidade era menor ainda em um terceiro aspecto: os europeus, no geral, eram nitidamente mais baixos e mais leves do que hoje. Para dar uma ilustração da abundante estatística sobre a compleição dos recrutas na qual baseamos esta generalização: em um pequeno cantão da costa da Ligúria, 72% dos recrutas entre 1792-1799 tinham menos de 1,50 metro de altura.[2] Isto não significava que os homens do fim do século XVIII fossem mais frágeis do que somos. Os esqueléticos, raquíticos e destreinados soldados da Revolução Francesa eram capazes de um sofrimento físico igualado atualmente somente pelos diminutos guerrilheiros das montanhas coloniais. Era comum uma marcha picada de uma semana, sem descanso, com todo o equipamento, a uma média de 30 milhas por dia. No entanto, segundo os nossos padrões, a constituição física humana era muito pobre, como indica o excepcional valor dado pelos reis e generais aos "sujeitos altos", formados dentro da elite dos regimentos de guardas, couraceiros ou semelhantes.

Ainda assim, se o mundo era em muitos aspectos menor, a simples dificuldade ou incerteza das comunicações faziam-no praticamente maior do que é hoje. Não tenho a intenção de exagerar estas dificuldades. O fim do século XVIII era, pelos padrões medievais ou do século XVI, uma época de comunicações rápidas e abundantes, e mesmo antes da revolução das ferrovias, eram notáveis os aperfeiçoamentos nas estradas, nos veículos puxados a cavalo e no serviço postal. Entre a década de 1760 e o fim do século, a viagem de Londres a Glasgow foi reduzida de 10 ou 12 dias para 62 horas. O sistema de carruagens postais ou diligências, instituído na segunda metade do século XVIII, expandiu-se consideravelmente entre o fim das guerras napoleônicas e o surgimento da ferrovia, proporcionando não só uma relativa velocidade — o serviço postal de Paris a Strasburgo levava 36 horas em 1833 — como também regularidade. Porém o fornecimento de transporte de passageiros por terra era pequeno e o de mercadorias, também por terra, era vagaroso e proibitivamente caro. Os encarregados dos negócios governamentais e do comércio não se achavam absolutamente isolados: estima-se em 20 milhões o número de cartas que passaram pelo correio britânico no início das guerras com Bonaparte (no fim do período que nos interessa houve dez vezes mais movimento); mas para a grande maioria dos habitantes do mundo as cartas eram inúteis, já que não sabiam ler, e o ato de viajar — exceto talvez o de ir e vir dos mercados — era absolutamente fora do comum. Se eles ou suas mercadorias se moviam por terra, isso era feito na imensa maioria das vezes a pé ou então nas baixas velocidades das carroças, que mesmo no início do século XIX transportavam cinco sextas

O MUNDO NA DÉCADA DE 1780

partes do trânsito de mercadorias na França, a pouco menos de 20 milhas por dia. Os mensageiros percorriam longas distâncias com despachos; os postilhões conduziam as carruagens postais com mais ou menos uma dúzia de passageiros, todos sacolejando os ossos ou, caso sentados na nova suspensão de couro, sofrendo violentos enjoos. Os nobres locomoviam-se em carruagens particulares. Mas para a maior parte do mundo o que dominava o transporte terrestre era a velocidade do carreteiro caminhando ao lado da mula ou do cavalo.

Nessas circunstâncias, o transporte por água era, portanto, não só mais fácil e barato, mas também geralmente mais rápido (exceto quanto às incertezas dos ventos e do tempo). Durante sua excursão à Itália, viajando de navio entre Nápoles e a Sicília, Goethe levou quatro dias para ir e três para voltar. Seria espantoso o tempo que levaria para viajar por terra com algum conforto. Estar perto de um porto era estar perto do mundo. Na verdade, Londres estava mais perto de Plymouth ou Leith do que dos vilarejos de Norfolk; Sevilha era mais perto de Veracruz do que de Valladolid; e Hamburgo mais perto da Bahia do que do interior da Pomerânia. O principal inconveniente do transporte por água era sua intermitência. Mesmo em 1820 os correios de Londres para Hamburgo e Holanda eram despachados somente duas vezes por semana, para Suécia e Portugal, somente uma vez por semana, e para a América do Norte, uma vez por mês. Ainda assim não se pode ter dúvidas de que Boston e Nova York estavam muito mais intimamente ligadas a Paris do que, por exemplo, o condado de Maramaros, nos Cárpatos, a Budapeste. E assim como era mais fácil transportar homens e mercadorias em grandes quantidades pelas enormes distâncias oceânicas — mais fácil, por exemplo, para 44 mil pessoas zarparem para a América dos portos norte-irlandeses em cinco anos (1769-1774) do que transportar 5 mil para Dundee em três gerações —, era também mais fácil ligar capitais distantes do que o campo às cidades. A notícia

A ERA DAS REVOLUÇÕES

da queda da Bastilha chegou a Madri em 13 dias; mas em Péronne, distante apenas 133 quilômetros da capital francesa, "as novas de Paris" só chegaram no fim do mês.

O mundo em 1789 era, portanto, para a maioria dos seus habitantes, incalculavelmente grande. A maioria deles, a não ser que fossem arrancados de seu pedaço de terra por algum terrível acontecimento, como o recrutamento militar, vivia e morria no distrito ou mesmo na paróquia onde havia nascido: ainda em 1861, nove em cada dez habitantes de 70 dos 90 departamentos franceses moravam no departamento onde haviam nascido. O resto do mundo era assunto dos agentes governamentais e dos boatos. Não havia jornais, exceto os pouquíssimos periódicos das classes média e alta — ainda em 1814 era de apenas 5 mil exemplares a circulação de um jornal francês —, e de qualquer forma pouca gente sabia ler. As notícias chegavam à maioria das pessoas por meio dos viajantes e do setor móvel da população: mercadores e mascates, artesãos itinerantes, trabalhadores de temporada, grande e confusa população de andarilhos que ia desde frades ou peregrinos até contrabandistas, ladrões e o populacho; e, é claro, através dos soldados que caíam sobre o povo durante as guerras e o aquartelavam nos períodos de paz. Naturalmente que as notícias também vinham através dos canais oficiais — pelo Estado ou pela Igreja. Mas mesmo a massa de agentes locais destas organizações, a ecumênica e a estatal, era de gente do próprio lugar, ou então de homens destacados para um serviço vitalício entre os de sua categoria. Fora das colônias, o funcionário nomeado pelo governo central e enviado para uma sucessão de postos nas províncias era algo que apenas começava a existir. De todos os agentes subalternos do Estado talvez só o oficial de regimento estivesse habituado a uma vida sem paradeiro, amenizada unicamente pela variedade dos vinhos, das mulheres e dos cavalos da mãe pátria.

O MUNDO NA DÉCADA DE 1780

2.

O mundo em 1789 era essencialmente rural e é impossível entendê-lo sem assimilar este fato fundamental. Em países como a Rússia, a Escandinávia ou os Bálcãs, onde a cidade jamais se desenvolvera de forma acentuada, cerca de 90% a 97% da população era rural. Mesmo em áreas com uma forte tradição urbana, ainda que decadente, a porcentagem rural ou agrícola era extraordinariamente alta, segundo dados disponíveis: 85% na Lombardia, 72%-80% na Venécia, mais de 90% na Calábria e na Lucânia.[3] De fato, exceto em algumas áreas comerciais e industriais bastante desenvolvidas, seria muito difícil encontrar um grande Estado europeu no qual ao menos quatro de cada cinco habitantes não fossem camponeses. E até mesmo na própria Inglaterra, a população urbana só veio a ultrapassar a população rural pela primeira vez em 1851.

A palavra "urbano" é certamente ambígua. Ela inclui as duas cidades europeias que por volta de 1789 podem ser chamadas de genuinamente grandes segundo os nossos padrões — Londres, com cerca de 1 milhão de habitantes, e Paris, com meio milhão — e umas 20 outras com uma população de 100 mil ou mais: duas na França, duas na Alemanha, talvez quatro na Espanha, talvez cinco na Itália (o Mediterrâneo era tradicionalmente o berço das cidades), duas na Rússia e apenas uma em Portugal, na Polônia, na Holanda, na Áustria, na Irlanda, na Escócia e na Turquia europeia. Mas o termo "urbano" também inclui a multidão de pequenas cidades de província, onde se encontrava realmente a maioria dos habitantes urbanos; aquelas onde o homem podia, a pé e em poucos minutos, vencer a distância entre a praça da catedral, rodeada pelos edifícios públicos e pelas casas das celebridades, e o campo. Dos 19% de austríacos que, mesmo no fim do nosso período (1834), viviam em cidades, bem mais de três quartos viviam em cidades com menos de 20 mil habitantes e cerca

A ERA DAS REVOLUÇÕES

da metade em cidades que variavam de 2 a 5 mil habitantes. Eram estas as localidades por onde perambulavam os aprendizes franceses em seus *Tours de France* e cujos perfis setecentistas, preservados como moscas no âmbar pela estagnação dos séculos subsequentes, os poetas românticos alemães evocaram como pano de fundo de tranquilas paisagens; sobre as quais se erguiam as torres das catedrais espanholas; entre cujas paredes os judeus hassídicos veneravam seus milagrosos rabinos, ao passo que os ortodoxos discutiam as divinas sutilezas da lei; e para onde rumaram o inspetor-geral de Gogol, a fim de aterrorizar os ricos, e Chichikov, decidido à compra de almas: isto é, "os servos mortos", como também pode ser traduzido do russo o título de Gogol. Mas foi também destas cidades que saíram os jovens e ardentes ambiciosos para fazer fortuna ou revoluções, ou as duas coisas ao mesmo tempo. Robespierre veio de Arras, Gracchus Babeuf, de Saint-Quentin, Napoleão, de Ajaccio.

Estas cidades de província não eram menos urbanas por serem pequenas. Os autênticos homens das cidades desprezavam o campo ao redor com o desprezo que sentem os eruditos e os homens de espírito pelos lentos, ignorantes e estúpidos. (Não que pelos padrões do verdadeiro homem mundano a sonolenta comunidade interiorana tivesse qualquer motivo para se vangloriar: as comédias populares alemãs ridicularizavam a pequena municipalidade — "Kraehwinkel" — tão cruelmente como a mais caipira das roças.) A linha que separava a cidade e o campo, ou melhor, as atividades urbanas e as atividades rurais, era bem marcada. Em muitos países a barreira dos impostos, ou às vezes mesmo a velha muralha, dividiam os dois. Em casos extremos, como na Prússia, o governo, ansioso em manter seus possíveis contribuintes sob uma adequada fiscalização, operava uma separação quase total entre as atividades rurais e urbanas. Mesmo onde não havia uma divisão administrativa tão rígida, os habitantes das cidades eram quase sempre fisicamente diferentes dos homens do campo. Em uma vasta área da Europa oriental, as pessoas da cidade eram ilhas germânicas, judias ou italianas em um lago eslavo, magiar ou romeno. Mesmos os habitantes urbanos que tinham a mesma religião e nacionalidade dos camponeses ao redor tinham uma *aparência* distinta: vestiam roupas diferentes e eram de fato mais altos (exceto no caso da população explorada que trabalhava nas fábricas ou dentro de casa), embora talvez fossem igualmente magros.* Tinham provavelmente um raciocínio mais rápido e eram mais letrados, e certamente se orgulhavam disso. Ainda assim, em seu modo de vida, eram quase tão ignorantes sobre o que se passava fora do seu distrito, quase tão embotados quanto os habitantes das aldeias.

A cidade provinciana ainda pertencia essencialmente à sociedade e à economia do campo. Além de se refestelar sobre os camponeses vizinhos, ocupava-se (relativamente com poucas exceções) de muito pouco mais, exceto de lavar sua própria roupa. Suas classes média e profissional eram constituídas pelos negociantes de trigo e de gado, os processadores de produtos agrícolas, os advogados e tabeliões que manipulavam os assuntos relativos ao patrimônio dos nobres ou os intermináveis litígios que são parte integrante da vida em comunidades proprietárias de terras, os empresários mercantis que exploravam os empréstimos aos fiandeiros e tecelões dos campos, e, por fim, os mais respeitáveis representantes do governo, o nobre e a Igreja. Seus artesãos e lojistas asseguravam as provisões aos camponeses e aos citadinos que viviam à custa dos camponeses. A cidade provinciana sofrera um triste declínio depois de atingir o auge de desenvolvimento no fim da Idade Média. Só raramente era uma "cidade livre" ou uma cidade-Estado; só raramente continuara a ser um centro produtor para um mercado mais amplo ou um importante palco no co-

---

* Assim em 1823-1827 os habitantes de Bruxelas eram em média 3 cm e os de Louvain 2 cm mais altos do que os homens que habitavam as comunas rurais ao redor. Há bastante material estatístico militar sobre o assunto, embora todo ele seja do século XIX.[4]

A ERA DAS REVOLUÇÕES

mércio internacional. Como havia declinado, agarrou-se com crescente obstinação ao monopólio do mercado local, que defendia contra todos os que chegassem: muito do provincianismo ridicularizado pelos jovens radicais e os trapaceiros das grandes cidades derivava deste movimento de autodefesa econômica. No sul da Europa, os cavalheiros e até mesmo os nobres viviam desse provincianismo, alugando suas propriedades. Na Alemanha, as burocracias de inúmeros pequenos principados, que eram pouco mais que grandes propriedades, administravam os desejos das sereníssimas altezas com os impostos cobrados de um campesinato silencioso e obediente. A cidade provinciana do fim do século XVIII podia ser uma próspera comunidade em expansão, como a sua paisagem dominada por construções de pedra em modesto estilo clássico ou rococó ainda hoje testemunha em parte da Europa ocidental. Mas essa prosperidade vinha do campo.

3.

O problema agrário era portanto fundamental no ano de 1789, e é fácil compreender por que a primeira escola sistematizada de economistas do continente, os fisiocratas franceses, tomara como verdade o fato de que a terra, e o aluguel da terra, era a única fonte de renda líquida. E o ponto crucial do problema agrário era a relação entre os que cultivavam a terra e os que a possuíam, os que produziam sua riqueza e os que a acumulavam.

Do ponto de vista das relações de propriedade agrária, podemos dividir a Europa — ou melhor, o complexo econômico cujo centro ficava na Europa ocidental — em três grandes segmentos. No oeste da Europa ficavam as colônias de além-mar. Nelas, com a notável exceção da parte norte dos Estados Unidos da América e alguns trechos menos significa-

O MUNDO NA DÉCADA DE 1780

tivos de exploração agrícola independente, o lavrador típico era o índio que trabalhava à força ou se encontrava virtualmente escravizado, ou o negro que trabalhava como escravo; um pouco mais raramente, um camponês arrendatário, um meeiro ou algo semelhante. (Nas colônias das Índias orientais, onde o cultivo direto por plantadores europeus era mais raro, a forma típica de compulsão usada pelos controladores da terra era a entrega obrigatória de cotas da safra, como por exemplo, especiarias ou café nas ilhas holandesas.) Em outras palavras, o cultivador típico não tinha liberdade ou então trabalhava sob coerção política. O proprietário típico era o dono de uma propriedade enorme, quase feudal (*hacienda*, finca, estância), ou de uma plantação com escravos. A economia característica da propriedade quase feudal era primitiva e voltada para si mesma ou de qualquer forma ajustada para necessidades puramente regionais: a América espanhola exportava produtos de mineração, também produzidos pelos índios virtualmente escravizados, mas nada exportava em termos de produtos agrícolas. A economia característica da zona de plantação escrava, cujo centro ficava nas ilhas do Caribe, ao longo do litoral norte da América do Sul (em especial o norte do Brasil) e no litoral sul dos EUA, era a produção de algumas culturas de exportação de vital importância: açúcar, em menos quantidade o café e o tabaco, tintas e, a partir da revolução industrial, sobretudo o algodão. Formava portanto uma parte integral da economia europeia e, através do tráfico de escravos, da economia africana. Fundamentalmente a história desta zona no período que nos interessa pode ser escrita em termos da queda do açúcar e da ascensão do algodão.

A leste da Europa ocidental, mais especificamente a leste de uma linha que passaria mais ou menos ao longo do rio Elba, das fronteiras ocidentais da Tchecoslováquia, e dali em direção ao sul rumo a Trieste, separando a Áustria Ocidental da Oriental, ficava a região de servidão agrária. Socialmente, a Itália, ao sul da Toscana e da Úmbria, e o sul

37

da Espanha pertenciam a esta região, embora não a Escandinávia (com exceção parcial da Dinamarca e do sul da Suécia). Esta vasta zona tinha trechos onde viviam camponeses tecnicamente livres: colonos alemães espalhados por toda a região, da Eslovênia ao Volga, clãs virtualmente independentes nos selvagens montes rochosos do interior da Ilíria, camponeses guerreiros quase tão selvagens como os panduros e os cossacos no que foi a fronteira militar entre os cristãos e os turcos ou tártaros, colonos pioneiros e livres para além do alcance do senhor ou do Estado, ou os que viviam nas grandes florestas, onde a lavoura de larga escala era impossível. Entretanto, no geral, o lavrador típico não era livre, e de fato estava quase afogado pela enchente de servidão que foi crescendo praticamente sem cessar desde o fim do século XV e início do XVI. Essa situação era menos evidente na região dos Bálcãs, que esteve ou ainda estava sob a administração direta dos turcos. Embora o sistema agrário original do pré-feudalismo turco, uma divisão grosseira da terra em que cada unidade sustentava um guerreiro turco não hereditário, tivesse há muito se degenerado em um sistema de pecúlio hereditário de propriedades sob o controle dos senhores maometanos, estes senhores raramente se envolviam com a lavoura. Simplesmente sugavam o que podiam do seu campesinato. Eis aí a razão pela qual os Bálcãs, ao sul do Danúbio e do Sava, emergiram da dominação turca nos séculos XIX e XX substancialmente como países camponeses, embora extremamente pobres, e não como países de caráter agrícola concentrado. Além disso, o camponês dos Bálcãs era legalmente servo como cristão e servo *de facto* como camponês, pelo menos enquanto estivesse ao alcance dos senhores.

No resto dessa área, todavia, o camponês típico era um servo, que dedicava uma enorme parte da semana ao trabalho forçado na terra do senhor ou o equivalente em outras obrigações. Sua falta de liberdade era tão grande que mal se poderia distingui-la da escravidão, como na Rússia

O MUNDO NA DÉCADA DE 1780

e partes da Polônia, onde podia ser vendido separadamente da terra: um anúncio na *Gazette de Moscou* em 1801 colocava "à venda, três cocheiros, bem treinados e bastante apresentáveis, duas moças de 18 e 15 anos, ambas de boa aparência e hábeis em vários tipos de trabalhos manuais. A mesma casa tem à venda duas cabeleireiras, sendo uma de 21 anos, que sabe ler e escrever, tocar instrumentos musicais e fazer trabalhos de mensageira, e a outra apta a arrumar os cabelos de cavalheiros e damas; vendemos também pianos e órgãos". (Uma grande quantidade de servos trabalhava em serviços domésticos; na Rússia, em 1851, eram quase 5% do total.)[5] Na região do Mar Báltico — a principal rota de comércio com a Europa ocidental —, a agricultura servil produzia basicamente culturas de exportação para os países do Ocidente: trigo, fibra de linho, cânhamo e produtos florestais usados principalmente na fabricação de navios. Nas outras áreas, funcionava mais para os mercados regionais, que possuíam pelo menos uma zona de desenvolvimento urbano e manufatureiro relativamente avançado e de fácil acesso, como a Saxônia, a Boêmia e Viena. A maior parte dessa agricultura, todavia, continuava atrasada. A abertura da rota do Mar Negro e a crescente urbanização da Europa ocidental, principalmente da Inglaterra, apenas haviam começado a estimular as exportações de trigo do cinturão de terra negra da Rússia, que viriam a ser a base do comércio externo russo até a industrialização da ex-URSS. A área de servidão oriental pode portanto ser considerada também uma "economia dependente", produtora de alimentos e matérias-primas para a Europa ocidental, de forma análoga às colônias de além-mar.

As áreas de servidão na Itália e na Espanha tinham características econômicas semelhantes, embora os aspectos legais de estatuto dos camponeses fossem um tanto diferentes. De maneira geral, eram áreas de enormes propriedades da nobreza. É possível que na Sicília e na Andaluzia várias dessas propriedades descendessem diretamente dos latifúndios romanos,

A ERA DAS REVOLUÇÕES

cujos escravos e colonos tinham se transformado nos típicos trabalhadores diaristas sem terras dessas regiões. A criação de gado, a produção de trigo (a Sicília é um velho celeiro exportador) e a extorsão de tudo o que fosse possível ao miserável campesinato eram as fontes de renda dos duques e barões que os possuíam.

O senhor de terras característico das áreas de servidão era assim um nobre proprietário e cultivador ou um explorador de enormes fazendas. A vastidão desses latifúndios era espantosa: Catarina, a Grande, deu entre 40 e 50 mil servos aos seus favoritos; os Radziwill da Polônia tinham fazendas tão grandes quanto a metade da Irlanda; Potocki possuía 3 milhões de acres na Ucrânia; os Esterhazy húngaros (patronos de Haydn) possuíam em certa época 7 milhões de acres. Eram comuns as fazendas de várias centenas de milhares de acres.* Embora muitas vezes descuidadas, primitivas e improdutivas, forneciam rendimentos principescos. O grande nobre espanhol podia, conforme observou um visitante francês sobre as desoladas fazendas Medina Sidonia, "reinar como um leão na selva e espantar com seu urro tudo que dele se aproximasse",[6] mas nunca estava sem dinheiro, mesmo pelos padrões dos milordes britânicos.

Abaixo dos magnatas, uma classe de cavalheiros rurais, de tamanho e recursos econômicos variados, explorava os camponeses. Em alguns países, era demasiadamente grande, e portanto descontente, distinguindo-se dos não nobres basicamente pelos seus privilégios políticos e sociais e pela sua falta de inclinação para atividades anticavalheirescas tais como o trabalho. Na Hungria e na Polônia, essa classe era composta de 1/10 da população, na Espanha de cerca de meio milhão de pessoas no final do século XVIII. Em 1827, equivalia, só nesses países, a 10% de toda a nobreza europeia;[7] nos outros lugares, era bem menor.

---

* Oitenta fazendas de mais de 25.000 acres (10.000 ha) aproximadamente foram confiscadas na Tchecoslováquia depois de 1918, dos quais 500.000 acres dos Schoenborn e 500.000 dos Schwarzenberg, 400.000 dos Liechtenstein e 170.000 dos Kinsky.[8]

O MUNDO NA DÉCADA DE 1780

4.

No resto da Europa, a estrutura agrária era socialmente semelhante. Isto quer dizer que, para um trabalhador ou camponês, qualquer pessoa que possuísse uma propriedade era um "cavalheiro" e membro da classe dominante, e, vice-versa, o *status* de nobre ou de gentil-homem (que dava privilégios políticos e sociais e era ainda de fato a única via para os mais altos postos do Estado) era inconcebível sem uma propriedade. Na maioria dos países da Europa ocidental, a ordem feudal implícita nessa maneira de pensar estava ainda muito viva politicamente, embora fosse cada vez mais obsoleta em termos econômicos. De fato, sua própria obsolescência econômica, que fazia com que os rendimentos dos nobres e cavalheiros ficassem cada vez mais defasados em relação ao aumento dos preços e dos gastos, levava a aristocracia a explorar com intensidade cada vez maior seu único bem econômico inalienável, os privilégios de *status* e de nascimento. Em toda a Europa continental, os nobres expulsavam seus rivais malnascidos de todos os cargos rendosos no serviço da coroa: desde a Suécia, onde a proporção de funcionários plebeus caiu de 66% em 1719 (42% em 1700) para 23% em 1780,[9] até a França, onde esta "reação feudal" precipitou a Revolução Francesa (veja o Capítulo 3). Porém mesmo nas regiões onde estivesse claramente abalado sob certos aspectos — como na França, onde era relativamente fácil passar à condição de nobre proprietário, ou, mais ainda, na Inglaterra, onde esse *status* era a recompensa para qualquer tipo de riqueza, desde que ela fosse suficientemente grande — o elo entre a posse de terras e o *status* de classe dominante continuava forte, e tinha de fato se tornado nos últimos tempos mais intenso.

Economicamente, entretanto, a sociedade rural ocidental era muito diferente. O camponês típico tinha perdido muito da sua condição de

A ERA DAS REVOLUÇÕES

servo no final da Idade Média, embora ainda frequentemente guardasse muitas marcas amargas da dependência legal. A propriedade característica já de há muito deixara de ser uma unidade de iniciativa econômica e tinha se tornado um sistema de cobrança de aluguéis e de outros rendimentos monetários. O camponês mais ou menos livre, grande, médio ou pequeno, era o lavrador típico. Se de alguma forma arrendatário, pagava aluguel ao senhor das terras (ou, em algumas áreas, uma quota da safra). Caso fosse tecnicamente um livre proprietário, provavelmente ainda devia ao senhor local uma série de obrigações que podiam ou não ser convertidas em dinheiro (como por exemplo a obrigação de enviar seu trigo para o moinho do senhor), assim como devia impostos ao príncipe, dízimos à Igreja, e algumas obrigações de trabalho forçado, todas elas em contraste com a isenção relativa das camadas sociais mais altas. Mas, se estes vínculos políticos fossem retirados, uma grande parte da Europa surgiria como uma área de agricultura camponesa; uma área onde, geralmente, uma minoria de camponeses abastados tendesse a se tornar fazendeiros comerciais, vendendo ao mercado urbano um excedente permanente da safra, e uma maioria de pequenos e médios camponeses vivesse de suas propriedades mais ou menos de forma autossuficiente, a menos que elas fossem tão pequenas que os obrigassem a trabalhar parte do tempo na agricultura ou na manufatura, em troca de salários.

Somente algumas áreas levaram o desenvolvimento agrário mais adiante, rumo a uma agricultura puramente capitalista. A Inglaterra era a principal delas. Lá, a propriedade de terras era extremamente concentrada, mas o agricultor típico era o arrendatário com um empreendimento comercial médio, operado por mão de obra contratada. Uma grande quantidade de pequenos proprietários, aldeões etc. ainda obscurecia este fato. Mas quando tudo se tornou claro, aproximadamente entre 1760 e 1830, o que apareceu não foi uma agricultura camponesa, mas sim uma classe de empresários agrícolas, os fazendeiros, e um enorme

O MUNDO NA DÉCADA DE 1780

proletariado rural. Algumas áreas da Europa onde o investimento comercial tradicionalmente era feito na exploração agrícola, como em partes do norte da Itália e nos Países Baixos, ou onde se produziam safras comerciais especializadas, também demonstravam fortes tendências capitalistas, mas isto era um fato excepcional. Outra exceção era a Irlanda, uma ilha infeliz que combinava as desvantagens das áreas atrasadas da Europa com as da proximidade da economia mais adiantada. Na Irlanda, um pequeno número de latifundiários ausentes da terra, semelhantes aos da Andaluzia ou da Sicília, explorava uma vasta massa de arrendatários com exorbitantes aluguéis.

Tecnicamente a agricultura europeia era ainda, com exceção de algumas regiões mais desenvolvidas, duplamente tradicional e assustadoramente ineficiente. Seus produtos eram ainda os tradicionais: centeio, trigo, cevada, aveia e, na Europa oriental, trigo sarraceno (alimento básico da população), gado de corte, cabras e seus laticínios, porcos e aves, uma certa quantidade de frutas e legumes, vinho, e algumas matérias-primas industriais como a lã, a fibra de linho, cânhamo para cordame, cevada para a produção de cerveja etc. A alimentação da Europa era essencialmente regional. Os produtos de outros climas eram ainda raridades próximas do luxo, exceto talvez o açúcar, o mais importante alimento importado dos trópicos e cuja doçura provocou mais amargura humana do que qualquer outro. Na Inglaterra (reconhecidamente o país mais adiantado), o consumo anual médio *per capita* na década de 1790 era de 14 libras. Mas mesmo na Inglaterra o consumo *per capita* médio de chá, no ano da Revolução Francesa, era de menos de 2 onças por mês.

As novas culturas importadas das Américas ou de outras regiões tropicais tinham feito algum progresso. No sul da Europa e nos Bálcãs, o milho já se achava bastante disseminado — esta espécie de milho tinha ajudado a fixar camponeses nômades em seus sítios nos Bálcãs — e no norte da Itália o arroz tinha experimentado certo avanço. O fumo era cultivado em vários principados, basicamente como um monopólio governamental para fins fiscais, embora seu uso pelos padrões modernos fosse desprezível: em 1790, o inglês médio fumava, cheirava ou mascava cerca de uma onça e um terço por mês. A cultura da seda era comum em partes da Europa meridional. A batata, a mais importante das novas colheitas, estava apenas começando seu caminho, exceto talvez na Irlanda, onde sua capacidade de alimentar em nível de subsistência mais gente por acre do que qualquer outro alimento tinha feito dela o principal produto de cultivo. Fora da Inglaterra e dos Países Baixos, o cultivo sistemático de raízes e forragem (tirando o feno) ainda era uma exceção; e só as guerras napoleônicas trouxeram a produção em massa da beterraba para a fabricação de açúcar.

O século XVIII não era, logicamente, um século de estagnação agrícola. Pelo contrário, um longo período de expansão demográfica, de urbanização crescente, de fabricação e comércio encorajava a melhoria da agricultura e de fato a requisitava. A segunda metade do século viu o início do surpreendente e ininterrupto aumento da população que é tão característico do mundo moderno: entre 1755 e 1784, por exemplo, a população rural de Brabant (Bélgica) aumentou 44%.[10] Mas o que impressionava os inúmeros incentivadores da melhoria agrícola, que multiplicavam suas associações em defesa desse objetivo, produzindo relatórios governamentais e publicações propagandísticas desde a Espanha até a Rússia, era o tamanho dos obstáculos para o avanço agrícola e não o progresso que se verificara.

5.

O mundo agrícola era lerdo, a não ser talvez em seu setor capitalista. Já os mundos do comércio e da manufatura, e as atividades intelectuais e

O MUNDO NA DÉCADA DE 1780

tecnológicas que os acompanhavam, eram seguros de si e dinâmicos, e as classes que deles se beneficiavam eram ativas, determinadas e otimistas. O observador contemporâneo seria mais diretamente surpreendido pelo amplo desdobramento do comércio, que estava intimamente ligado à exploração colonial. Um sistema de vias comerciais marítimas, que crescia rapidamente em volume e capacidade, circundava a terra, trazendo seus lucros às comunidades mercantis europeias do Atlântico Norte. Usavam o poderio colonial para roubar dos habitantes das Índias Orientais* as mercadorias exportadas dali para a Europa e a África, onde, juntamente com as mercadorias europeias, eram usadas na compra de escravos para os sistemas de plantação que cresciam rapidamente nas Américas. As plantações americanas, por seu turno, exportavam açúcar, algodão etc. em quantidades cada vez maiores e baratas para os portos do Atlântico e do Mar do Norte, de onde eram redistribuídas para o leste, juntamente com as manufaturas e mercadorias tradicionais do comércio da Europa ocidental com a oriental: têxteis, sal, vinho e o resto. Do Báltico, por sua vez, vinham os cereais, a madeira e a fibra de linho. Da Europa oriental, espécie de segunda zona colonial, os cereais, a madeira, a fibra de linho e o linho propriamente dito (uma lucrativa exportação para os trópicos), o cânhamo e o ferro. E entre as economias europeias relativamente desenvolvidas — que incluíam, economicamente falando, as comunidades cada vez mais ativas de colonizadores brancos nas colônias britânicas do norte da América (depois de 1783, o norte dos EUA) — a teia do comércio tornou-se cada vez mais densa.

O *nabob* ou plantador retornava das colônias com fortunas que estavam além dos sonhos da avareza provinciana. Os mercadores e armadores cujos esplêndidos portos — Bordeaux, Bristol, Liverpool — haviam

---

* Até certo ponto também do Extremo Oriente, onde compravam chá, seda, porcelana etc., para os quais havia uma crescente demanda na Europa. Mas a independência política da China e do Japão fazia deste comércio uma atividade menos pirata.

A ERA DAS REVOLUÇÕES

sido construídos ou reconstruídos durante o século pareciam ser os verdadeiros campeões econômicos da época, comparáveis somente aos grandes funcionários e financistas que tiravam suas fortunas dos lucrativos serviços dos Estados, pois esta era a época em que o termo "cargos rendosos no serviço da Coroa" tinha seu significado literal. Comparada a eles, a classe média de advogados, gerentes de fazendas, cervejeiros locais, comerciantes e outros, que acumularam uma pequena fortuna proveniente do mundo agrícola, vivia uma vida pacata e modesta, e até mesmo o fabricante pareceria pouco mais que um primo pobre. Já que, embora a mineração e a fabricação estivessem se expandindo rapidamente em todas as partes da Europa, o mercador (e na Europa oriental também muitas vezes o senhor feudal) é que continuava fundamentalmente a deter seu controle.

Isto ocorria porque a principal forma de expandir a produção industrial era o chamado sistema doméstico ou do "bota fora", no qual o mercador comprava os produtos dos artesãos ou do tempo de trabalho não agrícola do campesinato, para vendê-los em um mercado mais amplo. O simples crescimento deste comércio inevitavelmente criou condições rudimentares para um precoce capitalismo industrial. O artesão que vendia suas mercadorias poderia se transformar em pouco mais que um trabalhador pago por artigo produzido (especialmente quando o mercador lhe fornecia a matéria-prima, e talvez arrendasse equipamento produtivo). O camponês que também tecesse poderia vir a ser o tecelão que também tinha um pequeno lote de terra. A especialização dos processos e funções poderia dividir o velho ofício ou criar um complexo de trabalhadores semiqualificados entre os camponeses. O velho mestre-artesão, ou algum grupo especial de ofícios ou mesmo de intermediários locais poderiam se transformar em algo parecido com empregadores ou subcontratadores. Mas o controlador-chefe destas formas descentralizadas de produção, aquele que ligava a mão de obra de vilarejos perdidos ou

O MUNDO NA DÉCADA DE 1780

de ruelas afastadas com o mercado mundial, era uma espécie de mercador. E os "industriais" que estavam aparecendo ou a ponto de aparecer das fileiras dos próprios produtores eram, em comparação a ele, ínfimos operadores, quando não diretamente dependentes dele, com algumas exceções, especialmente na Inglaterra industrial. Os proprietários de siderurgias, homens como o grande oleiro Josiah Wedgwood, eram orgulhosos e respeitados, seus estabelecimentos visitados pelos curiosos de toda a Europa. Mas o industrial típico (a palavra não havia sido inventada ainda) era nesta época um pobre gerente e não um capitão de indústria.

Não obstante, qualquer que fosse seu *status,* as atividades comerciais e manufatureiras floresciam de forma exuberante. O Estado mais bem-sucedido da Europa no século XVIII, a Grã-Bretanha, devia plenamente o seu poderio ao progresso econômico, e por volta da década de 1780 todos os governos continentais com qualquer pretensão a uma política racional estavam consequentemente fomentando o crescimento econômico, e especialmente o desenvolvimento industrial, embora com sucesso muito variável. As ciências, ainda não divididas pelo academicismo do século XIX em uma ciência "pura" superior e uma outra "aplicada" inferior, dedicavam-se à solução de problemas produtivos, e os mais surpreendentes avanços da década de 1780 foram na química, que era por tradição muito intimamente ligada à prática de laboratório e às necessidades da indústria. A grande *Enciclopédia* de Diderot e d'Alembert não era simplesmente um compêndio do pensamento político e social progressista, mas do progresso científico e tecnológico. Pois, de fato, o "iluminismo", a convicção no progresso do conhecimento humano, na racionalidade, na riqueza e no controle sobre a natureza — de que estava profundamente imbuído o século XVIII — derivou sua força primordialmente do evidente progresso da produção, do comércio e da racionalidade econômica e científica que se acreditava estar associada a ambos. E seus maiores campeões eram as classes economicamente mais progressistas, as que mais diretamente se envolviam nos avanços tangíveis da época: os círculos mercantis e os financistas e proprietários economicamente iluminados, os administradores sociais e econômicos de espírito científico, a classe média instruída, os fabricantes e os empresários. Estes homens saudaram Benjamin Franklin, impressor e jornalista, inventor, empresário, estadista e negociante astuto, como o símbolo do cidadão do futuro, *o self-made-man* racional e ativo. Na Inglaterra, onde os novos homens não tinham necessidade de encarnações revolucionárias transatlânticas, estes homens formavam as sociedades provincianas das quais nasceram tanto o avanço político e social quanto o científico. A *sociedade lunar* de Birmingham incluía entre seus membros o oleiro Josiah Wedgwood, o inventor da moderna máquina a vapor James Watt e seu sócio Matthew Boulton, o químico Priestley, o biólogo e gentil-homem Erasmus Darwin (pioneiro das teorias da evolução e avô do grande Darwin) e o grande impressor Baskerville. Estes homens se organizavam por toda a parte em lojas de franco-maçonaria, em que as distinções de classe não importavam e a ideologia do Iluminismo era propagada com um desinteressado denodo.

É significativo que os dois principais centros dessa ideologia fossem também os da dupla revolução, a França e a Inglaterra; embora de fato as ideias iluministas ganhassem uma voz corrente internacional mais ampla em suas formulações francesas (até mesmo quando fossem simplesmente versões galicistas de formulações britânicas). Um individualismo secular, racionalista e progressista dominava o pensamento "esclarecido". Libertar o indivíduo das algemas que o agrilhoavam era o seu principal objetivo: do tradicionalismo ignorante da Idade Média, que ainda lançava sua sombra pelo mundo, da superstição das Igrejas (distintas da religião "racional" ou "natural"), da irracionalidade que dividia os homens em uma hierarquia de patentes mais baixas e mais altas de acordo com o nascimento ou algum outro critério irrelevante. A liberdade, a igualdade e, em seguida, a fraternidade de todos os homens eram seus *slogans*. No devido tempo se tornaram os *slogans* da Revolução Francesa. O reinado da liberdade individual não poderia deixar de ter as consequências mais benéficas. Os mais extraordinários resultados podiam ser esperados — podiam de fato já ser observados como provenientes — de um exercício irrestrito do talento individual em um mundo de razão. A apaixonada crença no progresso que professava o típico pensador do Iluminismo refletia os aumentos visíveis no conhecimento e na técnica, na riqueza, no bem-estar e na civilização que podia ver em toda a sua volta e que, com certa justiça, atribuía ao avanço crescente de suas ideias. No começo do século, as bruxas ainda eram queimadas; no final, os governos do Iluminismo, como o austríaco, já tinham abolido não só a tortura judicial mas também a escravidão. O que não se poderia esperar se os obstáculos remanescentes ao progresso, tais como os interesses estabelecidos do feudalismo e da Igreja, fossem eliminados?

Não é propriamente correto chamarmos o "iluminismo" de uma ideologia da classe média,* embora houvesse muitos iluministas — e foram eles os politicamente decisivos — que assumiram como verdadeira a proposição de que a sociedade livre seria uma sociedade capitalista.[11] Em teoria seu objetivo era libertar todos os seres humanos. Todas as ideologias humanistas, racionalistas e progressistas estão implícitas nele, e de fato surgiram dele. Embora na prática os líderes da emancipação exigida pelo Iluminismo fossem provavelmente membros dos escalões médios da sociedade, embora os novos homens racionais o fossem por habilidade e mérito e não por nascimento, e embora a ordem social que surgiria de suas atividades tenha sido uma ordem capitalista e "burguesa".

É mais correto chamarmos o "iluminismo" de ideologia revolucionária, apesar da cautela e moderação política de muitos de seus expoentes

---

* Cf. p. 19.

A ERA DAS REVOLUÇÕES

continentais, a maioria dos quais — até a década de 1780 — depositava sua fé no despotismo esclarecido. Pois o Iluminismo implicava a abolição da ordem política e social vigente na maior parte da Europa. Era demais esperar que os *anciens régimes* se abolissem voluntariamente. Ao contrário, como vimos, em alguns aspectos eles estavam se fortalecendo contra o avanço das novas forças econômicas e sociais. E suas fortalezas (fora da Grã-Bretanha, as Províncias Unidas e alguns outros lugares onde já tinham sido derrotados) eram as próprias monarquias em que os iluministas moderados depositavam sua fé.

6.

Com exceção da Grã-Bretanha, que fizera sua revolução no século XVII, e alguns Estados menores, as monarquias absolutas reinavam em todos os Estados em funcionamento no continente europeu; aqueles em que elas não governavam ruíram devido à anarquia e foram tragados por seus vizinhos, como a Polônia. Os monarcas hereditários pela graça de Deus comandavam hierarquias de nobres proprietários, apoiados pela organização tradicional e pela ortodoxia das igrejas, envolvidos por uma crescente desordem das instituições que nada tinham a recomendá-los exceto um longo passado. É verdade que a simples necessidade de coesão e eficiência estatais em uma era de aguçada rivalidade internacional tinha de há muito obrigado os monarcas a pôr freio às tendências anárquicas de seus nobres e outros interesses estabelecidos e a preencher seu aparelho estatal tanto quanto possível com pessoal civil não aristocrata. Além disso, na última parte do século XVIII, estas necessidades e o evidente sucesso internacional do poderio capitalista britânico levaram a maioria destes monarcas (ou melhor, seus conselheiros) a tentar programas de modernização intelectual, administrativa, social e econômica. Naquela

O MUNDO NA DÉCADA DE 1780

época, os príncipes adotavam o *slogan* do "iluminismo" do mesmo modo como os governos de nosso tempo, por razões análogas, adotam *slogans* de "planejamento"; e, como em nossos dias, alguns dos que adotavam *slogans* em teoria muito pouco fizeram na prática, e a maioria dos que fizeram alguma coisa estava menos interessada nas ideias gerais que estavam por trás da sociedade "iluminada" (ou "planejada") do que na vantagem prática de adotar os métodos mais modernos de multiplicação de seus impostos, riqueza e poder.

Reciprocamente, as classes média e instruída e as empenhadas no progresso quase sempre buscavam o poderoso aparelho central de uma monarquia "iluminada" para levar a cabo suas esperanças. Um príncipe necessitava de uma classe média* e de suas ideias para modernizar o seu Estado; uma classe média fraca necessitava de um príncipe para quebrar a resistência ao progresso, causada por arraigados interesses clericais e aristocráticos.

Contudo, de fato, a monarquia absoluta, não obstante quão moderna e inovadora, achava impossível e pouco se interessava em libertar-se da hierarquia dos nobres proprietários, à qual, afinal de contas, pertencia, e cujos valores simbolizava e incorporava, e de cujo apoio dependia grandemente. A monarquia absoluta, apesar de teoricamente livre para fazer o que bem entendesse, na prática pertencia ao mundo que o Iluminismo tinha batizado de *féodalité* ou feudalismo, termo mais tarde popularizado pela Revolução Francesa. Uma monarquia deste tipo estava pronta a usar todos os recursos disponíveis para fortalecer sua autoridade, aumentar a renda tributável dentro de suas fronteiras e seu poderio fora delas, e isto bem poderia levá-la a fomentar o que de fato eram as forças da sociedade em ascensão. Ela se achava preparada para fortalecer seu poderio político lançando uma propriedade, uma classe ou uma província contra a outra.

---

* Cf. p. 19.

Contudo, seus horizontes eram o de sua história, de sua função e de sua classe. Ela quase nunca desejou, e nunca foi capaz de atingir, a total transformação econômica e social que exigiam o progresso da economia e os grupos sociais ascendentes.

Para tomarmos um exemplo óbvio, poucos pensadores racionais, mesmo entre os conselheiros dos príncipes, duvidavam seriamente da necessidade de se abolir a servidão e os laços remanescentes da dependência feudal camponesa. Tal reforma era reconhecida como um dos principais pontos de qualquer programa "esclarecido", e não havia nenhum príncipe de Madri a São Petersburgo e de Nápoles a Estocolmo que não tivesse subscrito esse programa durante o quarto de século que precedeu a Revolução Francesa. Contudo, de fato, as únicas libertações camponesas que tiveram lugar antes de 1789 foram em pequenos e atípicos Estados como a Dinamarca e a Savoia, e em propriedades pessoais de um ou outro príncipe. Uma libertação de grande porte foi tentada por José II da Áustria em 1781; mas fracassou, em face da resistência política de interesses estabelecidos e da rebelião camponesa que ultrapassou o que tinha sido programado, e teve que ficar incompleta. O que na verdade aboliu as relações agrárias feudais em toda a Europa ocidental e central foi a Revolução Francesa, por ação direta, reação ou exemplo, e a Revolução de 1848.

Havia assim um conflito latente, que logo se tornaria aberto entre as forças da velha e da nova sociedade "burguesa", que não podia ser resolvido dentro da estrutura dos regimes políticos existentes, exceto, é claro, onde estes regimes já incorporassem o triunfo burguês, como na Grã-Bretanha. O que tornou estes regimes ainda mais vulneráveis foi que eles estavam sujeitos a pressões de três lados: das novas forças, da arraigada e cada vez mais dura resistência dos interesses estabelecidos mais antigos, e dos inimigos estrangeiros.

O MUNDO NA DÉCADA DE 1780

Seu ponto mais vulnerável era aquele em que as oposições do velho e do novo tendiam a coincidir: nos movimentos autônomos das colônias ou províncias mais remotas ou sob controle menos firme. Assim, na monarquia dos Habsburgo, as reformas de José II na década de 1780 produziram tumulto nos Países Baixos austríacos (Bélgica) e um movimento revolucionário que em 1789 aliou-se naturalmente ao movimento revolucionário francês. Mais comumente, as comunidades de colonizadores brancos nas colônias europeias de além-mar ressentiram-se da política de seus governos centrais, que subordinavam os interesses das colônias estritamente aos interesses metropolitanos. Em todas as partes das Américas, a espanhola, a francesa e a inglesa, bem como na Irlanda, estes movimentos de colonizadores exigiam autonomia — nem sempre para a instauração de regimes que representassem forças economicamente mais progressistas do que a metrópole — e várias colônias britânicas obtiveram-na pacificamente durante algum tempo, como a Irlanda, ou então por meios revolucionários, como os Estados Unidos. A expansão econômica, o desenvolvimento das colônias e as tensões das reformas tentadas pelo "despotismo esclarecido" multiplicaram as oportunidades para esses conflitos nas décadas de 1770 e 1780.

Em si mesma, a dissidência colonial ou provinciana não foi fatal. As velhas e estabelecidas monarquias podiam sobreviver à perda de uma província ou duas, e a principal vítima da autonomia das colônias, a Grã-Bretanha, não sofria das fraquezas dos velhos regimes e portanto continuou tão estável e dinâmica como sempre, apesar da Revolução Americana. Eram poucas as regiões onde as condições puramente domésticas eram suficientes para uma maior transferência do poder. O que tornou a situação explosiva foi a rivalidade internacional.

Assim mesmo porque a rivalidade internacional, ou seja, a guerra testava os recursos de um Estado como nenhum outro fator poderia fazê-lo. Quando não conseguiam passar por esse teste, os Estados tremiam, rachavam ou caíam. Uma grande rivalidade desse tipo dominou a cena internacional europeia durante a maior parte do século XVIII e esteve no centro de seus repetidos períodos de guerra geral: 1689-1713, 1740-1748, 1756-1763, 1776-1783 e, chegando até o nosso período, 1792-1815. Esse foi o conflito entre a Grã-Bretanha e a França, e em certo sentido, foi também o conflito entre os velhos e os novos regimes. Já que a França, embora tivesse despertado a hostilidade britânica com a rápida expansão de seu império e de seu comércio colonial, era também a monarquia absoluta aristocrática mais poderosa, eminente e influente, em uma palavra, a mais clássica. Em nenhum outro fenômeno estava exemplificada de forma mais viva a superioridade da nova ordem social sobre a velha do que no conflito entre essas duas forças. Pois a Inglaterra não só venceu, com variados graus de determinação, todas as guerras, com exceção de uma, como ainda suportou o esforço de organizá-las, financiá-las e desencadeá-las com relativa facilidade. A monarquia francesa, por seu turno, embora muito maior, mais populosa e, em termos de potencial de recursos, mais rica do que a britânica, achou o esforço grande demais. Após sua derrota na Guerra dos Sete Anos (1756-1763), a revolta das colônias americanas deu-lhe a oportunidade de virar a mesa sobre o adversário. A França aceitou o desafio. E de fato, no subsequente conflito internacional, a Grã-Bretanha saiu duramente derrotada, perdendo a parte mais importante do seu império americano; e a França, aliada dos novos Estados Unidos, saiu consequentemente vitoriosa. Mas o custo foi excessivo e as dificuldades do governo francês levaram o país inevitavelmente a um período de crise política interna, da qual, seis anos mais tarde, surgiria a Revolução.

7.

Devemos ainda completar este levantamento preliminar do mundo às vésperas da dupla revolução com um exame das relações entre a Europa (ou, mais precisamente, o noroeste da Europa) e o resto do mundo. O completo domínio político e militar do mundo pela Europa (e seus prolongamentos ultramarinos, as comunidades de colonização branca) viria a ser o produto da era da dupla revolução. Em fins do século XVIII, várias das grandes civilizações e forças não europeias ainda se confrontavam com o colonizador, o marujo e o soldado brancos em termos aparentemente iguais. O grande Império Chinês, então no auge de seu desenvolvimento sob a dinastia Manchu (Ch'ing), não era vítima de ninguém. Ao contrário, o que se passava era que a corrente de influência cultural corria de leste para oeste, e os filósofos europeus ponderavam sobre as lições daquela civilização tão diferente, embora tão evoluída, enquanto artistas e artesãos incorporavam a seus trabalhos os temas e motivos do Extremo Oriente, frequentemente mal-entendidos, e adaptavam seus novos materiais (porcelana) para fins europeus. As potências islâmicas (como a Turquia), embora periodicamente abaladas pelas forças militares de Estados europeus vizinhos (a Áustria e sobretudo a Rússia), estavam longe das tristes deformidades em que se transformariam no século XIX. A África continuava virtualmente imune à penetração militar europeia. Exceto em pequenas áreas próximas ao Cabo da Boa Esperança, os brancos estavam confinados aos postos comerciais do litoral.

Ainda assim a rápida e sempre crescente expansão maciça do comércio e do empreendimento capitalista europeu minava a ordem social dessas civilizações; na África, com a intensidade sem precedentes do terrível tráfico de escravos, em todo o Oceano Índico, com a penetração das potências colonizadoras rivais, e no Oriente Médio e Próximo, através do comércio e do conflito militar. Já então a conquista europeia direta começava a avançar de modo significativo para além da área há muito ocupada pela colonização pioneira dos espanhóis e dos portugueses no século XVI e pelos colonizadores brancos norte-americanos no século XVII. O avanço decisivo foi feito pelos ingleses, que já tinham estabelecido o controle territorial direto sobre parte da Índia (especialmente Bengala), derrubando virtualmente o Império Mughal, passo que os levaria no período de que trata este livro a se tornarem administradores e governantes de toda a Índia. Já então, a relativa fragilidade das civilizações não europeias, quando confrontadas com a superioridade militar e tecnológica do Ocidente, era previsível. O que se chamou "a era de Vasco da Gama", ou seja, os quatro séculos da história do mundo em que alguns poucos Estados europeus e de forças capitalistas europeias estabeleceram um domínio completo, embora temporário — como é hoje evidente — sobre o mundo inteiro, estava para atingir seu clímax. A dupla revolução estava a ponto de tornar irresistível a expansão europeia, embora estivesse também a ponto de dar ao mundo não europeu as condições e o equipamento para seu eventual contra-ataque.

2. A REVOLUÇÃO INDUSTRIAL

"Tais obras, quaisquer que sejam seus funcionamentos, causas e consequências, têm infinito mérito, e dão grande crédito aos talentos deste homem mui engenhoso e útil, que terá o mérito de, aonde quer que vá, fazer com que os homens pensem (...). Livre-se desta indiferença estúpida, sonolenta e preguiçosa, desta negligência indolente, que prende os homens aos mesmos caminhos de seus antepassados, sem indagação, sem raciocínio, e sem ambição, e com certeza você estará fazendo o bem. Que sequência de ideias, que espírito de aplicação, que massa e poder de esforço brotaram, em todos os caminhos da vida, das obras de homens como Brindley, Watt, Priestley, Arkwright (...). Em que caminho da vida pode estar um homem que não se sinta estimulado ao ver a máquina a vapor de Watt?"

Arthur Young, Viagens na Inglaterra e no País de Gales[1]

"Desta vala imunda a maior corrente da indústria humana flui para fertilizar o mundo todo. Deste esgoto imundo jorra ouro puro. Aqui a humanidade atinge o seu mais completo desenvolvimento e sua maior brutalidade, aqui a civilização faz milagres e o homem civilizado torna-se quase um selvagem."

A. de Tocqueville *a respeito de Manchester em* 1835.[2]

1.

Comecemos com a revolução industrial, isto é, com a Inglaterra. Este, à primeira vista, é um ponto de partida caprichoso, pois as repercussões desta revolução não se fizeram sentir de uma maneira óbvia e inconfundível — pelo menos fora da Inglaterra — até bem o fim do nosso período; certamente não antes de 1830, provavelmente não antes de 1840 ou por essa época. Foi somente na década de 1830 que a literatura e as artes começaram a ser abertamente obsedadas pela ascensão da sociedade capitalista, por um mundo no qual todos os laços sociais se desintegravam, exceto os laços entre o ouro e o papel-moeda (no dizer de Carlyle). A *Comédia humana* de Balzac, o mais extraordinário monumento literário dessa ascensão, pertence a essa década. Até 1840 a grande corrente de literatura oficial e não oficial sobre os efeitos sociais da revolução industrial ainda não começara a fluir: os *Blue-books* e as averiguações estatísticas na Inglaterra, o *Tableau de l'état physique et moral des ouvriers* de Villermé, a obra de Engels *A condição da classe trabalhadora na Inglaterra*, o trabalho de Ducpetiaux na Bélgica, e dezenas e dezenas de observadores surpresos ou assustados da Alemanha à Espanha e Estados Unidos. Só a partir da década de 1840 é que o proletariado, rebento da revolução industrial, e o comunismo, que se achava agora ligado aos seus movimentos sociais — o espectro do Manifesto Comunista —, abriram caminho pelo continente. O próprio nome de revolução industrial reflete seu impacto relativamente tardio sobre a Europa. O fato existia na Inglaterra antes do termo. Os socialistas ingleses e franceses — eles próprios um grupo sem antecessores — só o inventaram por volta da década de 1820, provavelmente por analogia com a revolução política na França.[3]

Ainda assim, seria de bom alvitre considerá-la primeiro, por duas razões. Primeiro, porque de fato ela "explodiu" — usando a expressão como um axioma — antes que a Bastilha fosse assaltada; e, segundo, porque sem ela não podemos entender o vulcão impessoal da história sobre o qual nasceram os homens e acontecimentos mais importantes de nosso período e a complexidade desigual de seu ritmo.

O que significa a frase "a revolução industrial explodiu"? Significa que a certa altura da década de 1780, e pela primeira vez na história da hu-

A REVOLUÇÃO INDUSTRIAL

manidade, foram retirados os grilhões do poder produtivo das sociedades humanas, que daí em diante se tornaram capazes da multiplicação rápida, constante, e até o presente ilimitada, de homens, mercadorias e serviços. Este fato é hoje tecnicamente conhecido pelos economistas como a "partida para o crescimento autossustentável". Nenhuma sociedade anterior tinha sido capaz de transpor o teto que uma estrutura social pré-industrial, uma tecnologia e uma ciência deficientes, e consequentemente o colapso, a fome e a morte periódicas impunham à produção. A "partida" não foi logicamente um desses fenômenos que, como os terremotos e os cometas, assaltam o mundo não técnico de surpresa. Sua pré-história na Europa pode ser traçada, dependendo do gosto do historiador e do seu particular interesse, até cerca do ano 1000 de nossa era, se não antes, e tentativas anteriores de alçar voo, desajeitadas como as primeiras experiências dos patinhos, foram exaltadas com o nome de "revolução industrial" — no século XIII, no XVI e nas últimas décadas do XVII. A partir da metade do século XVIII, o processo de acumulação de velocidade para partida é tão nítido que historiadores mais velhos tenderam a datar a revolução industrial de 1760. Mas uma investigação cuidadosa levou a maioria dos estudiosos a localizar como decisiva a década de 1780 e não a de 1760, pois foi então que, até onde se pode distinguir, todos os índices estatísticos relevantes deram uma guinada repentina, brusca e quase vertical para a "partida". A economia, por assim dizer, voava.

Chamar este processo de revolução industrial é lógico e está em conformidade com uma tradição bem estabelecida, embora tenha sido moda entre os historiadores conservadores — talvez devido a uma certa timidez em face de conceitos incendiários — negar sua existência e substituí-la por termos banais como "evolução acelerada". Se a transformação rápida, fundamental e qualitativa que se deu por volta da década de 1780 não foi uma revolução, então a palavra não tem qualquer significado prático. De fato, a revolução industrial não foi um episódio com um princípio e um

A ERA DAS REVOLUÇÕES

fim. Não tem sentido perguntar quando se "completou", pois sua essência foi a de que a mudança revolucionária se tornou norma desde então. Ela ainda prossegue; quando muito, podemos perguntar quando as transformações econômicas chegaram longe o bastante para estabelecer uma economia substancialmente industrializada, capaz de produzir, em termos amplos, tudo que desejasse dentro dos limites das técnicas disponíveis, uma "economia industrial amadurecida" para usarmos o termo técnico. Na Grã-Bretanha, e portanto no mundo, este período de industrialização inicial provavelmente coincide quase que exatamente com o período de que trata este livro, pois se ele começou com a "partida" na década de 1780, pode-se dizer com certa acuidade que terminou com a construção das ferrovias e da indústria pesada na Grã-Bretanha na década de 1840. Mas a revolução mesma, o "ponto de partida", pode provavelmente ser situada, com a precisão possível em tais assuntos, em certa altura dentro dos 20 anos que vão de 1780 a 1800: contemporânea da Revolução Francesa, embora um pouco anterior a ela.

Sob qualquer aspecto, este foi provavelmente o mais importante acontecimento na história do mundo, pelo menos desde a invenção da agricultura e das cidades. E foi iniciado pela Grã-Bretanha. É evidente que isto não foi acidental. Se tivesse que haver uma disputa pelo pioneirismo da revolução industrial no século XVIII, só haveria de fato um concorrente a dar a largada: o grande avanço comercial e industrial de Portugal à Rússia, fomentado pelos inteligentes e nem um pouco ingênuos ministros e servidores civis de todas as monarquias iluminadas da Europa, todos eles tão preocupados com o crescimento econômico quanto os administradores de hoje em dia. Alguns pequenos Estados e regiões de fato se industrializaram de maneira bem impressionante, como por exemplo a Saxônia e a diocese de Liège, embora seus complexos industriais fossem muito pequenos e localizados para exercer a mesma influência revolucionária mundial dos complexos britânicos. Mas pa-

A REVOLUÇÃO INDUSTRIAL

rece claro que até mesmo antes da revolução a Grã-Bretanha já estava, no comércio e na produção *per capita*, bastante à frente de seu maior competidor em potencial, embora ainda comparável a ele em termos de comércio e produção totais.

Qualquer que tenha sido a razão do avanço britânico, ele não se deveu à superioridade tecnológica e científica. Nas ciências naturais os franceses estavam seguramente à frente dos ingleses, vantagem que a Revolução Francesa veio acentuar de forma marcante, pelo menos na matemática e na física, pois incentivou as ciências na França enquanto a reação suspeitava delas na Inglaterra. Até mesmo nas ciências sociais os britânicos ainda estavam muito longe daquela superioridade que fez — e em grande parte ainda faz — da economia um assunto eminentemente anglo-saxão; mas a revolução industrial colocou-os em um inquestionável primeiro lugar. O economista da década de 1780 lia Adam Smith, mas também — e talvez com mais proveito — os fisiocratas e os contabilistas fiscais franceses, Quesnay, Turgot, Dupont de Nemours, Lavoisier, e talvez um ou dois italianos. Os franceses produziram inventos mais originais, como o tear de Jacquard (1804) — um aparelho mais complexo do que qualquer outro projetado na Grã-Bretanha — e melhores navios. Os alemães possuíam instituições de treinamento técnico, como a *Bergakadenzie* prussiana, que não tinham paralelo na Grã-Bretanha, e a Revolução Francesa criou um corpo único e impressionante, a *École Polytechnique*. A educação inglesa era uma piada de mau gosto, embora suas deficiências fossem um tanto compensadas pelas duras escolas do interior e pelas universidades democráticas, turbulentas e austeras da Escócia calvinista, que lançavam uma corrente de jovens racionalistas, brilhantes e trabalhadores, em busca de uma carreira no sul do país: James Watt, Thomas Telford, Loudon McAdam, James Mill. Oxford e Cambridge, as duas únicas universidades inglesas, eram intelectualmente nulas, como o eram também as sonolentas escolas públicas, com a exceção das Academias fundadas pelos "Dissidentes" (*Dissenters*) que foram excluídas do sistema educacional (anglicano). Até mesmo as famílias aristocráticas que desejavam educação para seus filhos confiavam em tutores e universidades escocesas. Não havia qualquer sistema de educação primária antes que o *quaker* Lancaster (e, depois dele, seus rivais anglicanos) lançasse uma espécie de alfabetização em massa, elementar e realizada por voluntários, no início do século XIX, incidentalmente selando para sempre a educação inglesa com controvérsias sectárias. Temores sociais desencorajavam a educação dos pobres.

Felizmente poucos refinamentos intelectuais foram necessários para se fazer a revolução industrial.* Suas invenções técnicas foram bastante modestas, e sob hipótese alguma estavam além dos limites de artesãos que trabalhavam em suas oficinas ou das capacidades construtivas de carpinteiros, moleiros e serralheiros: a lançadeira, o tear, a fiadeira automática. Nem mesmo sua máquina cientificamente mais sofisticada, a máquina a vapor rotativa de James Watt (1784), necessitava de mais conhecimentos de física do que os disponíveis então há quase um século — a *teoria* adequada das máquinas a vapor só foi desenvolvida *ex post facto* pelo francês Carnot na década de 1820 — e podia contar com várias gerações de utilização, prática de máquinas a vapor, principalmente nas minas. Dadas as condições adequadas, as inovações técnicas da revolução industrial praticamente se fizeram por si mesmas, exceto talvez na

---

* Por um lado, é gratificante perceber que os ingleses obtêm um rico tesouro para sua vida política ao estudar os autores antigos, embora às vezes de maneira pedante; tanto que os oradores parlamentares frequentemente citavam os antigos para conseguir seus intentos, prática esta que era favoravelmente recebida pela assembleia e surtia efeito. Por outro lado, é surpreendente que em um país onde são predominantes as tendências manufatureiras, sendo portanto evidente a necessidade de se familiarizar o povo com as ciências e as artes que fazem progredir estes objetivos, passe quase despercebida a ausência destas disciplinas no currículo da educação da juventude. É igualmente surpreendente o quanto, não obstante, é conseguido por homens carentes de qualquer formação acadêmica para suas profissões. W. Wachsmuth, *Eurupaeische Sittengeschichte* 5. 2 (Leipzig, 1839), p. 736.

A REVOLUÇÃO INDUSTRIAL

indústria química. Isto não significa que os primeiros industriais não estivessem constantemente interessados na ciência e em busca de seus benefícios práticos.[4]

Contudo as condições adequadas estavam visivelmente presentes na Grã-Bretanha, onde mais de um século se passara desde que o primeiro rei tinha sido formalmente julgado e executado pelo povo e desde que o lucro privado e o desenvolvimento econômico tinham sido aceitos como os supremos objetivos da política governamental. A solução britânica do problema agrário, singularmente revolucionária, já tinha sido encontrada na prática. Uma relativa quantidade de proprietários com espírito comercial já quase monopolizava a terra, que era cultivada por arrendatários empregando camponeses sem terra ou pequenos agricultores. Um bocado de resquícios, verdadeiras relíquias da antiga economia coletiva do interior, ainda estava para ser removido pelos Decretos das Cercas (*Enclosure Acts*) e as transações particulares, mas quase praticamente não se podia falar de um "campesinato britânico" da mesma maneira que um campesinato russo, alemão ou francês. As atividades agrícolas já estavam predominantemente dirigidas para o mercado; as manufaturas de há muito se tinham disseminado por um interior não feudal. A agricultura já estava preparada para levar a termo suas três funções fundamentais em uma era de industrialização: aumentar a produção e a produtividade de modo a alimentar uma população não agrícola em rápido crescimento; fornecer um grande e crescente excedente de recrutas em potencial para as cidades e as indústrias; e fornecer um mecanismo para o acúmulo de capital a ser usado nos setores mais modernos da economia. (Duas outras funções eram provavelmente menos importantes na Grã-Bretanha: a criação de um mercado suficientemente grande entre a população agrícola — normalmente a grande massa do povo — e o fornecimento de um excedente de exportação que contribuísse para garantir as importações de capital.) Um considerável volume de capital social elevado — o caro equipamento geral necessário para toda a economia progredir suavemente — já estava sendo criado, principalmente na construção de uma frota mercante e de facilidades portuárias e na melhoria das estradas e vias navegáveis. A política já estava engatada ao lucro. As exigências específicas dos homens de negócios podiam encontrar a resistência de outros interesses estabelecidos; e, como veremos, os proprietários rurais haviam de erguer uma última barreira para impedir o avanço da mentalidade industrial entre 1795 e 1846. No geral, todavia, o dinheiro não só falava como governava. Tudo que os industriais precisavam para serem aceitos entre os governantes da sociedade era de bastante dinheiro.

O homem de negócios estava sem dúvida engajado no processo de conseguir mais dinheiro, pois quase todo o século XVIII foi para grande parte da Europa um período de prosperidade e de cômoda expansão econômica; o verdadeiro pano de fundo para o alegre otimismo do dr. Pangloss, de Voltaire. Pode-se muito bem argumentar que mais cedo ou mais tarde esta expansão, acompanhada de uma pequena inflação, teria empurrado algum país através do portal que separa a economia pré-industrial da industrial. Mas o problema não é tão simples. A maior parte da expansão industrial do século XVIII não levou de fato e imediatamente, ou dentro de um futuro previsível, a uma *revolução* industrial, isto é, à criação de um "sistema fabril" mecanizado que por sua vez produz em quantidades tão grandes e a um custo tão rapidamente decrescente a ponto de não mais depender da demanda existente, mas de criar o seu próprio mercado.* Por exemplo, a indústria de construções, ou as inú-

---

* A indústria automobilística moderna é um bom exemplo disso. Não foi a demanda de carros existentes na década de 1890 que criou uma indústria de porte atual, mas a capacidade de produzir carros baratos é que fomentou a atual demanda em massa.

A REVOLUÇÃO INDUSTRIAL

meras indústrias de pequeno porte produtoras de objetos de metal para uso doméstico — alfinetes, vasilhas, facas, tesouras etc. —, na Inglaterra central e na região de Yorkshire, expandiram-se grandemente neste período, mas sempre em função do mercado existente. Em 1850, embora tivessem produzido bem mais do que em 1750, o fizeram substancialmente de maneira antiquada. O que era necessário não era um tipo qualquer de expansão, mas sim o tipo especial de expansão que produziu Manchester em vez de Birmingham.

Além disso, as revoluções industriais pioneiras ocorreram em uma situação histórica especial, em que o crescimento econômico surge de um acúmulo de decisões de incontáveis empresários e investidores particulares, cada um deles governado pelo primeiro mandamento da época, comprar no mercado mais barato e vender no mais caro. Como poderiam eles descobrir que o lucro máximo devia ser detido com a organização da revolução industrial e não com atividades comerciais mais conhecidas (e mais lucrativas no passado)? Como poderiam saber, o que ninguém sabia até então, que a revolução industrial produziria uma aceleração ímpar na expansão dos seus mercados? Dado que as principais bases sociais de uma sociedade industrial tinham sido lançadas, como quase certamente já acontecera na Inglaterra de fim do século XVIII, duas coisas eram necessárias: primeiro, uma indústria que já oferecesse recompensas excepcionais para o fabricante que pudesse expandir sua produção rapidamente, se necessário por meio de inovações simples e razoavelmente baratas, e, segundo, um mercado *mundial* amplamente monopolizado por uma única nação produtora.*

---

* "Só muito vagarosamente o poder aquisitivo se expandiu com a população, a renda *per capita*, os custos dos transportes e as restrições ao comércio. Mas o mercado se expandia, e a pergunta vital era: quando um produtor de alguma mercadoria de consumo de massa conseguiria uma fatia do mesmo suficientemente grande para permitir uma expansão rápida e contínua de sua produção?"[5]

A ERA DAS REVOLUÇÕES

Estas considerações se aplicam em certos aspectos a todos os países nessa época. Por exemplo, em todos eles a dianteira no crescimento industrial foi tomada por fabricantes de mercadorias de consumo de massa — principalmente, mas não exclusivamente, produtos têxteis[6] — porque o mercado para tais mercadorias já existia e os homens de negócios podiam ver claramente suas possibilidades de expansão. Sob outros aspectos, entretanto, eles se aplicam somente à Grã-Bretanha, pois os industriais pioneiros enfrentaram os problemas mais difíceis. Uma vez iniciada a industrialização na Grã-Bretanha, outros países podiam começar a gozar dos benefícios da rápida expansão econômica que a revolução industrial pioneira estimulava. Além do mais, o sucesso britânico provou o que se podia conseguir com ela, a técnica britânica podia ser imitada, o capital e a habilidade britânica podiam ser importados. A indústria têxtil saxônica, incapaz de criar seus próprios inventos, copiou os modelos ingleses, às vezes com a supervisão de mecânicos ingleses; os ingleses que tinham certo gosto pelo continente, como os Cockerill, estabeleceram-se na Bélgica e em várias partes da Alemanha. Entre 1789 e 1848, a Europa e a América foram inundadas por especialistas, máquinas a vapor, maquinaria para (processamento e transformação do) algodão e investimentos britânicos.

A Grã-Bretanha não gozava dessas vantagens. Por outro lado, possuía uma economia bastante forte e um Estado suficientemente agressivo para conquistar os mercados de seus competidores. De fato, as guerras de 1738-1815, a última e decisiva fase do secular duelo anglo-francês, virtualmente eliminaram do mundo não europeu todos os rivais dos britânicos, exceto até certo ponto os jovens Estados Unidos. Além do mais, a Grã-Bretanha possuía uma indústria admiravelmente ajustada à revolução industrial pioneira sob condições capitalistas e uma conjuntura econômica que permitia que se lançasse à indústria algodoeira e à expansão colonial.

A REVOLUÇÃO INDUSTRIAL

2.

A indústria algodoeira britânica, como todas as outras indústrias algodoeiras, tinha originalmente se desenvolvido como um subproduto do comércio ultramarino, que produzia sua matéria-prima (ou melhor, uma de suas matérias-primas, pois o produto original era o *fustão,* uma mistura de algodão e linho) e os tecidos indianos de algodão, ou *chita,* que conquistaram os mercados que os fabricantes europeus tentariam ganhar com suas imitações. Inicialmente eles não foram muito bem-sucedidos, embora mais bem capacitados a reproduzir competitivamente as mercadorias grosseiras e baratas do que as finas e elaboradas. Felizmente, entretanto, o velho e poderoso interesse estabelecido do comércio lanífero periodicamente assegurava proibições de importação de chitas indianas — que o interesse puramente mercantil da Companhia das Índias Orientais procurava exportar da Índia nas maiores quantidades possíveis —, dando assim uma chance aos substitutos da indústria algodoeira nativa. Mais barato do que a lã, o algodão e as misturas de algodão conquistaram um mercado doméstico pequeno porém útil. Contudo suas maiores chances de expansão rápida estavam no ultramar.

O comércio colonial tinha criado a indústria algodoeira, e continuava a alimentá-la. No século XVIII ela se desenvolvera perto dos maiores portos coloniais: Bristol, Glasgow e, especialmente, Liverpool, o grande centro do comércio de escravos. Cada fase desse comércio desumano, mas sempre em rápida expansão, a estimulava. De fato, durante todo o período de que trata este livro, a escravidão e o algodão marcharam juntos. Os escravos africanos eram comprados, pelo menos em parte, com produtos de algodão indianos, mas, quando o fornecimento destas mercadorias era interrompido pela guerra ou por uma revolta na Índia ou arredores, entrava em jogo a região de Lancashire. As plantações das Índias Ocidentais, onde os escravos eram arrebanhados, forneciam o grosso

A ERA DAS REVOLUÇÕES

do algodão para a indústria britânica, e em troca os plantadores compravam tecidos de algodão de Manchester em apreciáveis quantidades. Até pouco antes da "partida", quase o total das exportações de algodão da região de Lancashire ia para os mercados americano e africano.[7] Mais tarde a região de Lancashire viria a pagar sua dívida com a escravidão preservando-a; pois depois da década de 1790 as plantações escravagistas do sul dos Estados Unidos foram aumentadas e mantidas pelas insaciáveis e vertiginosas demandas das fábricas de Lancashire, às quais forneciam o grosso da sua produção de algodão bruto.

A indústria algodoeira foi assim lançada, como um planador, pelo empuxo do comércio colonial ao qual estava ligada; um comércio que prometia uma expansão não apenas grande, mas rápida e sobretudo imprevisível, que encorajou o empresário a adotar as técnicas revolucionárias necessárias para lhe fazer face. Entre 1750 e 1769, a exportação britânica de tecidos de algodão aumentou mais de dez vezes. Assim, a recompensa para o homem que entrou primeiro no mercado com as maiores quantidades de algodão era astronômica e valia os riscos da aventura tecnológica. Contudo o mercado ultramarino, e especialmente as suas pobres e atrasadas "áreas subdesenvolvidas", não só se expandia de forma fantástica de tempos em tempos, como também o fazia constantemente sem um limite aparente. Sem dúvida, qualquer pedaço dele, considerado isoladamente, era pequeno pelos padrões industriais, e a competição de diferentes "economias adiantadas" o fez ainda menor. Como já vimos, supondo que qualquer uma das economias adiantadas conseguisse, por um período suficientemente longo, monopolizar *todos* ou quase todos os seus setores, então suas perspectivas seriam realmente ilimitadas. Foi precisamente o que conseguiu a indústria algodoeira britânica, ajudada pelo agressivo apoio do governo nacional. Em termos de vendas, a revolução industrial pode ser descrita, com a exceção dos primeiros anos da década de 1780, como a vitória do mercado exportador sobre o doméstico: ao

A REVOLUÇÃO INDUSTRIAL

redor de 1814, a Grã-Bretanha exportava cerca de quatro jardas de tecido de algodão para cada três usadas internamente, e, por volta de 1850, treze para cada oito.[8] E dentro deste mercado exportador em expansão, por sua vez, os mercados colonial e semicolonial, por muito tempo os maiores pontos de vazão para os produtos britânicos, triunfaram. Durante as guerras napoleônicas, quando os mercados europeus foram fortemente interrompidos pelas guerras e bloqueios econômicos, isto era bastante natural. Mas, até mesmo depois das guerras, eles continuaram a se afirmar. Em 1820, a Europa, mais uma vez aberta às livres importações da ilha, adquiriu 128 milhões de jardas de tecidos de algodão britânicos; a América, fora os Estados Unidos, a África e a Ásia adquiriram 80 milhões; mas ao redor de 1840 a Europa adquiriu 200 milhões de jardas, enquanto as áreas "subdesenvolvidas" adquiriram 529 milhões.

Pois dentro destas áreas a indústria britânica tinha estabelecido um monopólio por meio de guerras, revoluções locais e de seu próprio domínio imperial. Duas regiões merecem particular atenção. A América Latina veio realmente depender de importações britânicas durante as guerras napoleônicas, e, depois que se separou de Portugal e Espanha (veja os Capítulos 6-1 e 13-1 adiante), tornou-se quase que totalmente dependente economicamente da Grã-Bretanha, sendo afastada de qualquer interferência política dos seus possíveis competidores europeus. Por volta de 1820, as importações de tecidos de algodão ingleses feitas por este empobrecido continente já equivaliam a mais de um quarto das importações europeias do mesmo produto britânico; ao redor de 1840, adquiriu o equivalente a quase metade do que importou a Europa. As Índias Orientais haviam sido, como vimos, o exportador tradicional de tecidos de algodão, encorajada pela Companhia das Índias Orientais. Mas como o interesse industrial estabelecido prevaleceu na Grã-Bretanha, os interesses mercantis da Índia Oriental (para não mencionar os dos próprios indianos) foram empurrados para trás. A Índia foi sistematicamente

A ERA DAS REVOLUÇÕES

desindustrializada e passou de exportador a mercado para os produtos de algodão da região de Lancashire: em 1820, o subcontinente adquiriu somente 11 milhões de jardas; mas por volta de 1840 já adquiria 145 milhões. Isto não era meramente uma extensão gratificante dos mercados de Lancashire. Era um grande marco na história mundial. Pois desde a aurora dos tempos a Europa sempre importara mais do Oriente do que exportara para lá; porque havia pouca coisa que o Oriente necessitava do Ocidente em troca das especiarias, sedas, chitas, joias etc. enviadas. Os panos de algodão da revolução industrial inverteram pela primeira vez esta relação, que tinha até então se mantido em equilíbrio por uma mistura de exportações de lingotes e roubo. Somente os autossuficientes e conservadores chineses ainda se recusavam a comprar o que o Ocidente, ou as economias controladas pelo Ocidente, ofereciam, até que entre 1815 e 1842 comerciantes ocidentais, auxiliados pelas canhoneiras ocidentais, descobrissem uma mercadoria ideal que podia ser exportada *em massa* da Índia para o Extremo Oriente: o ópio.

O algodão, portanto, fornecia possibilidades suficientemente astronômicas para tentar os empresários privados a se lançarem na aventura da revolução industrial e também uma expansão suficientemente rápida para torná-la uma exigência. Felizmente também fornecia as outras condições que a tornaram possível. Os novos inventos que o revolucionaram — a máquina de fiar, o tear movido a água, a fiadeira automática e, um pouco mais tarde, o tear a motor — eram suficientemente simples e baratos e se pagavam quase que imediatamente em termos de maior produção. Podiam ser instalados, se necessário peça por peça, por homens que começavam com algumas libras, emprestadas, já que os homens que controlavam as maiores fatias da riqueza do século XVIII não estavam muito inclinados a investir grandes somas na indústria. A expansão da indústria podia ser facilmente financiada através dos lucros correntes, pois a combinação de suas vastas conquistas de mercado com uma constante

A REVOLUÇÃO INDUSTRIAL

inflação dos preços produzia lucros fantásticos. "Não foram os 5% ou 10%", diria mais tarde um político inglês, com justiça, "mas as centenas ou os milhares por cento que fizeram as fortunas de Lancashire". Em 1789, um ex-ajudante de um vendedor de tecidos, como Robert Owen, podia começar com um empréstimo de 100 libras em Manchester; por volta de 1809, comprou a parte de seus sócios nas fábricas de New Lanark por 84 mil libras *em dinheiro vivo*. E seu sucesso nos negócios foi relativamente modesto. Deve-se lembrar que por volta de 1800 menos de 15% das famílias britânicas tinham uma renda superior a 50 libras por ano, e, destas, somente um quarto ganhava mais de 200 libras por ano.[9]

Contudo a indústria do algodão tinha outras vantagens. Toda a sua matéria-prima vinha do exterior, e seu suprimento podia portanto ser expandido pelos drásticos métodos que se ofereciam aos brancos nas colônias — a escravidão e a abertura de novas áreas de cultivo —, em vez dos métodos mais lentos da agricultura europeia; nem era tampouco atrapalhada pelos interesses agrários estabelecidos da Europa.* A partir da década de 1790, o algodão britânico encontrou seu suprimento, ao qual permaneceram ligadas suas fortunas até a década de 1860, nos novos estados sulistas dos Estados Unidos. De novo, em pontos cruciais da indústria (notadamente na fiação), o algodão sofreu uma escassez de mão de obra eficiente e barata, e foi portanto levado à mecanização. Uma indústria como a do linho, que inicialmente tinha chances bem melhores de expansão colonial do que o algodão, passou a sofrer com o correr do tempo da própria facilidade com que a produção não mecanizada e barata podia ser expandida nas empobrecidas regiões camponesas (principalmente na Europa central, mas também na Irlanda) onde basicamente havia florescido. Pois a maneira *óbvia* de se expandir a indústria

---

* Os fornecimentos ultramarinos de lã, por exemplo, tiveram pouquíssima importância durante todo o nosso período, só se tornando um fator importante na década de 1870.

A ERA DAS REVOLUÇÕES

no século XVIII, tanto na Saxônia e na Normandia como na Inglaterra, não era construir fábricas, mas sim o chamado sistema "doméstico", no qual os trabalhadores — em alguns casos, antigos artesãos independentes, em outros, antigos camponeses com tempo de sobra nas estações estéreis do ano — trabalhavam a matéria-prima em suas próprias casas, com ferramentas próprias ou alugadas, recebendo-a e entregando-a aos mercadores que estavam a caminho de se tornarem patrões.* De fato, tanto na Grã-Bretanha como no resto do mundo economicamente progressista, o grosso da expansão no período inicial da industrialização continuou a ser desse tipo. Até mesmo na indústria algodoeira, processos do tipo tecelagem eram expandidos pela criação de multidões de teares manuais domésticos para servir aos núcleos de fiações mecanizados, e o primitivo tear manual era um dispositivo mais eficiente do que a roca. Em toda parte a tecelagem foi mecanizada uma geração após a fiação, e em toda parte, incidentalmente, os teares manuais foram morrendo vagarosamente, ocasionalmente se rebelando contra seu terrível destino, quando a indústria não mais necessitava deles.

3.

A perspectiva tradicional que viu a história da revolução industrial britânica primordialmente em termos de algodão é portanto correta. A primeira indústria a se revolucionar foi a do algodão, e é difícil perceber que outra indústria poderia ter empurrado um grande número de empresários particulares rumo à revolução. Até a década de 1830, o algodão era

---

* O "sistema doméstico", que é um estágio universal do desenvolvimento manufatureiro da produção caseira para a indústria moderna, pode tomar inúmeras formas, algumas eventualmente muito próximas da fábrica. Se um escritor do século XVIII fala de "manufaturas", é isto que invariavelmente ele quer dizer em todos os países ocidentais.

A REVOLUÇÃO INDUSTRIAL

a única indústria britânica em que predominava a fábrica ou o "engenho" (o nome derivou-se do mais difundido estabelecimento pré-industrial a empregar pesada maquinaria a motor); a princípio (1780-1815), principalmente na fiação, na cardação e em algumas operações auxiliares, depois (de 1815) também cada vez mais na tecelagem. As "fábricas" de que tratavam os novos Decretos Fabris eram, até a década de 1860, entendidas exclusivamente em termos de fábricas têxteis e predominantemente em termos de engenhos algodoeiros. A produção fabril em outros ramos têxteis teve desenvolvimento lento antes da década de 1840, e em outras manufaturas seu desenvolvimento foi desprezível. Nem mesmo a máquina a vapor, embora aplicada a numerosas outras indústrias por volta de 1815, era usada fora da mineração, que a empregara pioneiramente. Em 1830, a "indústria" e a "fábrica" no sentido moderno ainda significavam quase que exclusivamente as áreas algodoeiras do Reino Unido.

Com isto não se pretende subestimar as forças que introduziram a inovação industrial em outras mercadorias de consumo, notadamente outros produtos têxteis,* alimentos e bebidas, cerâmica e outros produtos de uso doméstico, grandemente estimuladas pelo rápido crescimento das cidades. Em primeiro lugar, estas indústrias empregavam muito menos pessoal: nenhuma se aproximava sequer remotamente do milhão e meio de pessoas empregadas diretamente na indústria algodoeira ou dela dependentes em 1833.[11] Em segundo, seu poder de transformação era muito menor: a *cervejaria,* que era em muitos aspectos um negócio técnica e cientificamente muito mais avançado e mecanizado, e que se revolucionou muito antes da indústria algodoeira, pouco afetou a economia à sua volta, como pode ser provado pela grande cervejaria Guinness em Dublin, que deixou o resto de Dublin e da economia irlandesa (embora

---

* Em todos os países que produziam qualquer espécie de manufaturas vendáveis, as têxteis tendiam a predominar: na Silésia (1800), constituíam 74% do valor de todas as manufaturas.[10]

A ERA DAS REVOLUÇÕES

não o paladar local) idênticos ao que eram antes de sua construção.[12] As exigências que se derivaram do algodão — mais construções e todas as atividades nas novas áreas industriais, máquinas, inovações químicas, eletrificação industrial, uma frota mercante e uma série de outras atividades — foram o suficiente para que se credite a elas uma grande proporção do crescimento econômico da Grã-Bretanha até a década de 1830. Em terceiro lugar, a expansão da indústria algodoeira foi tão vasta e seu peso no comércio exterior da Grã-Bretanha tão grande que dominou os movimentos de toda a economia. A quantidade de algodão bruto importada pela Grã-Bretanha subiu de 11 milhões de libras-peso em 1785 para 588 milhões em 1850; a produção de tecidos, de 40 milhões para 2,025 bilhões de jardas.[13] Os produtos de algodão constituíam entre 40% e 50% do valor anual declarado de *todas* as exportações britânicas entre 1816 e 1848. Se o algodão florescia, a economia florescia, se ele caía, também caía a economia. Suas oscilações de preço determinavam a balança do comércio nacional. Só a agricultura tinha um poder comparável, e no entanto estava em visível declínio.

Não obstante, embora a expansão da indústria algodoeira e da economia industrial dominada pelo algodão zombasse de tudo o que a mais romântica das imaginações poderia ter anteriormente concebido sob qualquer circunstância,[14] seu progresso estava longe de ser tranquilo, e por volta da década de 1830 e início da de 1840 gerava grandes problemas de crescimento, para não mencionarmos a agitação revolucionária sem paralelo em qualquer outro período da história britânica recente. Esse primeiro tropeço geral da economia capitalista industrial reflete-se em uma acentuada desaceleração no crescimento, talvez até mesmo um declínio, da renda nacional britânica nesse período.[15] Essa primeira crise geral do capitalismo não foi puramente um fenômeno britânico.

Suas mais sérias consequências foram sociais: a transição da nova economia criou a miséria e o descontentamento, os ingredientes da revolução social. E, de fato, a revolução social eclodiu na forma de levantes espontâneos dos trabalhadores da indústria e das populações pobres das cidades, produzindo as revoluções de 1848 no continente e os amplos movimentos cartistas na Grã-Bretanha. O descontentamento não estava ligado apenas aos trabalhadores pobres. Os pequenos comerciantes, sem saída, a pequena burguesia, setores especiais da economia eram também vítimas da revolução industrial e de suas ramificações. Os trabalhadores de espírito simples reagiram ao novo sistema destruindo as máquinas que julgavam ser responsáveis pelos problemas; mas um grande e surpreendente número de homens de negócios e fazendeiros ingleses simpatizava profundamente com essas atividades dos seus trabalhadores luditas* porque também eles se viam como vítimas da minoria diabólica de inovadores egoístas. A exploração da mão de obra, que mantinha sua renda em nível de subsistência, possibilitando aos ricos acumularem os lucros que financiavam a industrialização (e seus próprios e amplos confortos), criava um conflito com o proletariado. Entretanto, um outro aspecto dessa diferença de renda nacional entre pobres e ricos, entre o consumo e o investimento, também trazia contradições com o pequeno empresário. Os grandes financistas, a fechada comunidade de capitalistas nacionais e estrangeiros que embolsava o que todos pagavam em impostos (veja o capítulo sobre a guerra) — cerca de 8% de toda a renda nacional[16] —, eram talvez ainda mais impopulares entre os pequenos homens de negócios, fazendeiros e outras categorias semelhantes do que entre os trabalhadores, pois sabiam o suficiente sobre dinheiro e crédito para sentirem uma ira pessoal por suas desvantagens. Tudo corria muito bem para os ricos, que podiam levantar todos os créditos de que necessitavam

---

* Grupos de trabalhadores ingleses que, entre 1811 e 1816, se rebelaram e destruíram máquinas têxteis, pois acreditavam que elas eram responsáveis pelo desemprego. O líder ou iniciador desses movimentos chamava-se, provavelmente, Ned ou King Ludd. Daí, supõe-se, deriva o vocábulo inglês *Luddite*. (*N.T.*)

A ERA DAS REVOLUÇÕES

para provocar na economia uma deflação rígida e uma ortodoxia monetária depois das guerras napoleônicas: era o pequeno que sofria e que, em todos os países e durante todo o século XIX, exigia crédito fácil e financiamento flexível.* Os trabalhadores e a queixosa pequena burguesia, prestes a desabar no abismo dos destituídos de propriedade, partilhavam portanto dos mesmos descontentamentos. Estes descontentamentos por sua vez uniam-nos nos movimentos de massa do "radicalismo", da "democracia" ou da "república", cujos exemplares mais formidáveis, entre 1815 e 1848, foram os radicais britânicos, os republicanos franceses e os democratas jacksonianos americanos.

Do ponto de vista dos capitalistas, entretanto, estes problemas sociais só eram relevantes para o progresso da economia se, por algum terrível acidente, viessem a derrubar a ordem social. Por outro lado, parecia haver certas falhas inerentes ao processo econômico que ameaçavam seu objetivo fundamental: o lucro. Se a taxa de retorno do capital se reduzisse, a zero, uma economia em que os homens produziam apenas para ter lucro diminuiria o passo até um "estágio estacionário" que os economistas pressentiam e temiam.[17]

Destas, as três falhas mais óbvias eram o ciclo comercial de *boom* e depressão, a tendência de diminuição da taxa de lucro e (o que vinha a dar no mesmo) a escassez de oportunidades de investimento lucrativo. A primeira não era considerada séria, exceto pelos críticos do capitalismo como tal, que foram os primeiros a investigá-la e a considerá-la parte integrante do processo econômico capitalista e como sintoma de suas contradições inerentes.** As crises periódicas da economia, que levavam

---

* Do radicalismo pós-napoleônico na Grã-Bretanha ao populismo nos Estados Unidos, todos os movimentos de protesto que incluíam fazendeiros e pequenos empresários podem ser reconhecidos pelas suas exigências contra a ortodoxia financeira: eram todos "maníacos da moeda corrente".

** O suíço Simonde de Sismondi e o conservador Malthus foram os primeiros a usar estes argumentos, mesmo antes de 1825. Os novos socialistas fizeram da teoria da crise a pedra fundamental de sua crítica ao capitalismo.

A REVOLUÇÃO INDUSTRIAL

ao desemprego, quedas na produção, bancarrotas etc., eram bem conhecidas. No século XVIII elas geralmente refletiam alguma catástrofe agrária (fracassos na colheita etc.) e já se provou que no continente europeu os distúrbios agrários foram a causa primordial das maiores depressões até o final de nosso período. As crises periódicas nos pequenos setores manufatureiros e financeiros da economia eram também conhecidas, na Grã-Bretanha pelo menos desde 1793. Depois das guerras napoleônicas, o drama periódico do *boom* e da depressão — em 1825-1826, em 1836-1837, em 1839-1842, em 1846-1848 — dominou claramente a vida econômica da nação em tempos de paz. Por volta da década de 1830, uma época crucial no período histórico que estudamos, mais ou menos se reconhecia que as crises eram fenômenos periódicos regulares, ao menos no comércio e nas finanças.[18] Entretanto, os homens de negócios comumente consideravam que as crises eram causadas ou por enganos particulares — por exemplo superespeculação nas bolsas americanas — ou então por interferência externa nas tranquilas atividades da economia capitalista. Não se acreditava que elas refletissem quaisquer dificuldades fundamentais do sistema.

O mesmo não ocorria com a decrescente margem de lucros, que a indústria algodoeira ilustrava de maneira bastante clara. Inicialmente esta indústria beneficiou-se de imensas vantagens. A mecanização aumentou muito a produtividade (isto é, reduziu o custo por unidade produzida) da mão de obra, que de qualquer forma recebia salários abomináveis, já que era formada em grande parte por mulheres e crianças.* Dos 12 mil trabalhadores nas indústrias algodoeiras de Glasgow em 1833, somente 2 mil ganhavam uma média de mais de 11 shillings

---

* Em 1835, E. Baines estimava em 10 shillings por semana a média salarial de todos os operadores de máquinas de tecelagem e fiação — cujas férias anuais de duas semanas não eram remuneradas — e em 7 shillings a dos tecelões manuais.

A ERA DAS REVOLUÇÕES

por semana. Em 131 fábricas de Manchester os salários médios eram de menos de 12 shillings, e somente em 21 eram mais altos.[19] E a construção de fábricas era relativamente barata: em 1846, uma fábrica inteira de tecelagem, com 410 máquinas, incluindo o custo do terreno e dos prédios, podia ser construída por aproximadamente 11 mil libras.[20] Mas acima de tudo o maior gasto, relativo à matéria-prima, foi drasticamente diminuído pela rápida expansão do cultivo do algodão no sul dos Estados Unidos depois da invenção do descaroçador de algodão de Eli Whitney, em 1793. Se acrescentarmos que os empresários gozavam do benefício de uma inflação sobre o lucro (isto é, a tendência geral dos preços de serem mais altos quando vendiam seus produtos do que quando os faziam), compreenderemos por que as classes manufatureiras se sentiam animadas.

Depois de 1815, essas vantagens começaram a diminuir cada vez mais devido à redução da margem de lucros. Em primeiro lugar, a revolução industrial e a competição provocaram uma queda dramática e constante no preço dos artigos acabados mas não em vários custos de produção.[21] Em segundo lugar, depois de 1815, a situação geral dos preços era de deflação e não de inflação, ou seja, os lucros, longe de um impulso extra, sofriam um leve retrocesso. Assim, enquanto em 1784 o preço de venda de uma libra-peso de fio duplo fora de 10 shillings e 11 pence e o custo da matéria-prima, 2 shillings (margem: 8 shillings e 11 pence), em 1812 seu preço era de 2 shillings e 6 pence, e o custo da matéria-prima, 1 shilling e 6 pence (margem de 1 shilling), caindo em 1832 respectivamente para 11 ¼ pence e 7 ½ pence, reduzindo a 4 pence a margem para outros custos e lucros.[22] Claro, a situação, que era geral em toda a indústria, tanto a britânica como as outras, não era muito trágica. "Os lucros ainda são suficientes", escreveu em 1835 o historiador e campeão do algodão, em mais do que um eufemismo, "para permitir um grande acúmulo de capital na manufatura".[23] Assim como as vendas totais cresceram vertiginosamente, também cresceram os lucros totais mesmo em suas taxas decrescentes. Tudo o que se precisava era uma expansão astronômica e contínua. Não obstante, parecia que o encolhimento das margens de lucro tinha de ser contido ou ao menos desacelerado. Isto não podia ser feito por meio de corte nos custos. E, de todos os custos, os *salários* — que McCulloch calculou em três vezes o montante anual da matéria-prima — eram os mais comprimíveis.

Eles podiam ser comprimidos pela simples diminuição, pela substituição de trabalhadores qualificados, mais caros, e pela competição da máquina com a mão de obra que reduziu o salário médio semanal dos tecelões manuais em Bolton de 33 shillings em 1795 e 14 shillings em 1815 para 5 shillings e 6 pence (ou mais precisamente, uma renda líquida de 4 shillings 1 ½ pence) em 1829-1834.[24] E de fato os salários caíram brutalmente no período pós-napoleônico. Mas havia um limite fisiológico nessas reduções; caso contrário, os trabalhadores morreriam de fome, como de fato aconteceu com 500 mil tecelões manuais. Somente se o custo de vida caísse podiam também os salários cair além daquele limite. Os fabricantes de algodão partilhavam o ponto de vista de que o custo de vida era mantido artificialmente alto pelo monopólio da propriedade fundiária, piorado ainda pelas pesadas tarifas protetoras que um Parlamento de proprietários de terra tinha assegurado às atividades agrícolas britânicas depois das guerras — as *Leis do Trigo (Corn-Laws)*. Essa legislação protecionista tinha ainda a desvantagem adicional de ameaçar o crescimento essencial das exportações britânicas. Pois se o resto do mundo ainda não industrializado era impedido de vender seus produtos agrícolas, como poderia pagar pelas mercadorias manufaturadas que só a Grã-Bretanha podia — e tinha para — fornecer? O mundo empresarial de Manchester tornou-se portanto o centro da oposição, cada vez mais desesperada e militante,

A ERA DAS REVOLUÇÕES

aos proprietários de terras em geral e às *Leis do Trigo* em particular, constituindo a coluna vertebral da Liga Contra as *Leis do Trigo* de 1838-1846, mas as leis só foram abolidas em 1846 e sua abolição não levou imediatamente a uma queda no custo de vida, sendo duvidoso que antes da era das ferrovias e dos navios a vapor mesmo importações livres de alimentos o tivessem feito baixar.

A indústria estava assim sob uma enorme pressão para que se mecanizasse (isto é, baixasse os custos através da diminuição da mão de obra), racionalizasse e aumentasse a produção e as vendas, compensando com uma massa de pequenos lucros por unidade a queda nas margens. Seu sucesso foi variável. Como vimos, o crescimento real da produção e das exportações foi gigantesco; bem como, depois de 1815, a mecanização das ocupações até então manuais ou parcialmente mecanizadas, notadamente a tecelagem. Isto tomou a forma principalmente de uma adoção geral da maquinaria já existente ou ligeiramente melhorada, em vez de uma revolução tecnológica adicional. Embora a pressão por uma inovação técnica aumentasse significativamente — havia 39 patentes novas na fiação e em outros processos da indústria do algodão em 1800-1820, 51 na década de 1820, 86 na década de 1830 e 156 na de 1840[25] —, a indústria algodoeira britânica se achava tecnicamente estabilizada por volta da década de 1830. Por outro lado, embora a produção por trabalhador tivesse aumentado no período pós-napoleônico, isto não se deu em uma escala revolucionária. A aceleração realmente substancial das operações da indústria iria ocorrer na segunda metade do século.

Havia uma pressão semelhante sobre o índice de rentabilidade do capital, que a teoria contemporânea tendeu a identificar com o lucro. Mas essa consideração leva-nos à fase seguinte do desenvolvimento industrial — a construção de uma indústria básica de bens de capital.

A REVOLUÇÃO INDUSTRIAL

4.

É evidente que nenhuma economia industrial pode se desenvolver além de um certo ponto se não possui uma adequada capacidade de bens de capital. Eis por que, até mesmo hoje, o mais abalizado índice isolado para se avaliar o potencial industrial de qualquer país é a quantidade de sua produção de ferro e aço. Mas é também evidente que, em um sistema de empresa privada, o investimento de capital extremamente dispendioso que se faz necessário para a maior parte deste desenvolvimento não é assumido provavelmente pelas mesmas razões que a industrialização do algodão ou outros bens de consumo. Para estes já existe um mercado de massa, ao menos potencialmente: mesmo os homens mais primitivos usam camisas ou equipamentos domésticos e alimentos. O problema resume-se meramente em como colocar um mercado suficientemente vasto de maneira suficientemente rápida ao alcance dos homens de negócios. Mas não existe um mercado desse tipo, por exemplo, para pesados equipamentos de ferro ou vigas de aço. Ele só passa a existir no curso de uma revolução industrial, e os que colocaram seu dinheiro nos altíssimos investimentos exigidos até por metalúrgicas bem modestas (em comparação com enormes engenhos de algodão) são antes especuladores, aventureiros e sonhadores do que verdadeiros homens de negócios. De fato, na França, uma seita de aventureiros desse tipo, que especulavam em tecnologia, os saint-simonianos (veja os Capítulos 9-2 e 13-2), agia como principal propagadora do tipo de industrialização que necessitava de pesados investimentos a longo prazo.

Estas desvantagens aplicavam-se particularmente à metalurgia e especialmente à do ferro. Sua capacidade aumentou, graças a algumas inovações simples como a pudelagem* e a laminação na década de 1780,

---

* Processo metalúrgico utilizado outrora para obter o ferro, ou um aço pouco carregado em carbono, por contato de uma massa de ferro fundido com uma escória oxidante no forno de revérbero. (*Enciclopédia Delta-Larousse*, nota da edição brasileira).

mas a demanda civil da metalurgia permanecia relativamente modesta, e a militar, embora compensadoramente vasta graças a uma sucessão de guerras entre 1756 e 1815, diminuiu vertiginosamente depois de Waterloo. Certamente não era grande o bastante para fazer da Grã-Bretanha um enorme produtor de ferro. Em 1790, a produção britânica suplantou a da França em somente 40%, se tanto, e mesmo em 1800 era consideravelmente menor do que a metade de toda a produção do continente, chegando, segundo padrões posteriores, apenas à diminuta quantidade de 250 mil toneladas. Na verdade, a produção britânica de ferro, comparada à produção mundial, tendeu a afundar nas décadas seguintes.

Felizmente essas desvantagens afetavam menos a mineração, que era principalmente a do *carvão,* pois o carvão tinha a vantagem de ser não somente a principal fonte de energia industrial do século XIX, como também um importante combustível doméstico, graças em grande parte à relativa escassez de florestas na Grã-Bretanha. O crescimento das cidades, especialmente de Londres, tinha causado uma rápida expansão da mineração do carvão desde o fim do século XVI. No início do século XVIII, a indústria do carvão era substancialmente uma moderna indústria primitiva, mesmo empregando as mais recentes máquinas a vapor (projetadas para fins semelhantes na mineração de metais não ferrosos, principalmente na Cornuália) nos processos de bombeamento. Portanto, a mineração do carvão quase não exigiu nem sofreu uma importante revolução tecnológica no período que focalizamos. Suas inovações foram antes melhorias do que transformações da produção, mas sua capacidade já era imensa e, pelos padrões mundiais, astronômica. Em 1800, a Grã-Bretanha deve ter produzido cerca de 10 milhões de toneladas de carvão, ou aproximadamente 90% da

A REVOLUÇÃO INDUSTRIAL

produção mundial. Seu competidor mais próximo, a França, produziu menos de 1 milhão.

Esta imensa indústria, embora provavelmente não se expandindo de forma suficientemente rápida rumo a uma industrialização realmente maciça em escala moderna, era grande o bastante para estimular a invenção básica que iria transformar as indústrias de bens de capital: a ferrovia. Pois as minas não só necessitavam de máquinas a vapor em grande quantidade e de grande potência, mas também de meios de transporte eficientes para trazer grandes quantidades de carvão do fundo das minas até a superfície e especialmente para levá-las da superfície aos pontos de embarque. A linha férrea ou os trilhos sobre os quais corriam os carros era uma resposta óbvia; acionar estes carros por meio de máquinas era tentador; acioná-los ainda por meio de máquinas móveis não parecia muito impossível. Finalmente, os custos do transporte terrestre de grandes quantidades de mercadoria eram tão altos que provavelmente os donos de minas de carvão localizadas no interior perceberam que o uso desse meio de transporte de curta distância podia ser estendido lucrativamente para longos percursos. A linha entre o campo de carvão de Durham e o litoral (Stockton-Darlington, 1825) foi a primeira das modernas ferrovias. Tecnologicamente, a ferrovia é filha das minas e especialmente das minas de carvão do norte da Inglaterra. George Stephenson começou a vida como "maquinista" em Tyneside, e durante anos todos os condutores de locomotivas foram recrutados nesse campo de carvão.

Nenhuma outra inovação da revolução industrial incendiou tanto a imaginação quanto a ferrovia, como testemunha o fato de ter sido o único produto da industrialização do século XIX totalmente absorvido pela imagística da poesia erudita e popular. Mal tinham as ferrovias provado ser tecnicamente viáveis e lucrativas na Inglaterra (por volta de 1825-1830) e planos para sua construção já eram feitos na maioria dos países do mundo ocidental, embora sua execução fosse geralmente retar-

A ERA DAS REVOLUÇÕES

dada. As primeiras pequenas linhas foram abertas nos Estados Unidos em 1827, na França em 1828 e 1835, na Alemanha e na Bélgica em 1835 e até na Rússia em 1837. Indubitavelmente, a razão é que nenhuma outra invenção revelava para o leigo de forma tão cabal o poder e a velocidade da nova era; a revelação fez-se ainda mais surpreendente pela incomparável maturidade técnica mesmo das primeiras ferrovias. (Velocidades de até 60 milhas — 96 quilômetros — por hora, por exemplo, eram perfeitamente praticáveis na década de 1830, e não foram substancialmente melhoradas pelas posteriores ferrovias a vapor.) A estrada de ferro, arrastando sua enorme serpente emplumada de fumaça, à velocidade do vento, através de países e continentes, com suas obras de engenharia, estações e pontes formando um conjunto de construções que fazia as pirâmides do Egito e os aquedutos romanos e até mesmo a Grande Muralha da China empalidecer de provincianismo, era o próprio símbolo do triunfo do homem pela tecnologia.

De fato, de um ponto de vista econômico, seu grande custo foi sua principal vantagem. Sem dúvida, no final das contas, sua capacidade para abrir países até então isolados do mercado mundial pelos altos custos de transporte, assim como o enorme aumento da velocidade e da massa de comunicação por terra que possibilitou aos homens e às mercadorias vieram a ser de grande importância. Antes de 1848, as ferrovias eram economicamente menos importante: fora da Grã-Bretanha, porque as ferrovias eram poucas; na Grã-Bretanha, porque, devido a razões geográficas, os problemas de transporte eram muito mais fáceis de resolver do que em países com enormes territórios.* Mas, na perspectiva dos estudiosos do desenvolvimento econômico, a esta altura era mais importante o imenso apetite das ferrovias por ferro e aço, carvão, maquinaria pesada, mão de

---

* Nenhum ponto da Grã-Bretanha dista mais de 70 milhas (112 quilômetros) do litoral, e todas as principais áreas industriais do século XIX, com apenas uma exceção, ficavam à beira-mar ou bem próximas dele.

A REVOLUÇÃO INDUSTRIAL

obra e investimentos de capital. Pois propiciava justamente a demanda maciça que se fazia necessária para as indústrias de bens de capital se transformarem tão profundamente quanto a indústria algodoeira. Nas primeiras duas décadas das ferrovias (1830-1850), a produção de ferro na Grã-Bretanha subiu de 680 mil para 2.250.000 toneladas, em outras palavras, triplicou. A produção de carvão, entre 1830 e 1850, também triplicou de 15 milhões de toneladas para 49 milhões. Este enorme crescimento deveu-se prioritariamente à ferrovia, pois em média cada milha de linha exigia 300 toneladas de ferro só para os trilhos.[26] Os avanços industriais, que pela primeira vez tornaram possível a produção em massa de aço, decorreriam naturalmente nas décadas seguintes.

A razão para esta expansão rápida, imensa e de fato essencial estava na paixão aparentemente irracional com que os homens de negócios e os investidores atiraram-se à construção de ferrovias. Em 1830 havia cerca de algumas dezenas de quilômetros de ferrovias em todo o mundo — consistindo basicamente na linha Liverpool — Manchester. Por volta de 1840 havia mais de 7 mil quilômetros, por volta de 1850, mais de 37 mil. A maioria delas foi projetada em poucas explosões de loucura especulativa conhecidas como as "coqueluches ferroviárias" de 1835-1837 e especialmente de 1844-1847; e a maioria foi construída em grande parte com capital, ferro, máquinas e tecnologia britânicos.* Estas explosões de investimento parecem irracionais, porque de fato poucas ferrovias eram muito mais lucrativas para o investidor do que outras formas de empresa, a maioria produzia lucros bem modestos e muitas nem chegavam a dar lucro: em 1855, a rentabilidade média do capital aplicado nas ferrovias britânicas era de apenas 3,7%. Sem dúvida, os agentes financeiros, especuladores e outros se saíram muito bem, mas não o investidor comum. E ainda assim, por volta de 1840, 28 milhões de libras foram esperan-

---

* Em 1848, um terço do capital nas ferrovias francesas era inglês.[27]

çosamente investidas em ferrovias e, por volta de 1850, 240 milhões de libras.[28]

Por quê? O fato fundamental na Grã-Bretanha nas primeiras duas gerações da revolução industrial foi que as classes ricas acumulavam renda tão rapidamente e em tão grandes quantidades que excediam todas as possibilidades disponíveis de gasto e investimento. (O excedente anual aplicável na década de 1840 foi calculado em cerca de 60 milhões de libras.[29]) Sem dúvida, as sociedades aristocráticas e feudais teriam conseguido gastar uma parte considerável desse excedente em uma vida desregrada, prédios luxuosos e outras atividades não econômicas.* Até mesmo na Grã-Bretanha, o sexto Duque de Devonshire, cuja renda normal era realmente principesca, conseguiu deixar para seu herdeiro dívidas de 1 milhão de libras em meados do século XIX (que ele pagou tomando emprestado mais 1 milhão e 500 mil libras e especulando sobre os valores de terrenos.).[30] Mas o grosso das classes médias, que constituíam o principal público investidor, ainda era dos que economizavam e não dos que gastavam, embora haja muitos sinais de que por volta de 1840 eles se sentissem suficientemente ricos tanto para gastar como para investir. Suas esposas se transformaram em "madames" instruídas pelos manuais de etiquetas que se multiplicavam neste período, suas capelas começaram a ser reconstruídas em estilos grandiosos e caros, e começaram mesmo a celebrar sua glória coletiva construindo monstruosidades cívicas como esses horrendos *town halls* imitando os estilos gótico e Renascentista, cujo custo exato e napoleônico os historiadores municipais registraram com orgulho.**

---

* Claro que esse desperdício também estimula a economia, mas de forma muito ineficiente, e muito pouco em função do crescimento industrial.

** Algumas cidades com tradições do século XVIII jamais cessaram de erguer construções públicas, mas uma metrópole nova, tipicamente industrial, como Bolton, em Lancashire, praticamente não construiu qualquer edifício grandioso e inútil antes de 1847-1848.[31]

A REVOLUÇÃO INDUSTRIAL

Uma moderna sociedade de bem-estar social (*welfare*) ou socialista teria, sem dúvida, distribuído alguns destes vastos acúmulos para fins sociais. No período que focalizamos nada era menos provável. Virtualmente livres de impostos, as classes médias continuaram portanto a acumular em meio a um populacho faminto, cuja fome era o reverso daquela acumulação. E como não eram camponeses, satisfeitos em socar suas economias em meias de lã ou convertê-las em braceletes de ouro, tinham de encontrar investimentos lucrativos. Mas onde? As indústrias existentes, por exemplo, tinham se tornado demasiadamente baratas para absorver mais que uma fração do excedente disponível para investimento: mesmo supondo que o tamanho da indústria algodoeira fosse duplicado, o custo do capital absorveria só uma parte dele. Era necessário uma esponja bastante grande para absorver tudo.*

O investimento estrangeiro era uma possibilidade óbvia. O resto do mundo — para começar, basicamente velhos governos em busca de uma recuperação das guerras napoleônicas e novos governos tomando emprestado, com seus costumeiros ímpetos e liberalidades, para fins indeterminados — estava muito ansioso por empréstimos ilimitados. O investidor inglês emprestava prontamente.

Mas os empréstimos aos sul-americanos, que pareciam tão promissores na década de 1820, e aos norte-americanos, que acenavam na década de 1830, transformaram-se frequentemente em pedaços de papel sem valor: de 25 empréstimos a governos estrangeiros concedidos entre 1818 e 1831, 16 (correspondendo a cerca da metade dos 42 milhões de libras esterlinas a preços de emissão) estavam sem pagamento em 1831. Em teoria, estes empréstimos deviam ter rendido aos investidores 7% ou 9% de juros, quando, na verdade, em 1831, rendiam uma média de apenas

---

* O capital total — fixo e de giro — da indústria algodoeira foi estimado por McCulloch em 34 milhões de libras em 1835 e 47 milhões de libras em 1845.

3,1%. Quem não se sentiria desencorajado por experiências como a dos empréstimos a 5% feitos aos gregos em 1824 e 1825 e que só começaram a pagar juros na década de 1870?[32] Logo, é natural que o capital investido no exterior nos *booms* especulativos de 1825 e 1835-1837 procurasse uma aplicação aparentemente menos decepcionante.

John Francis, observando a mania de 1851, assim descreveu o homem rico: ele "via o acúmulo da riqueza, com o qual um povo industrializado sempre sobrepuja os métodos comuns de investimento, empregado de forma legítima e justa... O dinheiro que em sua juventude tinha sido gasto em empréstimos de guerra e, em sua maturidade, nas minas sul-americanas, estava agora construindo estradas, empregando mão de obra e incrementando os negócios. A absorção de capital (pela ferrovia) era no mínimo uma absorção, se malsucedida, no país que a efetuava. Contrariamente às minas estrangeiras e aos empréstimos estrangeiros, não podia ser exaurida ou ficar totalmente sem valor".[33]

Se uma outra forma de investimento doméstico podia ter sido encontrada — por exemplo, na construção —, é uma questão acadêmica para a qual a resposta permanece em dúvida. De fato, o capital encontrou as ferrovias, que não podiam ter sido construídas tão rapidamente e em tão grande escala sem essa torrente de capital, especialmente na metade da década de 1840. Era uma conjuntura feliz, pois de imediato as ferrovias resolveram virtualmente todos os problemas do crescimento econômico.

5.

Traçar o ímpeto da industrialização é somente uma parte da tarefa deste historiador. A outra é traçar a mobilização e a transferência de recursos econômicos, a adaptação da economia e da sociedade necessárias para manter o novo curso revolucionário.

A REVOLUÇÃO INDUSTRIAL

O primeiro e talvez mais crucial fator que tinha de ser mobilizado e transferido era o da mão de obra, pois uma economia industrial significa um brusco declínio proporcional da população agrícola (isto é, rural) e um brusco aumento da população não agrícola (isto é, crescentemente urbana), e quase certamente (como no período em apreço), um rápido aumento geral da população, o que portanto implica, em primeira instância, um brusco crescimento no fornecimento de alimentos, principalmente da agricultura doméstica — ou seja, uma "revolução agrícola".*

O rápido crescimento das cidades e dos agrupamentos não agrícolas na Grã-Bretanha tinha há muito tempo estimulado naturalmente a agricultura, que felizmente era tão ineficiente em suas formas pré-industriais que melhorias muito pequenas — como uma racional pequena atenção à criação doméstica, ao revezamento das safras, à fertilização e à disposição dos terrenos de cultivo, ou a adoção de novas safras — podiam produzir resultados desproporcionalmente grandes. Essa mudança agrícola tinha precedido a revolução industrial e tornou possível os primeiros estágios de rápidos aumentos populacionais, e o ímpeto naturalmente continuou, embora as atividades agrícolas britânicas tivessem sofrido pesadamente com a queda que se seguiu aos preços atipicamente altos das guerras napoleônicas. Em termos de tecnologia e de investimento de capital, as mudanças de nosso período foram provavelmente bastante modestas até a década de 1840, período em que se pode dizer que a ciência e a engenharia agrícolas atingiram a maturidade. O vasto aumento na produção, que capacitou as atividades agrícolas britânicas na década de 1830 a fornecerem 98% dos cereais consumidos por uma população duas a três vezes maior que a de meados do século XVIII,[34] foi obtido pela adoção geral

---

* Antes da era da ferrovia e do navio a vapor — ou seja, antes do fim de nosso período — a possibilidade de importar grandes quantidades de alimentos do exterior era limitada, embora a Grã-Bretanha tivesse se transformado em um livre importador de alimentos a partir da década de 1780.

A ERA DAS REVOLUÇÕES

de métodos descobertos no início do século XVIII, pela racionalização e pela expansão da área cultivada.

Tudo isto, por sua vez, foi obtido pela transformação social e não tecnológica: pela liquidação (com o "Movimento das Cercas") do cultivo comunal da Idade Média com seu campo aberto e seu pasto comum, da cultura de subsistência e de velhas atitudes não comerciais em relação à terra. Graças à evolução preparatória dos séculos XVI a XVIII, esta solução radical única do problema agrário, que fez da Grã-Bretanha um país de alguns grandes proprietários, um número moderado de arrendatários comerciais e um grande número de trabalhadores contratados, foi conseguida com um mínimo de problemas, embora intermitentemente sofresse a resistência não só dos infelizes camponeses pobres como também da pequena nobreza tradicionalista do interior. O "sistema Speenhamland" de ajuda aos pobres, espontaneamente adotado por juízes-cavalheiros em vários condados durante e depois da fome de 1795, foi analisado como a última tentativa sistemática para salvaguardar a velha sociedade rural contra a corrosão do vínculo monetário.* As *Leis do Trigo*, com as quais o interesse agrário buscava proteger as atividades agrícolas contra a crise posterior a 1815, eram em parte um manifesto contra a tendência de se tratar a agricultura como uma indústria igual a qualquer outra, a ser julgada pelos critérios de lucro. Mas estas reações contra a introdução final do capitalismo no interior estavam condenadas e foram finalmente derrotadas na onda do avanço radical da classe média depois de 1830, pelo novo Decreto dos Pobres de 1834 e pela abolição das *Leis do Trigo* em 1846.

Em termos de produtividade econômica, esta transformação social foi um imenso sucesso; em termos de sofrimento humano, uma tragé-

---

* Segundo esse sistema, os pobres teriam garantido um salário de subsistência através de subsídios quando necessário; o sistema, embora bem-intencionado, eventualmente levou a uma pobreza ainda maior do que antes.

A REVOLUÇÃO INDUSTRIAL

dia, aprofundada pela depressão agrícola depois de 1815, que reduziu os camponeses pobres a uma massa destituída e desmoralizada. Após 1800, até mesmo um campeão tão entusiasmado do progresso agrícola e do "movimento das cercas" como Arthur Young ficou abalado com seus efeitos sociais.[35] Contudo, do ponto de vista da industrialização, esses efeitos também eram desejáveis; pois uma economia industrial necessita de mão de obra, e de onde mais poderia vir esta mão de obra senão do antigo setor não industrial? A população rural doméstica ou estrangeira (esta sob a forma de imigração, principalmente irlandesa) era a fonte mais óbvia, suplementada pela mistura de pequenos produtores e trabalhadores pobres.* Os homens tinham que ser atraídos para as novas ocupações, ou — como era mais provável — forçados a elas, pois inicialmente estiveram imunes a essas atrações ou relutantes em abandonar seu modo de vida tradicional.[36] A dificuldade social e econômica era a arma mais eficiente; secundada pelos salários mais altos e a liberdade maior que havia nas cidades. Por várias razões, as forças capazes de desprender os homens de seu passado sócio-histórico eram ainda relativamente fracas em nosso período, em comparação com a segunda metade do século XIX. Foi necessária uma catástrofe realmente gigantesca como a fome irlandesa para produzir o tipo de emigração em massa (um milhão e meio de uma população total de 8,5 milhões em 1835-1850) que se tornou comum depois de 1850. Não obstante, essas forças eram mais fortes na

---

* Um outro ponto de vista sustenta que o suprimento da mão de obra vem não de tais transferências, mas sim do aumento da população total, que, como sabemos, crescia rapidamente. Mas isto é um erro. Em uma economia industrial, não só os números mas também a *proporção* da força de trabalho não agrícola deve crescer vertiginosamente. Isto quer dizer que os homens e as mulheres que de outra maneira teriam permanecido em suas aldeias e vivido como seus antepassados têm que se mudar para outra parte em um certo estágio de suas vidas, pois as cidades crescem mais rápido do que sua própria taxa natural de crescimento, que em qualquer caso tendia normalmente a ser menor do que a das vilas. Isto é verídico tanto para o caso em que a população agrícola realmente diminui, mantém seu número ou até mesmo aumenta.

A ERA DAS REVOLUÇÕES

Grã-Bretanha do que em outras partes. Se não o fossem, o desenvolvimento industrial britânico poderia ter sido tão dificultado como o foi o da França pela estabilidade e relativo conforto de seu campesinato e de sua pequena burguesia, que destituíram a indústria da necessária injeção de mão de obra.*

Conseguir um número suficiente de trabalhadores era uma coisa; outra coisa era conseguir um número suficiente de trabalhadores com as necessárias qualificações e habilidades. A experiência do século XX demonstra que este problema é tão crucial e mais difícil de resolver do que o outro. Em primeiro lugar, *todo* operário tinha que aprender a trabalhar de uma maneira adequada à indústria, ou seja, num ritmo regular de trabalho diário ininterrupto, o que é inteiramente diferente dos altos e baixos provocados pelas diferentes estações no trabalho agrícola ou da intermitência autocontrolada do artesão independente. A mão de obra tinha também que aprender a responder aos incentivos monetários. Os empregadores britânicos daquela época, como os sul-africanos de hoje, constantemente reclamavam da "preguiça" do operário ou de sua tendência para trabalhar até que tivesse recebido um salário tradicional de subsistência semanal, e então parar. A resposta foi encontrada numa draconiana disciplina da mão de obra (multas, um código de "senhor e escravo" que mobilizava as leis em favor do empregador etc.), mas acima de tudo na prática, sempre que possível, de se pagar tão pouco ao operário que ele tivesse que trabalhar incansavelmente durante toda a semana para obter uma renda mínima (veja o Capítulo 10-3). Nas fábricas onde a disciplina do operariado era mais urgente, descobriu-se que era mais conveniente empregar as dóceis (e mais baratas) mulheres e crianças: de todos os trabalhadores nos engenhos de algodão ingleses em 1834-1847,

---

* Caso contrário, como os EUA, a Grã-Bretanha teria tido que depender da imigração em massa. Na verdade, apoiou-se em parte na imigração irlandesa.

A REVOLUÇÃO INDUSTRIAL

cerca de um quarto eram homens adultos, mais da metade era de mulheres e meninas, e o restante, de rapazes abaixo dos 18 anos.[37] Outra maneira comum de assegurar a disciplina da mão de obra, que refletia o processo fragmentário e em pequena escala da industrialização nesta fase inicial, era o subcontrato ou a prática de fazer dos trabalhadores qualificados os verdadeiros empregadores de auxiliares sem experiência. Na indústria algodoeira, por exemplo, cerca de dois terços dos rapazes e um terço das meninas estavam assim "sob o emprego direto de trabalhadores" e eram, portanto, mais vigiados, e fora das fábricas propriamente ditas tais acordos eram ainda mais comuns. O subempregador, é claro, tinha um incentivo financeiro direto para que seus auxiliares contratados não se distraíssem.

Era bem mais difícil recrutar ou treinar um número suficiente de trabalhadores qualificados ou tecnicamente habilitados, pois poucas habilidades pré-industriais tinham alguma utilidade na moderna indústria, embora, é claro, muitas ocupações, como a construção, continuassem praticamente inalteradas. Felizmente, a vagarosa semi-industrialização da Grã-Bretanha nos séculos anteriores a 1789 tinha produzido um reservatório bastante grande de habilidades adequadas, tanto na técnica têxtil quanto no manuseio dos metais. Assim é que, no continente, o serralheiro, ou chaveiro, um dos poucos artesãos acostumados a um trabalho de precisão com metais, tornou-se o ancestral do montador-fresador e por vezes deu-lhe o nome, enquanto na Grã-Bretanha o construtor de moinhos e o "operador de máquinas" ou "maquinista" (já comum nas minas e à sua volta) foi quem desempenhou este papel. Não é um mero acidente que a palavra inglesa *engineer* descreva tanto o trabalhador qualificado em metal quanto o desenhista ou planejador; pois o grosso do pessoal técnico de um nível mais alto podia ser, e era, recrutado entre estes homens com qualificações mecânicas e autoconfiantes. De fato, a industrialização britânica apoiava-se neste fornecimento não planejado das qualificações mais altas, enquanto a indústria continental não podia fazê-lo. Isto explica a chocante negligência com a educação técnica e geral neste país, cujo preço seria pago mais tarde.

Ao lado desse problema de fornecimento de mão de obra, os de fornecimento de capital eram insignificantes. Inversamente à maioria dos outros países europeus, não havia escassez de capital aplicável na Grã-Bretanha. A maior dificuldade era que os que controlavam a maior parte desse capital no século XVIII — proprietários de terra, mercadores, armadores, financistas etc. — relutavam em investi-lo nas novas indústrias, que, portanto, frequentemente tinham de ser iniciadas com pequenas economias ou empréstimos e desenvolvidas pela lavra dos lucros. A escassez de capital local fez com que os primeiros industriais — especialmente os homens que se fizeram por si mesmos (*self-made-men*) — fossem mais duros, mais parcos e mais ávidos, e seus trabalhadores portanto proporcionalmente mais explorados; mas isto refletia o fluxo imperfeito do excedente de investimento nacional e não sua inadequação. Por outro lado, os ricos do século XVIII estavam preparados para investir seu dinheiro em certas empresas que beneficiavam a industrialização; mais notadamente nos transportes (canais, facilidades portuárias, estradas e mais tarde também nas ferrovias) e nas minas, das quais os proprietários de terras tiravam *royalties* mesmo quando eles próprios não as gerenciavam.

Nem havia qualquer dificuldade quanto à técnica comercial e financeira pública ou privada. Os bancos e o papel-moeda, as letras de câmbio, apólices e ações, as técnicas do comércio ultramarino e atacadista, assim como o marketing, eram bastante conhecidos e os homens que os controlavam ou facilmente aprendiam a fazê-lo eram em número abundante. Além do mais, por volta do final do século XVIII, a política governamental estava firmemente comprometida com a supremacia dos negócios. Velhas leis em contrário (tais como o código social dos Tudor) tinham de há muito caído em desuso e foram finalmente abolidos — exceto quando envolviam a agricultura — em 1813-1835. Na teoria, as leis e as instituições comerciais e financeiras da Grã-Bretanha eram ridículas e destinadas antes a obstaculizar do que a ajudar o desenvolvimento econômico; por exemplo, elas tornavam necessária a promulgação de caros "decretos privados" do Parlamento toda vez que se desejasse formar uma sociedade anônima. A Revolução Francesa forneceu aos franceses — e, por meio de sua influência, ao resto do continente — mecanismos muito mais racionais e eficientes para tais propósitos. Na prática, os britânicos se saíram perfeitamente bem e, de fato, consideravelmente melhor do que seus rivais.

Deste modo bastante empírico, não planificado e acidental, construiu-se a primeira economia industrial de vulto. Pelos padrões modernos, ela era pequena e arcaica, e seu arcaísmo ainda marca a Grã-Bretanha de hoje. Pelos padrões de 1848, ela era monumental, embora também chocasse bastante, pois suas novas cidades eram mais feias, e seu proletariado, mais pobre do que em outros países.* A atmosfera envolta em neblina e saturada de fumaça, na qual as pálidas massas operárias se movimentavam, perturbava o visitante estrangeiro. Mas essa economia utilizava a força de 1 milhão de cavalos em suas máquinas a vapor, produzia 2 milhões de jardas (aproximadamente 1.800 mil metros) de tecido de algodão por ano em mais de 17 milhões de fusos mecânicos, recolhia quase 50 milhões de toneladas de carvão, importava e exportava 170 milhões de libras esterlinas em mercadorias em um só ano. Seu comércio era duas vezes superior ao de seu mais próximo competidor, a França, e apenas em 1780 a havia ultrapassado. Seu consumo de algodão era duas vezes superior ao dos Estados Unidos, quatro vezes superior ao da França. Produzia mais da metade do total de lingotes de ferro do mundo econo-

---

* "No geral, a condição da classe trabalhadora parece nitidamente pior na Inglaterra do que na França em 1830-1848", conclui um moderno historiador.[38]

A ERA DAS REVOLUÇÕES

micamente desenvolvido e consumia duas vezes mais por habitante do que o segundo país mais industrializado (a Bélgica), três vezes mais que os Estados Unidos, e quatro vezes mais do que a França. Cerca de 200 a 300 milhões de libras de investimento de capital britânico — um quarto nos Estados Unidos, quase um quinto na América Latina — traziam dividendos e encomendas de todas as partes do mundo.[39] Era, de fato, a "oficina do mundo".

E tanto a Grã-Bretanha quanto o mundo sabiam que a revolução industrial lançada nestas ilhas não só pelos comerciantes e empresários como através deles, cuja única lei era comprar no mercado mais barato e vender sem restrição no mais caro, estava transformando o mundo. Nada poderia detê-la. Os deuses e os reis do passado eram impotentes diante dos homens de negócios e das máquinas a vapor do presente.

3. A REVOLUÇÃO FRANCESA

"Um inglês que não se sinta cheio de estima e admiração pela maneira sublime com que está agora se efetuando uma das mais Importantes Revoluções que o mundo jamais viu deve estar morto para todos os sentidos da virtude e da liberdade; nenhum de meus patrícios que tenha tido a sorte de presenciar as ocorrências dos últimos três dias nesta grande cidade fará mais que testemunhar que minha linguagem não é hiperbólica."

The Morning Post (21 de julho de 1789)
sobre a queda da Bastilha

"Brevemente as nações esclarecidas colocarão em julgamento aqueles que têm até aqui governado os seus destinos. Os reis fugirão para os desertos, para a companhia dos animais selvagens que a eles se assemelham; e a Natureza recuperará os seus direitos."

Saint-Just; *Sur La Constitution de la France,
Discours prononcé à la Convention*, 24 de abril de 1793

1.

Se a economia do mundo do século XIX foi formada principalmente sob a influência da revolução industrial britânica, sua política e ideologia foram formadas fundamentalmente pela Revolução Francesa. A Grã-Bretanha forneceu o modelo para as ferrovias e fábricas, o explosivo econômico que rompeu com as estruturas socioeconômicas tradicionais do mundo não europeu; mas foi a França que fez suas revoluções e a elas deu suas ideias, a ponto de bandeiras tricolores de um tipo ou de outro terem-se tornado o emblema de praticamente todas as nações emergentes, e a política europeia (ou mesmo mundial) entre 1789 e 1917 ser em grande parte a luta a favor e contra os princípios de 1789, ou os ainda mais incendiários de 1793. A França forneceu o vocabulário e os temas da política liberal e radical-democrática para a maior parte do mundo. A França deu o primeiro grande exemplo, o conceito e o vocabulário do nacionalismo. A França forneceu os códigos legais, o modelo de organização técnica e científica e o sistema métrico de medidas para a maioria dos países. A ideologia do mundo moderno atingiu as antigas civilizações que tinham até então resistido às ideias europeias inicialmente através da influência francesa. Esta foi a obra da Revolução Francesa.*

O fim do século XVIII, como vimos, foi uma época de crise para os velhos regimes da Europa e seus sistemas econômicos, e suas últimas décadas foram cheias de agitações políticas, às vezes chegando a ponto da revolta, e de movimentos coloniais em busca de autonomia, às vezes atingindo o ponto da secessão: não só nos Estados Unidos (1776-1783) mas também na Irlanda (1782-1784), na Bélgica e em Liège (1787-1790), na Holanda (1783-1787), em Genebra e até mesmo — conforme já se discutiu — na Inglaterra (1779). A quantidade de agitações políticas é tão grande que alguns historiadores mais recentes falaram de uma "era da revolução democrática", em que a Revolução Francesa foi apenas um exemplo, embora o mais dramático e de maior alcance e repercussão.[1]

Na medida em que a crise do velho regime não foi puramente um fenômeno francês, há algum peso nestas observações. Igualmente, pode-se

---

* Esta diferença entre as influências britânica e francesa não deve ser levada muito longe. Nenhum dos dois centros da revolução dupla restringiu sua influência a qualquer campo da atividade humana, e os dois eram antes complementares que competitivos. Entretanto, até mesmo quando ambos convergiam mais claramente — como no *socialismo*, que foi quase simultaneamente inventado e batizado nos dois países —, convergiam a partir de direções um tanto diferentes.

argumentar que a Revolução Russa de 1917 (que ocupa uma posição de importância análoga em nosso século) foi meramente o mais dramático de toda uma série de movimentos semelhantes, tais como os que — alguns anos antes de 1917 — finalmente puseram fim aos antigos impérios turco e chinês. Ainda assim, há aí um equívoco. A Revolução Francesa pode não ter sido um fenômeno isolado, mas foi muito mais fundamental do que os outros fenômenos contemporâneos e suas consequências foram portanto mais profundas. Em primeiro lugar, ela se deu no mais populoso e poderoso Estado da Europa (não considerando a Rússia). Em 1789, cerca de um em cada cinco europeus era francês. Em segundo lugar, ela foi, diferentemente de todas as revoluções que a precederam e a seguiram, uma revolução *social* de massa, e incomensuravelmente mais radical do que qualquer levante comparável. Não é um fato meramente acidental que os revolucionários americanos e os jacobinos britânicos que emigraram para a França devido a suas simpatias políticas tenham sido vistos como moderados na França. Tom Paine era um extremista na Grã-Bretanha e na América; mas em Paris ele estava entre os mais moderados dos girondinos. Resultaram das Revoluções Americanas, grosseiramente falando, países que continuaram a ser o que eram, somente sem o controle político dos britânicos, espanhóis e portugueses. O resultado da Revolução Francesa foi que a era de Balzac substituiu a era de Mme. Dubarry.

Em terceiro, entre todas as revoluções contemporâneas, a Revolução Francesa foi a única ecumênica. Seus exércitos partiram para revolucionar o mundo; suas ideias de fato o revolucionaram. A Revolução Americana foi um acontecimento crucial na história americana, mas (exceto nos países diretamente envolvidos nela ou por ela) deixou poucos traços relevantes em outras partes. A Revolução Francesa é um marco em todos os países. Suas repercussões, ao contrário daquelas da Revolução Americana, ocasionaram os levantes que levaram à libertação da América Latina depois de 1808. Sua influência direta se espalhou até Bengala, onde Ram Mohan Roy foi inspirado por ela a fundar o primeiro movimento de reforma hindu, predecessor do moderno nacionalismo indiano. (Quando visitou a Inglaterra em 1830, ele insistiu em viajar em um navio francês para demonstrar o entusiasmo que tinha pelos princípios da Revolução.) A Revolução Francesa foi, como se disse bem, "o primeiro grande movimento de ideias da cristandade ocidental que teve qualquer efeito real sobre o mundo islâmico"[2] e isto quase que de imediato. Por volta da metade do século XIX, a palavra turca *vatan,* que até então simplesmente descrevia o local de nascimento ou a residência de um homem, tinha começado a se transformar, sob sua influência, em algo parecido com *patrie,* o termo "liberdade", antes de 1800 sobretudo uma expressão legal que denotava o oposto de "escravidão", tinha começado a adquirir um novo conteúdo político. Sua influência direta é universal, pois ela forneceu o padrão para todos os movimentos revolucionários subsequentes, suas lições (interpretadas segundo o gosto de cada um) tendo sido incorporadas ao socialismo e ao comunismo modernos.*

A Revolução Francesa é assim *a* revolução do seu tempo, e não apenas uma, embora a mais proeminente, do seu tipo. E suas origens devem portanto ser procuradas não meramente em condições gerais da Europa, mas sim na situação específica da França. Sua peculiaridade é talvez mais bem ilustrada em termos internacionais. Durante todo o século XVIII a França foi o maior rival econômico da Grã-Bretanha. Seu comércio externo, que se multiplicou quatro vezes entre 1720 e 1780, causava ansiedade; seu sistema colonial foi em certas áreas (como nas Índias Ocidentais) mais dinâmico do que o britânico. Mesmo assim a França

---

* Com isto não queremos subestimar a influência da Revolução Americana. Sem dúvida ela ajudou a estimular a Revolução Francesa, e, em um sentido mais estreito, forneceu modelos constitucionais — competindo e às vezes se alternando com a Revolução Francesa — para vários Estados latino-americanos e a inspiração para movimentos democrático-radicais de tempos em tempos.

A REVOLUÇÃO FRANCESA

não era uma potência como a Grã-Bretanha, cuja política externa já era substancialmente determinada pelos interesses da expansão capitalista. Ela era a mais poderosa, e sob vários aspectos a mais típica, das velhas e aristocráticas monarquias absolutas da Europa. Em outras palavras, o conflito entre a estrutura oficial e os interesses estabelecidos do velho regime e as novas forças sociais ascendentes era mais agudo na França do que em outras partes.

As novas forças sabiam muito precisamente o que queriam. Turgot, o economista fisiocrata, lutou por uma exploração eficiente da terra, por um comércio e uma empresa livres, por uma administração eficiente e padronizada de um único território nacional homogêneo, pela abolição de todas as restrições e desigualdades sociais que impediam o desenvolvimento dos recursos nacionais e por uma administração e taxação racionais e imparciais. Ainda assim, sua tentativa de aplicação desse programa como primeiro-ministro no período 1774-1776 fracassou lamentavelmente, e o fracasso é característico. Reformas desse tipo, em doses modestas, não eram incompatíveis com as monarquias absolutas nem tampouco mal recebidas. Pelo contrário, uma vez que as fortaleciam, tiveram, como já vimos, uma ampla difusão nessa época entre os chamados "déspotas esclarecidos". Mas na maioria dos países de "despotismo esclarecido" essas reformas ou eram inaplicáveis, e, portanto, meros floreios teóricos, ou então improváveis de mudar o caráter geral de suas estruturas político-sociais; ou ainda fracassaram em face da resistência das aristocracias locais e de outros interesses estabelecidos, deixando o país recair em uma versão um pouco mais limpa do seu antigo Estado. Na França elas fracassaram mais rapidamente do que em outras partes, pois a resistência dos interesses estabelecidos era mais efetiva. Mas os resultados deste fracasso foram mais catastróficos para a monarquia; e as forças da mudança burguesa eram fortes demais para cair na inatividade. Elas

A ERA DAS REVOLUÇÕES

simplesmente transferiram suas esperanças de uma monarquia esclarecida para o povo ou a "nação".

Não obstante, uma generalização desta ordem não nos leva muito longe na compreensão de por que a Revolução eclodiu quando eclodiu, e por que tomou aquele curso notável. Para isso, é mais útil considerarmos a chamada "reação feudal" que realmente forneceu a centelha que fez explodir o barril de pólvora da França.

As 400 mil pessoas aproximadamente que, entre os 23 milhões de franceses, formavam a nobreza, a inquestionável "primeira linha" da nação, embora não tão absolutamente a salvo da intromissão das linhas menores como na Prússia e outros lugares, estavam bastante seguras. Elas gozavam de consideráveis privilégios, inclusive de isenção de vários impostos (mas não de tantos quanto o clero, mais bem organizado), e do direito de receber tributos feudais. Politicamente sua situação era menos brilhante. A monarquia absoluta, conquanto inteiramente aristocrática e até mesmo feudal no seu *ethos,* tinha destituído os nobres de sua independência política e responsabilidade e reduzido ao mínimo suas velhas instituições representativas — "estados"* e *parlements.* O fato continuou a se agravar entre a mais alta aristocracia e entre a *noblesse de robe* mais recente, criada pelos reis para vários fins, principalmente financeiros e administrativos; uma classe média governamental enobrecida que expressava tanto quanto podia o duplo descontentamento dos aristocratas e dos burgueses através das assembleias e cortes de justiça remanescentes. Economicamente as preocupações dos nobres não eram absolutamente desprezíveis. Guerreiros e não profissionais ou empresários por nascimento e tradição — nobres eram até mesmo formalmente impedidos

---

* *"Estates"* no original. Em inglês britânico, a palavra *estate* designa, quer os bens excepcionais que definem um *"status",* quer uma "ordem" ou "classe" social do Antigo Regime (cf. "Terceiro Estado"), quer uma corte ou assembleia (nesse caso, ao plural, cf. "Os Estados Gerais") — trata-se portanto aqui das assembleias ou cortes da nobreza.

A REVOLUÇÃO FRANCESA

de exercer um ofício ou profissão —, eles dependiam da renda de suas propriedades, ou, se pertencessem à minoria privilegiada de grandes nobres ou cortesãos, de casamentos milionários, pensões, presentes ou sinecuras da corte. Mas os gastos que exigiam o *status* de nobre eram grandes e cada vez maiores, e suas rendas caíam — já que eram raramente administradores inteligentes de suas fortunas, se é que de alguma forma as conseguiam administrar. A inflação tendia a reduzir o valor de rendas fixas, como aluguéis.

Era portanto natural que os nobres usassem seu bem principal, os privilégios reconhecidos. Durante todo o século XVIII, na França como em tantos outros países, eles invadiram decididamente os postos oficiais que a monarquia absoluta preferira preencher com homens da classe média,* politicamente inofensivos e tecnicamente competentes. Por volta da década de 1780, eram necessários quatro graus de nobreza até para comprar uma patente no exército, todos os bispos eram nobres e até mesmo as intendências, a pedra angular da administração real, tinham sido retomadas por eles. Consequentemente, a nobreza não só exasperava os sentimentos da classe média por sua bem-sucedida competição por postos oficiais, mas também corroía o próprio Estado através da crescente tendência de assumir a administração central e provinciana. De maneira semelhante, eles — e especialmente os cavalheiros provincianos mais pobres que tinham poucos outros recursos — tentaram neutralizar o declínio de suas rendas usando ao máximo seus consideráveis direitos feudais para extorquir dinheiro (ou mais raramente, serviço) do campesinato. Toda uma profissão, a dos *feudistas,*** nasceu para reviver os direitos obsoletos desse tipo ou então para aumentar ao máximo o lucro dos existentes. Seu mais celebrado membro, Gracchus Babeuf, viria a se

---

* Cf. p. 19.

** Especialistas em direito feudal. (*N. T.*)

A ERA DAS REVOLUÇÕES

tornar o líder da primeira revolta comunista da história moderna, em 1796. Consequentemente, a nobreza não só exasperava a classe média mas também o campesinato.

A situação desta classe enorme, compreendendo talvez 80% de todos os franceses, estava longe de ser brilhante. De fato os camponeses eram em geral livres e não raro proprietários de terras. Em quantidade efetiva, as propriedades nobres cobriam somente um quinto da terra, as propriedades do clero talvez cobrissem outros 6%, com variações regionais.[3] Assim é que na diocese de Montpellier os camponeses já possuíam de 38% a 40% da terra, a burguesia, de 18% a 19%, os nobres, de 15% a 16% e o clero, de 3% a 4%, enquanto um quinto era de terras comuns.[4] Na verdade, entretanto, a grande maioria não tinha terras ou tinha uma quantidade insuficiente, deficiência esta aumentada pelo atraso técnico dominante; e a fome geral de terra foi intensificada pelo aumento da população. Os tributos feudais, os dízimos e as taxas tiravam uma grande e cada vez maior proporção da renda do camponês, e a inflação reduzia o valor do resto. Pois só a minoria dos camponeses que tinha um constante excedente para vendas se beneficiava dos preços crescentes; o resto, de uma maneira ou de outra, sofria, especialmente em tempos de má colheita, quando dominavam os preços de fome. Há pouca dúvida de que nos vinte anos que precederam a Revolução a situação dos camponeses tenha piorado por essas razões.

Os problemas financeiros da monarquia agravaram o quadro. A estrutura fiscal e administrativa do reino era tremendamente obsoleta, e, como vimos, a tentativa de remediar a situação através das reformas de 1774-1776 fracassou, derrotada pela resistência dos interesses estabelecidos encabeçados pelos *parlements.* Então a França envolveu-se na guerra da independência americana. A vitória contra a Inglaterra foi obtida ao custo da bancarrota final, e assim a Revolução Americana pôde proclamar-se a causa direta da Revolução Francesa. Vários expedientes foram

A REVOLUÇÃO FRANCESA

tentados com sucesso cada vez menor, mas sempre longe de uma reforma fundamental que, mobilizando a considerável capacidade tributável do país, pudesse enfrentar uma situação em que os gastos excediam a renda em pelo menos 20% e não havia quaisquer possibilidades de economias efetivas. Pois embora a extravagância de Versailles tenha sido constantemente culpada pela crise, os gastos da corte só significavam 6% dos gastos totais em 1788. A guerra, a marinha e a diplomacia constituíam um quarto, e metade era consumida pelo serviço da dívida existente. A guerra e a dívida — a guerra americana e sua dívida — partiram a espinha da monarquia.

A crise do governo deu à aristocracia e aos *parlements* a sua chance. Eles se recusavam a pagar pela crise se seus privilégios não fossem estendidos. A primeira brecha no *front* do absolutismo foi uma "assembleia de notáveis" escolhidos a dedo, mas assim mesmo rebeldes, convocada em 1787 para satisfazer as exigências governamentais. A segunda e decisiva brecha foi a desesperada decisão de convocar os Estados Gerais, a velha assembleia feudal do reino, enterrada desde 1614. Assim, a Revolução começou como uma tentativa aristocrática de recapturar o Estado. Esta tentativa foi mal calculada por duas razões: ela subestimou as intenções independentes do "Terceiro Estado" — a entidade fictícia destinada a representar todos os que não eram nobres nem membros do clero, mas de fato dominada pela classe média — e desprezou a profunda crise socioeconômica no meio da qual lançava suas exigências políticas.

A Revolução Francesa não foi feita ou liderada por um partido ou movimento organizado, no sentido moderno, nem por homens que estivessem tentando levar a cabo um programa estruturado. Nem mesmo chegou a ter "líderes" como as revoluções do século XX, até o surgimento da figura pós-revolucionária de Napoleão. Não obstante, um surpreendente consenso de ideias gerais entre um grupo social bastante coerente deu ao movimento revolucionário uma unidade efetiva. O grupo era a "burguesia"; suas ideias eram as do liberalismo clássico, conforme for muladas pelos "filósofos" e "economistas" e difundidas pela maçonaria e associações informais.

Até este ponto os "filósofos" podem ser, com justiça, considerados responsáveis pela Revolução. Ela teria ocorrido sem eles; mas eles prova·velmente constituíram a diferença entre um simples colapso de um velho regime e a sua substituição rápida e efetiva por um novo.

Em sua forma mais geral, a ideologia de 1789 era a maçônica, expressa com tão sublime inocência na *Flauta mágica* de Mozart (1791), uma das primeiras grandes obras de arte propagandísticas de uma época em que as mais altas realizações artísticas pertenceram tantas vezes à propaganda. Mais especificamente, as exigências do *burguês* foram delineadas na famosa Declaração dos Direitos do Homem e do Cidadão, de 1789. Este documento é um manifesto contra a sociedade hierárquica de privilégios nobres, mas não um manifesto a favor de uma sociedade democrática e igualitária. "Os homens nascem e vivem livres e iguais perante as leis", dizia seu primeiro artigo; mas ela também prevê a existência de distinções sociais, ainda que "somente no terreno da utilidade comum". A propriedade privada era um direito natural, sagrado, inalienável e inviolável. Os homens eram iguais perante a lei e as profissões estavam igualmente abertas ao talento; mas, se a corrida começasse sem *handicaps,* era igualmente entendido como fato consumado que os corredores não terminariam juntos. A declaração afirmava (como contrário à hierarquia nobre ou absolutismo) que "todos os cidadãos têm o direito de colaborar na elaboração das leis"; mas "pessoalmente ou através de seus representantes". E a assembleia representativa que ela vislumbrava como o órgão fundamental de governo não era necessariamente uma assembleia democraticamente eleita, nem o regime nela implícito pretendia eliminar os reis. Uma monarquia constitucional baseada em uma oligarquia possuidora de terras era mais adequada à maioria dos liberais burgueses do que a república democrática que poderia ter parecido uma expressão mais lógica de suas aspirações teóricas, embora alguns também advogassem esta causa. Mas, no geral, o burguês liberal clássico de 1789 (e o liberal de 1789-1848) não era um democrata mas sim um devoto do constitucionalismo, um Estado secular com liberdades civis e garantias para a empresa privada e um governo de contribuintes e proprietários.

Entretanto, oficialmente esse regime expressaria não apenas seus interesses de classe, mas também a vontade geral do "povo", que era por sua vez (uma significativa identificação) "a nação francesa". O rei não era mais Luís, pela Graça de Deus, Rei de França e Navarra, mas Luís, pela Graça de Deus e do direito constitucional do Estado, Rei dos franceses. "A fonte de toda a soberania", dizia a Declaração, "reside essencialmente na nação". E a nação, conforme disse o Abade Sieyès, não reconhecia na Terra qualquer direito acima do seu próprio e não aceitava qualquer lei ou autoridade que não a sua — nem a da humanidade como um todo, nem a de outras nações. Sem dúvida, a nação francesa, como suas subsequentes imitadoras, não concebeu inicialmente que seus interesses pudessem se chocar com os de outros povos, mas, pelo contrário, via a si mesma como inauguradora ou participante de um movimento de libertação geral dos povos contra a tirania. Mas de fato a rivalidade nacional (por exemplo, a dos homens de negócios franceses com os ingleses) e a subordinação nacional (por exemplo, a das nações conquistadas ou libertadas em face dos interesses da *grande nation*) estavam implícitas no nacionalismo ao qual a burguesia de 1789 deu sua primeira expressão oficial. "O povo" identificado com "a nação" era um conceito revolucionário; mais revolucionário do que o programa liberal-burguês que pretendia expressá-lo. Mas era também uma faca de dois gumes.

Visto que os camponeses e os trabalhadores pobres eram analfabetos, politicamente simples ou imaturos, e o processo de eleição, indireto, 610 homens, a maioria desse tipo, foram eleitos para representar o Terceiro

Estado. A maioria da assembleia era de advogados que desempenhavam um papel econômico importante na França provinciana; cerca de 100 representantes eram capitalistas e homens de negócios. O Terceiro Estado tinha lutado acirradamente, e com sucesso, para obter uma representação tão grande quanto a da nobreza e a do clero juntas, uma ambição moderada para um grupo que oficialmente representava 95% do povo. E agora lutava com igual determinação pelo direito de explorar sua maioria potencial de votos, transformando os Estados Gerais em uma assembleia de deputados que votariam individualmente, ao contrário do corpo feudal tradicional que deliberava e votava por "ordens" ou "estados", uma situação em que a nobreza e o clero podiam sempre derrotar o Terceiro Estado. Foi aí que se deu a primeira vitória revolucionária. Cerca de seis semanas após a abertura dos Estados Gerais, os Comuns, ansiosos por evitar a ação do rei, dos nobres e do clero, constituíram-se, com todos os que estavam preparados para se juntar a eles, nos seus termos, em Assembleia Nacional com o direito de reformar a Constituição. Foi feita uma tentativa contrarrevolucionária que os levou a formular suas exigências praticamente nos termos da Câmara dos Comuns inglesa. O absolutismo atingia seus estertores, conforme Mirabeau, um brilhante e desacreditado ex-nobre, disse ao rei: "Majestade, vós sois um estranho nesta assembleia e não tendes o direito de se pronunciar aqui."[5]

O Terceiro Estado obteve sucesso, contra a resistência unificada do rei e das ordens privilegiadas, porque representava não apenas as opiniões de uma minoria militante e instruída, mas também as de forças bem mais poderosas: os trabalhadores pobres das cidades, e especialmente de Paris, e em suma, também, o campesinato revolucionário. O que transformou uma limitada agitação reformista em uma revolução foi o fato de que a conclamação dos Estados Gerais coincidiu com uma profunda crise socioeconômica. Os últimos anos da década de 1780 tinham sido, por uma complexidade de razões, um período de grandes dificuldades praticamente para todos os ramos da economia francesa. Uma má safra em 1788 (e 1789) e um inverno muito difícil tornaram aguda a crise. As más safras faziam sofrer o campesinato, pois significavam que enquanto os grandes produtores podiam vender cereais a altos preços, a maioria dos homens em suas insuficientes propriedades tinha provavelmente que se alimentar do trigo reservado para o plantio ou comprar alimentos àqueles preços, especialmente nos meses imediatamente anteriores à nova safra (maio-julho). Obviamente as más safras faziam sofrer também os pobres das cidades, cujo custo de vida — o pão era o principal alimento — podia duplicar. Fazia-os sofrer ainda mais, porque o empobrecimento do campo reduzia o mercado de manufaturas e, portanto, também produzia uma depressão industrial. Os pobres do interior ficavam assim desesperados e envolvidos em distúrbios e banditismo; os pobres das cidades ficavam duplamente desesperados, já que o trabalho cessava no exato momento em que o custo de vida subia vertiginosamente. Em circunstâncias normais, teriam ocorrido provavelmente pouco mais que agitações cegas. Mas em 1788 e 1789 uma convulsão de grandes proporções no reino e uma campanha de propaganda e eleição deram ao desespero do povo uma perspectiva política. E lhe apresentaram a tremenda e abaladora ideia de se *libertar* da pequena nobreza e da opressão. Um povo turbulento se colocava por trás dos deputados do Terceiro Estado.

A contrarrevolução transformou um levante de massa em potencial em um levante efetivo. Sem dúvida era natural que o velho regime oferecesse resistência, se necessário com força armada, embora o exército não fosse mais totalmente de confiança. (Só sonhadores irrealistas suporiam que Luís XVI pudesse ter aceitado a derrota e imediatamente se transformado em um monarca constitucional, mesmo que tivesse sido um homem menos desprezível e estúpido do que era, casado com uma mulher menos irresponsável e com menos miolos de galinha, e preparado para escutar conselheiros menos desastrosos.) De fato a contrarrevolução mo-

A ERA DAS REVOLUÇÕES

bilizou contra si as massas de Paris, já famintas, desconfiadas e militantes. O resultado mais sensacional de sua mobilização foi a queda da Bastilha, uma prisão estatal que simbolizava a autoridade real e onde os revolucionários esperavam encontrar armas. Em tempos de revolução nada é mais poderoso do que a queda de símbolos. A queda da Bastilha, que fez do 14 de julho a festa nacional francesa, ratificou a queda do despotismo e foi saudada em todo o mundo como o princípio de libertação. Até mesmo o austero filósofo Immanuel Kant, de Koenigsberg, de quem se diz que os hábitos eram tão regrados que os cidadãos daquela cidade acertavam por ele os seus relógios, postergou a hora de seu passeio vespertino ao receber a notícia, de modo que convenceu a cidade de Koenigsberg de que um fato que sacudiu o mundo tinha deveras ocorrido. O que é mais certo é que a queda da Bastilha levou a revolução para as cidades provincianas e para o campo.

As revoluções camponesas são movimentos vastos, disformes, anônimos, mas irresistíveis. O que transformou uma epidemia de inquietação camponesa em uma convulsão irreversível foi a combinação dos levantes das cidades provincianas com uma onda de pânico de massa, que se espalhou de forma obscura mas rapidamente por grandes regiões do país: o chamado Grande Medo (*Grande Peur*), de fim de julho e princípio de agosto de 1789. Três semanas após o 14 de julho, a estrutura social do feudalismo rural francês e a máquina estatal da França Real ruíam em pedaços. Tudo o que restou do poderio estatal foi uma dispersão de regimentos pouco confiáveis, uma Assembleia Nacional sem força coercitiva e uma multiplicidade de administrações municipais ou provincianas da classe média* que logo montaram "Guardas Nacionais" burguesas seguindo o modelo de Paris. A classe média e a aristocracia imediatamente aceitaram o inevitável: todos os privilégios feudais foram oficialmente

---

* Cf. p. 19.

abolidos embora, quando a situação política se acalmou, fosse fixado um preço rígido para sua remissão. O feudalismo só foi finalmente abolido em 1793. No fim de agosto, a revolução tinha também adquirido seu manifesto formal, a Declaração dos Direitos do Homem e do Cidadão. Em contrapartida, o rei resistiu com sua costumeira estupidez, e setores revolucionários da classe média, amedrontados com as implicações sociais do levante de massa, começaram a pensar que era chegada a hora do conservadorismo.

Em resumo, a principal forma da política revolucionária burguesa francesa e de todas as subsequentes estava agora bem clara. Esta dramática dança dialética dominaria as gerações futuras. Repetidas vezes veremos moderados reformadores da classe média mobilizando as massas contra a resistência obstinada ou a contrarrevolução. Veremos as massas indo além dos objetivos dos moderados rumo a suas próprias revoluções sociais, e os moderados, por sua vez, dividindo-se em um grupo conservador, daí em diante fazendo causa comum com os reacionários, e um grupo de esquerda, determinado a perseguir o resto dos objetivos moderados, ainda não alcançados, com o auxílio das massas, mesmo com o risco de perder o controle sobre elas. E assim por diante, com repetições e variações do modelo de resistência — mobilização de massa —, inclinação para a esquerda — rompimento entre os moderados —, inclinação para a direita — até que a maior parte da classe média passe daí em diante para o campo conservador ou seja derrotado pela revolução social. Na maioria das revoluções burguesas subsequentes, os liberais moderados viriam a retroceder, ou transferir-se para a ala conservadora, em um estágio bastante inicial. De fato, no século XIX vemos de modo crescente (mais notadamente na Alemanha) que eles se tornaram absolutamente relutantes em começar uma revolução, por medo de suas incalculáveis consequências, preferindo um compromisso com o rei e a aristocracia. A peculiaridade da Revolução Francesa é que uma facção da classe média liberal estava pronta a continuar revolucionária até o, e mesmo além do, limiar da revolução antiburguesa eram os jacobinos, cujo nome veio a significar "revolução radical" em toda parte.

Por quê? Em parte, é claro, porque a burguesia francesa não tinha ainda para temer, como os liberais posteriores, a terrível memória da Revolução Francesa. Depois de 1794, ficaria claro para os moderados que o regime jacobino tinha levado a revolução longe demais para os objetivos e comodidades burgueses, exatamente como ficaria claro para os revolucionários que "o sol de 1793", se fosse nascer de novo, teria de brilhar sobre uma sociedade não burguesa. Por outro lado, os jacobinos podiam sustentar o radicalismo porque em sua época não existia uma classe que pudesse fornecer uma solução social coerente como alternativa à deles. Esta classe só surgiu no curso da revolução industrial, com o "proletariado" ou, mais precisamente, com as ideologias e movimentos baseados nele. Na Revolução Francesa, a classe operária — e mesmo esta é uma designação imprópria para a massa de assalariados contratados, mas fundamentalmente não industriais — ainda não desempenhava qualquer papel independente. Eles tinham fome, faziam agitações e talvez sonhassem, mas por motivos práticos seguiam os líderes não proletários. O campesinato nunca fornece uma alternativa política para ninguém; apenas, de acordo com a ocasião, uma força quase irresistível ou um obstáculo quase irremovível. A única alternativa para o radicalismo burguês (se exceruarmos pequenos grupos de ideólogos ou militantes impotentes quando destituídos do apoio das massas) eram os "sansculottes", um movimento disforme, sobretudo urbano, de trabalhadores pobres, pequenos artesãos, lojistas, artífices, pequenos empresários etc. Os sansculottes eram organizados, principalmente nas "seções" de Paris e nos clubes políticos locais, e forneciam a principal força de choque da revolução — eram eles os verdadeiros manifestantes, agitadores, construtores de barricadas. Através de jornalistas como Marat e Hébert, através de porta-vozes locais, eles também formularam uma política, por trás da qual estava um ideal social contraditório e vagamente definido, que combinava o respeito pela (pequena) propriedade privada com a hostilidade aos ricos, trabalho garantido pelo governo, salários e segurança social para o homem pobre, uma democracia extremada, de igualdade e de liberdade, localizada e direta. Na verdade, os sansculottes eram um ramo daquela importante e universal tendência política que procurava expressar os interesses da grande massa de "pequenos homens" que existia entre os polos do "burguês" e do "proletário", frequentemente talvez mais próximos deste do que daquele porque eram, afinal, na maioria pobres. Esta tendência pode ser observada nos Estados Unidos (sob a forma de uma democracia jeffersoniana e jacksoniana, ou populismo), na Grã-Bretanha (radicalismo), na França (com os antecessores dos futuros "republicanos" e radical-socialistas), na Itália (com os mazzinianos e os garibaldinos) e em toda parte. Na maioria das vezes, ela costumou se colocar, nas épocas pós-revolucionárias, como uma ala esquerdista do liberalismo da classe média, mas relutante em abandonar o antigo princípio de que não há inimigos na esquerda, e pronta, em tempos de crise, a se rebelar contra "a muralha de dinheiro", "os monarquistas econômicos" ou "a cruz de ouro que crucifica a humanidade". Mas o movimento dos sansculottes também não forneceu nenhuma alternativa real. O seu ideal, um passado dourado de aldeões e pequenos artesãos ou um futuro dourado de pequenos fazendeiros e artífices não perturbados por banqueiros e milionários, era irrealizável. A história se movia silenciosamente contra eles. O máximo que podiam fazer — e isto eles conseguiram em 1793-1794 — era erguer obstáculos à sua passagem, os quais dificultaram o crescimento econômico francês daquela época. De fato, o sansculotismo foi um fenômeno tão desamparado que seu próprio nome está praticamente esquecido, ou só é lembrado como sinônimo do jacobinismo que lhe deu liderança no Ano II.

A ERA DAS REVOLUÇÕES

2.

Entre 1789 e 1791, a vitoriosa burguesia moderada, atuando através do que tinha a esta altura se transformado na Assembleia Constituinte, tomou providências para a gigantesca racionalização e reforma da França, que era seu objetivo. A maioria dos empreendimentos institucionais duradouros da revolução data deste período, assim como os seus mais extraordinários resultados internacionais, o sistema métrico e a emancipação pioneira dos judeus. Economicamente as perspectivas da Assembleia Constituinte eram inteiramente liberais: sua política em relação aos camponeses era o cerco das terras comuns e o incentivo aos empresários rurais; para a classe trabalhadora, a interdição dos sindicatos; para os pequenos artesãos, a abolição dos grêmios e corporações. Dava pouca satisfação concreta ao povo comum, exceto, a partir de 1790, com a secularização e venda dos terrenos da Igreja (bem como dos terrenos da nobreza emigrante) que tinha a tripla vantagem de enfraquecer o clericalismo, fortalecer o empresário rural e provinciano e dar a muitos camponeses uma retribuição mensurável por suas atividades revolucionárias. A Constituição de 1791 rechaçou a democracia excessiva através de um sistema de monarquia constitucional baseada em um direito de voto censitário dos "cidadãos ativos" reconhecidamente bastante amplo. Esperava-se que os passivos honrassem sua denominação.

Na verdade, isto não aconteceu. Por um lado, a monarquia, embora a esta altura fortemente apoiada por uma poderosa facção burguesa ex-revolucionária, não podia se conformar com o novo regime. A corte sonhava e conspirava por uma cruzada de primos reais que banisse a canalha governante de plebeus e restituísse o ungido de Deus, o mui católico rei da França, a seu lugar de direito. A Constituição Civil do Clero (1790), uma má concebida tentativa de destruir não a Igreja, mas a lealdade romana absolutista da Igreja, levou a maioria do clero e de

A REVOLUÇÃO FRANCESA

seus fiéis à oposição, e ajudou a levar o rei à desesperada e afinal suicida tentativa de fugir do país. Ele foi recapturado em Varennes (junho de 1791) e daí em diante o republicanismo tornou-se uma força de massa; pois os reis tradicionais que abandonam seus povos perdem o direito à lealdade. Por outro lado, a incontrolada economia de livre empresa dos moderados acentuou as flutuações no nível dos preços dos alimentos e consequentemente a militância dos pobres das cidades, especialmente em Paris. O preço do pão registrava a temperatura política de Paris com a exatidão de um termômetro e as massas de Paris eram a força revolucionária decisiva: não por mero acaso, a nova bandeira nacional francesa foi uma combinação do velho branco real com as cores vermelha e azul de Paris.

A eclosão da guerra agravou a situação; isto quer dizer que ela ocasionou uma segunda revolução em 1792, a República Jacobina do Ano II, e, consequentemente, Napoleão. Em outras palavras, ela transformou a história da Revolução Francesa na história da Europa.

Duas forças levaram a França a uma guerra geral: a extrema direita e a esquerda moderada. O rei, a nobreza francesa e a crescente emigração aristocrática e eclesiástica, acampados em várias cidades da Alemanha Ocidental, achavam que só a intervenção estrangeira poderia restaurar o velho regime.* Esta intervenção não foi muito facilmente organizada, dadas as complexidades da situação internacional e a relativa tranquilidade política de outros países. Entretanto, era cada vez mais evidente para os nobres e os governantes por direito divino de outros países que a restauração do poder de Luís XVI não era meramente um ato de solidariedade de classe, mas uma proteção importante contra a difusão de ideias perturbadoras vindas da França. Consequentemente, as forças para a reconquista da França concentraram-se no exterior.

---

* Cerca de 300 mil franceses emigraram entre 1789 e 1795.[6]

A ERA DAS REVOLUÇÕES

Ao mesmo tempo, os próprios liberais moderados, e principalmente um grupo de políticos que se aglomeravam em torno dos deputados do departamento mercantil de Gironda, eram uma força belicosa. Isto se devia, em parte, ao fato de que toda revolução genuína tende a ser ecumênica. Para os franceses, bem como para seus numerosos simpatizantes no exterior, a libertação da França era simplesmente o primeiro passo para o triunfo universal da liberdade, uma atitude que levou facilmente à convicção de que era dever da pátria, da revolução, libertar todos os povos que gemiam debaixo da opressão e da tirania. Havia entre os revolucionários, moderados e extremistas, uma paixão generosa e genuinamente exaltada em difundir a liberdade; uma inabilidade genuína para separar a causa da nação francesa daquela de toda a humanidade escravizada. O movimento francês, assim como todos os outros movimentos revolucionários viriam a aceitar este ponto de vista, ou a adaptá-lo, daí até pelo menos 1848. Todos os planos para a libertação europeia até 1848 giravam em torno de um levante conjunto dos povos, sob a liderança dos franceses, para derrubar a reação europeia; e, depois de 1830, outros movimentos de revolta nacional e liberal, como o italiano e o polonês, também tenderam a ver suas nações em certo sentido como o Messias destinado por sua própria liberdade a iniciar os planos libertários de todos os outros povos.

Por outro lado, considerada menos idealisticamente, a guerra também ajudaria a solucionar numerosos problemas domésticos. Era tentador e óbvio atribuir as dificuldades do novo regime às conspirações dos emigrantes e dos tiranos estrangeiros, e lançar contra eles os populares descontentes. Mais especificamente, os homens de negócios argumentavam que as perspectivas econômicas incertas, a desvalorização da moeda e outros problemas só podiam ser remediados se a ameaça de intervenção fosse dissipada. Eles e seus ideólogos deviam pensar, com uma olhadela na experiência britânica, que a supremacia econômica era filha da

A REVOLUÇÃO FRANCESA

agressividade sistemática. (O século XVIII não foi um século em que o homem de negócios bem-sucedido estivesse absolutamente casado com a paz.) Além do mais, como logo se veria, a guerra podia ser feita para dar lucros. Por todas estas razões, a maioria da nova Assembleia Legislativa, exceto uma pequena ala direitista e uma pequena ala esquerdista sob o comando de Robespierre, pregava a guerra. Por estas razões também, quando a guerra chegou, as conquistas da revolução viriam a combinar a libertação, a exploração e a digressão política.

A guerra foi declarada em abril de 1792. A derrota, que o povo (bem plausivelmente) atribuiu à sabotagem e à traição real, trouxe a radicalização. Em agosto-setembro, a monarquia foi derrubada, a República estabelecida e uma nova era da história humana proclamada, com a instituição do Ano I do calendário revolucionário, pela ação armada das massas sansculottes de Paris. A heroica idade de ferro da Revolução Francesa começou entre os massacres dos prisioneiros políticos, as eleições para a Convenção Nacional — provavelmente a mais notável assembleia na história do parlamentarismo — e a conclamação para a resistência total aos invasores. O rei foi feito prisioneiro, e a invasão estrangeira, sustada por um nada dramático duelo de artilharia em Valmy.

As guerras revolucionárias impõem sua própria lógica. O partido dominante na nova Convenção era o dos girondinos, belicosos no exterior e moderados em casa, um corpo de oradores parlamentares com charme e brilho que representava os grandes negócios, a burguesia provinciana e muita distinção intelectual. Sua política era inteiramente impossível, pois somente Estados em campanhas militares limitadas e com forças regulares estabelecidas poderiam ter esperanças de manter a guerra e os problemas domésticos em compartimentos estanques, como faziam exatamente nesta época as senhoras e cavalheiros britânicos dos romances de Jane Austen. A revolução não estava em uma campanha limitada nem tinha forças estabelecidas, pois sua guerra oscilava entre a vitória total da

A ERA DAS REVOLUÇÕES

revolução mundial e a derrota total, que significava a total contrarrevolução, e seu exército — o que sobrou do velho exército francês — era incapaz e inseguro. Dumouriez, o maior general da República, logo desertaria para o inimigo. Somente métodos revolucionários sem precedentes poderiam vencer uma guerra dessas, mesmo que a vitória viesse a significar simplesmente a derrota da intervenção estrangeira. De fato, tais métodos foram encontrados. No decorrer de sua crise, a jovem República Francesa descobriu ou inventou a guerra total: a total mobilização dos recursos de uma nação através do recrutamento, do racionamento e de uma economia de guerra rigidamente controlada, e da virtual abolição, em casa e no exterior, da distinção entre soldados e civis. Só foi em nossa própria época histórica que se manifestaram as tremendas implicações desta descoberta. Uma vez que a guerra revolucionária de 1792-1794 permaneceu por muito tempo um episódio excepcional, a maioria dos observadores do século XIX não conseguiu entendê-la, mas quando muito observar (e mesmo isso foi esquecido até a opulência do fim da era vitoriana) que as guerras levam a revoluções e que as revoluções vencem guerras de outro modo invencíveis. Somente hoje em dia podemos ver quanto do que se passou na República Jacobina e no "Terror" de 1793-1794 faz sentido apenas nos termos de um moderno esforço de guerra total.

Os sansculottes saudaram um governo revolucionário de guerra, e não apenas porque corretamente defendiam que só assim a contrarrevolução e a intervenção estrangeira podiam ser derrotadas, mas também porque seus métodos mobilizavam o povo e traziam a justiça social mais para perto. (Eles desprezavam o fato de que nenhum esforço efetivo de guerra moderna é compatível com a democracia direta, voluntária e descentralizada que acalentavam.) Os girondinos, por outro lado, temiam as consequências políticas da combinação de uma revolução de massa com a guerra que eles provocaram. Nem estavam preparados para competir com a esquerda. Não queriam julgar ou executar o rei, mas tinham que

A REVOLUÇÃO FRANCESA

competir com seus rivais, "a Montanha" (os jacobinos), por este símbolo de zelo revolucionário; a Montanha ganhou prestígio, não a Gironda. Por outro lado, os girondinos queriam realmente expandir a guerra para uma cruzada ideológica geral de libertação e para um desafio direto ao grande rival econômico, a Grã-Bretanha. Neste particular, tiveram sucesso. Por volta de março de 1793, a França estava em guerra contra a maior parte da Europa e tinha dado início a anexações estrangeiras (legitimadas pela recém-inventada doutrina do direito francês às "fronteiras naturais"). Contudo a expansão da guerra, principalmente quando ela ia mal, só fortaleceu a esquerda, a única que poderia vencê-la. Batendo em retirada e derrotada taticamente, a Gironda foi finalmente levada a ataques mal calculados contra a esquerda, que logo se transformariam em uma revolta Provinciana organizada contra Paris. Um rápido golpe dos sansculottes derrubou-a em 2 de junho de 1793. Tinha chegado a República Jacobina.

3.

Quando o leigo instruído pensa na Revolução Francesa, são os acontecimentos de 1789, mas especialmente a República Jacobina do Ano II, que vêm à sua mente. O empertigado Robespierre, o gigantesco e dissoluto Danton, a gélida elegância revolucionária de Saint-Just, o gordo Marat, o Comitê de Salvação Pública, o tribunal revolucionário e a guilhotina são as imagens que vemos mais claramente. Os próprios nomes dos revolucionários moderados que surgem entre Mirabeau e Lafayette (1789) e os líderes jacobinos (1793) desapareceram da memória de todos, exceto dos historiadores. Os girondinos são lembrados apenas como um grupo, e talvez por causa das mulheres politicamente sem importância mas românticas que estavam ligadas a eles — Mme. Roland ou Charlotte Corday. Quem, fora do campo especializado, nem conhece sequer os nomes de Brissot, Vergniaud, Guadet e do resto? Os conservadores criaram uma imagem duradoura do Terror, da ditadura e da histérica e desenfreada sanguinolência, embora pelos padrões do século XX, e mesmo pelos padrões das repressões conservadoras contra as revoluções sociais, tais como os massacres que se seguiram à Comuna de Paris de 1871, suas matanças em massa fossem relativamente modestas: 17 mil execuções oficiais em 14 meses.[7] Os revolucionários, especialmente na França, viram-na como a primeira república do povo, inspiração de toda a revolta subsequente. Pois esta não era uma época a ser medida pelos critérios humanos cotidianos.

Isto é verdade. Mas para o francês da sólida classe média que estava por trás do Terror, ele não era nem patológico nem apocalíptico, mas primeiramente e sobretudo o único método efetivo de preservar seu país. Isto a República Jacobina conseguiu, e seu empreendimento foi sobre-humano. Em junho de 1793, 60 dos 80 departamentos franceses estavam em revolta contra Paris; os exércitos dos príncipes alemães estavam invadindo a França pelo norte e pelo leste; os britânicos atacavam pelo sul e pelo oeste: o país achava-se desamparado e falido. Quatorze meses mais tarde, toda a França estava sob firme controle, os invasores tinham sido expulsos, os exércitos franceses por sua vez ocupavam a Bélgica e estavam perto de começar um período de vinte anos de quase ininterrupto e fácil triunfo militar. Ainda assim, por volta de março de 1794, um exército três vezes maior que o anterior era mantido pela metade do custo de março de 1793, e o valor da moeda francesa (ou melhor, do papel-moeda — *assignats* — que a tinha amplamente substituído) era mantido razoavelmente estável, em contraste marcante com o passado e o futuro. Não é de admirar que Jeanbon St. André, o membro jacobino do Comitê de Salvação Pública que, embora fosse um firme republicano, mais tarde se tornaria um dos mais eficientes prefeitos de Napoleão, olhasse para a França imperial com desdém quando ela cambaleava sob as derrotas de

A REVOLUÇÃO FRANCESA

1812-1813. A República do Ano II tinha enfrentado com sucesso crises piores e com menos recursos.*

Para estes homens, como de fato para a maioria da Convenção Nacional que no fundo deteve o controle durante todo este período, a escolha era simples: ou o Terror, com todos os seus defeitos do ponto de vista da classe média, ou a destruição da Revolução, a desintegração do Estado nacional e provavelmente — já não havia o exemplo da Polônia? — o desaparecimento do país. Muito provavelmente, exceto pela desesperada crise da França, muitos deles teriam preferido um regime menos ferrenho e certamente uma economia controlada com menos rigor: a queda de Robespierre levou a uma epidemia de descontrole econômico, fraudes e corrupção que incidentalmente culminou em uma inflação galopante e na bancarrota nacional de 1797. Mas, mesmo do ponto de vista mais estreito, as perspectivas da classe média francesa dependiam das de um Estado nacional centralizado, forte e unificado. E, de qualquer forma, poderia a Revolução que tinha praticamente criado os termos "nação" e "patriotismo", em seus sentidos modernos, abandonar a *grande nation*?

A primeira tarefa do regime jacobino foi mobilizar o apoio da massa contra a dissidência dos notáveis e girondinos provincianos e preservar o já mobilizado apoio da massa dos sansculottes de Paris, cujas exigências por um esforço de guerra revolucionário — recrutamento geral (o *levée en masse*), terrorismo contra os "traidores" e controle geral dos preços (o "maximum") — coincidiam de qualquer forma com o senso comum jacobino, embora suas outras exigências viessem a se mostrar problemáticas.

---

* "Vós sabeis que espécie de governo (saiu vitorioso)?... Um governo da Convenção. Um governo de jacobinos apaixonados, com bonés vermelhos, roupas grosseiras de lã e tamancos de madeira, que viviam de pão puro e cerveja barata e dormiam em colchões atirados sobre o chão de seus locais de reunião, quando estavam demasiadamente cansados para se levantar e continuar com as deliberações. Eu fui um deles, cavalheiros. E aqui, como nos aposentos do imperador em que estou a ponto de entrar, glorifico este fato." Citado em J. Savant, *Les Préfets de Napoléon* (1958), 111-2.

A ERA DAS REVOLUÇÕES

Uma nova Constituição um tanto radicalizada, e até então retardada pela Gironda, foi proclamada. De acordo com este nobre documento, todavia acadêmico, dava-se ao povo o sufrágio universal, o direito de insurreição, trabalho ou subsistência, e — o mais significativo — a declaração oficial de que a felicidade de todos era o objetivo do governo e de que os direitos do povo deveriam ser não somente acessíveis, mas também operantes. Foi a primeira Constituição genuinamente democrática proclamada por um Estado moderno. Mais concretamente, os jacobinos aboliram sem indenização todos os direitos feudais remanescentes, aumentaram as oportunidades para o pequeno comprador adquirir as terras confiscadas dos emigrantes e — alguns meses mais tarde — aboliram a escravidão nas colônias francesas, a fim de estimular os negros de São Domingos a lutarem pela República contra os ingleses. Estas medidas obtiveram os mais amplos resultados. Na América, ajudaram a criar o primeiro grande líder revolucionário independente, Toussaint-Louverture.*

Na França, estabeleceram essa cidadela inexpugnável de pequenos e médios proprietários camponeses, pequenos artesãos e lojistas, economicamente retrógrados, mas apaixonadamente devotados à Revolução e à República, que tem dominado a vida do país desde então. A transformação capitalista da agricultura e da pequena empresa, a condição essencial para um rápido desenvolvimento econômico, foi reduzida a um rastejo, e com ela a velocidade da urbanização, a expansão do mercado doméstico, a multiplicação da classe trabalhadora e, consequentemente, o ulterior avanço da revolução proletária. Tanto os grandes negócios quanto os movimentos trabalhistas foram longamente condenados a permanecer fenômenos minoritários na França, ilhas cercadas por um oceano de donos

---

* O fracasso da França napoleônica em retomar o Haiti foi uma das principais razões para a liquidação de todo o remanescente Império Americano da França, que foi vendido pelo Termo de Compra da Louisiana (em 1803) aos Estados Unidos. Assim, uma consequência extra da difusão do jacobinismo na América foi a transformação dos Estados Unidos em uma potência de dimensões continentais.

de mercearia vendedores de cereais, pequenos proprietários camponeses e donos de cafés (veja o Capítulo 9).

O centro do novo governo, representando uma aliança de jacobinos e sansculottes, inclinou-se, portanto, claramente para a esquerda. Isto se refletiu no reconstruído Comitê de Salvação Pública, que rapidamente se transformou no efetivo Ministério da Guerra francês. O Comitê perdeu Danton, um revolucionário poderoso, dissoluto e provavelmente corrupto, mas imensamente talentoso e mais moderado que aparentava (tinha sido ministro na última administração real), e ganhou Maximilien Robespierre, que se tornou seu membro mais influente. Poucos historiadores têm sido desapaixonados a respeito deste advogado fanático, frio e afetado, com seu senso um tanto excessivo de monopólio privado da virtude, porque ele ainda encarna o terrível e glorioso Ano II a respeito do qual ninguém é neutro. Ele não era uma pessoa agradável; até mesmo os que acham que ele estava certo tendem hoje em dia a preferir o brilhante rigor matemático daquele arquiteto de paraísos espartanos, o jovem Saint--Just. Não foi também um grande homem, e sim muitas vezes limitado. Mas é o único indivíduo projetado pela Revolução (com a exceção de Napoleão) sobre o qual se desenvolveu um culto. Isto porque, para ele, como para a história, a República Jacobina não era um instrumento para ganhar guerras, mas sim um ideal: o terrível e glorioso reino da justiça e da virtude, quando todos os bons cidadãos fossem iguais perante a nação, e o povo tivesse liquidado com os traidores. Jean-Jacques Rousseau (veja adiante Capítulo 13-4) e a cristalina convicção de justiça deram-lhe sua força. Ele não tinha poderes ditatoriais formais nem mesmo um cargo, sendo simplesmente um membro do Comitê de Salvação Pública, que era por sua vez um mero subcomitê da Convenção — o mais poderoso, embora jamais todo-poderoso. Seu poder era o do povo — as massas parisienses: seu terror, o delas. Quando elas o abandonaram, ele caiu.

A ERA DAS REVOLUÇÕES

A tragédia de Robespierre e da República Jacobina foi que eles mesmos foram obrigados a afastar este apoio. O regime era uma aliança entre a classe média* e as massas trabalhadoras, mas para a classes médias jacobinas, as concessões sansculottes eram toleradas só porque, e na medida em que, ligavam as massas ao regime sem aterrorizar os proprietários; e dentro da aliança os jacobinos da classe média eram decisivos. Além do mais, as próprias necessidades da guerra obrigavam qualquer governo a centralizar e a disciplinar, à custa da livre democracia direta e local dos clubes e grêmios, as milícias ocasionais e as renhidas eleições livres em que floresciam os sansculottes. O mesmo processo que, durante a Guerra Civil Espanhola de 1936-1939, fortaleceu os comunistas à custa dos anarquistas, fortaleceu os jacobinos do tipo de Saint-Just à custa dos sansculottes do tipo de Hébert. Por volta de 1794, o governo e a política eram monolíticos e dominados ferreamente por agentes diretos do Comitê ou da Convenção — através de delegados *en mission* — e por um amplo quadro de oficiais e funcionários jacobinos juntamente com organizações locais do partido. Por fim, as necessidades econômicas da guerra afastaram o apoio popular. Nas cidades, o controle de preços e o racionamento beneficiavam as massas, mas o correspondente congelamento dos salários as prejudicava. No campo, o confisco sistemático de alimentos (que os sansculottes das cidades tinham sido os primeiros a advogar) afastou os camponeses.

As massas portanto recolheram-se ao descontentamento ou a uma passividade confusa e ressentida, especialmente depois do julgamento e execução dos hebertistas, os mais ardentes porta-vozes dos sansculottes. Enquanto isso, os defensores mais moderados da Revolução estavam alarmados com o ataque contra a oposição direitista, a esta altura encabeçada por Danton. Esta facção tinha fornecido refúgio para nume-

---

* Cf. p. 19.

A REVOLUÇÃO FRANCESA

rosos escroques, especuladores, operadores do mercado negro e outros elementos corruptos embora acumuladores de capital, e isso tão mais prontamente quanto o próprio Danton incorporava a imagem do livre amante e gastador amoral, falstafiano, que sempre surge no início das revoluções sociais até que seja suplantado pelo rígido puritanismo que invariavelmente vem dominá-lo. Os Dantons da história são sempre derrotados pelos Robespierres (ou por aqueles que fingem se portar como Robespierres), porque a dedicação rígida e estreita pode obter sucesso onde a boêmia não o consegue. Entretanto, se Robespierre conquistou o apoio dos moderados por eliminar a corrupção, o que se apresentava afinal de contas no interesse do esforço de guerra, as ulteriores restrições à liberdade e à ação de ganhar dinheiro foram mais desconcertantes para o homem de negócios. Finalmente, nenhum grande corpo de opinião gostava das excursões ideológicas um tanto extravagantes do período — as sistemáticas campanhas de descristianização (devidas ao zelo dos sansculottes) e a nova religião cívica de Robespierre, a do Ser Supremo, cheia de cerimônias, que tentava contrapor-se aos ateus e levar a termo os preceitos do divino Jean-Jacques. E o constante silvo da guilhotina lembrava a todos os políticos que ninguém estava realmente a salvo.

Por volta de abril de 1794, tanto a direita quanto a esquerda tinham ido para a guilhotina, e os seguidores de Robespierre estavam, portanto, politicamente isolados. Somente a crise da guerra os mantinha no poder. Quando, no final de junho de 1794, os novos exércitos da República demonstraram sua firmeza derrotando decididamente os austríacos em Fleurus e ocupando a Bélgica, o fim estava perto. No Nono Termidor pelo calendário revolucionário (27 de julho de 1794), a Convenção derrubou Robespierre. No dia seguinte, ele, Saint-Just e Couthon foram executados, e o mesmo ocorreu alguns dias depois com 87 membros da revolucionária Comuna de Paris.

A ERA DAS REVOLUÇÕES

4.

O Termidor é o fim da heroica e lembrada fase da Revolução: a fase dos esfarrapados sansculottes e dos corretos cidadãos de bonés vermelhos que se viam a si mesmos como Brutus e Cato, do período das frases generosas, clássicas e grandiloquentes e também das mortais "Lyon n'est plus", "Dez mil soldados precisam de sapatos. Pegarás os sapatos de todos os aristocratas de Estrasburgo e os entregarás prontos para o transporte até os quartéis amanhã às dez horas da manhã".[8] Não foi uma fase cômoda para se viver, pois a maioria dos homens sentia fome e muitos tinham medo, mas foi um fenômeno tão terrível e irreversível quanto a primeira explosão nuclear, e toda a história tem sido permanentemente transformada por ela. E a energia que ela gerou foi suficiente para varrer os exércitos dos velhos regimes da Europa como se fossem feitos de palha. O problema com que se defrontava a classe média francesa no restante do que é tecnicamente descrito como o período revolucionário (1794-1799) era como alcançar a estabilidade política e o avanço econômico nas bases do programa liberal de 1789-1791. A classe média jamais conseguiu desde então até hoje solucionar este problema de forma adequada, embora a partir de 1870 conseguisse descobrir na República Parlamentar uma fórmula exequível para a maior parte do tempo. As rápidas alternâncias de regime — Diretório (1795-1799), Consulado (1799-1804), Império (1804-1814), a restaurada Monarquia Bourbon (1815-1830), a Monarquia Constitucional (1830-1848), a República (1848-1851), e o Império (1852-1870) — foram todas tentativas para se manter uma sociedade burguesa evitando ao mesmo tempo o duplo perigo da república democrática jacobina e do velho regime.

A grande fraqueza dos termidorianos era que eles não desfrutavam de nenhum apoio político (no máximo, tolerância), espremidos como estavam entre uma revivida reação aristocrática e os pobres sansculottes

A REVOLUÇÃO FRANCESA

jacobinos de Paris, que logo se arrependeram da queda de Robespierre. Em 1795, projetaram uma elaborada constituição de controles e balanços para se resguardarem de ambos, e as periódicas viradas para a direita e a esquerda os mantiveram em precário equilíbrio; mas cada vez mais tinham que depender do exército para dispersar a oposição. Era uma situação curiosamente semelhante à da Quarta República, e o resultado foi semelhante: o governo de um general.* Mas o Diretório dependia do exército para algo mais do que a supressão de golpes e conspirações periódicas (várias em 1795, a de Babeuf em 1796, a do Prutidor em 1797, a do Ploreal em 1798 e a da Pradaria em 1799).**A inatividade era a única garantia segura de poder para um regime fraco e impopular, mas a classe média necessitava de iniciativa e de expansão. O exército resolveu este problema aparentemente insolúvel. Ele conquistou; pagou-se a si mesmo; e, mais do que isto, suas pilhagens e conquistas resgataram o governo. Teria sido surpreendente que, em consequência, o mais inteligente e capaz dos líderes do exército, Napoleão Bonaparte, tivesse decidido que o exército podia prescindir totalmente do débil regime civil?

Este exército revolucionário foi o mais formidável rebento da República Jacobina. De um *levée en masse* de cidadãos revolucionários, ele logo se transformou em uma força de combatentes profissionais, pois não houve recrutamento entre 1793 e 1798, e os que não tinham gosto ou talento para o militarismo desertaram em massa. Portanto, ele reteve as características da Revolução e adquiriu as características do interesse estabelecido, a típica mistura bonapartista.

A Revolução deu a esse exército uma superioridade militar sem precedentes, que o soberbo generalato de Napoleão viria a explorar. Ele sempre

---

* A Quarta República francesa, incapaz de resolver a questão da Independência da Argélia, foi derrubada pelo "golpe do 13 de maio" (de 1958) pelo general De Gaulle, outrora chefe da Resistência (1940-1945) e criador da atual Quinta República.

** Os nomes são os dos meses do calendário revolucionário.

A ERA DAS REVOLUÇÕES

permaneceu uma espécie de leva improvisada de soldados, no qual recrutas mal treinados adquiriam treinamento e moral através de velhos e cansativos exercícios, em que era desprezível a disciplina formal de caserna, em que os soldados eram tratados como homens e a regra absoluta de promoção por méritos (que significavam distinção na batalha) produziu uma hierarquia simples de coragem. Isto e o senso de arrogante missão revolucionária fizeram o exército francês independente dos recursos sobre os quais se apoiavam forças mais ortodoxas. Ele jamais construiu um sistema efetivo de suprimento, pois se apoiava nos campos. Jamais foi amparado por uma indústria de armamentos minimamente adequada a suas necessidades triviais; mas ele venceu suas batalhas tão rapidamente que necessitava de poucas armas: em 1806 a grande máquina do exército prussiano ruiu perante um exército em que uma unidade militar inteira disparou somente 1.400 tiros de canhão. Os generais podiam confiar em uma coragem ofensiva ilimitada e em uma quantidade razoável de iniciativa local. Reconhecidamente, ele também tinha a fraqueza de suas origens. Com a exceção de Napoleão e pouquíssimos outros, seu generalato e Estado-maior eram pobres, pois o general revolucionário ou o marechal napoleônico era bem provavelmente um puro primeiro-sargento ou uma espécie de oficial de companhia promovido antes por bravura e liderança do que por inteligência: o Marechal Ney, heroico, mas totalmente imbecil, era o tipo exato. Napoleão venceu batalhas; seus marechais sozinhos tendiam a perdê-las. Seu precário sistema de suprimento bastava nos países ricos e saqueáveis onde tinha sido desenvolvido: Bélgica, norte da Itália e Alemanha. Nos espaços áridos da Polônia e da Rússia, como veremos, ele ruiu. A ausência total de serviços sanitários multiplicava as baixas: entre 1800 e 1815 Napoleão perdeu 40% de suas forças (embora cerca de um terço pela deserção), mas entre 90% e 98% destas perdas eram de homens que morreram não no campo de combate mas sim devido a ferimentos, doenças, exaustão e frio. Em resumo, foi um exército que conquistou toda a Europa em curtas e vigorosas rajadas não apenas porque podia fazê-lo, mas porque tinha de fazê-lo.

Por outro lado, o exército era uma carreira como qualquer outra das muitas abertas ao talento pela revolução burguesa, e os que nele obtiveram sucesso tinham um interesse investido na estabilidade interna como qualquer outro burguês. Foi isto que fez do exército, a despeito de seu jacobinismo embutido, um pilar do governo pós-termidoriano, e de seu líder Bonaparte uma pessoa adequada para concluir a revolução burguesa e começar o regime burguês. O próprio Napoleão Bonaparte, embora cavalheiro de nascimento pelos padrões de sua bárbara ilha natal da Córsega, era um carreirista típico daquela espécie. Nascido em 1769, ambicioso, descontente e revolucionário, subiu vagarosamente na artilharia, um dos poucos ramos do exército real em que a competência técnica era indispensável. Durante a Revolução, e especialmente sob a ditadura jacobina que ele apoiou firmemente, foi reconhecido por um comissário local em um *front* de suma importância — por casualidade, um patrício da Córsega, fato que dificilmente pode ter abalado suas intenções — como um soldado de dons esplêndidos e muito promissor. O Ano II fez dele um general. Sobreviveu à queda de Robespierre, e um dom para o cultivo de ligações úteis em Paris ajudou-o em sua escalada após este momento difícil. Agarrou a sua chance na campanha italiana de 1796, que fez dele o inquestionado primeiro soldado da República, que agia virtualmente independente das autoridades civis. O poder foi metade atirado sobre seus ombros e metade agarrado por ele quando as invasões estrangeiras de 1799 revelaram a fraqueza do Diretório e a sua própria indispensabilidade. Tornou-se primeiro cônsul, depois cônsul vitalício e imperador. E com sua chegada, como que por milagre, os insolúveis problemas do Diretório se tornaram solúveis. Em poucos anos a França

A ERA DAS REVOLUÇÕES

tinha um Código Civil, um Tratado com a Igreja e até mesmo o mais significativo símbolo da estabilidade burguesa — um Banco Nacional. E o mundo tinha o seu primeiro mito secular.

Os leitores mais velhos ou os de países antiquados conhecem o mito napoleônico tal como ele existiu durante o século em que nenhuma sala da classe média estava completa sem o seu busto, e talentos panfletários podiam afirmar, mesmo como piada, que ele não era um homem mas um deus-sol. O extraordinário poder deste mito não pode ser adequadamente explicado nem pelas vitórias napoleônicas nem pela propaganda napoleônica, ou tampouco pelo próprio gênio indubitável de Napoleão. Como homem ele era inquestionavelmente muito brilhante, versátil, inteligente e imaginativo, embora o poder o tivesse tornado sórdido. Como general, não teve igual; como governante, foi um planejador, chefe e executivo soberbamente eficiente e um intelectual suficientemente completo para entender e supervisionar o que seus subordinados faziam. Como indivíduo parece ter irradiado um senso de grandeza, mas a maioria dos que deram esse testemunho, por exemplo, Goethe, viv-o no auge de sua fama, quando o mito já o tinha envolvido. Foi, sem sombra de dúvidas, um grande homem e — talvez com a exceção de Lênin — seu retrato é o que a maioria das pessoas razoavelmente instruídas, mesmo hoje, reconheceria mais prontamente em uma galeria de personagens da História, ainda que somente pela tripla marca registrada do tamanho pequeno, do cabelo escovado para a frente sobre a testa e da mão enfiada no colete entreaberto. Talvez não tenha sentido fazer uma comparação dele, em termos de grandeza, com candidatos a esse título no século XX.

Pois o mito napoleônico baseia-se menos nos méritos de Napoleão do que nos fatos, então sem paralelo, de sua carreira. Os homens que se tornaram conhecidos por terem abalado o mundo de forma decisiva no passado tinham começado como reis, como Alexandre, ou patrícios, como Júlio César, mas Napoleão foi o "pequeno cabo" que galgou o

A REVOLUÇÃO FRANCESA

comando de um continente pelo seu puro talento pessoal. (Isto não foi exatamente verdadeiro, mas sua ascensão foi suficientemente meteórica para tornar razoável a descrição.) Todo jovem intelectual que devorasse livros, como o jovem Bonaparte o fizera, escrevesse maus poemas e romances e adorasse Rousseau poderia, a partir daí, ver o "céu como o limite" e seu monograma envolvido em lauréis. Todo homem de negócios daí em diante tinha um nome para sua ambição: ser — os próprios clichês o denunciam — um "Napoleão das finanças" ou da indústria. Todos os homens comuns ficavam excitados pela visão, então sem paralelo, de um homem comum que se tornou maior do que aqueles que tinham nascido para usar coroas. Napoleão deu à ambição um nome pessoal no momento em que a dupla revolução tinha aberto o mundo aos homens de vontade. E ele foi mais ainda. Foi um homem civilizado do século XVIII, racionalista, curioso, iluminado, mas também discípulo de Rousseau o suficiente para ser ainda o homem romântico do século XIX. Foi o homem da Revolução, e o homem que trouxe estabilidade. Em síntese, foi a figura com que todo homem que partisse os laços com a tradição podia se identificar em seus sonhos.

Para os franceses ele foi também algo bem mais simples: o mais bem--sucedido governante de sua longa história. Triunfou gloriosamente no exterior, mas, em termos nacionais, também estabeleceu ou restabeleceu o mecanismo das instituições francesas como existem até hoje. Reconhecidamente, a maioria de suas ideias — talvez todas — foi prevista pela Revolução e o Diretório; sua contribuição pessoal foi fazê-las um pouco mais conservadoras, hierárquicas e autoritárias. Mas seus predecessores apenas previram; ele realizou. Os grandes monumentos de lucidez do direito francês, os Códigos que se tornaram modelos para todo o mundo burguês, exceto o anglo-saxão, foram napoleônicos. A hierarquia dos funcionários — a partir dos prefeitos, para baixo —, das cortes, das universidades e escolas foi obra sua. As grandes "carreiras" da

A ERA DAS REVOLUÇÕES

vida pública francesa, o exército, o funcionalismo público, a educação e o direito ainda têm formas napoleônicas. Ele trouxe estabilidade e prosperidade para todos, exceto para os 250 mil franceses que não retornaram de suas guerras, embora mesmo para os parentes deles tivesse trazido a glória. Sem dúvida, os britânicos se viam como lutadores pela causa da liberdade contra a tirania; mas em 1815 a maioria dos ingleses era mais pobre do que o fora em 1800, enquanto a maioria dos franceses era quase certamente mais rica, e ninguém, exceto os trabalhadores assalariados cujo número era insignificante, tinha perdido os substanciais benefícios econômicos da Revolução. Há pouco mistério quanto à persistência do bonapartismo como uma ideologia de franceses apolíticos, especialmente dos camponeses mais ricos, depois da queda do ditador. Foi necessário um segundo Napoleão menor, entre 1851 e 1870, para dissipá-la.

Ele destruíra apenas uma coisa: a Revolução Jacobina, o sonho de igualdade, liberdade e fraternidade, do povo se erguendo na sua grandiosidade para derrubar a opressão. Este foi um mito mais poderoso do que o dele, pois, após a sua queda, foi isto e não a sua memória que inspirou as revoluções do século XIX, inclusive em seu próprio país.

4. A GUERRA

"Numa época de inovação, tudo o que não é novo é pernicioso. A arte militar da monarquia não nos serve mais, pois somos homens diferentes e temos inimigos diferentes. O poder e as conquistas dos povos, o esplendor de sua política e de suas guerras sempre dependeram de um único princípio e de uma única instituição poderosa (...). Nossa nação já tem um caráter nacional próprio. Seu sistema militar deve ser diferente do de seus inimigos. Muito bem. Então: se a nação francesa é terrível devido ao nosso ardor e capacidade, e se nossos inimigos são desastrados, lentos e frios, então nosso sistema militar deve ser impetuoso."

Saint-Just, *Rapport présenté à la Convention Nationale au nom du Comité de Salut Public, 19 du premier mois de l'an II* (10 de outubro de 1793)

"Não é verdade que a guerra seja determinada por princípio divino; não é verdade que a terra tenha sede de sangue. O próprio Deus amaldiçoa a guerra, como o fazem também os homens que a empreendem e que a suportam em secreto horror."

Alfred de Vigny, *Servitude et grandeur militaires*

1.

De 1792 a 1815 houve guerra quase ininterrupta na Europa, em combinação ou simultaneamente com outras guerras fora do continente: nas Antilhas, Levante e Índia na década de 1790 e princípios de 1800, algumas operações navais depois em várias partes, e nos Estados Unidos em 1812-1814. As consequências da vitória ou da derrota nestas guerras foram consideráveis, pois elas transformaram o mapa do mundo. Precisamos, portanto, considerá-las primeiro, mas teremos também que considerar um problema menos tangível. Quais foram as consequências do processo bélico efetivo, da mobilização e das operações militares, das medidas políticas e econômicas resultantes delas?

Dois tipos muito diferentes de beligerantes confrontaram-se durante aqueles vinte anos: os poderes e os sistemas. A França como Estado, com seus interesses e aspirações, enfrentou (ou aliou-se a) outros Estados do mesmo tipo, mas, por outro lado, a França como Revolução inspirava os outros povos do mundo a derrubarem a tirania e a abraçarem a liberdade, sofrendo em consequência a oposição das forças conservadoras e reacionárias. Sem dúvida, depois dos primeiros anos apocalípticos de guerra revolucionária, a diferença entre estas duas linhas de conflito diminuiu. No fim do reinado de Napoleão, o elemento conquista e exploração imperial prevalecia sobre o elemento libertação sempre que as tropas francesas derrotavam, ocupavam ou anexavam algum país, e assim a guerra internacional não se confundia com a guerra civil internacional (e, em cada caso, doméstica). Por outro lado, os poderes contrarrevolucionários estavam resignados à irreversibilidade de muitas das conquistas da revolução na França e, consequentemente, prontos a negociar a paz (dentro de certas condições) sem se colocar como a luz entre a escuridão, mas considerando o interlocutor como um poder normalmente estabelecido. Eles estavam até mesmo, algumas semanas após a primeira derrota de Napoleão, dispostos a readmitir a França como um participante igual no tradicional jogo de aliança, contra-aliança, blefe, ameaça e guerra em que a diplomacia regulava as relações entre os grandes Estados. Não obstante, a natureza binária das guerras como conflito, tanto entre Estados como entre sistemas sociais, permaneceu.

Socialmente falando, os beligerantes estavam muito desigualmente divididos. Excetuando a própria França, havia somente um Estado im-

A GUERRA

portante cujas origens e simpatias revolucionárias para com a Declaração dos Direitos do Homem poderiam dar-lhe uma inclinação ideológica para o lado francês: os Estados Unidos da América. De fato, os EUA penderam para o lado francês e em pelo menos uma ocasião (1812-1814) fizeram uma guerra, senão em aliança com a França, pelo menos contra um inimigo comum, os britânicos. Entretanto, os Estados Unidos permaneceram na maioria das vezes neutros e seu conflito com os britânicos não exige qualquer explicação ideológica. De resto, os aliados ideológicos da França eram partidos e correntes de opinião dentro de outros Estados e não poderes estatais.

De uma maneira bastante ampla, praticamente toda pessoa instruída, esclarecida e de talento simpatizava com a Revolução, pelo menos até a ditadura jacobina, e muitas vezes bem depois dela. (Beethoven só revogou a dedicatória da Sinfonia Heroica a Napoleão depois que ele se tornou imperador.) A lista dos gênios e talentos europeus que inicialmente apoiavam a Revolução pode ser comparada com a simpatia semelhante e quase universal pela República Espanhola na década de 1930. Na Grã-Bretanha, esta lista incluía os poetas — Wordsworth, Blake, Coleridge, Robert Burns, Southey —, os cientistas, o químico Joseph Priestley e vários membros da distinta Sociedade Lunar de Birmingham,* tecnólogos e industriais como Wilkinson, o capitão do ferro, e o engenheiro Thomas Telford, e ainda intelectuais membros do partido *Whig* e dissidentes em geral. Na Alemanha, incluía os filósofos Kant, Herder, Fichte, Schelling e Hegel, os poetas Schiller, Hoelderlin, Wieland e o idoso Klopstock, além do músico Beethoven na Suíça, o educador Pestalozzi, o psicólogo Lavater e o pintor Fuessli (Fuseli); na Itália, praticamente todas as pessoas de opiniões anticlericais. Entretanto, embora a Revolução se sentisse cativada por este apoio intelectual e por tão honrados e eminentes simpa-

---

* O filho de James Watt chegou a partir para a França, para alarme do pai.

A ERA DAS REVOLUÇÕES

tizantes estrangeiros, e por aqueles que acreditava estarem a favor de seus princípios a ponto de conceder-lhes a cidadania francesa honorária,* nem Beethoven ou Robert Burns tinham em si mesmos muita importância política ou militar.

Um sério sentimento político pró-França ou filojacobino existia em geral em certas áreas contíguas à França, onde as condições sociais eram semelhantes ou os contatos culturais permanentes (como os Países Baixos, a Renânia, a Suíça e a Savoia), na Itália e, por razões um tanto diferentes, na Irlanda e na Polônia. Na Grã-Bretanha, o jacobinismo teria sido indubitavelmente um fenômeno de importância política maior, até mesmo depois do Terror, se não tivesse se chocado com o tradicional preconceito antifrancês do nacionalismo popular inglês, composto igualmente do robusto desprezo pelos famintos continentais (todos os franceses nas charges populares da época eram magros como palitos de fósforos) e da hostilidade ao que, afinal de contas, era o "inimigo hereditário" da Inglaterra, embora também aliado hereditário da Escócia.** O jacobinismo britânico foi único por ser primordialmente um fenômeno de artesãos ou da classe operária, pelo menos depois que tinha passado o primeiro entusiasmo geral. As *Sociedades Correspondentes* (*Corresponding Societies*) podem reivindicar o fato de serem as primeiras organizações políticas independentes da classe trabalhadora. Mas a classe trabalhadora encontrou uma voz de força sem paralelo nos "Direitos do Homem" de Tom Paine (que talvez tenha vendido 1 milhão de cópias) e algum apoio político de interesses ligados ao partido *Whig*, imune de perseguições devido a sua

---

* A saber, Priestley, Bentham, Wilberforce, Clarkson (o agitador antiescravocrata), James Mackintosh e David Williams na Grã-Bretanha; na Alemanha, Klopstock, Schiller, Campe e Anarcharsis Cloots; na Suíça, Pestalozzi; na Polônia, Kosziusko; na Itália, Gorani; na Holanda, Cornelius de Pauw, e nos EUA, Washington, Hamilton, Madison, Tom Paine e Joel Barlow. Nem todos eram simpatizantes da Revolução.

** Isto não deve estar desligado do fato de que o jacobinismo escocês era uma força popular muito mais poderosa.

A GUERRA

riqueza e posição social, e que estava pronto a defender as tradições britânicas de liberdade civil e o desejo de uma paz negociada com a França. Não obstante, a verdadeira fraqueza do jacobinismo britânico é indicada pelo fato de que a própria esquadra que se amotinou em Spithead num estágio crucial da guerra (1797) clamou por permissão para lutar contra os franceses assim que viu satisfeitas suas exigências econômicas.

Na Península Ibérica, nos domínios dos Habsburgo, na Alemanha Central e Oriental, na Escandinávia, nos Bálcãs e na Rússia, o filojacobinismo era uma força insignificante. Atraía alguns jovens ardentes, alguns intelectuais Iluministas e mais uns poucos que, como Inácio Martinovics na Hungria ou Rhigas na Grécia, ocupam os lugares de honra de precursores na história da luta de seus países pela libertação nacional ou social. Mas a ausência de qualquer apoio de vulto para suas opiniões entre as classes média e alta, para não mencionarmos seu isolamento do fanático campesinato analfabeto, fez com que o jacobinismo fosse facilmente suprimível mesmo quando, como na Áustria, atreveu-se a uma conspiração. Teria que se passar uma geração até que a forte e militante tradição liberal espanhola emergisse das poucas e diminutas conspirações estudantis ou dos emissários jacobinos de 1792-1795.

A verdade é que, na maior parte, o jacobinismo no exterior exerceu um apelo ideológico direto sobre as classes instruídas e média e, portanto, sua força política dependia da capacidade ou vontade que essas classes tinham de usá-lo. A França era de há muito o principal poder estrangeiro em quem os poloneses esperavam encontrar apoio contra a cobiça conjunta dos prussianos, russos e austríacos, que já tinham anexado vastas áreas do país e logo viriam a dividi-lo inteiramente entre si. A França também fornecia um modelo do único tipo de profunda reforma interna que, na opinião de todos os poloneses pensantes, podia dar ao país condições de resistir aos seus açougueiros. Logo, não é muito surpreendente que a Constituição da Reforma de 1791 tenha sido influenciada profunda e conscientemente pela Revolução Francesa; foi a primeira das modernas Constituições a mostrar esta influência.* Mas na Polônia a pequena e a alta nobreza reformadoras tinham as mãos livres. Na Hungria, onde o conflito endêmico entre Viena e os autonomistas locais fornecia um incentivo análogo para que os cavalheiros do interior se interessassem por teorias de resistência (o condado de Gomor exigia a abolição da censura por ser contrária ao *Contrato Social* de Rousseau), isso não acontecia. Consequentemente, o "jacobinismo" era mais fraco e menos eficaz. Por outro lado, na Irlanda, o descontentamento agrário e nacional deu ao "jacobinismo" uma força política muito além do apoio efetivo de que desfrutava a ideologia maçônica e livre-pensadora dos líderes dos "Irlandeses Unidos". Eram rezadas missas pela vitória dos ímpios franceses em um país eminentemente católico, e os irlandeses estavam preparados para saudar a invasão de seu país pelas forças francesas, não porque simpatizassem com Robespierre, mas porque odiavam os ingleses e buscavam aliados contra eles. Na Espanha, por sua vez, onde tanto o catolicismo quanto a pobreza eram proeminentes, o jacobinismo fracassou em obter um ponto de apoio pela razão oposta: nenhum estrangeiro oprimia os espanhóis, e os únicos capazes de fazê-lo eram os franceses.

Nem a Polônia nem a Irlanda eram exemplos típicos do filojacobinismo, pois o verdadeiro programa da Revolução pouco lhes atraía. O programa só era atraente em países com problemas políticos e sociais semelhantes aos da França. Estes se enquadram em dois grupos: Estados em que o "jacobinismo" nativo tinha uma razoável chance de lutar pelo poder político, e Estados em que somente a conquista francesa poderia fazê-los avançar. Os Países Baixos, partes da Suíça e possivelmente um ou dois Estados italianos pertenciam ao primeiro grupo; já a maior parte da

---

* Como a Polônia era essencialmente uma República da pequena e da alta nobreza, a Constituição era "jacobina" apenas no sentido mais superficial: o domínio dos nobres foi reforçado, e não abolido.

Alemanha Ocidental e da Itália pertenciam ao segundo. A Bélgica (a Holanda austríaca) já estava rebelada em 1789: frequentemente se esquece que Camille Desmoulins chamou seu jornal de *Les Révolutions de France et de Brabant*. O grupo pró-francês dos revolucionários (os democratas *Vonckists*) era sem dúvida mais fraco do que os conservadores *Statists*, mas era suficientemente forte para produzir um autêntico apoio revolucionário para a conquista francesa de seu país, que eles favoreceram. Nas Províncias Unidas, os "patriotas", buscando uma aliança com a França, eram poderosos o bastante para considerar a hipótese de uma revolução, embora tivessem dúvidas se ela poderia ser bem-sucedida sem auxílio externo. Eles representavam a classe média inferior, e outros se levantavam contra as oligarquias dominantes dos grandes mercadores aristocratas. Na Suíça, o elemento esquerdista em certos cantões protestantes fora sempre forte, e a atração da França, sempre poderosa. Aqui também a conquista francesa suplementou, e não criou, as forças revolucionárias locais.

Na Alemanha Ocidental e na Itália isso não aconteceu. A invasão francesa foi saudada pelos jacobinos alemães, notadamente em Mainz e no sudoeste, mas ninguém poderia dizer que eles estivessem razoavelmente próximos de, por si mesmos, poderem ao menos causar grandes problemas a seus governos.* Na Itália, o predomínio do Iluminismo e da maçonaria tornou a Revolução imensamente popular entre os cidadãos instruídos, mas o jacobinismo local era provavelmente poderoso apenas no reino de Nápoles, onde praticamente arrebatou toda a classe média esclarecida (isto é anticlerical) e uma parte da pequena nobreza, e estava bem organizado nas lojas maçônicas e sociedades secretas que vicejam tão bem no clima do sul da Itália. Mas mesmo aí ressentia-se do completo fracasso em estabelecer contato com as massas socialmente revolucionárias. Uma república napolitana foi facilmente proclamada quando

---

* Os franceses fracassaram até mesmo na tentativa de estabelecer uma República satélite na Renânia.

A ERA DAS REVOLUÇÕES

chegaram as notícias do avanço francês, mas foi igualmente derrubada com facilidade por uma revolução social de direita, sob os estandartes do papa e do rei; porque os camponeses e os *Lazzaroni* napolitanos definiam o jacobino, com certa justiça, como "um homem que tem carruagem".

Em termos amplos, portanto, o valor militar do filojacobinismo estrangeiro foi principalmente o de um auxílio para a conquista francesa e uma fonte de administradores politicamente confiáveis para os territórios conquistados. E, de fato, a tendência era de que as áreas com uma força jacobina local se transformassem em repúblicas satélites e depois, quando conveniente, fossem anexadas à França. A Bélgica foi anexada em 1795, a Holanda transformou-se na República Batava no mesmo ano e, eventualmente, em reinado da família dos Bonaparte. A margem esquerda do Reno foi anexada e, no governo de Napoleão, os Estados satélites (como o Grão-Ducado de Berg — atualmente a área do Ruhr — e o reino da Vestfália) e a anexação direta estenderam-se mais ainda pelo noroeste da Alemanha. A Suíça transformou-se na República Helvética em 1789 e foi posteriormente anexada. Na Itália ergueu-se um cordão de repúblicas — a Cisalpina (1797), a Liguriana (1797), a Romana (1798), a Partenopeana (1798) — que finalmente se transformaram parcialmente em territórios franceses, mas predominantemente em Estados satélites (o reino da Itália, o reino de Nápoles).

O jacobinismo estrangeiro tinha alguma importância militar, e os jacobinos estrangeiros dentro da França desempenharam um papel significativo na formação da estratégia republicana, como notadamente o grupo Saliceti, que, a propósito, teve mais do que uma "pequena responsabilidade" pela ascensão do italiano Napoleão Bonaparte dentro do exército francês e por seus sucessos posteriores na Itália. Mas poucos diriam que ele ou eles foram decisivos. Apenas um movimento estrangeiro pró-francês poderia ter sido decisivo se tivesse sido explorado eficazmente: o irlandês. Uma combinação da revolução irlandesa com a

140

A GUERRA

invasão francesa, particularmente em 1797-1798, quando a Grã-Bretanha era temporariamente o único beligerante que restava contra a França, bem poderia ter forçado a Grã-Bretanha a estabelecer a paz. Contudo os problemas técnicos de uma invasão por uma faixa de mar tão larga eram difíceis; os esforços franceses para executá-la, hesitantes e mal concebidos; e o levante irlandês de 1798, embora desfrutasse de maciço apoio popular, foi mal organizado e facilmente suprimido. Especular sobre as possibilidades teóricas de operações franco-irlandesas é, portanto, inútil.

Mas, se os franceses contavam com o apoio das forças revolucionárias no exterior, os antifranceses também o desfrutavam. Pois não se pode negar nos espontâneos movimentos de resistência popular contra a conquista francesa um componente sociorrevolucionário, mesmo quando os camponeses que os desencadeavam o expressassem em termos de um militante conservadorismo baseado na Igreja e no rei. É significativo que a tática militar que em nosso século se tornou mais plenamente identificada com a guerra revolucionária, a guerrilha, fosse entre 1792 e 1815 um recurso quase exclusivo do lado antifrancês. Na própria França, a Vendeia e os *chouans* da Bretanha sustentaram com interrupções uma guerra de guerrilhas monarquista de 1793 até 1802. No exterior, os bandoleiros do sul da Itália foram provavelmente, em 1798-1799, os pioneiros das ações antifrancesas de guerrilha popular. Os tiroleses, sob a liderança do coletor de impostos Andreas Hofer, em 1809, mas sobretudo os espanhóis, a partir de 1808, e até certo ponto os russos, em 1812-1813, praticaram-na com considerável sucesso. Paradoxalmente, a importância militar desta tática revolucionária para os antifranceses foi quase certamente maior do que a importância militar do jacobinismo estrangeiro para os franceses. Nenhuma área fora das fronteiras da própria França manteve um governo jacobino por um momento sequer após a derrota ou retirada das tropas francesas; mas o Tirol, a Espanha e, até certo ponto, o sul da Itália apresentaram um problema militar mais sério após

A ERA DAS REVOLUÇÕES

a derrota de seus exércitos e governadores. A razão é óbvia: nessas áreas os movimentos contra a conquista francesa eram movimentos camponeses. Onde o nacionalismo antifrancês não se baseou nos camponeses, sua importância militar foi desprezível. O patriotismo retrospectivo criou uma "guerra de libertação" alemã em 1813-1814, mas podemos seguramente dizer que supor que isso se baseou numa resistência popular aos franceses é pura ficção.[1] Na Espanha, o povo manteve a resistência aos franceses depois que os exércitos fracassaram; na Alemanha, os exércitos ortodoxos os derrotaram de uma maneira totalmente ortodoxa.

Socialmente falando, portanto, não há grande distorção se falarmos da guerra como uma guerra da França e de seus territórios vizinhos contra o resto. Em termos de relações de poder ultrapassadas, o alinhamento era mais complexo. Aqui, o conflito fundamental, que dominara as relações internacionais europeias durante quase um século, era entre a França e a Grã-Bretanha. Do ponto de vista dos britânicos, era um conflito quase que totalmente econômico. Eles desejavam eliminar seu principal competidor para alcançar o total predomínio comercial nos mercados europeus e o controle total dos mercados coloniais e ultramarinos, que por sua vez implicava o controle dos mares. De fato, eles alcançaram não muito menos que isso como resultado das guerras. Na Europa, este objetivo não implicava ambições territoriais, exceto pelo controle de certos pontos de importância marítima ou a segurança de que estes não cairiam em mãos de Estados suficientemente fortes para oferecerem perigo. Quanto ao resto, a Grã-Bretanha se contentava com qualquer solução continental que mantivesse qualquer rival em potencial em xeque por outros Estados. Além-mar, isto implicava a total destruição dos impérios coloniais de outros povos e consideráveis anexações para os britânicos.

Esta política era em si mesma suficiente para fornecer aos franceses alguns aliados em potencial, pois todos os Estados coloniais, comerciais e marítimos viam-na com apreensão ou hostilidade. Na verdade, sua

A GUERRA

postura normal era de neutralidade, pois os benefícios de se comerciar livremente em tempos de guerra são consideráveis; mas a tendência britânica de encarar (bem realisticamente) a neutralidade do transporte marítimo como uma força a favor dos franceses e não deles levou-os vez por outra ao conflito, até que a política francesa de bloqueio depois de 1806 empurrou-os para a direção oposta. A maioria das potências marítimas era fraca demais ou, se europeias, demasiadamente isoladas para causar aos britânicos muitos problemas; mas a guerra anglo-americana de 1812-1814 foi o resultado desse conflito.

A hostilidade francesa à Grã-Bretanha era um pouco mais complexa, mas a sua corrente que, como os britânicos, exigia uma vitória *total* foi grandemente fortalecida pela Revolução, o que trouxe ao poder uma burguesia francesa cujos apetites eram, a seu modo, tão ilimitados quanto os dos britânicos. No mínimo a vitória sobre os britânicos exigia a destruição do seu comércio, do qual se acreditava corretamente que a Grã-Bretanha dependia; e uma salvaguarda contra a futura recuperação britânica, sua permanente destruição. (O paralelo entre o conflito franco-britânico e o romano-cartaginês estava na mente dos franceses, cuja percepção política era em grande parte clássica.) De uma maneira mais ambiciosa, a burguesia francesa podia esperar compensar a evidente superioridade econômica britânica somente através de seus próprios recursos políticos e militares; por exemplo, criando para si mesma um vasto mercado cativo do qual seus rivais fossem excluídos. Ambas estas considerações emprestavam ao conflito franco-britânico uma persistência e obstinação diferentes das de quaisquer outros. Nenhum dos lados estava realmente — coisa rara naqueles dias, embora comum nos dias de hoje — preparado para se satisfazer com menos do que a vitória total. O único breve período de paz entre os dois (1802-1803) chegou a um fim pela relutância de ambos em mantê-lo. Isto foi tanto mais notável porque a situação puramente militar impunha uma paralisação: ficou claro a partir dos últimos anos da década de 1790 que os britânicos não podiam efetivamente chegar até o continente e que os franceses não podiam efetivamente sair dele.

As outras potências antifrancesas estavam engajadas em uma espécie menos assassina de luta. Todas elas esperavam derrubar a Revolução Francesa, embora não à custa de suas próprias ambições políticas, mas depois de 1792-1795 isto se tornou claramente impraticável. A Áustria, cujos laços familiares com os Bourbon foram reforçados pela ameaça francesa direta a suas possessões e áreas de influência na Itália, e à sua posição de liderança na Alemanha, era o país mais consistentemente antifrancês, e tomou parte em todas as principais coalizões contra a França. A Rússia foi intermitentemente antifrancesa, passando à guerra somente em 1795-1800, 1805-1807 e 1812. A Prússia achava-se dividida entre uma simpatia a favor do lado contrarrevolucionário, uma desconfiança em relação à Áustria e suas próprias ambições na Polônia e na Alemanha, que se beneficiavam da iniciativa francesa. De forma que entrou em guerra contra a França apenas ocasionalmente e de uma maneira semi-independente: em 1792-1795, 1806-1807 (quando foi pulverizada) e 1813. A política do resto dos Estados que, de tempos em tempos, entravam em coalizões antifrancesas mostra flutuações comparáveis. Eles eram contra a Revolução mas, sendo a política o que é, tinham também outros problemas a resolver, e nada em seus interesses estatais impunha uma permanente e resoluta hostilidade à França, especialmente a uma França vitoriosa que determinava as periódicas redistribuições do território europeu.

Estes permanentes interesses e ambições diplomáticas dos Estados europeus também deram aos franceses um número de aliados em potencial, pois em todo sistema permanente de Estados em tensão e rivalidade uns contra os outros, a inimizade de A implica a simpatia dos anti-A. Destes, os de maior confiança eram os príncipes germânicos de menor importância, cujos interesses eram de há muito — normalmente em

A GUERRA

aliança com a França — enfraquecer o poder do imperador (isto é da Áustria) sobre os principados, ou que sofriam com o crescimento do poder prussiano. Os Estados do sudoeste alemão — Baden, Wurtemberg, Bavária, que se transformaram no núcleo da Confederação Napoleônica do Reno (1806) — e o velho rival e vítima da Prússia, a Saxônia, eram os mais importantes. A Saxônia, de fato, foi o último e mais leal aliado de Napoleão, um fato também parcialmente explicável por seus interesses econômicos, pois na qualidade de um centro manufatureiro desenvolvido ela se beneficiava do "sistema continental" napoleônico.

Ainda assim, mesmo levando em conta as divisões do lado antifrancês e o potencial de aliados que os franceses poderiam atrair, no papel as coalizões antifrancesas eram invariavelmente muito mais fortes que as francesas, pelo menos no início. Contudo, a história militar das guerras é uma história de quase ininterrupta e sufocante vitória francesa. Após a combinação inicial de ataque estrangeiro e contrarrevolução doméstica ter sido derrotada (1793-1794), houve só um curto período, antes do fim, em que os exércitos franceses ficaram seriamente na defensiva: em 1799, quando a segunda coalizão mobilizou o formidável exército russo, sob o comando de Suvorov, para suas primeiras operações na Europa ocidental. Para todos os fins práticos, a lista de campanhas e batalhas terrestres entre 1794 e 1812 é uma lista de triunfo francês praticamente ininterrupto. A razão está na Revolução ocorrida na França. Sua radiação política no exterior não foi, como vimos, decisiva. No máximo poderíamos dizer que ela evitou que as populações dos Estados reacionários resistissem aos franceses, que lhes trouxeram liberdade; mas, na verdade, a estratégia e a tática militares dos Estados ortodoxos do século XVIII não esperavam nem desejavam a participação civil nas guerras: Frederico, o Grande, disse com firmeza a seus leais berlinenses, que se ofereceram para lutar contra os russos, para deixar a guerra aos profissionais a quem ela pertencia. Mas isto transformou a ação bélica dos franceses e os fez incomensuravelmente superiores aos exércitos do velho regime. Tecnicamente os velhos exércitos eram mais bem treinados e disciplinados, e onde estas qualidades eram decisivas, como na guerra naval, os franceses foram sensivelmente inferiores. Eles eram bons corsários e rápidos incursores, mas não podiam compensar a falta de um número suficiente de marujos treinados e sobretudo de oficiais navais competentes, classe que havia sido dizimada pela Revolução, pois constituía-se amplamente de elementos provenientes da pequena nobreza normanda e bretã, e que não podia ser rapidamente improvisada. Em seis grandes e oito pequenas batalhas navais entre os britânicos e os franceses, as baixas francesas foram cerca de dez vezes maiores que as dos ingleses.[2] Contudo no que tange à organização improvisada, mobilidade, flexibilidade e acima de tudo pura coragem ofensiva e moral de luta, os franceses não tinham rivais. Estas vantagens não dependiam do gênio militar de ninguém, pois o saldo militar dos franceses antes que Napoleão tomasse o poder era bastante impressionante, e a qualidade média do generalato francês não era excepcional. Mas isto deve ter em parte dependido do rejuvenescimento dos quadros militares franceses dentro e fora do país, o que é uma das principais consequências de qualquer revolução. Em 1806, de 142 generais do poderoso exército prussiano, 79 tinham mais de 60 anos de idade, bem como um quarto de todos os comandantes de regimentos.[3] Mas em 1806 Napoleão, que chegou a general aos 24 anos, Murat, que comandou uma brigada aos 26, Ney, que o fez aos 27, e Davout estavam todos entre 26 e 37 anos de idade.

2.

A relativa monotonia do sucesso francês torna desnecessário discutir as operações militares de guerra terrestre com grandes detalhes. Em 1793-1794, os franceses preservaram a Revolução. Em 1794-1795, ocuparam

A GUERRA

os Países Baixos, a Renânia, partes da Espanha, Suíça e Savoia (e Ligúria). Em 1796, a celebrada campanha italiana de Napoleão deu-lhes toda a Itália e quebrou a primeira coalizão contra a França. A expedição de Napoleão a Malta, Egito e Síria (1797-1799) foi isolada de sua base pelo poderio naval britânico e, em sua ausência, a segunda coalizão expulsou os franceses da Itália e atirou-os de volta à Alemanha. A derrota dos exércitos aliados na Suíça (batalha de Zurique, 1799) salvou a França da invasão, e logo depois do retorno de Napoleão e de sua tomada do poder os franceses estavam novamente na ofensiva. Em 1801, tinham imposto a paz ao restante dos aliados continentais; e em 1802, até mesmo aos britânicos. Daí em diante a supremacia francesa nas regiões conquistadas ou controladas em 1794-1798 permaneceu inquestionável. Uma nova tentativa de desencadear a guerra contra eles em 1805-1807 simplesmente estendeu a influência francesa à fronteira russa. A Áustria foi derrotada em 1805 na batalha de Austerlitz, na Morávia, e a paz lhe foi imposta. A Prússia, que declarou guerra tarde e separadamente, foi destruída nas batalhas de Iena e Auerstaedt, em 1806, e desmembrada. A Rússia, embora derrotada em Austerlitz, espancada em Eylau (1807) e derrotada novamente em Friedland (1807), permaneceu intacta como potência militar. O Tratado de Tilsit (1807) tratava-a com justificável respeito, embora estabelecendo a hegemonia francesa sobre o resto do continente, à exceção da Escandinávia e dos Bálcãs turcos. Uma tentativa austríaca de obter a liberdade foi derrotada nas batalhas de Aspern — Essling e Wagram. Entretanto, a revolta dos espanhóis em 1808, contra a imposição do irmão de Napoleão, José, como seu rei, abriu um campo de operações para os britânicos e manteve uma constante atividade militar na Península, não afetada pelas retiradas e derrotas periódicas dos britânicos (por exemplo em 1809-1810).

No mar, entretanto, os franceses estavam por esta época completamente derrotados. Após a batalha de Trafalgar (1805), qualquer chance não apenas de invadir a Grã-Bretanha pelo Canal da Mancha, como

A ERA DAS REVOLUÇÕES

também de manter contatos ultramarinos, desapareceu. O único modo que parecia haver para derrotar a Grã-Bretanha era a pressão econômica, e isto Napoleão tentou exercer eficazmente através do Sistema Continental (1806). As dificuldades de impor este bloqueio de maneira eficiente minaram a estabilidade do Tratado de Tilsit e levaram ao rompimento com a Rússia, que foi o ponto decisivo da sorte de Napoleão. A Rússia foi invadida, e Moscou, ocupada. Se o czar tivesse feito a paz, como a maioria dos inimigos de Napoleão o fez sob circunstâncias semelhantes, o jogo teria terminado. Mas o czar não estabeleceu a paz, e Napoleão se viu diante da opção entre uma guerra interminável, sem perspectiva clara de vitória, ou a retirada. Ambas eram igualmente desastrosas. Os métodos do exército francês, como vimos, implicavam rápidas campanhas em áreas suficientemente ricas e densamente povoadas para que ele pudesse retirar sua manutenção da terra. Mas o que funcionou na Lombardia e na Renânia, onde estes processos foram desenvolvidos pela primeira vez, e ainda era viável na Europa central, fracassou totalmente nos amplos, pobres e vazios espaços da Polônia e da Rússia. Napoleão foi derrotado não tanto pelo inverno russo quanto por seu fracasso em manter o Grande Exército com um suprimento adequado. A retirada de Moscou destruiu o exército. De 610 mil homens que tinham, em um ou outro momento, atravessado a fronteira russa, 100 mil retornaram aproximadamente.

Nessas circunstâncias, a coalizão final contra os franceses foi formada não só por seus velhos inimigos e vítimas, mas também por todos os que se sentiam ansiosos por estar do lado que a esta altura aparecia claramente como o vencedor; só o rei da Saxônia abandonou sua adesão à França tarde demais. Um novo exército francês, largamente imaturo, foi derrotado em Leipzig (1813), e os aliados avançaram inexoravelmente sobre a França, a despeito das brilhantes manobras de Napoleão, enquanto os britânicos avançavam sobre ela a partir da Península. Paris foi ocupada e o imperador renunciou a 6 de abril de 1814. Ele tentou restaurar seu poder em 1815, mas a batalha de Waterloo (junho de 1815) o liquidou.

3.

No decorrer dessas décadas de guerra, as fronteiras políticas da Europa foram redesenhadas várias vezes. Precisamos aqui considerar somente aquelas mudanças que, de uma maneira ou de outra, foram bastante permanentes para sobreviver à derrota de Napoleão.

A mais importante delas foi uma racionalização geral do mapa político europeu, especialmente na Alemanha e na Itália. Em termos de geografia política, a Revolução Francesa pôs fim à Idade Média. O típico Estado moderno, que estivera se desenvolvendo por vários séculos, é uma área ininterrupta e territorialmente coerente, com fronteiras claramente definidas, governada por uma só autoridade soberana e de acordo com um só sistema fundamental de administração e de leis. (Desde a Revolução Francesa tem-se entendido que o Estado moderno deve representar também uma só "nação" ou grupo linguístico, mas naquela época um Estado territorial soberano não implicava isto.) O típico Estado feudal europeu, embora pudesse às vezes parecer com esse modelo, como por exemplo na Inglaterra medieval, não requeria essas condições. Ele era padronizado muito mais com base na "propriedade". Exatamente como a expressão "as propriedades do Duque de Bedford" não implica que elas devessem constituir um único bloco, nem serem todas diretamente administradas por seu dono, ou mantidas sob os mesmos arrendamentos ou termos, nem que os subarrendamentos devessem estar excluídos, o Estado feudal da Europa ocidental também não excluía uma complexidade que pareceria totalmente intolerável hoje em dia. Em 1789 estas complexidades já eram sentidas como problemáticas. Enclaves estrangeiros achavam-se profundamente enraizados em alguns territórios de certos Estados, como a cidade papal de Avignon, na França. Territórios contidos em um Estado encontravam-se também, por razões históricas, dependentes de outro senhor que a esta altura fazia parte de outro Estado e, portanto, em termos

A ERA DAS REVOLUÇÕES

modernos, achavam-se sob dupla jurisdição.* "Fronteiras" sob a forma de barreiras alfandegárias separavam diferentes províncias do mesmo Estado. O império do Sagrado Imperador Romano compreendia seus principados particulares, acumulados durante os séculos e jamais adequadamente padronizados ou unificados — o chefe da Casa dos Habsburgo nem mesmo tinha um simples título para descrever seu domínio sobre todos os seus territórios até 1804** —, e a autoridade imperial sobre uma variedade de territórios que iam desde grandes potências por si mesmas, como o reino da Prússia (ele próprio não totalmente unificado como tal até 1807), passando por principados de todos os tamanhos, até repúblicas de cidades--Estados independentes e "cavaleiros imperiais livres" cujas propriedades, frequentemente apenas alguns acres de terra, não tinham senhores mais altos. Cada uma dessas áreas, por sua vez, se bastante grande, demonstrava a mesma falta de unidade territorial e de padronização, dependendo dos caprichos de uma longa história de aquisições fragmentárias, divisões e reunificações da herança de família. O complexo de considerações econômicas, administrativas, ideológicas e de poder que tendem a impor um tamanho mínimo de território e população à moderna unidade de governo, e que nos fazem sentir vagamente desconcertados ao pensarmos, digamos, na filiação de Liechtenstein à ONU, ainda não se aplicavam de modo algum. Consequentemente, em especial na Alemanha e na Itália, abundavam os Estados pequenos e anões.

A Revolução e as consequentes guerras aboliram muitas dessas relíquias, em parte devido ao zelo revolucionário pela padronização e unificação territorial, e em parte pela exposição dos Estados pequenos e fracos, repetidas vezes e por um período excepcionalmente longo, à gula

---

* Um solitário sobrevivente europeu deste tipo é a República de Andorra, que se acha sob a dupla suzerania do bispo espanhol de Urgel e do presidente da França.

** Ele era apenas, em sua pessoa simples, Duque da Áustria, Rei da Hungria, Rei da Boêmia, Conde do Tirol etc.

A GUERRA

de seus vizinhos maiores. Sobreviventes formais de uma era anterior, tais como o Sagrado Império Romano e a maioria das cidades-Estados e cidades-impérios, desapareceu. O império morreu em 1806, as antigas repúblicas de Gênova e Veneza desapareceram em 1797 e, ao final da guerra, as cidades alemãs livres tinham sido reduzidas a quatro. Um outro típico sobrevivente medieval, o Estado eclesiástico independente, foi-se da mesma maneira, como os principados episcopais de Colônia, Mainz, Treves, Salzburgo e o resto; somente os Estados papais da Itália central sobreviveram até 1870. A anexação, os tratados de paz e os congressos com que a França tentou sistematicamente reorganizar o mapa político alemão (em 1797-1798 e 1803) reduziram os 234 territórios do Sagrado Império Romano — não contando os cavaleiros imperiais livres e seus semelhantes — a 40; na Itália, onde gerações de feroz belicismo já tinham simplificado a estrutura política — Estados anões existiam apenas nos confins da Itália do norte e central —, as mudanças foram menos drásticas. Visto que a maioria destas mudanças beneficiou Estados monárquicos, a derrota de Napoleão simplesmente as perpetuou. A Áustria não pensaria em restaurar a República de Veneza, porque obtivera seus territórios através da operação dos exércitos revolucionários franceses, da mesma forma que não pensaria em abandonar Salzburgo (que ela conquistou em 1803) simplesmente porque respeitava a Igreja Católica.

Fora da Europa, é claro, as mudanças territoriais das guerras foram consequência da total anexação britânica das colônias de outros povos, assim como dos movimentos de libertação colonial inspirados pela Revolução Francesa (por exemplo, em São Domingos) ou que se tornaram possíveis ou impostos pela separação temporária das colônias de suas metrópoles (como nas Américas espanhola e portuguesa). O domínio britânico dos mares fez com que a maioria destas mudanças fosseas irreversível, tivesse elas ocorrido à custa dos franceses ou, mais frequentemente, dos antifranceses.

A ERA DAS REVOLUÇÕES

Igualmente importantes foram as mudanças institucionais introduzidas direta ou indiretamente pela conquista francesa. No auge de seu poderio (1810), os franceses governavam diretamente, como parte da França, toda a Alemanha à esquerda do Reno, a Bélgica, a Holanda e o norte da Alemanha na direção leste até Luebeck, a Savoia, o Piemonte, a Ligúria e a Itália a oeste dos Apeninos até as fronteiras de Nápoles, e as províncias da Ilíria desde a Caríntia até a Dalmácia, inclusive. A família francesa e os reinos e ducados satélites cobriam ainda a Espanha, o resto da Itália, o resto da Renânia — Vestfália e uma grande parte da Polônia. Em todos estes territórios (exceto talvez o Grão-Ducado de Varsóvia), as instituições da Revolução Francesa e do império napoleônico foram automaticamente aplicadas ou então funcionavam como modelos óbvios para a administração local: o feudalismo foi formalmente abolido, os códigos legais franceses foram aplicados e assim por diante. Estas mudanças provaram ser bem menos reversíveis do que a mudança de fronteiras. Assim, o Código Civil de Napoleão continuou sendo, ou tornou-se novamente, a base do direito local na Bélgica, na Renânia (mesmo depois de sua reintegração à Prússia) e na Itália. Uma vez oficialmente abolido, o feudalismo não mais se restabeleceu em parte alguma.

Visto que para os adversários inteligentes da França era evidente que tinham sido derrotados pela superioridade de um novo sistema político, ou pelo menos por seu próprio fracasso em adotar reformas semelhantes, as guerras produziram mudanças não só através da conquista francesa mas também por meio da reação contra ela; em alguns casos — como na Espanha — por ambos os meios. Os colaboradores de Napoleão, os *afrancesados,* de um lado, e, do outro, os líderes liberais da junta antifrancesa de Cádiz imaginavam essencialmente o mesmo tipo de Espanha, modernizada de acordo com os preceitos das reformas revolucionárias francesas, e o que uns deixaram de alcançar, os outros tentaram. Um caso muito mais claro de reforma através da reação — pois os liberais espanhóis foram antes de tudo reformadores, e antifranceses apenas por acidente histórico — foi o da Prússia, onde se instituiu uma forma de libertação camponesa, organizou-se um exército com elementos do *levée en masse* e levaram-se a termo reformas educacionais, econômicas e legais inteiramente sob o impacto do colapso do exército e do Estado de Frederico em Iena e Auerstaedt, e com o propósito esmagadoramente predominante de inverter aquela derrota.

De fato, pode-se dizer com um pouco de exagero que nenhum Estado continental a oeste da Rússia e da Turquia e ao sul da Escandinávia emergiu dessas duas décadas de guerra com suas instituições inteiramente inalteradas pela expansão ou imitação da Revolução Francesa. Até mesmo o ultrarreacionário Reino de Nápoles não restabeleceu efetivamente o feudalismo legal depois que foi abolido pelos franceses.

Mas as mudanças de fronteiras, leis e instituições governamentais não foram nada comparadas com um terceiro efeito destas décadas de guerra revolucionária: a profunda transformação da atmosfera política. Quando a Revolução Francesa eclodiu, os governos da Europa encararam-na com relativo sangue-frio: o simples fato de que as instituições mudassem repentinamente, ocorressem insurreições, dinastias fossem depostas ou reis assassinados e executados não era algo que em si mesmo chocasse os governantes do século XVIII, que estavam acostumados a isso e consideravam estas mudanças em outros países primordialmente do ponto de vista de seu efeito sobre o equilíbrio do poder e sobre suas próprias posições relativas. "Os rebeldes que expulso de Genebra", escreveu Vergennes, o famoso ministro francês das Relações Exteriores do velho regime, "são agentes da Inglaterra, enquanto os insurretos da América mantêm esperanças de uma longa amizade (conosco). Minha política em relação a cada um é determinada não por seus sistemas políticos, mas por sua atitude em relação à França. Esta é minha razão de Estado."[4] Mas em 1815 prevalecia uma atitude totalmente diferente em relação à revolução, que dominava a política dos Estados.

Sabia-se agora que a revolução em um só país podia ser um fenômeno europeu, que suas doutrinas podiam atravessar as fronteiras e, o que era pior, que seus exércitos podiam fazer explodir os sistemas políticos de um continente. Sabia-se agora que a revolução social era possível, que as nações existiam independentemente dos Estados, os povos independentemente de seus governantes, e até mesmo que os pobres existiam independentemente das classes governantes. "A Revolução Francesa", observava De Bonald em 1796, "é um acontecimento único na História".[5] A frase é enganadora: ela foi um acontecimento universal. Nenhum país estava imune a ela. Os soldados franceses que guerrearam de Andaluzia a Moscou, do Báltico à Síria — sobre uma área mais vasta do que qualquer exército de conquistadores desde os mongóis, e por certo mais vasta do que qualquer força militar anterior na Europa, exceto os normandos — estenderam a universalidade de sua revolução mais eficazmente do que qualquer outra coisa. E as doutrinas e instituições que levaram consigo, mesmo sob o comando de Napoleão, desde a Espanha até a Ilíria, eram doutrinas universais, como os governos sabiam e como também os próprios povos logo viriam a saber. Um bandoleiro e patriota grego expressou perfeitamente os sentimentos gerais:

> "A meu ver", disse Kolokotrones, "a Revolução Francesa e os feitos de Napoleão abriram os olhos do mundo. Antes, as nações não sabiam de nada, e as pessoas pensavam que os reis eram deuses sobre a Terra e que tinham que dizer que tudo que eles faziam era bem-feito. Devido a esta mudança de agora, é mais difícil dominar o povo".[6]

4.

Vimos os efeitos dos vinte e tantos anos de guerra sobre a estrutura política da Europa. Mas quais foram as consequências do processo bélico efetivo, das mobilizações e operações militares e das medidas econômicas e políticas que delas resultaram?

Paradoxalmente, elas foram maiores onde menos ligadas ao derramamento de sangue, exceto na própria França, que quase certamente sofreu mais baixas e mais perdas populacionais indiretas do que qualquer outro país. Os homens do período revolucionário e napoleônico tiveram muita sorte de viver entre dois períodos de bárbaro militarismo — o do século XVII e o nosso — que tiveram a capacidade de devastar países de uma maneira realmente fantástica. Nenhuma área afetada pelas guerras de 1792-1815, nem mesmo a Península Ibérica, onde as operações foram mais prolongadas do que em qualquer outra parte e a represália e resistência popular fizeram-nas ainda mais selvagens, foi devastada como o foram partes da Europa central e oriental na guerra dos Trinta Anos e do Norte no século XVII, ou a Suécia e a Polônia no início do século XVIII, ou como grandes partes do mundo em guerras e conflagrações civis do século XX. O longo período de melhoria econômica que antecedeu a 1789 fez com que a fome e suas companheiras, a peste e a praga, não acrescentassem muito às devastações das batalhas e dos saques, pelo menos até depois de 1811. (O principal período de fome ocorreu *depois* das guerras, em 1816-1817.) As campanhas militares tendiam a ser curtas e impetuosas, e os armamentos usados — de artilharia relativamente leve e móvel — não eram muito destrutivos segundo os padrões modernos. Os cercos não eram comuns. Os incêndios eram provavelmente os maiores perigos para as habitações e os meios de produção, e as pequenas casas ou fazendas eram facilmente reconstruídas. A única destruição material real-

A ERA DAS REVOLUÇÕES

mente difícil de reparar rapidamente em uma economia pré-industrial é a das florestas ou plantações de azeitonas e frutas, que levam muitos anos para crescer, e não parece ter havido muita destruição desse tipo na época.

Consequentemente, as perdas puramente humanas devidas a estas duas décadas de guerra não parecem ter sido, pelos padrões modernos, assustadoramente altas, embora, na verdade, nenhum governo tenha tentado avaliá-las e todas as modernas estimativas sejam vagas e não passem de puras conjecturas, exceto as que se referem às baixas francesas e a alguns casos especiais. Um milhão de mortos nas guerras de todo o período[7] seria um índice favorável se comparado às perdas isoladas de qualquer um dos principais países beligerantes nos quatro anos e meio da Primeira Guerra Mundial ou mesmo aos aproximadamente 600 mil mortos da Guerra Civil Americana de 1861-1865. Até mesmo 2 milhões, para mais de duas décadas de guerra generalizada, não pareceriam um índice particularmente assassino, quando nos lembramos da extraordinária capacidade mortífera da fome e da epidemia naqueles tempos: ainda em 1865, na Espanha, uma epidemia de cólera, segundo estimativas, fez 236.744 vítimas.[8] De fato, nenhum país indica uma desaceleração acentuada do crescimento populacional durante este período, com exceção talvez da França.

Para a maioria dos habitantes da Europa, exceto os combatentes, a guerra provavelmente não significou mais do que uma interrupção direta ocasional do cotidiano, se é que chegou a significar isto. As famílias do interior nos romances de Jane Austen seguiam seus afazeres como se a guerra não existisse. Os Mecklenburgers, de Fritz Reuter, recordam-se da ocupação estrangeira como anedota e não como um drama; o velho Herr Kügelgen, lembrando-se de sua infância na Saxônia (uma das "rinhas da Europa", cuja situação política e geográfica atraía exércitos e batalhas como igualmente apenas a Bélgica e a Lombardia o faziam),

A GUERRA

só relembrou das poucas semanas em que os exércitos marcharam sobre Dresden ou ali se aquartelaram. Reconhecidamente, o número de homens armados envolvidos era muito maior do que tinha sido comum em guerras anteriores, embora não fosse extraordinário pelos padrões modernos. Até mesmo o recrutamento não implicava a convocação de mais que uma parte dos homens capacitados: o departamento francês da Costa do Ouro, durante o reinado de Napoleão, forneceu somente 11 mil homens de seus 350 mil habitantes, ou seja, 3,15%, e entre 1800 e 1815 não mais que 7% da população da França foi recrutada, contra os 21% durante o período bem mais curto da Primeira Guerra Mundial.[9] Ainda assim, em números absolutos, a quantidade era muito grande. O *levée en masse* de 1793-1794 colocou talvez 630 mil homens em armas (de um recrutamento teórico de 770 mil); a força militar de Napoleão durante o período de paz de 1805 era de mais ou menos 400 mil homens, e, no início da campanha contra a Rússia, em 1812, o Grande Exército se constituía de 700 mil homens (300 mil dos quais não eram franceses), sem contar as tropas francesas no resto do continente, principalmente na Espanha. As mobilizações permanentes dos adversários da França eram muito menores, ainda que somente devido ao fato de que eles estivessem muito menos continuamente no campo de batalha (com exceção da Grã-Bretanha) ou porque os problemas financeiros e de organização tornavam muitas vezes difícil a mobilização total (por exemplo, para os austríacos, que em 1813 foram autorizados, pelo tratado de paz de 1809, a manter um exército de 150 mil homens, mas que mantinham apenas 60 mil realmente preparados para uma campanha). Os britânicos, por outro lado, mantinham um número surpreendentemente alto de homens mobilizados. No seu auge (1813-1814), com bastante dinheiro empenhado num exército regular de 300 mil homens e mais 140 mil marinheiros e fuzileiros navais, devem ter tido uma carga proporcionalmente mais pesada com suas forças militares do que os franceses.*[10]

As perdas eram pesadas, embora não excessivamente, novamente segundo os aniquiladores padrões do século XX; mas curiosamente poucas dessas perdas deveram-se realmente ao inimigo. Somente 6 ou 7% dos marinheiros britânicos que morreram entre 1793 e 1815 sucumbiram diante dos franceses; 80% morreram devido a doenças e acidentes. A morte no campo de batalha era um risco pequeno; somente 2% das baixas em Austerlitz e talvez 8% ou 9% das de Waterloo corresponderam de fato às mortes em combate. Os riscos realmente aterradores da guerra eram a negligência, a sujeira, a má organização, os serviços médicos deficientes e a ignorância em termos higiênicos, que massacravam os feridos, os prisioneiros e, em propícias condições climáticas, como nos trópicos, praticamente todos.

As operações militares propriamente ditas matavam pessoas, direta ou indiretamente, e destruíam equipamento produtivo mas, como vimos, nada faziam a ponto de interferir seriamente no curso normal da vida e do desenvolvimento de um país. As exigências econômicas da guerra e a guerra econômica tinham consequências muito maiores.

Pelos padrões do século XVIII, as guerras revolucionárias e napoleônicas eram excessivamente caras, e de fato seus custos chegavam a impressionar os contemporâneos, talvez mais do que as perdas humanas que provocavam. Certamente a queda no ônus financeiro da guerra na geração pós-Waterloo foi muito mais notável do que a queda nas perdas de vidas humanas: estima-se que enquanto as guerras entre 1821 e 1850 custaram uma média de menos de 10% por ano do valor equivalente em 1790-1820, a média anual de mortes causadas pela guerra permaneceu

---

* Como estes números são baseados no dinheiro autorizado pelo Parlamento, o número de homens alistados era certamente menor.

em um nível um pouco menor que 25% do período anterior.[11] Como se pagaria este custo? O método tradicional tinha sido uma combinação de inflação monetária (novas emissões para pagar as contas do governo), empréstimos e um mínimo de tributação especial, pois os impostos criavam descontentamento público e (quando tinham de ser concedidos por parlamentos ou cortes) problemas políticos. Mas as extraordinárias exigências e condições financeiras das guerras transformaram tudo.

Em primeiro lugar, elas familiarizaram o mundo com o papel-moeda não conversível.* No continente, a facilidade com que os pedaços de papel podiam ser impressos, para pagar obrigações do governo, provou ser irresistível. O papel-moeda emitido pelo governo da Revolução Francesa (1789) foi a princípio simples obrigação do Tesouro Nacional francês com juros de 5%, planejado para prever o produto da venda eventual de terras da Igreja. Em poucos meses essas obrigações tinham sido transformadas em moeda corrente, e cada crise financeira sucessiva fazia com que fossem impressas em maior quantidade e se desvalorizassem mais vertiginosamente, ajudadas pela crescente falta de confiança do público. Ao eclodir a guerra, as obrigações tinham-se desvalorizado em cerca de 40%, e, em junho de 1793, em cerca de dois terços. O regime jacobino manteve-as razoavelmente bem, mas a orgia do descontrole econômico após o Termidor reduziu-as progressivamente até cerca de um tricentésimo de seu valor nominal, até que a bancarrota oficial do Estado, em 1797, pôs um ponto final a um episódio monetário que tornou os franceses preconceituosos em relação a qualquer espécie de cédula por mais de 50 anos. Os papéis-moedas de outros países tiveram carreiras menos catastróficas, embora por volta de 1810 o papel-moeda russo tivesse caído a 20% de seu valor nominal e o austríaco (duas vezes desvalorizado, em

---

* Na verdade, qualquer tipo de papel-moeda, cambiável por ouro ou não, era relativamente incomum antes do fim do século XVIII.

A ERA DAS REVOLUÇÕES

1810 e 1815) a 10%. Os britânicos evitavam esta forma de financiar a guerra e estavam bastante familiarizados com as cédulas para não se assustarem com elas, mas mesmo assim o Banco da Inglaterra não pôde resistir à dupla pressão da vasta demanda governamental — enviada em grande parte ao exterior sob a forma de empréstimos e de subsídios —, da corrida privada sobre seu ouro em barra e o desgaste especial de um ano de fome. Em 1797 os pagamentos em ouro a clientes particulares foram suspensos, e a cédula não conversível tornou-se a moeda corrente de fato: a nota de uma libra foi um dos resultados disso. A "libra de papel" nunca se desvalorizou tão seriamente como as moedas continentais — sua marca mais baixa foi 71% do seu valor nominal, e por volta de 1817 estava de volta a 98% — mas durou muito mais do que se tinha previsto. Só a partir de 1821 é que os pagamentos em dinheiro foram reiniciados plenamente.

A outra alternativa à tributação eram os empréstimos, mas o desconcertante aumento da dívida pública produzido pelos gastos de guerra, surpreendentemente pesados e longos, assustava até mesmo os países mais prósperos, ricos e financeiramente sofisticados. Após cinco anos financiando a guerra essencialmente através de empréstimos, o governo britânico foi forçado a dar um passo espantoso e sem precedentes: pagar o esforço bélico com a tributação direta, introduzindo um imposto de renda com este propósito (1799-1816). A crescente riqueza do país tornou isto viável, e o custo da guerra desde então foi essencialmente coberto através da renda corrente. Se uma tributação adequada tivesse sido imposta desde o começo, a dívida nacional não teria subido de 228 milhões de libras em 1793 para 876 milhões de libras em 1816, e a cobrança anual da dívida de 10 milhões de libras em 1792 para 30 milhões em 1815, que foi *maior do que o gasto total do governo no último ano antes da guerra*. As consequências sociais deste endividamento foram muito grandes, pois de fato ele funcionou como um funil por desviar enormes

A GUERRA

quantias dos impostos pagos pela população em geral para os bolsos da pequena classe de ricos "portadores de fundos", contra os quais porta-vozes dos pobres e dos pequenos comerciantes e fazendeiros, como William Cobbett, lançaram seus trovões jornalísticos. No exterior, os empréstimos eram levantados principalmente (pelo menos do lado antifrancês) junto ao governo britânico, que há muito seguia uma política de subsídio aos aliados militares: entre 1794 e 1804 foram emprestados 80 milhões de libras com este objetivo. Os principais beneficiários diretos eram as casas financeiras internacionais — britânicas ou estrangeiras, que operavam cada vez mais através de Londres, que se tornou o centro internacional das finanças — como a Casa dos Rothschild e dos Baring, que funcionavam como intermediárias nestas transações. (Meyer Amschel Rothschild, o fundador, mandou seu filho, Nathan, de Frankfurt para Londres em 1798.) A época de ouro destes financistas internacionais veio depois das guerras, quando financiaram os maiores empréstimos destinados a ajudar os velhos regimes a se recuperarem da guerra e os novos regimes a se estabilizarem. Mas os alicerces da época em que os Baring e os Rothschild dominaram o mundo financeiro, como ninguém o fizera desde os grandes bancos alemães do século XVI, foram construídos durante as guerras.

Entretanto, os aspectos técnicos das finanças em períodos de guerra são menos importantes do que o efeito econômico geral do grande desvio de recursos dos tempos de paz para usos militares, que uma grande guerra requer. É evidentemente errado considerar o esforço de guerra totalmente baseado na economia civil ou feito à sua custa. As Forças Armadas podem até certo ponto mobilizar somente os homens que de outra forma estariam desempregados ou que seriam mesmo não empregáveis dentro dos limites da economia.* A indústria de guerra, embora

---

* Esta foi a base da forte tradição emigratória, em busca de serviço militar mercenário, em regiões montanhosas superpovoadas como a Suíça.

a curto prazo desviando homens e materiais do mercado civil, pode a longo prazo estimular desenvolvimentos que considerações ordinárias de lucro em tempos de paz teriam negligenciado. Este foi sabidamente o caso das indústrias de ferro e aço que, como vimos no Capítulo 2, não tinham possibilidades de expansão rápida comparáveis às das indústrias têxteis de algodão, e portanto tradicionalmente confiavam no governo e na guerra para seus estímulos. "Durante o século XVIII", escreveu Dionísio Lardner em 1831, "a fundição de ferro tornou-se quase que identificada com a fabricação de canhões".[12] Podemos, portanto, considerar parte do desvio de recursos de capital dos usos em tempos de paz como um investimento a longo prazo em indústrias de bens de capital e de desenvolvimento técnico. Entre as inovações tecnológicas criadas desta forma pelas guerras napoleônicas e revolucionárias estavam a indústria do açúcar de beterraba no continente (como um substituto para o açúcar de cana importado das Antilhas) e a indústria de alimentos enlatados (que nasceu da busca, pela marinha britânica, de alimentos que pudessem ser indefinidamente conservados a bordo). Não obstante, fazendo-se todas as concessões, uma grande guerra de fato significa um grande desvio de recursos, e podia mesmo significar, em condições de bloqueio mútuo, uma competição entre os setores econômicos do tempo de guerra e do tempo de paz pelos mesmos escassos recursos.

Uma consequência óbvia desta competição é a inflação, e sabemos que de fato o período de guerra aumentou vertiginosamente o nível dos preços, que durante o século XVIII cresciam vagarosamente, embora em alguns casos este fato tenha sido ocasionado pela desvalorização monetária. Em si mesmo este fato implica ou reflete uma certa redistribuição de renda, que tem consequências econômicas; por exemplo, mais para os homens de negócios e menos para os assalariados (visto que os salários ficam sempre atrás dos preços), e mais para a agricultura, que

A GUERRA

sabidamente se beneficia com a alta dos preços durante a guerra, e menos para as manufaturas. Consequentemente, o fim da demanda de guerra, que libera uma massa de recursos — inclusive de homens —, até então empregada pela guerra, para o mercado do tempo de paz, trouxe, como sempre, problemas de reajustamento proporcionalmente mais intensos. Para tomarmos um exemplo óbvio: entre 1814 e 1818, o poderio do exército britânico foi reduzido em cerca de 150 mil homens, ou mais do que a população de Manchester na época, e o preço do trigo caiu de 108,5 shillings por quarto de peso em 1813 para 64,2 shillings em 1815. De fato, sabemos que o período de ajustamento do pós-guerra foi de dificuldades econômicas incomuns em toda a Europa, intensificadas ainda mais pelas desastrosas colheitas de 1816-1817.

Devemos, entretanto, fazer uma pergunta mais genérica. Até que ponto o desvio de recursos devido à guerra impediu ou desacelerou o desenvolvimento econômico dos diferentes países? Evidentemente, esta pergunta é de particular importância para a França e a Grã-Bretanha, as duas principais potências econômicas e as que carregavam o fardo econômico mais pesado. O fardo francês foi devido não tanto à guerra em seus últimos estágios, pois esta estava planejada em grande parte para se pagar a si mesma à custa dos estrangeiros cujos territórios os exércitos conquistadores saqueavam ou confiscavam e aos quais impunham o recrutamento de homens, dinheiro e material. Cerca de metade dos impostos italianos foram para os franceses em 1805-1812.[13] O fardo provavelmente não era eliminado com isso, mas ficava evidentemente mais leve — tanto em termos monetários como em termos reais — do que se isso não tivesse ocorrido.

A verdadeira quebra da economia francesa deveu-se à década da Revolução, da guerra civil e do caos, que, por exemplo, reduziram o número de transações das manufaturas do Sena Inferior (Ruão) de 41 para 15

A ERA DAS REVOLUÇÕES

milhões entre 1790 e 1795, e o número de seus trabalhadores, de 246 mil para 86 mil. A isto devemos acrescentar a perda do comércio ultramarino devido ao controle britânico dos mares.

O fardo britânico deveu-se ao custo de suportar não só o próprio esforço de guerra do país, mas também, através de seus tradicionais subsídios aos aliados continentais, um pouco do de outros Estados. Em termos monetários, os britânicos carregaram sem dúvida o fardo mais pesado durante a guerra: custou-lhes entre três e quatro vezes mais do que o fardo francês.

A resposta à pergunta genérica é mais fácil para a França do que para a Grã-Bretanha, pois há pouca dúvida de que a economia francesa permaneceu relativamente estagnada, e a indústria e o comércio franceses teriam quase certamente se expandido mais e com maior rapidez se não fossem as guerras e a Revolução. Embora a economia do país tivesse avançado substancialmente sob o governo de Napoleão, ela não podia compensar o retrocesso e o ímpeto perdido da década de 1790. Para os britânicos, a resposta é menos óbvia, pois sua expansão foi meteórica, e a única pergunta é se ela teria sido ainda mais rápida, não fosse a guerra. A resposta geralmente aceita hoje é que sim.[14] Para os outros países a pergunta é de menos importância onde o desenvolvimento econômico foi lento, ou flutuante, como na maior parte do Império dos Habsburgo, e onde o impacto quantitativo do esforço de guerra foi relativamente pequeno.

Mas não se supunha que mesmo as guerras francamente econômicas dos britânicos nos séculos XVII e XVIII impulsionassem o desenvolvimento econômico por si mesmas ou pelo estímulo da economia, mas pela vitória: pela eliminação dos competidores e a captura de novos mercados. Seu "custo" em quebra de negócios e desvio de recursos etc. era medido comparativamente a seu "lucro" expresso na posição relativa dos competidores beligerantes após a guerra. Por esses padrões, é mais do que claro que as guerras de 1793-1815 se pagaram.

Ao custo de uma suave desaceleração de uma expansão econômica que não obstante permaneceu gigantesca, a Grã-Bretanha decisivamente eliminou o seu mais próximo competidor em potencial, e transformou-se na oficina do mundo durante duas gerações. Em todos os índices comerciais e industriais, a Grã-Bretanha estava agora muito mais à frente de todos os outros Estados (com a possível exceção dos Estados Unidos) do que estivera em 1789. Se acreditarmos que a eliminação temporária de seus rivais e o virtual monopólio dos mercados coloniais e marítimos eram uma condição prévia para a maior industrialização da Grã-Bretanha, seu preço para obtê-la foi modesto. Se argumentarmos que por volta de 1789 seu início pioneiro já era suficiente para garantir a supremacia econômica britânica sem uma longa guerra, podemos ainda sustentar que não foi excessivo o custo de defendê-la contra a ameaça francesa de recuperar por meios militares e políticos o terreno perdido na competição econômica.

5. A PAZ

"O atual concerto (das potências) é sua única segurança perfeita contra a brasa revolucionária mais ou menos espalhada por todos os Estados da Europa, e (...) a verdadeira sabedoria é reprimir as pequenas disputas corriqueiras e se unir em defesa dos princípios estabelecidos da ordem social."

Castlereagh[1]

"L'empereur de Russie est de plus le seul souverain parfaitement en état de se porter des à présent aux plus vastes entreprises. Il est à la tête de la seule armée vraiment disponible qui soit aujourd'hui formée en Europe."*

Gentz, 24 de março de 1818[2]

Após mais de vinte anos de guerras e revoluções quase ininterruptas, os velhos regimes vitoriosos enfrentaram os problemas do estabelecimento e da preservação da paz, que foram particularmente difíceis e perigosos. Os escombros das duas décadas tinham de ser varridos, e a pilhagem territorial, redistribuída. E, além do mais, era evidente para todos os estadistas inteligentes que não se toleraria daí por diante outra guerra de grandes proporções na Europa, pois este tipo de guerra quase que certamente significaria uma nova revolução e a consequente destruição dos velhos regimes. "No atual estado de doença social da Europa", disse

---

* Em francês no original: "O imperador da Rússia é o único soberano perfeitamente capaz de se entregar aos mais vastos empreendimentos. Ele está à frente do único exército realmente disponível formado atualmente na Europa." (*N.T.*)

A ERA DAS REVOLUÇÕES

o rei Leopoldo da Bélgica (tio da rainha Vitória, sábio embora um tanto enfadonho) a propósito de uma crise posterior, "seria inconcebível declarar (...) uma guerra total. Tal guerra (...) certamente traria um conflito de princípios e, pelo que sei a respeito da Europa, penso que tal conflito mudaria sua forma e jogaria por terra toda a sua estrutura".[3] Os reis e os estadistas não eram mais sábios nem tampouco mais pacíficos do que antes. Mas inquestionavelmente estavam mais assustados.

Foram também inusitadamente bem-sucedidos. De fato, não houve nenhuma guerra total na Europa, nem qualquer conflito armado entre duas grandes potências, da derrota de Napoleão à Guerra da Crimeia, em 1854-1856. Na verdade, exceto pela Guerra da Crimeia, não houve nenhuma guerra que envolvesse mais do que duas grandes potências entre 1815 e 1914. O cidadão do século XX teria mesmo que apreciar a magnitude desse sucesso, que foi ainda mais impressionante porque a cena internacional estava longe de ser tranquila, sendo muitas as ocasiões para um conflito. Os movimentos revolucionários (que consideraremos no Capítulo 6) destruíram repetidas vezes a estabilidade internacional duramente obtida: na década de 1820, notadamente no sul da Europa, nos Bálcãs e na América Latina; depois de 1830, na Europa ocidental (principalmente na Bélgica); e novamente às vésperas da Revolução de 1848. O declínio do Império Turco, ameaçado duplamente pela dissolução interna e pelas ambições das grandes potências — principalmente a Grã-Bretanha, a Rússia e até certo ponto a França —, fez da chamada "Questão Oriental" uma causa permanente de crise: na década de 1820 ela brotou na Grécia; na década de 1830, no Egito, e, embora se acalmasse após um conflito particularmente acirrado em 1838-1841, permaneceu potencialmente tão explosiva quanto antes. A Grã-Bretanha e a Rússia mantinham péssimas relações devido ao Oriente Próximo e ao território sem qualquer jurisdição entre os dois impérios na Ásia. A França estava longe de se sentir conformada com uma posição muito mais modesta do que a que ocupara antes de 1815. Ainda assim, a

A PAZ

despeito de todos esses obstáculos e redemoinhos, as naus da diplomacia atravessaram sem colisão um oceano de dificuldades.

Nossa geração, que fracassou bem mais espetacularmente na fundamental tarefa da diplomacia internacional, qual seja, a de evitar guerras generalizadas, tendeu, portanto, a analisar os estadistas e os métodos de 1815-1848 com um respeito que seus sucessores imediatos nem sempre sentiram. Talleyrand, que presidiu a política externa francesa de 1814 a 1835, continua sendo o modelo de diplomata francês até os dias de hoje. Vistos em retrospecto, Castlereagh, George Canning e Viscount Palmerston, que foram secretários para assuntos estrangeiros da Grã-Bretanha respectivamente em 1812-1822, 1822-1827 e em todas as administrações não conservadoras de 1830 a 1852, adquiriram uma estatura enganadora de gigantes diplomáticos. O príncipe Metternich, o principal ministro da Áustria durante todo o período desde a derrota de Napoleão até sua própria queda em 1848, é hoje visto menos frequentemente como um simples inimigo rígido de qualquer mudança e mais como um sábio mantenedor da estabilidade do que acontecia à sua época. Entretanto, mesmo uma visão de fé tem sido incapaz de detectar ministros do Exterior ideais na Rússia de Alexandre I (1801-1825) e de Nicolau I (1825-1855) ou na Prússia, relativamente insignificante no período que focalizamos.

Em certo sentido, o elogio é justificável. A estabilização da Europa após as Guerras Napoleônicas não foi mais justa nem moral do que qualquer outra, mas, dado o propósito inteiramente antiliberal e antinacional (isto é, antirrevolucionário) de seus organizadores, ela foi realista e sensata. Não foi feita qualquer tentativa para se tirar partido da vitória total sobre os franceses, que não deviam ser provocados para não sofrerem um novo ataque de jacobinismo. As fronteiras do país derrotado ficaram com uma pequena diferença para melhor em relação ao que tinham sido em 1789; a compensação financeira da vitória não foi excessiva, a ocupação pelas tropas estrangeiras teve pouca duração e, por volta de 1818, a França era readmitida como membro integrante do "concerto

A ERA DAS REVOLUÇÕES

da Europa". (Não fosse o malsucedido retorno de Napoleão em 1815 e estes termos teriam sido até mesmo mais moderados.) Os Bourbon foram reconduzidos ao poder, mas ficou entendido que eles tinham que fazer concessões ao perigoso espírito de seus súditos. As principais mudanças da Revolução foram aceitas, e aquele excitante instrumento, a Constituição, lhes foi garantido — embora, é claro, de uma maneira extremamente moderada — sob a máscara de uma Carta "livremente concedida" pelo ressuscitado monarca absoluto, Luís XVIII.

O mapa da Europa foi redelineado sem se levarem conta as aspirações dos povos ou os direitos dos inúmeros príncipes destituídos pelos franceses, mas com considerável atenção para o equilíbrio das cinco grandes potências que emergiam das guerras: a Rússia, a Grã-Bretanha, a França, a Áustria e a Prússia. Destas, somente as três primeiras contavam. A Grã-Bretanha não tinha ambições territoriais no continente, embora preferisse manter o controle ou a sua mão protetora sobre assuntos de importância comercial e marítima. Ela reteve Malta, as Ilhas Jônicas e a Heligolândia, manteve a Sicília sob cuidadosa vigilância e se beneficiou mais evidentemente com a transferência da Noruega do domínio dinamarquês para o sueco, o que evitou que um único Estado controlasse a entrada do Mar Báltico, e com a União da Holanda e da Bélgica (anteriormente chamadas de Países Baixos austríacos), que colocou a embocadura do Reno e do Scheldt nas mãos de um Estado inofensivo, mas bastante forte — especialmente quando auxiliado pelas fortalezas do sul — para resistir ao conhecido apetite francês pela Bélgica. Ambos os arranjos foram profundamente impopulares entre os belgas e os noruegueses, e o último deles só durou até a Revolução de 1830, quando foi substituído, após alguns atritos franco-britânicos, por um pequeno reino permanentemente neutro governado por um príncipe escolhido pelos ingleses. Fora da Europa, é claro, as ambições territoriais britânicas eram muito maiores, embora o controle total de todos os mares pela marinha inglesa tornasse em grande parte irrelevante o fato de que qualquer

A PAZ

território estivesse realmente sob a bandeira inglesa ou não, exceto nos confins do noroeste da Índia, onde somente principados caóticos ou regiões fracas separavam os impérios russo e britânico. Mas a rivalidade existente entre a Grã-Bretanha e a Rússia pouco afetou a área que tinha que ser reapaziguada em 1814-1815. Na Europa, os interesses britânicos não necessitavam de qualquer poder para serem muito fortes.

A Rússia, a decisiva potência militar terrestre, satisfez suas limitadas ambições territoriais através da aquisição da Finlândia (à custa da Suécia), da Bessarábia (à custa da Turquia) e da maior parte da Polônia, à qual foi assegurada uma certa autonomia sob o comando da facção local que sempre fora a favor da aliança com os russos. (Após a insurreição de 1830-1831, esta autonomia foi abolida.) O resto da Polônia foi distribuído entre a Prússia e a Áustria, com exceção da cidade-república de Cracóvia, que por sua vez não sobreviveu à insurreição de 1846. No mais, a Rússia sentia-se satisfeita em exercer uma hegemonia remota, embora longe de ser ineficaz, sobre todos os principados absolutos a leste da França, e seu principal interesse era evitar a revolução. O czar Alexandre patrocinou uma aliança sagrada com este objetivo, à qual se juntaram a Polônia e a Áustria, ficando a Grã-Bretanha de fora. Do ponto de vista britânico, esta virtual hegemonia russa sobre a maior parte da Europa era um acordo menos que ideal, embora refletisse as realidades militares e não pudesse ser evitada exceto concedendo-se à França um poderio bem maior do que qualquer de seus adversários anteriores estava disposto a dar, ou ao custo intolerável da guerra. O status francês de grande potência era claramente reconhecido, mas isso era tudo.

A Áustria e a Prússia eram realmente grandes potências só por cortesia, ou assim se acreditava — corretamente — em vista da conhecida fraqueza austríaca em tempos de crise internacional e — incorretamente — em vista do colapso da Prússia em 1806. Sua principal função era a de atuar como estabilizadores europeus. A Áustria recebeu de volta suas províncias italianas, além dos antigos territórios venezianos na Itália e na

A ERA DAS REVOLUÇÕES

Dalmácia, e o protetorado sobre os principados menores do norte e do centro da Itália, a maioria deles governados por parentes dos Habsburgo (exceto o principado de Piemonte-Sardenha, que absorveu a antiga República Genovesa para atuar como um parachoque mais eficiente entre a Áustria e a França). Se se tivesse que manter a "ordem" em qualquer parte da Itália, a Áustria era o policial de serviço. Visto que seu único interesse era a estabilidade — tudo o mais arriscava a sua desintegração —, nela se podia confiar para uma atuação como salvaguarda permanente contra quaisquer tentativas de desorganizar o continente. A Prússia se beneficiou através do desejo britânico de ter um poderio razoavelmente forte na Alemanha Ocidental (região onde os principados tinham de há muito tendido a acompanhar a França ou que poderiam ser dominados por ela) e recebeu a Renânia, cujas imensas potencialidades econômicas os diplomatas aristocráticos deixaram de reconhecer. Ela também se beneficiou com o conflito entre a Grã-Bretanha e a Rússia sobre o que os britânicos consideravam uma excessiva expansão russa na Polônia. O resultado líquido das complexas negociações, entremeadas de ameaças de guerra, foi que a Prússia concedeu parte de seus antigos territórios poloneses à Rússia, mas recebeu metade da rica e industrializada Saxônia. Em termos econômicos e territoriais, a Prússia lucrou relativamente mais com a organização de 1815 do que qualquer outra potência, e de fato tornou-se pela primeira vez uma grande potência europeia em termos de recursos reais, embora este fato não tivesse se tornado evidente para os políticos até a década de 1860. A Áustria, a Prússia e o rebanho de Estados alemães menores, cuja principal função internacional era fornecer um bom estoque de criação para as casas reais da Europa, vigiavam-se mutuamente dentro da Confederação Alemã, embora a ascendência da Áustria não fosse desafiada. A principal função internacional da Confederação era manter os Estados menores fora da órbita francesa, na qual eles tradicionalmente tendiam a gravitar. Apesar do repúdio nacionalista, estavam longe de se sentir infelizes como satélites napoleônicos.

A PAZ

Os estadistas de 1815 foram bastante inteligentes para saber que nenhum acordo, não obstante quão cuidadosamente elaborado, resistiria com o correr do tempo à pressão das rivalidades estatais e das circunstâncias mutáveis. Consequentemente, trataram de elaborar um mecanismo para a manutenção da paz — isto é, resolvendo todos os problemas maiores à medida que eles surgissem — por meio de congressos regulares. Claro, entendia-se que as cruciais decisões nesses congressos fossem tomadas pelas "grandes potências" (o próprio termo é uma invenção deste período). O "concerto da Europa" — outro termo que surgiu então — não correspondia por exemplo a uma ONU, mas sim aos membros permanentes do seu Conselho de Segurança. Entretanto, os congressos regulares só foram mantidos por alguns anos — de 1818, quando a França foi oficialmente readmitida no concerto, até 1822.

O sistema de congressos ruiu porque não pôde sobreviver aos anos imediatamente posteriores às guerras napoleônicas, quando a fome de 1816-1817 e depressões nos negócios mantiveram um vivo mas injustificável temor de revolução social em toda parte, inclusive na Grã-Bretanha. Após a volta da estabilidade econômica por volta de 1820, todo distúrbio dos acordos de 1815 simplesmente revelava as divergências entre os interesses das potências. Diante do primeiro ataque de intranquilidade e insurreição em 1820-1822, só a Áustria agarrou-se ao princípio de que todos estes movimentos deviam ser imediata e automaticamente suprimidos em nome dos interesses da ordem social (e da integridade territorial austríaca). As três monarquias da "Sagrada Aliança" e a França entraram em acordo a respeito da Alemanha, da Itália e da Espanha, embora a França, exercendo com prazer a função de policial internacional na Espanha (1823), estivesse menos interessada na estabilidade europeia do que em aumentar o campo de suas atividades militares e diplomáticas, particularmente na Espanha, Bélgica e Itália, onde se encontrava o grosso de seus investimentos estrangeiros.[4]

A Grã-Bretanha ficou de fora, em parte porque — especialmente depois que o flexível Canning substituiu o reacionário e rígido Castlereagh (1822) — estava convencida de que as reformas políticas na Europa absolutista eram mais cedo ou mais tarde inevitáveis e porque os políticos britânicos não tinham simpatia pelo absolutismo, mas também porque a aplicação do princípio de policiamento teria simplesmente trazido potências rivais (principalmente a França) para a América Latina, que era, como vimos, uma colônia econômica britânica extremamente vital. Logo, os ingleses apoiaram a independência dos Estados latino-americanos, como também o fizeram os Estados Unidos na Declaração Monroe de 1823, um manifesto que não tinha nenhum valor prático — se alguma coisa protegia a independência latino-americana, era a marinha britânica —, mas com considerável interesse profético. As potências estavam ainda mais divididas a respeito da Grécia. A Rússia, com todo o seu desgosto pelas revoluções, só podia se beneficiar com o movimento de um povo ortodoxo, que enfraquecia os turcos e devia confiar grandemente na ajuda russa. (Além do mais, ela tinha, por tratado, o direito de intervir na Turquia em defesa dos cristãos ortodoxos.) O temor de uma intervenção unilateral russa, a pressão filo-helênica, os interesses econômicos e a convicção geral de que a desintegração da Turquia era inevitável, mas podia ser, na melhor das hipóteses, organizada, finalmente levaram os ingleses da hostilidade, passando pela neutralidade, a uma intervenção informal pró-helênica. Assim, em 1829, a Grécia conquistou sua independência através da ajuda russa e britânica. O dano internacional foi minimizado com a transformação do país em um reino, que não seria um mero satélite russo, sob o comando de um dos muitos pequenos príncipes disponíveis. Mas o ajuste de 1815, o sistema de congressos e o princípio de se suprimir todas as revoluções jaziam em ruínas.

As revoluções de 1830 destruíram-nos completamente, pois elas afetaram não somente os pequenos Estados mas também uma grande potência, a França. De fato, elas retiraram toda a Europa a oeste do Reno

A PAZ

do alcance das operações policiais da Sagrada Aliança. Enquanto isso, a "Questão Oriental" — o problema do que fazer a respeito da inevitável desintegração da Turquia — transformou os Bálcãs e o Oriente em um campo de batalha das potências, notadamente a Rússia e a Grã-Bretanha. A "Questão Oriental" perturbou o equilíbrio das forças porque tudo conspirava para fortalecer os russos, cujo principal objetivo diplomático, naquela época e também mais tarde, era conquistar o controle dos estreitos entre a Europa e a Ásia Menor, que condicionavam seu acesso ao Mediterrâneo. Esta não era uma questão de importância meramente diplomática e militar, mas, com o crescimento das exportações de cereais ucranianas, de urgência econômica também. A Grã-Bretanha, preocupada como de costume com as tentativas de aproximação da Índia, estava profundamente aflita a respeito da marcha para o sul de uma grande potência que poderia ameaçá-la razoavelmente. A política óbvia era escorar a Turquia a todo custo contra a expansão russa. (Isto tinha a vantagem adicional de beneficiar o comércio britânico no Oriente, que aumentou satisfatoriamente neste período.) Infelizmente esta política era totalmente impraticável. O Império Turco não era absolutamente uma massa disforme, ao menos em termos militares, mas, na melhor das hipóteses, só era capaz de sustentar ações retardatárias contra a rebelião interna (que ele ainda podia destruir com bastante facilidade) e a força conjunta da Rússia e de uma situação internacional desfavorável (que não podia enfrentar). Nem era ainda capaz de se modernizar, nem tampouco demonstrava disposição para fazê-lo, embora os princípios da modernização tivessem sido lançados no governo de Mahmoud II (1809-1839) na década de 1830. Consequentemente, só o apoio direto, diplomático e militar da Grã-Bretanha (isto é, a ameaça de guerra) podia evitar o firme aumento da influência russa e o colapso da Turquia sujeita a seus muitos problemas. Isto fez da "Questão Oriental" o mais explosivo problema em assuntos internacionais após as guerras napoleônicas, o único capaz de levar a uma guerra generalizada e o único que de fato

A ERA DAS REVOLUÇÕES

o fez em 1854-1856. Entretanto, a própria situação que fazia com que os dados favorecessem a Rússia e prejudicassem a Grã-Bretanha também fez com que a Rússia se inclinasse a uma acomodação. Ela podia atingir seus objetivos diplomáticos de duas maneiras: ou pela derrota e divisão da Turquia e uma eventual ocupação russa de Constantinopla e dos estreitos, ou então por um virtual protetorado sobre a fraca e subserviente Turquia. Mas uma ou outra forma estaria sempre aberta. Em outras palavras, para o czar, Constantinopla não valia o esforço de uma grande guerra. Assim, na década de 1820, a guerra grega encaixava-se na política de divisão e de ocupação. A Rússia fracassou em tirar o máximo proveito dessa situação, o que poderia ter feito, mas sentia-se relutante em levar sua vantagem muito longe. Em vez disso, negociou um tratado extraordinariamente favorável em Unkiar Skelessi, em 1833, com uma Turquia pressionada, que estava agora profundamente cônscia da necessidade de um protetor poderoso. A Grã-Bretanha sentiu-se insultada: os anos da década de 1830 viram a gênese de uma russofobia em massa que criou a imagem da Rússia como uma espécie de inimigo hereditário da Grã-Bretanha.* Em face da pressão britânica, os russos por sua vez bateram em retirada, e na década de 1840 voltaram a propor a partilha da Turquia.

A rivalidade russo-britânica no Oriente era na prática, portanto, muito menos perigosa do que o choque público de sabres sugeria (especialmente na Grã-Bretanha). Além do mais, sua importância foi reduzida por um temor britânico muito maior: o do ressurgimento da França. De fato, ela é bem traduzida na expressão "o grande jogo", que mais tarde veio a identificar as atividades de capa e espada dos aventureiros e agentes secretos de ambas as potências, que operavam nas regiões orientais sem jurisdição entre os dois impérios. O que tornou a situação realmente perigosa foi o imprevisível curso dos movimentos de libertação dentro

---

* Na verdade as relações anglo-russas, baseadas na complementaridade econômica, tinham sido tradicionalmente amigáveis, e só começaram a se deteriorar seriamente após as guerras napoleônicas.

A PAZ

da Turquia e a intervenção de outras potências. Destas, a Áustria teve um considerável interesse passivo no problema, sendo ela mesma um império internacional em ruínas, ameaçado pelos movimentos dos mesmíssimos povos que também minavam a estabilidade turca — os eslavos balcânicos e, notadamente, os sérvios. Entretanto, a ameaça desses movimentos não foi imediata, embora mais tarde viessem a proporcionar o estopim para a Primeira Guerra Mundial. A França era mais problemática, tendo um longo registro de influência econômica e diplomática no Oriente, que ela periodicamente tentava restaurar e aumentar. Em particular, desde a expedição de Napoleão ao Egito, a influência francesa foi poderosa naquele país, cujo paxá, Mohammed Ali, um governante virtualmente independente, tinha ambições em relação ao Império Turco. De fato, as crises da "Questão Oriental" na década de 1830 (1831-1833 e 1839-1841) foram essencialmente crises nas relações de Mohammed Ali com seu soberano nominal, complicadas no último caso pelo apoio francês ao Egito. Entretanto, se a Rússia se achava relutante em fazer uma guerra contra Constantinopla, a França não podia nem queria fazê-la. Havia crises diplomáticas. Mas no final, exceto pelo episódio da Crimeia, não houve guerra pela Turquia durante todo o século XIX.

Assim, fica claro pelo curso das disputas neste período que o material inflamável nas relações internacionais simplesmente não era explosivo o bastante para deflagrar uma guerra de grandes proporções. Das grandes potências, os austríacos e os prussianos eram muito fracos para contar muito. Os ingleses estavam satisfeitos. Por volta de 1815, eles tinham obtido uma vitória mais completa do que qualquer outra potência em toda a história mundial, tendo emergido dos vinte anos de guerra com a França como a *única* economia industrializada, a *única* potência naval — em 1840 a marinha britânica tinha quase tantos navios quanto todas as outras marinhas reunidas — e virtualmente a única potência colonial do mundo. Nada parecia atrapalhar o único grande interesse expansionista da política externa britânica, a expansão do comércio e do investimento britânicos. A Rússia, conquanto não tão saciada, tinha somente ambições territoriais limitadas, e nada havia que pudesse por muito tempo — ou pelo menos assim parecia — atrapalhar o seu avanço. Ao menos nada que justificasse uma guerra generalizada socialmente perigosa. Só a França era uma potência "insatisfeita", e ela tinha a capacidade de romper a estável ordem social. Mas só poderia fazê-lo sob uma condição: de que mais uma vez mobilizasse as energias revolucionárias do jacobinismo, dentro do país, e de liberalismo e nacionalismo, no exterior. Pois, em termos de rivalidade ortodoxa de grandes potências, ela havia sido fatalmente enfraquecida e nunca mais seria capaz, como durante o reinado de Luís XIV ou durante a Revolução, de enfrentar uma coalizão de duas ou mais potências em pé de igualdade, dependendo somente de seus recursos e população internos. Em 1780, havia 2,5 franceses para cada inglês, mas, em 1830, a relação era de menos de três para dois. Em 1780, existiam quase tantos franceses quanto russos, mas em 1830 havia quase uma metade a mais de russos do que de franceses; e o compasso da evolução econômica francesa arrastava-se fatalmente atrás da inglesa, da americana e, em pouco tempo, da alemã.

Mas o jacobinismo era um preço muito alto para ser pago por qualquer governo francês por suas ambições internacionais. Em 1830, e novamente em 1848, quando a França derrubou seu regime e o absolutismo foi abalado ou destruído em outras partes, as potências tremeram. Elas poderiam ter evitado noites insones. Em 1830-1831, os moderados franceses eram incapazes de erguer um dedo que fosse em favor dos rebeldes poloneses, com quem toda a opinião francesa (bem como toda a opinião liberal europeia) simpatizava. "E a Polônia?", escreveu o velho mas sempre entusiasmado Lafayette a Palmerston, em 1831. "O que fareis, o que faremos por ela?"[5] Nada, era a resposta. A França poderia ter prontamente reforçado seus próprios recursos com os da revolução europeia, como de fato todos os revolucionários esperavam que ela fizesse. Mas as implicações de um tamanho salto em direção a uma guerra revolucionária assustavam os governos franceses liberal-moderados tanto quanto a Metternich. Nenhum governo francês entre 1815 e 1848 colocaria em jogo a paz geral em função de seus próprios interesses estatais.

Fora do alcance do equilíbrio europeu, é claro, nada impedia a expansão e a agressividade. De fato, embora extremamente grandes, as efetivas aquisições territoriais feitas pelas potências brancas foram limitadas. Os britânicos contentavam-se em ocupar pontos cruciais para o controle naval do mundo e para seus interesses comerciais externos, tais como o sul da África (tomada dos holandeses durante as guerras napoleônicas), o Ceilão, Singapura (que foi fundada neste período) e Hong Kong, e as exigências da campanha contra o comércio de escravos — que satisfazia duplamente as opiniões humanitárias domésticas e os interesses estratégicos da marinha britânica, que a usou para reforçar seu monopólio global — levaram-nos a manter bases ao longo da costa africana. Mas no geral, com uma exceção crucial, o ponto de vista inglês era de que um mundo aberto ao comércio britânico e a uma proteção pela marinha britânica contra intrusos mal recebidos era explorado de forma mais barata sem os custos administrativos de uma ocupação. A exceção crucial era a Índia e tudo que dissesse respeito a seu controle. A Índia tinha de ser mantida a qualquer custo, como a maioria dos livres comerciantes anticolonialistas nunca duvidou. Seu mercado era de importância crescente (como visto anteriormente no Capítulo 2-2) e certamente sofreria, segundo se argumentava, se a Índia fosse deixada a sua própria sorte. Ela foi a chave para a abertura do Extremo Oriente, para o tráfico de drogas e outras atividades lucrativas semelhantes que os negociantes europeus desejavam empreender. Assim, a China foi aberta na Guerra do Ópio de 1839-1842. Consequentemente, entre 1814 e 1849, o tamanho do Império Britânico na Índia cresceu na proporção de dois terços do subcontinente, como resultado de uma série de guerras contra os maratas, os nepaleses, os birmaneses, os rajputs, os afegãos, os sindis e os sikhs, e a rede de influência britânica foi estendida mais para perto do Oriente

A ERA DAS REVOLUÇÕES

Médio, que controlava a rota direta para a Índia, organizada a partir de 1840 pelos vapores da linha P e O, suplementada pela travessia por terra do istmo de Suez.

Embora a reputação russa de expansionismo fosse grande (pelo menos entre os ingleses), suas verdadeiras conquistas foram bem modestas. Neste período, o czar só conseguiu adquirir algumas faixas grandes e vazias da estepe de Kirghiz, a leste dos Urais, e algumas áreas montanhosas duramente disputadas na região do Cáucaso. Por outro lado, os Estados Unidos virtualmente conquistaram todo o seu lado oeste ao sul da fronteira do Oregon, através da insurreição e da guerra contra os desafortunados mexicanos. Já os franceses tiveram que limitar suas ambições expansionistas à Argélia, que eles invadiram com base em uma desculpa forjada, em 1830, e tentaram conquistar nos 17 anos seguintes. Em 1847, tinham conseguido liquidar a resistência.

Uma cláusula do acordo de paz internacional deve, entretanto, ser mencionada separadamente: a abolição do comércio escravagista internacional. As razões para isto foram tanto econômicas quanto humanitárias: a escravidão era revoltante e extremamente ineficaz. Além disso, do ponto de vista dos ingleses, que foram os principais defensores desse admirável movimento entre as potências, a economia de 1815-1848 não mais dependia, como no século XVIII, da venda de homens e de açúcar, mas da venda de produtos de algodão. A verdadeira abolição da escravatura veio mais lentamente (exceto, é claro, onde a Revolução Francesa já a havia exterminado). Os britânicos aboliram-na em suas colônias — principalmente nas Antilhas — em 1834, embora viessem logo a substituí-la, onde a plantação agrícola em larga escala sobreviveu pela importação de trabalhadores contratados da Ásia. Os franceses não a aboliram oficialmente até a Revolução de 1848. Em 1848, ainda havia uma grande quantidade de escravos e, consequentemente, de comércio (ilegal) de escravos no mundo.

6. AS REVOLUÇÕES

"A liberdade, este rouxinol com voz de gigante, desperta os que têm o sono mais pesado. (...) Como é possível pensar em alguma coisa hoje que não seja lutar a favor ou contra a liberdade? Os que não podem amar a humanidade ainda podem ser grandes tiranos. Mas como se pode ficar indiferente?"

Ludwig Boerne, 14 de fevereiro de 1831[1]

"Os governos, tendo perdido seu equilíbrio, acham-se assustados, intimidados e confusos com os gritos da classe intermediária da sociedade, que, colocada entre os reis e seus súditos, quebra o cetro dos monarcas e usurpa o grito do povo."

Metternich ao czar, 1820[2]

1.

Poucas vezes a incapacidade dos governos em conter o curso da história foi demonstrada de forma mais decisiva do que na geração pós-1815. Evitar uma segunda Revolução Francesa, ou ainda a catástrofe pior de uma revolução europeia generalizada tendo como modelo a francesa, foi o objetivo supremo de todas as potências que tinham gasto mais de vinte anos para derrotar a primeira; até mesmo dos britânicos, que não simpatizavam com os absolutismos reacionários que se restabeleceram em toda a Europa e sabiam muito bem que as reformas não podiam nem deviam ser evitadas, mas que temiam uma nova expansão franco-jacobina mais do que qualquer outra contingência internacional. E, ainda assim, nunca na história da Europa e poucas vezes em qualquer outro lugar, o revolucionarismo foi tão endêmico, tão geral, tão capaz de se espalhar por propaganda deliberada como por contágio espontâneo.

Houve três ondas revolucionárias principais no mundo ocidental entre 1815 e 1848. (A Ásia e a África permaneciam até então imunes: as primeiras revoluções em grande escala na Ásia, o "Motim Indiano" e a "Rebelião Taiping", só ocorreram na década de 1850.) A primeira ocorreu em 1820-1824. Na Europa, ela ficou limitada principalmente ao Mediterrâneo, com a Espanha (1820), Nápoles (1820) e a Grécia (1821) como seus epicentros. Fora a grega, todas essas insurreições foram sufocadas. A Revolução Espanhola reviveu o movimento de libertação na América Latina, que tinha sido derrotado após um esforço inicial, ocasionado pela conquista da Espanha por Napoleão em 1808, e reduzido a alguns refúgios e grupos. Os três grandes libertadores da América espanhola, Simon Bolívar, San Martin e Bernardo O'Higgins, estabeleceram a independência respectivamente da "Grande Colômbia" (que incluía as atuais repúblicas da Colômbia, da Venezuela e do Equador), da Argentina (exceto as áreas interioranas que hoje constituem o Paraguai e a Bolívia e os pampas além do Rio da Prata, onde os gaúchos da Banda Oriental — hoje Uruguai — lutaram contra argentinos e brasileiros) e do Chile. San Martin, auxiliado pela frota chilena sob o comando do nobre radical inglês Cochrane — em quem C. S. Forester se baseou para escrever o romance *Captain Hornblower* (Comandante Corneteiro) —, libertou a última fortaleza do poderio espanhol, o vice-reino do Peru. Por volta de 1822, a América espanhola estava livre, e San Martin, um homem moderado, de grande visão e rara abnegação pessoal, deixou a tarefa a Bolívar e ao republicanismo e retirou-se para a Europa, terminando sua nobre vida no que normalmente era um refúgio para ingleses endividados, Boulogne-sur-Mer, com uma pensão dada por O'Higgins. Enquanto isso, Iturbide, o general espanhol enviado para lutar contra as

AS REVOLUÇÕES

guerrilhas camponesas que ainda resistiam no México, tomou o partido dos guerrilheiros sob o impacto da Revolução Espanhola e, em 1821, estabeleceu definitivamente a independência mexicana. Em 1822, o Brasil separou-se pacificamente de Portugal sob o comando do regente deixado pela família real portuguesa em seu retorno à Europa após o exílio napoleônico. Os Estados Unidos reconheceram o mais importante dos novos Estados quase que imediatamente, os britânicos reconheceram-no logo depois, cuidando de concluir tratados comerciais com ele, e os franceses o fizeram antes do fim da década.

A segunda onda revolucionária ocorreu em 1829-1834, e afetou toda a Europa a oeste da Rússia e o continente norte-americano, pois a grande época de reformas do presidente Andrew Johnson (1829-1837), embora não diretamente ligada aos levantes europeus, deve ser entendida como parte dela. Na Europa, a derrubada dos Bourbon na França estimulou várias outras insurreições. Em 1830, a Bélgica conquistou sua independência da Holanda; em 1830-1831, a Polônia foi subjugada somente após consideráveis operações militares, várias partes da Itália e da Alemanha estavam agitadas, o liberalismo prevalecia na Suíça — um país muito menos pacífico naquela época do que hoje —, enquanto se abria um período de guerras na Espanha e em Portugal. Até mesmo a Grã-Bretanha, graças em parte à erupção do seu vulcão local, a Irlanda, que garantiu a Emancipação Católica em 1829 e o reinício da agitação reformista. O Ato de Reforma de 1832 corresponde à Revolução de Julho de 1830 na França, e de fato tinha sido poderosamente estimulado pelas novas de Paris. Este período é provavelmente o único na história moderna em que acontecimentos políticos na Grã-Bretanha correram paralelamente aos do continente europeu, a ponto de que algo semelhante a uma situação revolucionária poder-se-ia ter desenvolvido em 1831-1832, não fosse a restrição dos partidos *Tory* (conservador) e *Whig* (liberal). É o único período do século XIX em que a análise da política britânica nesses termos não é totalmente artificial.

A onda revolucionária de 1830 foi, portanto, um acontecimento muito mais sério do que a de 1820. De fato, ela marca a derrota definitiva dos aristocratas pelo poder burguês na Europa ocidental. A classe governante dos próximos 50 anos seria a "grande burguesia" de banqueiros, grandes industriais e, às vezes, altos funcionários civis, aceita por uma aristocracia que se apagou ou que concordou em promover políticas primordialmente burguesas, ainda não ameaçada pelo sufrágio universal, embora molestada por agitações externas causadas por negociantes insatisfeitos ou de menor importância, pela pequena burguesia e pelos primeiros movimentos trabalhistas. Seu sistema político, na Grã-Bretanha, na França e na Bélgica, era fundamentalmente o mesmo: instituições liberais salvaguardadas contra a democracia por qualificações educacionais ou de propriedade para os eleitores — havia inicialmente só 168 mil eleitores na França — sob uma monarquia constitucional; de fato, algo muito semelhante à primeira fase burguesa mais moderada da Revolução Francesa, a da Constituição de 1791.* Nos Estados Unidos, entretanto, a democracia jacksoniana dá um passo além: a derrota dos proprietários oligarcas antidemocratas (cujo papel correspondia ao que agora estava triunfando na Europa ocidental) pela ilimitada democracia política colocada no poder com os votos dos homens das fronteiras, dos pequenos fazendeiros e dos pobres das cidades. Foi uma espantosa inovação, e os pensadores do liberalismo moderado que eram realistas o suficiente para saber que, mais cedo ou mais tarde, as ampliações do direito de voto seriam inevitáveis, examinaram-na de perto e com muita ansiedade, notadamente Alexis de Tocqueville, cuja obra *Democracia na América,* de 1835, chegou a melancólicas conclusões sobre ela. Mas, como veremos, 1830 determina uma inovação ainda mais radical na política: o aparecimento da classe operária como uma força política autocons-

---

* Só que na prática com um direito de voto muito mais restrito do que em 1791.

ciente e independente na Grã-Bretanha e na França, e dos movimentos nacionalistas em grande número de países da Europa.

Por trás destas grandes mudanças políticas estavam grandes mudanças no desenvolvimento social e econômico. Qualquer que seja o aspecto da vida social que avaliarmos, 1830 determina um ponto crítico; de todas as datas entre 1789 e 1848, o ano de 1830 é o mais obviamente notável. Ele aparece com igual proeminência na história da industrialização e da urbanização no continente europeu e nos Estados Unidos, na história das migrações humanas, tanto sociais quanto geográficas, e ainda na história das artes e da ideologia. E na Grã-Bretanha e na Europa ocidental em geral, este ano determina o início daquelas décadas de crise no desenvolvimento da nova sociedade que se concluem com a derrota das revoluções de 1848 e com o gigantesco salto econômico depois de 1851.

A terceira e maior das ondas revolucionárias, a de 1848, foi o produto desta crise. Quase que simultaneamente, a revolução explodiu e venceu (temporariamente) na França, em toda a Itália, nos Estados alemães, na maior parte do Império dos Habsburgo e na Suíça (1847). De forma menos aguda, a intranquilidade também afetou a Espanha, a Dinamarca e a Romênia; de forma esporádica, a Irlanda, a Grécia e a Grã-Bretanha. Nunca houve nada tão próximo da revolução mundial com que sonhavam os insurretos do que esta conflagração espontânea e geral, que conclui a era analisada neste livro. O que em 1789 fora o levante de uma só nação era agora, assim parecia, "a primavera dos povos" de todo um continente.

2.

Ao contrário das revoluções do final do século XVIII, as do período pós-napoleônico foram intencionais ou mesmo planejadas. Pois o mais formidável legado da própria Revolução Francesa foi o conjunto de modelos e padrões de sublevação política que ela estabeleceu para uso geral dos rebeldes de todas as partes do mundo. Não queremos dizer com isto que as revoluções de 1815-1848 foram a simples obra de alguns agitadores descontentes, como os espiões e policiais do período — uma espécie muito utilizada — deviam informar a seus superiores. Elas ocorreram porque os sistemas políticos novamente impostos à Europa eram profundamente e cada vez mais inadequados, em um período de rápida mudança social, para as condições políticas do continente, e porque os descontentamentos econômicos e sociais foram tão agudos a ponto de criar uma série de erupções virtualmente inevitáveis. Mas os modelos políticos criados pela Revolução de 1789 serviram para dar ao descontentamento um objetivo específico, para transformar a intranquilidade em revolução, e acima de tudo para unir toda a Europa em um único movimento — ou, talvez fosse melhor dizer, corrente — de subversão.

Havia vários modelos semelhantes, embora fossem todos originários da experiência francesa entre 1789 e 1797. Eles correspondiam às três principais tendências da oposição depois de 1815: o liberal moderado (ou, em termos sociais, o da classe média superior e da aristocracia liberal), o democrata radical (ou, em termos sociais, o da classe média inferior, parte dos novos industriais, intelectuais e pequena nobreza descontente) e o socialista (ou, em termos sociais, dos "trabalhadores pobres" ou das novas classes operárias industriais). Etimologicamente, a propósito, todos eles refletem o internacionalismo do período: "liberal" é de origem franco-espanhola, "radical", de origem britânica, "socialista", de origem anglo-francesa. "Conservador" é também de origem parcialmente francesa, uma outra prova da correlação singularmente íntima da política britânica e continental no período do Programa da Reforma. A inspiração para o primeiro foi a Revolução de 1789-1891, sendo seu ideal político o tipo de monarquia constitucional semibritânica com um sistema parlamentar de qualificação por propriedade, e portanto

AS REVOLUÇÕES

oligárquico, que a Constituição de 1791 introduziu e que, como vimos, tornou-se o tipo padrão de constituição na França, na Grã-Bretanha e na Bélgica depois de 1830-1832. A inspiração para o segundo poderia ser descrita como a Revolução de 1792-1793, sendo seu ideal político uma república democrática com uma inclinação para o "estado de bem-estar social" e alguma animosidade em relação aos ricos, o que corresponde à constituição jacobina ideal de 1793. Mas assim como os grupos sociais que lutaram a favor da democracia radical eram um conjunto variado e confuso, é também difícil dar um rótulo preciso a seu modelo revolucionário francês. Elementos do que em 1792-1793 teriam sido chamados de girondismo, jacobinismo e até mesmo de sansculotismo achavam-se nele combinados, embora talvez o jacobinismo da Constituição de 1793 o representasse melhor. A inspiração para o terceiro foi a revolução do Ano II e as insurreições pós-termidorianas, sobretudo a Conspiração dos Iguais de Babeuf, significativo levante de jacobinos extremados e de primeiros comunistas, que marca o nascimento da moderna tradição comunista na política. Era filho do sansculotismo e da ala esquerda do robespierrismo, embora herdando pouco do primeiro, com exceção do seu violento ódio pelas classes médias e pelos ricos. Politicamente o modelo revolucionário babovista seguia a tradição de Robespierre e de Saint-Just.

Do ponto de vista dos governos absolutistas, todos estes movimentos eram igualmente subvertedores da estabilidade e da boa ordem, embora alguns parecessem mais conscientemente devotados à propagação do caos do que outros, e alguns mais perigosos do que outros, porque tinham maiores possibilidades de inflamar as massas ignorantes e empobrecidas. (A polícia secreta de Metternich, na década de 1830, prestou por exemplo uma atenção que nos parece desproporcional à circulação do livro de Lamennais, *Paroles d'un Croyant*, de 1834, porque ao falar a linguagem católica dos apolíticos ele poderia atrair os súditos não afetados por uma propaganda abertamente ateísta).[3] Na verdade, entretanto, os movimentos de oposição tinham pouco em comum além do seu ódio pelos regimes de 1815 e a tradicional frente comum de todos os que se opunham, por qualquer razão, à monarquia absoluta, à Igreja e à aristocracia. A história do período que vai de 1815 a 1848 é a história da desintegração dessa frente unida.

3.

Durante o período da Restauração (1815-1830), o cobertor da reação cobria igualmente a todos os dissidentes, e na escuridão debaixo dele as diferenças entre bonapartistas e republicanos, moderados e radicais, mal podiam ser distinguidas. Ainda não havia socialistas ou revolucionários conscientes da classe operária, pelo menos na política, exceto na Grã-Bretanha, onde uma tendência proletária independente na política e na ideologia surgiu sob a égide do "cooperativismo" de Robert Owen por volta de 1830. A maior parte do descontentamento de massa fora da Grã-Bretanha ainda não era político ou tinha um sentido ostensivamente legitimista e clerical, um protesto mudo contra a nova sociedade que parecia nada trazer exceto o mal e o caos. Com algumas exceções, portanto, a oposição política no continente estava limitada a minúsculos grupos de ricos e de pessoas cultas, o que ainda significava, em grande parte, a mesma coisa, pois até mesmo em uma fortaleza de esquerda tão poderosa quanto a *École Polytechnique* somente um terço dos estudantes — um grupo bastante subversivo — se originava da pequena burguesia (a maioria deles através dos escalões mais baixos do exército e do serviço público) e somente 0,3% vinham das "classes populares". Os pobres que estavam conscientemente na esquerda aceitavam os *slogans* revolucionários clássicos da classe média, embora mais em sua versão radical-democrata do que em sua versão moderada, mas ainda sem

AS REVOLUÇÕES

muito mais que um certo tom de desafio social. O programa clássico em torno do qual a classe trabalhadora britânica se levantava repetidamente era o de uma simples reforma parlamentar conforme expressa nos "Seis Pontos" da Carta do Povo.* Em substância, esse programa não diferia do "jacobinismo" da geração de Paine, e era inteiramente compatível (a não ser pela sua ligação com uma classe operária cada vez mais consciente) com o radicalismo político dos reformadores da classe média ao estilo de Bentham, como expresso por exemplo por James Mill. A única diferença no período da Restauração era que os trabalhadores radicais já preferiam ouvir esse programa na boca de homens que lhes falavam em sua própria linguagem — fanfarrões retóricos do tipo de Orator Hunt (1773-1835) ou estilistas enérgicos e brilhantes como William Cobbett (1762-1835) e, naturalmente, Tom Paine (1737-1809) — e não na dos próprios reformadores da classe média.

Consequentemente, nesse período, distinções sociais ou mesmo nacionais ainda dividiam significativamente a oposição europeia em campos mutuamente incompatíveis. Tirando a Grã-Bretanha e os Estados Unidos, onde uma forma regular de política de massa já estava estabelecida (embora na Grã-Bretanha fosse inibida pela histeria antijacobina até o início da década de 1820), as perspectivas políticas pareciam muito semelhantes para os oposicionistas de todos os países da Europa, e os métodos de alcançar a revolução — a frente unida do absolutismo praticamente eliminava a possibilidade de uma reforma pacífica na maior parte da Europa — eram quase os mesmos. Todos os revolucionários consideravam-se, com certa justiça, pequenas elites de emancipados e progressistas atuando entre — e para o eventual benefício de — uma vasta e inerte massa do povo ignorante e iludido, que sem dúvida receberia com alegria

---

* (1) sufrágio masculino, (2) votação secreta, (3) distritos eleitorais iguais, (4) pagamento dos membros do Parlamento, (5) Parlamentos anuais, (6) abolição da condição de proprietário para os candidatos.

A ERA DAS REVOLUÇÕES

a libertação quando ela chegasse, mas da qual não se podia esperar que tomasse parte em sua preparação. Todos eles (pelo menos a oeste dos Bálcãs) viam-se em luta contra um único inimigo, a união dos príncipes absolutistas sob a liderança do czar. Todos, portanto, concebiam a revolução como algo unificado e indivisível: um fenômeno europeu único em vez de um conjunto de libertações nacionais ou locais. Todos tendiam a adotar o mesmo tipo de organização revolucionária, ou até a mesma organização: a secreta irmandade insurrecional.

Essas irmandades, cada uma com um ritual altamente colorido e uma hierarquia derivada ou copiada dos modelos maçônicos, floresceram no fim do período napoleônico. As mais conhecidas, por serem as mais internacionais, eram os "bons primos" ou *carbonari*. Parece que descendiam de lojas maçônicas ou similares localizadas no leste da França através de oficiais franceses antibonapartistas em serviço na Itália; tomaram forma no sul deste país depois de 1806 e, junto com outros grupos semelhantes, espalharam-se para o norte e pelo Mediterrâneo depois de 1815. Elas, ou suas derivadas e paralelas, são encontradas até na Rússia, onde associações semelhantes reuniam os *dezembristas,* que fizeram a primeira insurreição moderna da história da Rússia em 1825, mas especialmente na Grécia. A época dos *carbonari* atingiu o clímax em 1820-1821, com a maioria das irmandades sendo praticamente destruída por volta de 1823. Entretanto, o carbonarismo (no sentido genérico) persistiu como o principal tipo de organização revolucionária, talvez pela tarefa congênita de ajudar a libertação grega (filo-helenismo). E após o fracasso das revoluções de 1830 os exilados políticos da Polônia e da Itália propagaram-no para pontos ainda mais distantes.

Ideologicamente, os *carbonari* e semelhantes eram uma mistura, unida somente pelo ódio comum à reação. Por razões óbvias, os radicais, entre eles os jacobinos e babovistas de esquerda, revolucionários mais decididos, influenciavam cada vez mais as irmandades. Filippo Buonarroti,

AS REVOLUÇÕES

velho camarada de armas de Babeuf, era o mais hábil e mais infatigável dos conspiradores, embora suas doutrinas estivessem provavelmente muito à esquerda para a maioria dos irmãos e primos.

Se seus esforços jamais foram coordenados para produzir uma revolução internacional simultânea é ainda um assunto para discussão, embora tenham sido feitas persistentes tentativas para unir todas as irmandades secretas, pelo menos em seus níveis mais altos e mais iniciados, em superconspirações internacionais. Qualquer que seja a verdade, uma onda de insurreições do tipo carbonário ocorreu em 1820-1821. Fracassaram totalmente na França, onde não havia de forma alguma condições políticas para uma revolução e os conspiradores não tinham acesso à única alavanca eficaz de insurreição, em uma situação ainda não amadurecida para isso, ou seja, um exército descontente. O exército francês, naquela época e durante todo o século XIX, era uma parte do funcionalismo público, o que quer dizer que ele cumpria as ordens de qualquer que fosse o governo oficial. As insurreições obtiveram sucesso completo, mas apenas temporariamente, em alguns Estados italianos e especialmente na Espanha, onde a insurreição "pura" descobriu sua fórmula mais eficiente, o *pronunciamento* militar. Coronéis liberais, organizados em suas próprias irmandades secretas de oficiais, ordenavam que seus regimentos os seguissem na insurreição, e eles o faziam. (Os conspiradores dezembristas na Rússia tentaram fazer o mesmo com seus regimentos de guardas em 1825, mas fracassaram devido ao temor de irem muito longe.) As irmandades de oficiais — frequentemente de tendência liberal, visto que os novos exércitos forneciam carreiras para os jovens não aristocráticos — e o *pronunciamento* daí em diante se tornaram características regulares das cenas políticas ibérica e latino-americana e uma das mais duradouras e duvidosas criações políticas do período carbonarista. Pode-se observar de passagem que a sociedade secreta ritualizada e hierárquica, como a maçonaria, atraía muito fortemente os militares, por razões compreensíveis.

A ERA DAS REVOLUÇÕES

O novo regime liberal espanhol foi deposto por uma invasão francesa apoiada pela reação europeia em 1823.

Só uma das revoluções de 1820-1822 manteve-se, graças em parte ao seu sucesso em desencadear uma genuína insurreição do povo, e em parte a uma situação diplomática favorável: o levante grego de 1821.* A Grécia, portanto, tornou-se a inspiração para o liberalismo internacional, e o "filo-helenismo", que incluía o apoio organizado aos gregos e a partida de inúmeros combatentes voluntários, desempenhou, em relação à esquerda europeia na década de 1820, um papel análogo ao que a República Espanhola viria a desempenhar no fim da década de 1930.

As revoluções de 1830 mudaram a situação inteiramente. Como vimos, elas foram os primeiros produtos de um período geral de aguda e disseminada intranquilidade econômica e social e de rápidas transformações. Dois principais resultados seguiram-se a isto. O primeiro foi que a política de massa e a revolução de massa, com base no modelo de 1789, mais uma vez tornaram-se possíveis, e a dependência exclusiva das irmandades secretas, portanto, menos necessária. Os Bourbon foram derrubados em Paris por uma típica combinação de crise do que se considerava a política da monarquia Restaurada e de intranquilidade popular devida à depressão econômica. Cidade sempre agitada pela atividade de massa, Paris em julho de 1830 mostrava as barricadas surgindo em maior número e em mais lugares do que em qualquer época anterior ou posterior. (De fato, 1830 fez da barricada um símbolo da insurreição popular. Embora sua história revolucionária em Paris retroceda pelo menos a 1588, a barricada não desempenhou nenhum papel importante em 1789-1794.) O segundo resultado foi que, com o progresso do capitalismo, "o povo" e os "trabalhadores pobres" — isto é os homens que construíram as barricadas — podiam ser cada vez mais identificados com

---

* Sobre a Grécia, veja também o Capítulo 7.

AS REVOLUÇÕES

o novo proletariado industrial como "a classe operária". Portanto, um movimento revolucionário proletário-socialista passou a existir.

As revoluções de 1830 também introduziram outras duas modificações na política de esquerda. Elas separaram os moderados dos radicais e criaram uma nova situação internacional. Ao fazê-lo, elas ajudaram a dividir o movimento não só em diferentes segmentos sociais mas também nacionais.

Internacionalmente, as revoluções dividiram a Europa em duas grandes regiões. A oeste do Reno, elas romperam para sempre o domínio das potências reacionárias unidas. O liberalismo moderado triunfou na França, na Grã-Bretanha e na Bélgica. O liberalismo (de um tipo mais radical) não triunfou por inteiro na Suíça nem na Península Ibérica, onde os movimentos católicos liberais e antiliberais de bases populares confrontavam-se, mas a Sagrada Aliança não mais podia intervir nessas regiões, como ainda costumava fazer em todas as regiões a leste do Reno. Nas guerras civis portuguesa e espanhola da década de 1830, cada uma das potências absolutistas ou liberal-moderadas apoiava o seu lado, embora os liberais o fizessem com um pouco mais de energia e com a ajuda de alguns voluntários e simpatizantes radicais estrangeiros, que prenunciavam vagamente o filo-hispanismo da década de 1930.* Mas no fundo a questão nestes países ficou para ser decidida pelo equilíbrio local de forças, o que quer dizer que ela continuou sem uma decisão, flutuando entre pequenos períodos de vitória liberal (1833-1837, 1840-1843) e recuperação conservadora.

A leste do Reno a situação permaneceu superficialmente como antes de 1830, pois todas as revoluções foram suprimidas: a italiana e a alemã,

---

* Os ingleses interessaram-se pela Espanha através dos refugiados liberais espanhóis com quem eles entraram em contato na década de 1820. O anticatolicismo britânico também desempenhou um certo papel na transformação da grande onda pró-espanhola — imortalizada no livro de George Borrow, *A Bíblia na Espanha*, e no famoso *Manual de Espanha*, de Murray — num movimento anticarlista.

A ERA DAS REVOLUÇÕES

pelos austríacos ou com a ajuda destes, e a polonesa, de longe a mais séria, pelos russos. Além disso, nessa região o problema nacional continuou a ser mais importante que todos os outros. Todos os povos viviam em Estados que eram ou muito pequenos ou muito grandes segundo os critérios nacionais: como membros de nações desunidas, divididas em pequenos principados ou ainda em coisa nenhuma (Alemanha, Itália, Polônia), ou de impérios multinacionais (o dos Habsburgo, o russo e o turco), ou como ambas as coisas. Não precisamos nos preocupar com os holandeses e os escandinavos que viviam uma vida relativamente tranquila fora dos dramáticos acontecimentos do resto da Europa, embora pertencendo de uma maneira geral à zona não absolutista.

Havia muita coisa em comum entre os revolucionários das duas regiões, como demonstra o fato de que as revoluções de 1848 ocorreram em ambas, embora não em todas as suas partes. Entretanto, dentro de cada uma surgiu uma marcante diferença de ardor revolucionário. No oeste, a Grã-Bretanha e a Bélgica pararam de seguir o ritmo revolucionário geral, enquanto a Espanha, Portugal, e em menor grau a Suíça estavam envolvidos em suas endêmicas guerras civis, cujas crises não mais coincidiam com as de outras partes, a não ser acidentalmente (como no caso da Guerra Civil Suíça de 1847). No resto da Europa surgiu uma acentuada diferença entre as nações ativamente "revolucionárias" e as passivas ou pouco entusiásticas. Assim, os serviços secretos dos Habsburgo estavam constantemente envolvidos com o problema dos poloneses, dos italianos e dos alemães não austríacos, bem como pelos sempre citados húngaros, enquanto não encontravam quaisquer perigos nas terras alpinas ou nas eslavas. Até então, só os poloneses preocupavam os russos, enquanto os turcos ainda podiam confiar na maioria dos eslavos balcânicos para continuarem tranquilos.

Estas diferenças refletiam as variações no ritmo de evolução e nas condições sociais em diferentes países, que se tornaram cada vez mais

AS REVOLUÇÕES

evidentes nas décadas de 1830 e 1840 e cada vez mais importantes para a política. Assim, a avançada industrialização da Grã-Bretanha mudou o ritmo da política britânica: enquanto a maior parte do continente passou pelo seu mais agudo período de crises sociais em 1846-1848, a Grã-Bretanha teve um período equivalente — uma depressão puramente industrial — em 1841-1842. (Veja também o Capítulo 9.) Ao contrário, enquanto na década de 1820 grupos de jovens idealistas podiam esperar que um *putsch* militar assegurasse a vitória da liberdade na Rússia, na Espanha ou na França, depois de 1830 o fato de que as condições sociais e políticas na Rússia estavam muito menos maduras para a revolução do que na Espanha dificilmente podia ser dissimulado.

Todavia, os problemas da revolução eram semelhantes a leste e a oeste, embora não do mesmo tipo: eles provocavam grande tensão entre os moderados e os radicais. No oeste, os liberal-moderados saíram da frente comum de oposição à Restauração (ou de uma grande simpatia por ela) para assumir o governo ou um governo em potencial. Além disso, alcançado o poder pelos esforços dos radicais — pois quem mais lutava nas barricadas? —, eles imediatamente os traíam. Não se devia brincar com coisas tão perigosas como a democracia ou a república. "Não há mais uma causa legítima", disse Guizot, liberal oposicionista durante a Restauração e primeiro-ministro durante a Monarquia de Julho, "nem um pretexto plausível para as máximas e as paixões por tanto tempo colocadas sob a bandeira da democracia. O que anteriormente era democracia seria agora anarquia; o espírito democrático, hoje e por muito tempo, não é nem será nada senão o espírito revolucionário."[4]

Mais do que isto: após um pequeno intervalo de tolerância e zelo, os liberais tenderam a moderar seu entusiasmo reformista e a suprimir a esquerda radical, especialmente os revolucionários da classe operária. Na Grã-Bretanha, o "Sindicato Geral" (no estilo cooperativista de Owen) de 1834-1835 e os defensores da Carta do Povo enfrentaram a hostilidade tanto dos homens que se opuseram ao Ato de Reforma quanto de muitos que o apoiaram. O chefe das Forças Armadas na luta contra os defensores da Carta do Povo em 1839 simpatizava, como radical da classe média, com muitas de suas exigências, mas ainda assim os encurralou. Na França, a supressão do levante republicano de 1834 marcou a virada; no mesmo ano a sujeição ao terror de seis honestos trabalhadores wesleyanos que tinham tentado formar um sindicato agrícola (os "Mártires de Tolpuddle") iniciava a ofensiva equivalente contra o movimento da classe operária na Grã-Bretanha. Os radicais, os republicanos e os novos movimentos proletários saíram portanto da aliança com os liberais; os moderados, quando ainda na oposição, eram perseguidos pelo fantasma assustador da "república social e democrática" que era agora o *slogan* da esquerda.

No resto da Europa, nenhuma revolução vencera. A divisão entre moderados e radicais e o surgimento de uma nova tendência social-revolucionária nasceram da análise da derrota e das perspectivas de vitória. Os moderados — proprietários liberais e outros membros da classe média — depositavam suas esperanças no reformismo de governos convenientemente influenciáveis e no apoio diplomático das novas potências liberais. Os governos convenientemente influenciáveis eram raros. A Savoia, na Itália, permaneceu simpática ao liberalismo e atraiu cada vez mais o apoio de um grupo moderado que buscava nela a ajuda para uma eventual unificação do país. Um grupo de católicos liberais, encorajado pelo efêmero e curioso fenômeno de um "papado liberal" no período do novo Papa Pio IX (1846), sonhava, infrutiferamente, em mobilizar a força da Igreja com o mesmo propósito. Na Alemanha, nenhum Estado importante era menos que hostil ao liberalismo. Isto não evitou que alguns moderados — embora menos do que pretendeu a propaganda histórica prussiana — olhassem para a Prússia, que pelo menos tinha a seu favor a criação de um Sindicato Alfandegário Alemão (1834), em

AS REVOLUÇÕES

busca de sonhos com príncipes convertidos em vez de barricadas. Na Polônia, onde a possibilidade de uma reforma moderada com o apoio do czar não mais encorajava a facção magnata que sempre depositara nisso as suas esperanças (os czartoryskis), os moderados podiam pelo menos esperar por uma intervenção diplomática ocidental. Nenhuma dessas perspectivas era ao menos realista, no pé em que as coisas estavam entre 1830 e 1848.

Os radicais estavam igualmente desapontados com o fracasso dos franceses em desempenhar o papel de libertadores internacionais que lhes tinham atribuído a Revolução Grega e a teoria revolucionária. De fato, este desapontamento, junto com o crescente nacionalismo da década de 1830 (veja o Capítulo 7) e a nova consciência das diferenças nos aspectos revolucionários de cada país, despedaçou o internacionalismo unificado a que os revolucionários tinham aspirado durante a Restauração. As perspectivas estratégicas permaneciam as mesmas. Uma França neojacobina e talvez (como pensava Marx) uma Grã-Bretanha radicalmente intervencionista ainda eram quase indispensáveis para a libertação europeia, longe da improvável perspectiva de uma Revolução Russa.[5] Todavia, uma reação nacionalista contra o internacionalismo (centrado na França) do período carbonarista ganhou terreno: uma emoção que se encaixava bem na nova moda do Romantismo (veja o Capítulo 14) que conquistara boa parte da esquerda depois de 1830: não há contraste mais marcante que entre o reservado professor de música e racionalista do século XVIII Buonarroti e o confuso e ineficiente sentimentalista Giuseppe Mazzini (1805-1872), que se tornou o apóstolo dessa reação anticarbonária, criando várias conspirações nacionais ("Jovem Itália", "Jovem Alemanha", "Jovem Polônia" etc.) reunidas sob o título de "Jovem Europa". Em um sentido, esta descentralização do movimento revolucionário foi realista, pois em 1848 as nações de fato se sublevaram separadamente de forma espontânea e simultânea. Em outro, não o foi: o estímulo para

A ERA DAS REVOLUÇÕES

sua erupção simultânea ainda veio da França, e a relutância francesa em desempenhar um papel libertador arruinou-as.

Românticos ou não, os radicais rejeitaram a confiança dos moderados em príncipes e potências, por razões práticas e também ideológicas. Os povos devem estar preparados para alcançar sua liberdade por si mesmos, pois ninguém mais faria isso por eles (um sentimento também adaptado para uso dos movimentos socialista-proletários da época). E devem fazê-lo por ação direta. Isto ainda era em grande parte concebido à moda carbonária, pelo menos enquanto as massas permanecessem passivas. Consequentemente, não era algo muito eficaz, embora houvesse um mundo de diferenças entre os ridículos esforços como a invasão da Savoia tentada por Mazzini e as sérias e contínuas tentativas dos democratas poloneses de manter ou reviver a guerra de guerrilhas em seu país após a derrota de 1831. Mas a própria determinação dos radicais em tomar o poder sem ou contra as forças estabelecidas introduziu ainda uma outra divisão em suas fileiras. Estariam eles preparados para fazê-lo ao preço da revolução social?

4.

A pergunta era explosiva em toda parte, exceto nos Estados Unidos, onde ninguém mais podia tomar ou evitar a decisão de mobilizar o povo para a política, porque a democracia jacksoniana já o tinha feito.* Mas, a despeito do aparecimento de um Partido dos Trabalhadores (*Workingmen's Party*) nos Estados Unidos em 1828-1829, a revolução social nos moldes europeus não era uma questão séria naquele grande país em rápida expansão, embora fossem sérios os descontentamentos setoriais. A pergunta

---

* Exceto, é claro, quanto aos escravos do sul.

AS REVOLUÇÕES

também não causava excitação na América Latina, onde nenhum político, exceto talvez no México, sonhava em mobilizar os índios (isto é, os camponeses ou os trabalhadores rurais), os escravos negros ou mesmo as "classes mistas" (ou seja, os pequenos agricultores, os artesãos e os pobres das cidades) para qualquer fim que fosse. Mas na Europa ocidental, onde a revolução social dos pobres das cidades era uma possibilidade real, e na vasta zona europeia de revolução agrária, a questão sobre se convinha ou não incitar as massas era urgente e inevitável.

O crescente descontentamento dos pobres — especialmente dos pobres das cidades — era visível em toda a Europa ocidental. Mesmo na imperial Viena, este descontentamento se refletia no espelho fiel das atitudes da pequena burguesia e dos plebeus, o teatro suburbano popular. Durante o período napoleônico, suas peças tinham combinado a *Gemutlichkeit** com uma ingênua lealdade aos Habsburgo. Seu maior autor durante a década de 1820, Ferdinand Raimund, enchia o palco de contos de fadas, tristeza e nostalgia pela perdida inocência da comunidade simples, tradicional e não capitalista. Mas, a partir de 1835, esse teatro foi dominado por um astro (Johann Nestroy) preocupado fundamentalmente com a sátira social e política, um homem de inteligência amarga e dialética, um destruidor que, caracteristicamente, se transformou em um entusiástico revolucionário em 1848. Mesmo os emigrantes alemães que passavam pelo porto de Havre a caminho dos Estados Unidos, que em 1830 começou a ser o país dos sonhos do europeu pobre, justificavam-se dizendo que "lá não há um rei".[6]

O descontentamento urbano era geral no Ocidente. Um movimento socialista e proletário era sobretudo visível nos países da revolução dupla, a Grã-Bretanha e a França. (Veja também o Capítulo 2.) Na Grã-Bretanha, ele surgiu por volta de 1830 e assumiu a forma extremamente

---

* Em alemão no original: afabilidade, espírito cômodo, tranquilidade, sociabilidade, folgança. (*N.T.*)

A ERA DAS REVOLUÇÕES

madura de um movimento de massa dos trabalhadores pobres, que via nos reformadores e liberais seus prováveis traidores e nos capitalistas seus inimigos seguros. O vasto movimento em favor da Carta do Povo, que atingiu o clímax em 1839-1842 mas manteve sua grande influência até depois de 1848, foi sua mais formidável realização. O socialismo britânico ou "cooperativismo" era muito mais fraco. Começou de maneira impressionante em 1829-1834 atraindo talvez a maior parte dos militantes da classe operária para suas doutrinas (que tinham sido difundidas, principalmente entre os artesãos e trabalhadores qualificados, desde o princípio da década de 1820) e com as ambiciosas tentativas de criar "sindicatos gerais" nacionais da classe operária, que sob a influência das teses de Owen fizeram até mesmo tentativas para estabelecer uma economia geral cooperativista às margens do capitalismo. O desapontamento após o Ato de Reforma de 1832 fez com que a maioria do movimento trabalhista buscasse nesses owenitas, cooperativistas, sindicalistas revolucionários primitivos etc. uma liderança, mas seu fracasso em desenvolver uma estratégia política e uma liderança eficazes e as ofensivas sistemáticas dos empregadores e do governo destruíram o movimento em 1834-1836. Este fracasso reduziu os socialistas a grupos educacionais e propagandísticos um tanto à margem da principal corrente de agitação trabalhista ou a pioneiros de algo mais modesto, a cooperação de consumidores, sob a forma da cooperativa de compras, iniciada em Rochdale, Lancashire, em 1844. Daí o paradoxo de que o clímax do movimento de massa revolucionário dos trabalhadores pobres da Grã-Bretanha, a campanha em favor da Carta do Povo, tenha sido ideologicamente um pouco mais atrasado, embora politicamente mais amadurecido do que o movimento de 1829-1834. Mas isto não o salvou da derrota, pela incapacidade política dos seus líderes, por suas diferenças locais e setoriais e uma falta de habilidade para a ação nacional, exceto na preparação de petições-monstros.

Na França, não existia qualquer movimento de massa dos trabalhadores pobres das indústrias que se comparasse: os militantes do "movimento

AS REVOLUÇÕES

da classe operária" francesa em 1830-1848 eram fundamentalmente os ultrapassados artesãos e diaristas urbanos, a maioria em seus ofícios ou em centros de indústria doméstica tradicional como o da indústria da seda em Lyon. (Os arquirrevolucionários *canuts* de Lyon não eram nem mesmo assalariados, mas sim uma espécie de pequenos mestres.) Além disso, os vários ramos do novo socialismo "utópico" — os seguidores de Saint-Simon, Fourier, Cabet etc. — não estavam interessados em agitação política, embora seus grupos e conventículos (principalmente os dos seguidores de Fourier) viessem a agir como núcleos de liderança da classe operária e como mobilizadores da ação de massa no princípio da Revolução de 1848. Por outro lado, a França possuía a poderosa tradição do jacobinismo e do babovismo de esquerda, altamente desenvolvida politicamente e que em grande parte se tornaria comunista depois de 1830. Seu líder mais notável foi Auguste Blanqui (1805-1881), um discípulo de Buonarroti.

Em termos de análise e teoria social, o blanquismo tinha pouco a oferecer ao socialismo, exceto a afirmação de sua necessidade e a decisiva observação de que o proletariado seria seu arquiteto, e a classe média (não mais a superior), seu principal inimigo. Em termos de estratégia e organização política, ele adaptou o órgão tradicional de agitação, a secreta irmandade conspiradora, às condições proletárias — casualmente despojando-o de sua fantasiosa vestimenta ritualística da Restauração — e o tradicional método de Revolução Jacobina, a insurreição e a ditadura popular centralizada, à causa dos trabalhadores. O moderno movimento revolucionário socialista adquiriu dos blanquistas (que por sua vez o fizeram de Saint-Just, Babeuf e Buonarroti) a convicção de que seu objetivo tinha que ser a tomada do poder político, seguida da "ditadura do proletariado"; o termo é de cunhagem blanquista. A fraqueza do blanquismo era em parte a mesma da classe operária francesa. Na ausência de um grande movimento de massa, ele foi, como seus predecessores carbonaristas, uma elite que planejava suas insurreições de certa forma

A ERA DAS REVOLUÇÕES

no vazio e que, portanto, frequentemente fracassava — como no caso da tentativa de levante de 1839.

A classe operária ou o socialismo e a revolução urbana pareciam, pois, perigos muito reais na Europa ocidental, embora na verdade, na maioria dos países industrializados como a Grã-Bretanha e a Bélgica, o governo e as classes empregadoras os considerassem com relativa e justificada placidez: não há provas de que o governo britânico tenha sido seriamente perturbado pela ameaça dos cartistas à ordem pública (apesar de vasto, o movimento em prol da Carta do Povo era pessimamente conduzido, mal organizado e muito dividido).[7] Por outro lado, a população rural oferecia pouco para incentivar os revolucionários ou assustar os governantes. Na Grã-Bretanha, o governo teve um pânico momentâneo quando uma onda de tumultos e quebra de máquinas rapidamente se espalhou entre os esfomeados trabalhadores do campo, no sul e no leste da Inglaterra, no final de 1830. A influência da Revolução Francesa de julho de 1830 foi detectada nesta "última revolta de trabalhadores",[8] ampla e espontânea mas que logo se dissipou e que foi punida com muito mais selvageria do que as agitações cartistas, como era talvez de se esperar em face da situação política muito mais tensa durante o período do Ato de Reforma. Entretanto, a intranquilidade nos campos logo regrediu para formas politicamente menos assustadoras. No resto das áreas economicamente avançadas, exceto até certo ponto na Alemanha Ocidental, não se esperava nem se prenunciava qualquer agitação rural séria, e a perspectiva inteiramente urbana da maioria dos revolucionários tinha poucos atrativos para o campesinato. Em toda a Europa ocidental (tirando a Península Ibérica), só a Irlanda tinha um grande e endêmico movimento de revolução agrária, organizado pelas muitas sociedades secretas terroristas tais como os *Homens das fitas* (*Ribbonmen*) e os *Rapazes brancos* (*Whiteboys*). Mas, social e politicamente, a Irlanda pertencia a um mundo diferente da sua vizinha Inglaterra.

AS REVOLUÇÕES

A questão da revolução social, portanto, dividiu os radicais da classe média, isto é, os grupos de homens de negócio, intelectuais e outros descontentes que ainda se encontravam em oposição aos governos liberais moderados de 1830. Na Grã-Bretanha, ela dividiu os "radicais da classe média" entre os que estavam preparados para apoiar o cartismo ou fazer causa comum com ele (como em Birmingham ou na União pelo Sufrágio Universal, do *quaker* Joseph Sturge) e os que insistiam, como os membros da Liga Contra a *Lei do Trigo* de Manchester, em lutar tanto contra a aristocracia como contra o cartismo. Os intransigentes prevaleceram confiantes na maior homogeneidade de sua consciência de classe, em seu dinheiro, que gastavam em enormes quantidades, e na eficácia da organização propagandista que montaram. Na França, a fraqueza da oposição oficial a Luís Felipe e a iniciativa das massas revolucionárias de Paris virou a decisão para o outro lado. "Logo, tornamo-nos republicanos novamente", escreveu o poeta radical Béranger depois da revolução de fevereiro de 1848. "Talvez tenha sido um pouco cedo demais e um pouco rápido demais (...) Eu teria preferido um procedimento mais cauteloso, mas nós não escolhemos a hora, nem reunimos as forças, nem determinamos o caminho da marcha."[9] O rompimento dos radicais da classe média com a extrema esquerda ocorreria na França somente depois da revolução.

Para a pequena burguesia descontente de artesãos independentes, lojistas, fazendeiros etc. que (junto com uma massa de trabalhadores qualificados) provavelmente formavam a principal concentração de radicalismo da Europa ocidental, o problema era menos difícil. Por sua origem modesta, simpatizavam com os pobres contra os ricos como pequenos proprietários, simpatizavam com os ricos contra os pobres. Mas a divisão de suas simpatias levou-os à hesitação e à dúvida em vez de a uma grande mudança de compromisso político. Mas quando chegou o momento decisivo eles foram, embora de maneira débil, jacobinos, republicanos

A ERA DAS REVOLUÇÕES

e democratas. Foram um componente hesitante mas invariável de todas as frentes populares, até que expropriadores em potencial assumissem verdadeiramente o poder.

5.

No resto da Europa revolucionária, onde a baixa nobreza rural e os intelectuais descontentes constituíam o centro do radicalismo, o problema era bem mais sério. Pois as massas eram o campesinato; e frequentemente um campesinato que pertencia a uma nação diferente da de seus senhores e concidadãos — os eslavos e os romenos na Hungria, os ucranianos na Polônia Oriental, os eslavos em partes da Áustria. E os senhores de terra mais pobres e menos eficazes, que eram os que menos podiam se permitir abandonar o *status* que lhes assegurava seus rendimentos eram frequentemente nacionalistas, os mais radicais. Reconhecidamente, enquanto a maior parte do campesinato continuasse afundado na ignorância e na passividade política, a questão do seu apoio às revoluções era menos imediata do que poderia ser; mas não menos explosiva. E, na década de 1840, mesmo esta passividade não mais podia ser tomada como garantia. A insurreição dos servos na Galícia, em 1846, foi a maior revolta camponesa desde a Revolução Francesa de 1789.

Inflamada, a questão era também até certo ponto retórica. Economicamente, a modernização das áreas do interior, tais como as da Europa oriental, exigia uma reforma agrária, ou no mínimo a abolição da servidão que ainda persistia nos Impérios Austríaco, Russo e Turco. Politicamente, uma vez que o campesinato atingisse o estágio da atividade, era mais do que certo que alguma coisa tinha que ser feita para satisfazer suas exigências, pelo menos nos países onde os revolucionários lutavam contra o domínio estrangeiro. Pois, se eles não atraíssem os camponeses para o

AS REVOLUÇÕES

seu lado, os reacionários o fariam; de qualquer forma, os reis legítimos, os imperadores e as Igrejas tinham a vantagem tática de que os camponeses tradicionalistas confiavam mais neles do que nos senhores de terra, e em princípio ainda se dispunham a esperar que eles fizessem justiça. E os monarcas estavam perfeitamente dispostos a jogar os camponeses contra a pequena nobreza, se necessário: os Bourbon de Nápoles tinham feito isto sem hesitação contra os jacobinos napolitanos em 1799. "Longa vida a Radetzky", gritariam os camponeses da Lombardia em 1848, saudando o general austríaco que liquidou a insurreição nacionalista: "morte aos senhores".[10] A pergunta a ser feita aos radicais dos países subdesenvolvidos não era se deviam buscar uma aliança com o campesinato, mas se a conseguiriam.

Nestes países, portanto, os radicais se dividiam em dois grupos: os democratas e os de extrema esquerda. Os democratas (representados na Polônia pela Sociedade Democrática Polonesa, na Hungria, pelos seguidores de Kossuth, na Itália, pelos mazzinianos) reconheceram a necessidade de se atrair os camponeses para a causa revolucionária, quando necessário pela abolição da servidão e a garantia dos direitos de propriedade aos pequenos agricultores, mas esperavam algum tipo de coexistência pacífica entre uma nobreza que renunciasse voluntariamente a seus direitos feudais — não sem compensação — e um campesinato nacional. Entretanto, onde o vento da rebelião camponesa não tinha alcançado a força de um vendaval ou o temor de sua exploração pelos príncipes não era grande (como na maior parte da Itália), os democratas, na prática, deixaram de providenciar um programa agrário concreto, ou mesmo qualquer programa social, preferindo pregar as generalidades da democracia política e da libertação nacional.

A extrema esquerda concebia francamente a luta revolucionária de massas contra os governantes estrangeiros e os exploradores domésticos. Prenunciando os revolucionários nacionalistas e sociais do século XX,

A ERA DAS REVOLUÇÕES

ela duvidava da capacidade da nobreza e da fraca classe média, com seu frequente interesse na dominação imperial, para conduzir a nova nação à independência e à modernização. Seu programa era assim poderosamente influenciado pelo socialismo nascente do Ocidente, embora, de maneira diversa da maioria dos "socialistas utópicos" pré-marxistas, fossem também revolucionários políticos além de críticos sociais. A República de Cracóvia, que teve pouca duração, aboliu assim, em 1846, todos os encargos dos camponeses e prometeu aos pobres citadinos "oficinas nacionais". Os carbonários mais avançados do sul da Itália adotaram a plataforma babovista-blanquista. Exceto, talvez, na Polônia, esta corrente de pensamento era relativamente fraca, e sua influência foi ainda mais diminuída pelo fracasso de movimentos compostos substancialmente de jovens escolares, estudantes, intelectuais desclassificados da pequena nobreza ou de origem plebleia e de alguns idealistas para mobilizar o campesinato que eles tão fervorosamente buscavam recrutar.*

Os radicais da Europa subdesenvolvida, portanto, nunca resolveram eficazmente o seu problema, em parte devido à relutância dos que os apoiavam em fazer adequadas concessões ao campesinato, em parte devido à imaturidade política dos camponeses. Na Itália, as revoluções de 1848 foram conduzidas substancialmente por cima de uma população rural inativa; na Polônia (onde o levante de 1846 tinha rapidamente se desenvolvido sob a forma de uma rebelião camponesa, incentivada pelo governo austríaco, contra a pequena nobreza nacional), não houve qualquer revolução em 1848, exceto na Posnânia prussiana. Mesmo na mais avançada das nações revolucionárias, a Hungria, as características de uma reforma agrária operada pela pequena nobreza fariam com que fosse totalmente impossível mobilizar o campesinato para a guerra de

---

* Entretanto, em algumas áreas de pequenas propriedades camponesas, de arrendamento ou de plantação a meias, como a Romagna ou partes do sudoeste da Alemanha, o radicalismo do tipo mazziniano conseguiu obter um razoável apoio de massa durante e depois de 1848.

AS REVOLUÇÕES

libertação nacional. E na maior parte da Europa oriental os camponeses eslavos, metidos em uniformes de soldados imperiais, é que foram os eficientes subjugadores dos revolucionários magiares e alemães.

6.

Todavia, embora agora divididos pelas diferenças das condições locais, pelas nacionalidades e as classes, os movimentos revolucionários de 1830-1848 continuaram tendo muito em comum. Em primeiro lugar, como vimos, eles continuaram sendo em grande parte organizações minoritárias de conspiradores da classe média e intelectuais, frequentemente exilados ou limitados ao mundo relativamente pequeno dos letrados. (Quando as revoluções eclodiam, é claro, o povo comum vinha à cena por si mesmo. Dos 350 mortos da insurreição de Milão, em 1848, só cerca de uma dúzia eram estudantes, funcionários ou gente de famílias proprietárias de terras. Setenta e quatro eram mulheres e crianças, e o resto se constituía de artesãos ou trabalhadores.)[11] Em segundo lugar, eles mantiveram um padrão comum de procedimento político, de ideias estratégicas e táticas etc., derivadas da experiência e da herança da Revolução de 1789, e um forte sentido de unidade internacional.

O primeiro fator é facilmente explicável. Não existia uma longa tradição de organização e de agitação de massas como parte de uma vida social normal (e não imediatamente pré ou pós-revolucionária), exceto nos Estados Unidos e na Grã-Bretanha, ou talvez na Suíça, na Holanda e na Escandinávia; nem as condições para essa tradição estavam presentes fora da Grã-Bretanha e dos Estados Unidos. Era absolutamente impensável que um jornal tivesse em outros países uma circulação semanal de mais de 60 mil exemplares ou um número de leitores muito maior ainda, como o *Northern Star,* dos cartistas, em abril de 1839;[12] 5 mil parece ter sido o maior número de exemplares para um jornal, embora os jornais oficiais ou — a partir da década de 1830 — os almanaques de entretenimento pudessem talvez exceder a 20 mil exemplares em um país como a França.[13] Mesmo nos países constitucionais como a Bélgica e a França, a agitação legal da extrema esquerda só era permitida com intervalos, e suas organizações eram muitas vezes ilegais. Consequentemente, enquanto existia um simulacro de política democrática entre as classes restritas que formavam o país legal, algumas das quais tinham influência sobre os desprivilegiados, os instrumentos fundamentais da política de massa — as campanhas públicas para fazer pressão sobre os governos, as organizações de massa, as petições e a oratória itinerante endereçada ao povo comum — eram só raramente possíveis. Fora da Grã-Bretanha, ninguém teria seriamente pensado em obter o direito de voto parlamentar universal através de uma campanha de assinaturas em massa e de manifestações públicas, ou em abolir uma lei impopular por meio de propaganda de massa e campanhas de pressão, como tentaram respectivamente o cartismo e a Liga Contra a *Lei do Trigo*. As grandes mudanças constitucionais significam um rompimento com a legalidade, e assim aconteceu a *fortiori* com as grandes mudanças sociais.

As organizações ilegais são naturalmente menores que as legais, e sua composição social está longe de ser representativa. Reconhecidamente, a transformação das sociedades carbonárias secretas em sociedades proletárias revolucionárias, como a blanquista, provocou um relativo declínio no número de militantes da classe média e um aumento do número de membros da classe operária, ou seja, do número de artesãos e artífices. As organizações blanquistas do final das décadas de 1830 e 1840 eram consideradas fortemente constituídas de membros das classes mais baixas.[14] Da mesma maneira se considerava a Liga Alemã de Proscritos (que por sua vez transformou-se na Liga dos Justos e na Liga Comunista de Marx e Engels), cuja espinha dorsal se constituiu de artífices alemães ex-

AS REVOLUÇÕES

patriados. Mas este foi um caso muito excepcional. A grande maioria dos conspiradores consistia, como antes, em homens das classes profissionais ou da baixa nobreza, estudantes e escolares, jornalistas etc., embora talvez com um componente menor (fora dos países ibéricos) de jovens oficiais do que no apogeu do período carbonário.

Além disso, até certo ponto, toda a esquerda europeia e americana continuava a lutar contra os mesmos inimigos, a partilhar aspirações comuns e um programa comum. "Repudiamos, condenamos e renunciamos a todas as desigualdades e distinções hereditárias de 'casta'", escreveram os Democratas Fraternos (compostos de "naturais da Grã--Bretanha, da França, da Alemanha, da Escandinávia, da Polônia, da Itália, da Suíça, da Hungria e de outros países") em sua Declaração de Princípios. "Consequentemente, consideramos os reis, as aristocracias e as classes que monopolizam os privilégios em virtude de suas posses de terras como usurpadores. Os governos eleitos e responsáveis por todo o povo são o nosso credo político."[15] Que revolucionário ou radical teria discordado deles? Se fosse burguês, seria a favor de um Estado no qual a propriedade, conquanto não gozasse de privilégio político como tal (como nas constituições de 1830-1832 que fizeram o voto depender de uma qualificação de propriedade), tivesse um livre espaço econômico; se fosse socialista ou comunista, seria a favor de que a propriedade fosse socializada. Sem dúvida, chegaria o momento — na Grã-Bretanha ele já havia chegado na época do cartismo — em que os antigos aliados contra o rei, a aristocracia e o privilégio se voltariam uns contra os outros, e o conflito fundamental seria entre os burgueses e os trabalhadores. Mas antes de 1848 este momento ainda não tinha chegado a nenhum outro lugar. Só a *grande bourgeoisie* de alguns países ainda estava oficialmente do lado do governo. Mesmo os mais conscientes comunistas proletários ainda se viam e agiam como a ala da extrema esquerda de um movimento geral radical e democrático; e normalmente consideravam o empreen-

A ERA DAS REVOLUÇÕES

dimento da república democrático-burguesa a preliminar indispensável para o avanço ulterior do socialismo. O Manifesto Comunista de Marx e Engels é uma declaração de guerra futura contra a burguesia, mas — ao menos para a Alemanha — de aliança presente. A classe média alemã mais avançada, os industriais da região do Reno, não pediu meramente que Marx editasse seu órgão radical, o *Neue Rheinische Zeitung*, em 1848; ele aceitou e editou-o não simplesmente como um órgão comunista, mas como o porta-voz e líder do radicalismo alemão.

Mais do que um mero panorama comum, a esquerda europeia partilhava de uma mesma visão sobre como seria a revolução, baseada em 1789, com retoques de 1830. Haveria uma crise nos negócios políticos do Estado, levando à insurreição. (A ideia carbonária de um *putsch* ou levante de elite, organizado sem referência ao clima econômico e político geral, era desacreditada cada vez mais, exceto nos países ibéricos, principalmente pelo humilhante fracasso de várias tentativas do gênero na Itália — por exemplo, em 1833-1834, 1841-1845 — e dos *putsches* como o tentado pelo sobrinho de Napoleão, Luís Napoleão, em 1836.) Na capital, levantar-se-iam barricadas; os revolucionários atacariam o Palácio, o Parlamento ou (entre os extremistas que se lembravam de 1792) a sede da prefeitura, içariam qualquer que fosse sua bandeira tricolor e proclamariam a república e um governo provisório. O país aceitaria então o novo regime. A decisiva importância das capitais era universalmente aceita, embora só depois de 1848 os governos tivessem começado a replanejá-las a fim de facilitar a operação das tropas contra os revolucionários.

Uma Guarda Nacional de cidadãos armados seria organizada, seriam feitas eleições democráticas para uma Assembleia Constituinte, o governo provisório transformar-se-ia em um governo definitivo, e a nova Constituição entraria em vigor. O novo regime então daria auxílio fraterno às outras revoluções que, quase certamente, também teriam ocorrido. O que viria a acontecer daí em diante pertencia à época pós-revolucionária, para

AS REVOLUÇÕES

a qual os acontecimentos da França em 1792-1799 também forneceram modelos razoavelmente concretos do que se fazer e do que se evitar. O espírito do revolucionário mais jacobino naturalmente se voltaria com presteza para os problemas de salvaguarda da revolução contra os ataques dos contrarrevolucionários domésticos e estrangeiros. De um modo geral, pode-se também dizer que quanto mais de esquerda fosse o político, mais provável seria que defendesse o princípio (jacobino) de centralização e de um executivo forte contra os princípios (girondinos) do federalismo, descentralização ou divisão dos poderes.

Esta perspectiva comum era grandemente reforçada pela forte tradição de internacionalismo, que sobrevivia mesmo entre os nacionalistas separatistas que se recusavam a aceitar a liderança automática de qualquer país — isto é, da França, ou melhor, de Paris. A causa de todas as nações era a mesma, ainda que sem se levar em conta o fato óbvio de que a libertação da maioria das nações europeias parecia implicar a derrota do czarismo. Os preconceitos nacionais (dos quais, segundo sustentavam os Democratas Fraternos, "os opressores do povo tiraram partido em todas as épocas") desapareceriam em um mundo de fraternidade. As tentativas de se organizarem associações revolucionárias internacionais nunca cessaram, desde a *Jovem Europa* de Mazzini — projetada como uma associação contra as velhas organizações internacionais maçônico-carbonárias — até a *Associação Democrática para a Unificação de Todos os Países* (1847). Entre os movimentos nacionalistas este internacionalismo tendeu a decrescer em importância, à medida que os países conquistavam suas independências e as relações entre os povos mostravam-se menos fraternas do que se supunha. Entre os movimentos sociorrevolucionários que aceitavam cada vez mais a orientação proletária, o internacionalismo aumentou a sua força. A *Internacional* como organização e canção viria a se transformar em parte integrante dos movimentos socialistas já para o final do século.

A ERA DAS REVOLUÇÕES

Um fator acidental que reforçou o internacionalismo de 1830-1848 foi o exílio. A maioria dos militantes políticos da esquerda continental foram expatriados durante certo tempo, muitos durante décadas, reunindo-se em relativamente poucas zonas de refúgio e asilo: a França, a Suíça e, até certo ponto, a Grã-Bretanha e a Bélgica. (As Américas eram muito distantes para uma emigração política temporária, embora atraíssem alguns.) O maior contingente de exilados foi o da grande emigração polonesa de cerca de 5 a 6.000,[16] que deixaram o país devido à derrota de 1831; seguiram-se os contingentes italianos e alemães (ambos reforçados pela importante emigração apolítica que formaria comunidades locais nacionais em outros países). Por volta da década de 1840, um pequeno grupo de intelectuais russos abastados também tinha absorvido as ideias revolucionárias ocidentais em viagens de estudos ao exterior, ou buscavam uma atmosfera mais agradável do que a combinação de masmorra e pátio de exercícios militares proporcionada por Nicolau I. Estudantes e residentes ricos vindos de países pequenos e afastados também eram encontrados em duas cidades que constituíam os sóis culturais da Europa ocidental, da América Latina e do Oriente Médio: Paris e, bem depois, Viena.

Nos centros de refúgio, os emigrantes se organizavam, debatiam discutiam, frequentavam-se e denunciavam-se uns aos outros e planejavam a libertação de seus países ou de outros países. Os poloneses e, até certo ponto, os italianos (no exílio, Garibaldi lutou pela liberdade de vários países latino-americanos) tornaram-se de fato corpos internacionais de militância revolucionária. Nenhum levante ou guerra de libertação em qualquer parte da Europa entre 1831 e 1871 estaria completo sem o seu contingente de peritos militares ou combatentes poloneses; nem mesmo (como já se sustentou) a única insurreição armada ocorrida na Grã-Bretanha durante o período cartista, em 1839. Entretanto, eles não eram os únicos. Um típico libertador de povos, o expatriado Harro Harring

AS REVOLUÇÕES

(segundo ele, da Dinamarca) lutou sucessivamente pela Grécia, em 1821, e pela Polônia, em 1830-1831, como membro da *Jovem Alemanha*, da *Jovem Itália* e da um tanto obscura *Jovem Escandinávia*, de Mazzini; além--mar, a favor de um Estados Unidos da América Latina; e em Nova York, antes de voltar para a Revolução de 1848, publicando, nesse meio-tempo, obras com títulos tais como "Os povos", "Gotas de sangue", "Palavras de um homem" e "Poesias de um escandinavo".*

Um destino e um ideal comum uniam estes expatriados e viajantes. A maioria deles enfrentava os mesmos problemas de pobreza e vigilância policial, de correspondência ilegal, espionagem e do onipresente agente provocador. Como o fascismo na década de 1930, o absolutismo nas décadas de 1830 e 1840 unia seus inimigos comuns. Então, como um século mais tarde, o comunismo, que pretendia explicar e fornecer soluções para a crise social do mundo, atraía o militante e o mero curioso intelectual para a sua capital — Paris —, acrescentando assim uma atração séria aos encantos mais amenos da cidade. (Não fosse pelas mulheres francesas, a vida não valeria a pena. *Mais tant quil y a des grisettes, va!)*** Nestes centros de refúgios, os imigrantes formavam aquela provisória comunidade de exilados, embora tantas vezes permanente, enquanto planejavam a libertação da humanidade. Nem sempre eles se admiravam ou se aprovavam mutuamente, mas se conheciam e sabiam que seu destino era o mesmo. Juntos, prepararam-se e esperaram a revolução europeia, que veio — e fracassou — em 1848.

---

* Ele foi tão desafortunado que atraiu a hostilidade de Marx, que reservou alguns de seus formidáveis dons de invectiva satírica para preservá-lo para a posteridade em sua obra *Die Grossen Manner des Exils* (Marx e Engels. Werke, Berlim, 1960, col. 8, p. 292-298).

** Em francês no original: "Mas desde que haja costureirinhas, vá lá!" (*N.T.*)

7. O NACIONALISMO

"Todo povo tem sua missão especial que ajudará no cumprimento da missão geral da humanidade. Esta missão constitui a sua nacionalidade. A nacionalidade é sagrada."

Ato de Fraternidade da Jovem Europa, 1834

"Chegará o dia (...) em que a sublime Germânia estará no pedestal de bronze da liberdade da justiça, segurando em uma das mãos a tocha do esclarecimento, que lançará a luz da civilização aos mais remotos cantos da terra, e na outra a balança da justiça. Os povos lhe pedirão que julgue as suas disputas, estes mesmos povos que agora nos mostram que o poder é o direito e nos chutam com a botina do escárnio e do desprezo."

Discurso de Siebenpfeiffer no Festival de Hambach, 1832

1.

Depois de 1830, como vimos, o movimento geral em favor da revolução se dividiu. Um dos resultados desta divisão merece atenção especial: os movimentos nacionalistas conscientes.

Os movimentos que melhor simbolizam esta evolução são os movimentos "jovens" fundados ou inspirados por Giuseppe Mazzini logo depois da Revolução de 1830: *Jovem Itália, Jovem Polônia. Jovem Suíça, Jovem Alemanha, Jovem França*, em 1831-1836, e o análogo *Jovem Irlanda*, da década de 1840, ancestral da única organização revolucionária bem-sucedida e duradoura baseada no modelo das irmandades conspiradoras do início do século XIX, os fenianos ou Fraternidade Republicana Irlandesa, melhor conhecia através de seu braço executivo, o Exército Republicano Irlandês. Em si mesmos estes movimentos não foram de grande importância; a simples presença de Mazzini teria sido suficiente para assegurar sua ineficiência. Simbolicamente, todavia, são de extrema importância, como indica a adoção pelos movimentos nacionalistas subsequentes de rótulos como "Jovens Tchecos" ou "Jovens Turcos". Eles são o marco da desintegração do movimento revolucionário europeu em segmentos nacionais. Sem dúvida, todos estes segmentos tinham uma tática, uma estratégia e um programa político muito semelhantes, até mesmo uma bandeira semelhante — quase invariavelmente tricolor, de algum tipo. Seus membros não viam qualquer contradição entre suas próprias exigências e as dos movimentos de outras nações e, de fato, pretendiam uma fraternidade de todos, libertando-se simultaneamente. Por outro lado, cada um deles tendia agora a justificar sua preocupação primordial com sua própria nação através da adoção do papel de Messias de todos. Através da Itália (segundo Mazzini), da Polônia (segundo Mickiewicz), os sofridos povos do mundo seriam conduzidos à liberdade; uma atitude que era prontamente adaptável às políticas conservadoras ou mesmo imperialistas, como testemunham os eslavófilos russos com sua defesa da Sagrada Rússia, a Terceira Roma, e os alemães que posteriormente iriam proclamar ao mundo dentro de uma relativa distância que ele seria curado pelo espírito alemão. Reconhecidamente, esta ambiguidade do nacionalismo vinha desde a Revolução Francesa. Mas naquela época tinha havido apenas *uma* grande nação revolucionária e era lógico considerá-la então (como ainda mesmo depois) o quartel-general de todas as revoluções e o necessário primeiro motor da libertação do mundo. Confiar em Paris era racional; confiar em uma vaga "Itália", "Polônia" ou "Alemanha" (representadas na prática por um punhado de conspiradores e de emigrantes) só era lógico para os italianos, os poloneses e os alemães.

O NACIONALISMO

Se o novo nacionalismo tivesse se limitado apenas aos membros das fraternidades revolucionárias nacionais, não valeria a pena dar-lhe muita atenção. Entretanto, ele também refletia forças muito mais poderosas, que se estavam tornando politicamente conscientes na década de 1830 como resultado da revolução dupla. A mais imediatamente poderosa destas forças era o descontentamento dos proprietários menores ou pequena nobreza inferior e o surgimento de uma classe média e até de uma classe média inferior em inúmeros países, sendo seus porta-vozes, em grande parte, intelectuais profissionais.

O papel revolucionário da baixa pequena nobreza talvez seja mais bem ilustrado na Polônia e na Hungria. Lá, de uma maneira geral, os grandes magnatas proprietários de terras haviam descoberto fazia muito tempo que era possível e desejável entrar em acordo com o absolutismo e a dominação estrangeira. Os magnatas húngaros eram, em geral, católicos e de há muito tinham sido aceitos como os pilares da sociedade da corte vienense; poucos deles iriam se unir à Revolução de 1848. A memória da velha *Rzeczpospolita* fazia com que até mesmo os magnatas poloneses tivessem uma mentalidade nacionalista; mas o mais influente dos seus partidos seminacionais, a união Czartoryski, que agora operava a partir do luxuoso ambiente de emigração do Hotel Lambert, em Paris, sempre fora a favor da aliança com a Rússia e continuava a preferir a diplomacia à revolta. Economicamente, eles eram suficientemente abastados para obter o que precisassem sem gastos vultuosíssimos, e até mesmo para investir na benfeitoria de suas propriedades o bastante para poder usufruir da expansão econômica da época, se assim o quisessem. O Conde Széchenyi, um dos poucos liberais moderados desta classe e paladino da melhoria econômica, deu um ano de seus rendimentos para a nova Academia Húngara de Ciências — cerca de 60.000 florins. Não há prova de que seu padrão de vida tenha sofrido com esta generosidade desinteressada. Por outro lado, os muitos cavalheiros que pouco tinham, exceto o seu nascimento, para distingui-los dos outros fazendeiros pobres — um oitavo da população húngara reivindicava o *status* de cavalheiro — não tinham nem o dinheiro para tornar suas propriedades lucrativas nem a inclinação para competir com os alemães e judeus pela riqueza da classe média. Se não podiam viver decentemente das suas rendas, e uma época degenerada privava-os de suas chances como soldados, então poderiam, se não fossem muito ignorantes, tentar o direito, a administração ou alguma posição intelectual; mas não uma atividade burguesa, que desconsideravam. Estes cavalheiros eram, de há muito, a fortaleza de oposição ao absolutismo e à dominação dos magnatas e estrangeiros, protegendo-se (como na Hungria) por trás do escudo duplo do calvinismo e da administração dos condados. Era natural que sua oposição, descontentamento e aspiração a mais empregos para os cavalheiros locais se fundissem agora com o nacionalismo.

As classes empresariais que surgiram neste período foram, paradoxalmente, um elemento bem menos nacionalista. Reconhecidamente, na Alemanha e na Itália desunidas, as vantagens de um grande mercado nacional unificado eram lógicas. O autor do *Deutschland uber Alles* abraçou

Presunto e tesouras, botas e ligas,
Lã, sabão, fios e cerveja.[1]

porque tinham conseguido, coisa que o espírito nacional fora incapaz de fazer, um genuíno senso de unidade nacional por meio da União Aduaneira. Entretanto, há pouca prova de que, digamos, os armadores de Gênova (que mais tarde iriam fornecer a maior parte do apoio financeiro a Garibaldi) preferissem as possibilidades de um mercado italiano nacional à maior prosperidade de comércio por todo o Mediterrâneo. E nos grandes impérios multinacionais, os núcleos comerciais e indústrias que cresceram em determinadas províncias podiam rosnar contra a dis-

O NACIONALISMO

criminação, mas, no fundo, claramente preferiam os grandes mercados abertos a eles agora do que os pequenos mercados de futura independência nacional. Os industriais poloneses, com toda a Rússia a seus pés, ainda tinham pouca participação no nacionalismo polonês. Quando Palacky reivindicou a favor dos tchecos que, "se a Áustria não existisse, teria que ser inventada", ele não só estava pedindo o apoio da monarquia contra os alemães, mas também expressando o perfeito raciocínio econômico do setor economicamente mais avançado do grande e de outra forma atrasado império; os interesses empresariais eram, às vezes, o carro-chefe do nacionalismo, como na Bélgica, onde uma pioneira comunidade industrial considerava-se, duvidosamente, desafortunada sob o domínio da poderosa comunidade mercantil holandesa, à qual tinha sido presa em 1815. Mas este era um caso excepcional.

Os grandes proponentes do nacionalismo de classe média neste estágio foram as camadas média e inferior das categorias profissionais, administrativas e intelectuais, ou seja, as classes educadas. (É claro que estas não são distintas das classes empresariais, especialmente em países atrasados, onde os administradores das propriedades, os tabeliões e os advogados se encontram entre os principais acumuladores da riqueza rural.) Para sermos precisos, a guarda avançada do nacionalismo de classe média fez sua guerra ao longo da linha que demarcava o progresso educacional de um grande número de "homens novos" em áreas até então ocupadas por uma pequena elite. O progresso das escolas e das universidades dava a dimensão do nacionalismo, na mesma medida em que as escolas e especialmente as universidades se tornavam seus defensores mais conscientes: o conflito entre a Alemanha e a Dinamarca sobre o Schleswig-Holstein, em 1848, foi previsto pelo conflito entre as universidades de Kiel e Copenhague, sobre o mesmo problema, na metade da década de 1840.

O progresso foi surpreendente, embora o número total de pessoas "instruídas" continuasse pequeno. O número de alunos nos liceus esta-

A ERA DAS REVOLUÇÕES

tais franceses duplicou entre 1809 e 1842 e aumentou com particular rapidez durante a Monarquia de Julho, mas ainda assim, em 1842, este número era inferior a 19.000 alunos. (O total de crianças que recebiam educação secundária[2] naquela época era de cerca de 70.000.) A Rússia, por volta de 1850, tinha perto de 20.000 alunos secundaristas em uma população total de 68 milhões de habitantes.[3] O número de estudantes universitários era ainda menor, naturalmente, embora estivesse subindo. É difícil imaginar que a juventude acadêmica prussiana, que foi tão inflamada pelo ideal de liberdade depois de 1806, consistisse em 1805 em pouco mais que 1.500 jovens, e que a Escola Politécnica de Paris, a peste que atormentou os Bourbon restaurados em 1815, acolhesse um total de 1.581 jovens em todo o período entre 1815 e 1830, ou seja, uma admissão anual de cerca de cem alunos. A proeminência revolucionária dos estudantes no período de 1848 faz-nos esquecer que em todo o continente europeu, incluindo-se as antirrevolucionárias Ilhas Britânicas, não havia mais que 40.000 estudantes universitários ao todo.[4] Ainda assim, estes números aumentavam. Na Rússia, subiu de 1.700 em 1825 para 4.600 em 1848. E mesmo se eles não aumentassem, a transformação da sociedade e das universidades (veja o Capítulo 15) dava-lhes uma nova consciência de si mesmos como um grupo social. Ninguém se recorda que em 1789 havia cerca de 6.000 estudantes na Universidade de Paris, já que eles não desempenharam qualquer papel independente na Revolução.[5] Mas por volta de 1830 ninguém poderia subestimar uma tamanha quantidade de jovens acadêmicos.

As pequenas elites podem operar com línguas estrangeiras, mas a língua nacional se impõe uma vez que o quadro de pessoas instruídas tenha-se tornado suficientemente grande (como testemunha a luta por um reconhecimento linguístico nos Estados indianos desde a década de 1940). Daí, o momento em que livros didáticos e jornais são impressos pela primeira vez na língua nacional, ou quando essa língua é usada pela

O NACIONALISMO

primeira vez para algum fim oficial, marca um passo importantíssimo na evolução nacional. A década de 1830 viu este passo ser dado em grandes áreas da Europa. Assim, as primeiras obras tchecas importantes sobre astronomia, química, antropologia, mineralogia e botânica foram escritas ou terminadas nesta década, quando também apareceram na Romênia os primeiros livros didáticos escritos em romeno, em substituição ao grego habitual. O húngaro, em vez do latim, foi adotado como a língua oficial da Dieta Húngara em 1840, embora a Universidade de Budapeste, controlada por Viena, não tivesse abandonado as palestras dadas em latim até o ano de 1844. (Entretanto, a luta em favor do uso do húngaro como língua oficial já estava sendo travada desde 1790.) Em Zagreb, Gai publicou a sua *Gazeta Croata* (mais tarde *Gazeta Nacional Ilírica*), a partir de 1835, na primeira versão literária do que até então fora simplesmente um complexo de dialetos. Nos países que possuíam havia muito tempo uma língua nacional oficial, a mudança não pode ser tão facilmente avaliada, embora seja interessante notar que, depois de 1830, o número de livros em alemão publicados na Alemanha (em comparação com os títulos em latim e francês) ultrapassou pela primeira vez os 90%, e o número de livros escritos em francês caiu depois de 1820 para menos de 4%.*[6] De maneira mais genérica, a expansão editorial nos fornece uma indicação semelhante. Assim, na Alemanha, o número de livros publicados em 1821 foi quase o mesmo que em 1800 — cerca de 4.000 títulos por ano; mas em 1841, tinha subido para 12.000 títulos.[7]

É claro que a imensa maioria dos europeus (e não europeus) continuava sem instrução. De fato, com exceção dos alemães, dos holandeses, dos escandinavos, dos suíços e dos norte-americanos, não se pode dizer que qualquer outro povo fosse alfabetizado em 1840. Pode-se dizer que

---

* No início do século XVIII, somente cerca de 60% de todos os títulos publicados na Alemanha eram em língua alemã, desde então a proporção veio aumentando constantemente.

vários povos eram totalmente analfabetos, como os eslavos do sul, que contavam menos de 0,5% de pessoas alfabetizadas em 1827 (mesmo muito mais tarde somente 1% dos recrutas dálmatas do exército austríaco sabiam ler e escrever), ou os russos, que tinham 2% em 1840; e que muitos outros eram quase analfabetos, como os espanhóis, os portugueses (que parece tinham somente cerca de 8.000 crianças ao todo na escola após a Guerra Peninsular) e, com exceção dos lombardos e piemonteses, os italianos. Até mesmo a Grã-Bretanha, a França e a Bélgica tinham cerca de 40% a 50% de analfabetos na década de 1840.[8] O analfabetismo não se constitui em um obstáculo à consciência política, mas não há de fato qualquer prova de que o nacionalismo do tipo moderno fosse uma poderosa força de massa exceto em países já transformados pela revolução dupla: na França, na Grã-Bretanha, nos Estados Unidos e — por ser um país dependente política e economicamente da Grã-Bretanha — na Irlanda.

Equacionar o nacionalismo com a alfabetização não significa que a maioria, digamos, dos russos, não se considerasse "russa" quando confrontada com alguém ou alguma coisa que não o fosse. Contudo, para as massas em geral, o teste de nacionalidade ainda era a religião: o espanhol era definido por ser católico, o russo, por ser ortodoxo. Entretanto, embora tais confrontações estivessem se tornando bem mais frequentes, ainda eram raras, e certos tipos de sentimento nacional, tal como o italiano, ainda eram totalmente estranhos à grande massa do povo, que nem mesmo falava a língua literária nacional e sim dialetos quase mutuamente incompreensíveis. Mesmo na Alemanha, a mitologia patriótica exagerou em muito o grau de sentimento nacional contra Napoleão. A França era extremamente popular na Alemanha Ocidental, especialmente entre os soldados, a quem empregava livremente.[9] As populações muito ligadas ao papa ou ao imperador podiam expressar ressentimento contra os inimigos da Igreja e da Coroa, que por acaso eram os franceses, mas isto dificil-

O NACIONALISMO

mente implicava qualquer sentimento de consciência nacional, quanto mais um desejo em favor de um Estado nacional. Além do mais, o fato de o nacionalismo ser representado pela classe média e pela pequena nobreza era suficiente para deixar o pobre desconfiado. Os revolucionários poloneses radical-democratas tentaram arduamente — como também o fizeram os mais avançados carbonários do sul da Itália e outros conspiradores — mobilizar o campesinato, até mesmo a ponto de oferecer uma reforma agrária. Seu fracasso foi quase total. Os camponeses da Galícia, em 1846, se opuseram aos revolucionários poloneses, embora estes tenham efetivamente proclamado o fim da servidão, preferindo massacrar os cavalheiros e confiar nos agentes do imperador.

O desenraizamento dos povos, que é talvez o mais importante fenômeno do século XIX, destruiria este profundo e antigo tradicionalismo local. Ainda assim, na maior parte do mundo, até a década de 1820, quase ninguém ainda migrava ou emigrava, exceto quando forçado pelos exércitos e pela fome, ou então nos grupos migratórios tradicionais, como os camponeses do centro da França, que em determinada estação iam trabalhar em construções no norte, ou como os artesãos ambulantes alemães. O desenraizamento ainda significava, não a suave forma de saudade de casa que se tornaria a doença psicológica característica do século XIX (refletida em inúmeras canções populares sentimentais), mas o agudo e mortal *mal de pays* ou *mal de coeur*, que foi descrito clinicamente pela primeira vez pelos médicos entre os velhos mercenários suíços em terras estrangeiras. O recrutamento para as guerras revolucionárias revelou o mesmo, especialmente entre os bretões. A atração das remotas florestas do nordeste era tão forte que levou uma empregada estoniana a deixar seus excelentes patrões os Kügelgen, na Saxônia, onde era livre para voltar à servidão em casa. A migração e a emigração, cujo índice mais conveniente é a migração para os Estados Unidos, aumentou notavelmente a partir da década de 1820, embora não tivesse alcançado maiores

A ERA DAS REVOLUÇÕES

proporções até a década de 1840, quando 1.750.000 pessoas cruzaram o Atlântico Norte (quase o triplo da década de 1830). Assim mesmo, a única grande nação migratória fora das Ilhas Britânicas ainda era a Alemanha, de há muito acostumada a enviar seus filhos como colonos rurais para a Europa oriental e a América, assim como artesãos por todo o continente e mercenários a todas as partes do mundo.

Na verdade, podemos falar apenas de um movimento nacional no Ocidente, organizado de forma coerente antes de 1848, que foi genuinamente baseado nas massas, e até mesmo este movimento gozava da enorme vantagem da identificação com o mais forte portador da tradição, a Igreja. Foi o movimento irlandês de revogação sob a liderança de Daniel O'Connell (1785-1847), advogado demagogo e eloquente, de origem camponesa, e o primeiro — até 1848, o único — dos líderes populares carismáticos que marcam o despertar da consciência política das massas até então atrasadas. (As únicas figuras comparáveis, antes de 1848, foram Feargus O'Connor (1794-1855), outro irlandês, que simbolizou o cartismo na Grã-Bretanha, e talvez Luís Kossuth (1802-1894), que deve ter adquirido um pouco do seu posterior prestígio entre as massas antes da Revolução de 1848, embora sua reputação na década de 1840 fosse na verdade a de um paladino da pequena nobreza — o fato de ter sido canonizado mais tarde pelos historiadores nacionalistas torna difícil entender com clareza sua carreira inicial.) A Associação Católica de O'Connell, que adquiriu o apoio das massas e a confiança não totalmente justificada do clero na vitoriosa luta pela Emancipação Católica (1829), não estava absolutamente ligada à pequena nobreza, que era, de qualquer forma, protestante e anglo-irlandesa. Foi um movimento de camponeses e da classe média baixa irlandesa, ou melhor, dos elementos dessas camadas que podiam existir na empobrecida ilha. "O Libertador" foi levado à liderança por sucessivas ondas de um movimento de massa de revolta agrária, a principal força motivadora da política irlandesa nesse século

O NACIONALISMO

espantoso. Foi organizado em sociedades secretas terroristas que ajudaram a destruir o paroquianismo da vida irlandesa. Entretanto, o objetivo de O'Connell não era nem a revolução nem a independência nacional, mas sim uma moderada autonomia para a classe média irlandesa através de acordo ou negociação com os liberais britânicos. Efetivamente, ele não foi um nacionalista e menos ainda um revolucionário camponês, mas sim um autônomo moderado da classe média. E, de fato, a principal crítica que foi feita, não injustificadamente, contra ele pelos nacionalistas irlandeses posteriores (semelhante à dos nacionalistas radicais indianos em relação a Gandhi, que ocupou uma posição análoga na história de seu país) foi a de que poderia ter incitado toda a Irlanda contra os britânicos, mas deliberadamente recusou-se a fazê-lo. Isto não altera o fato de que o movimento que ele liderou foi genuinamente apoiado pela massa da nação irlandesa.

2.

Fora do moderno mundo burguês, houve, entretanto, movimentos de revolta popular contra o domínio estrangeiro (isto é, normalmente entendido como significando o domínio de uma religião diferente em vez de uma nacionalidade diferente), que às vezes parecem antecipar os movimentos nacionais posteriores. Assim foram as rebeliões contra o Império Turco, contra os russos no Cáucaso, e a luta contra o usurpador domínio britânico nos confins da Índia. Seria insensato interpretar esses movimentos como tendo muito a ver com o nacionalismo moderno, embora em áreas atrasadas habitadas por camponeses e pastores armados, combativos, organizados em clãs e inspirados por chefes tribais, heróis bandoleiros e profetas, a resistência ao governante (ou infiel) estrangeiro pudesse tomar a forma de autênticas guerras do povo, bem diferentes

A ERA DAS REVOLUÇÕES

dos movimentos nacionalistas de elite em países menos homéricos. Na verdade, entretanto, a resistência dos maratas (um grupo militar feudal hindu) e dos sikhs (uma seita religiosa militante) aos britânicos, respectivamente em 1803-1818 e 1845-1849, tem pouca ligação com o nacionalismo indiano posterior, nem produziu algum que lhe fosse peculiar.* As tribos caucasianas, selvagens, heroicas e feudais encontraram na puritana seita islâmica do muridismo um laço temporário de união contra os invasores russos, e em Shamyl (1797-1871), um líder de grande estatura; mas não existe até a presente data uma nação caucasiana, mas sim meramente um agregado de pequenos povos montanheses em pequenas repúblicas soviéticas. (Os georgianos e os armênios, que formaram nações no sentido moderno, não estavam envolvidos no movimento de Shamyl.) Os beduínos, varridos pelas seitas religiosas puritanas como a wahhabita, na Arábia, e a sanusi, no que é hoje a Líbia, lutaram pela simples fé em Alá e a vida simples do pastor e do assaltante, contra a corrupção dos impostos, os paxás e as cidades; mas o que hoje conhecemos como nacionalismo árabe — um produto do século XX — nasceu das cidades e não dos acampamentos nômades.

Até mesmo as rebeliões contra os turcos nos Bálcãs, especialmente entre os povos montanheses raramente subjugados do sul e do oeste, não devem ser muito prontamente interpretadas em termos nacionalistas modernos, embora os bardos e os bravos — os dois eram frequentemente os mesmos, como no caso dos bispos-guerreiros-poetas de Montenegro — relembrassem as glórias de heróis seminacionais como o albanês

---

* O movimento sikh permanece em grande parte *sui generis* até hoje. A tradição da combativa resistência hindu em Maharashtra fez dessa região um centro inicial do nacionalismo indiano e forneceu alguns dos seus primeiros líderes (altamente nacionalistas), notadamente B. G. Tilak; mas foi, no máximo, uma resistência regional, longe de dominante, no movimento. Pode ser que exista alguma coisa semelhante ao nacionalismo marata hoje em dia, mas sua base social é a resistência das vastas classes trabalhadora e média baixa desprivilegiada aos gujeratis, classe dominante em termos econômicos e, até recentemente, em termos linguísticos.

O NACIONALISMO

Skanderbeg e as tragédias como a derrota dos sérvios em Kossovo nas remotas batalhas contra os turcos. Nada era mais natural do que se revoltar, onde fosse necessário e desejável, contra uma administração local ou um enfraquecido Império Turco. Entretanto, pouco mais do que um subdesenvolvimento econômico junta o que hoje conhecemos como iugoslavos, mesmo os do Império Turco, e a própria concepção de Iugoslávia foi produto de intelectuais na Austro-Hungria e não dos que realmente lutaram pela liberdade.* Os montenegrinos ortodoxos, jamais subjugados, lutaram contra os turcos, mas com igual vontade contra os infiéis albaneses católicos, e os infiéis, porém solidamente eslavos, bósnios muçulmanos. Os bósnios revoltaram-se contra os turcos, de cuja religião muitos deles partilhavam, com tanta presteza quanto os ortodoxos sérvios da planície coberta de bosques do Danúbio, e com mais vontade do que os "velhos sérvios" ortodoxos da fronteira com a Albânia. Os primeiros dos povos balcânicos a se insurgir no século XIX foram os sérvios, sob o comando do heroico bandoleiro e comerciante de porcos, Jorge, o Negro (1760-1817), mas a fase inicial de sua revolta (1804-1807) não era sequer contra o domínio turco, e sim, pelo contrário, justamente a favor do sultão contra os abusos dos governantes locais. Pouco há na história inicial das rebeliões montanhesas dos Bálcãs ocidentais que sugira que os sérvios, os albaneses, os gregos e outros não teriam, no século XIX, ficado satisfeitos com um tipo de principado autônomo não nacional como o que o poderoso sátrapa Ali Paxá, o Leão de Janina (1741-1822), estabeleceu por certo tempo no Épiro.

---

* É significativo que o atual regime iugoslavo tenha dividido o que se costumou classificar de nação sérvia nas repúblicas e unidades subnacionais muito mais realistas da Sérvia, Bósnia, Montenegro, Macedônia e Kossovo-Metohidja. Pelos padrões linguísticos do nacionalismo do século XIX, a maioria dessas regiões pertencia a um único povo "sérvio" (as exceções seriam os macedônios, que se aproximam mais dos búlgaros, e a minoria albanesa de Kosmet), mas, na verdade, elas nunca desenvolveram um nacionalismo sérvio único.

A ERA DAS REVOLUÇÕES

Em um e somente em um caso, a perene luta dos pastores de ovelhas e dos heróis-bandoleiros contra *qualquer* governo efetivo se fundiu com as ideias do nacionalismo da classe média e da Revolução Francesa: na luta grega pela independência (1821-1830). Portanto, não foi por acaso que a Grécia se tornou o mito inspirado dos nacionalistas e liberais de todo o mundo. Pois somente na Grécia todo um povo se insurgiu contra o opressor de uma maneira que poderia ser identificada de forma plausível com a causa da esquerda europeia; e, por sua vez, o apoio da esquerda europeia, encabeçada pelo poeta Byron, que lá morreu, foi uma considerável ajuda para a conquista da independência grega.

A maioria dos gregos era muito semelhante aos outros esquecidos camponeses-guerreiros e clãs da Península Balcânica. Entretanto, uma parte formava uma classe administrativa e mercantil internacional também estabelecida em colônias ou em comunidades de minoria espalhadas por todo o Império Turco e fora dele, e a língua e os mais altos escalões da Igreja Ortodoxa, à qual pertencia a maioria dos povos balcânicos, era de gregos, a começar pelo Patriarca Grego de Constantinopla. Funcionários públicos gregos, transformados em príncipes vassalos, governavam os principados do Danúbio (a atual Romênia). Em certo sentido, todas as classes mercantis e instruídas dos Bálcãs, da região do Mar Negro e do Levante, quaisquer que fossem suas origens nacionais, foram helenizadas pela própria natureza de suas atividades. Durante o século XVIII, essa helenização ocorreu mais intensamente do que antes, em grande parte devido à marcante expansão econômica que também estendeu o alcance e os contatos da diáspora grega. O novo e próspero comércio de cereais do Mar Negro levou-a até os centros de negócios italianos, franceses e britânicos e fortaleceu seus laços com a Rússia; a expansão do comércio balcânico trouxe os comerciantes gregos ou helenizados para a Europa central. Os primeiros jornais em língua grega foram publicados em Viena (1784-1812). A emigração e os deslocamentos periódicos dos campo-

O NACIONALISMO

neses rebeldes reforçaram ainda mais as comunidades de exilados. Foi entre esta diáspora cosmopolitana que as ideias da Revolução Francesa — o liberalismo, o nacionalismo e os métodos de organização política através das sociedades secretas maçônicas — lançaram raízes. Rhigas (1760-1798), o líder de um primeiro e obscuro movimento revolucionário possivelmente panbalcânico, falava francês e adaptou a Marselhesa às situações helênicas. A *Philiké Hetairía*, a sociedade secreta patriótica que foi a principal responsável pela revolta de 1821, foi fundada em Odessa, grande e novo porto russo exportador de cereais, em 1814.

O nacionalismo grego foi até certo ponto comparável aos movimentos de elite ocidentais. É o que explica o projeto de se fazer uma rebelião pela independência grega nos principados do Danúbio sob a liderança de magnatas gregos locais, pois as únicas pessoas que podiam ser consideradas gregas nestas miseráveis terras de servos eram lordes, bispos, comerciantes e intelectuais. É claro que o levante fracassou miseravelmente (1821). Por sorte, entretanto, a Hetairía se pusera também a arregimentar nas montanhas o anárquico mundo de heróis-bandoleiros, proscritos e chefes de clãs (especialmente no Peloponeso), e com um sucesso consideravelmente maior — pelo menos depois de 1818 — do que os cavalheiros carbonários do sul da Itália, que tentaram um proselitismo semelhante com seus bandoleiros locais, os *banditi*. É duvidoso que algo parecido com o nacionalismo moderno tivesse algum significado para esses bandoleiros gregos, embora muitos tivessem os seus "escreventes" — o respeito e o interesse pelo estudo de livros era uma relíquia sobrevivente do antigo helenismo — que compunham manifestos na terminologia jacobina. Se havia alguma coisa pela qual eles lutavam, esta era o antigo gênio da península, em que o papel do homem era o de tornar-se um herói, e o proscrito que fugia para as montanhas para resistir a qualquer governo e para consertar os erros dos camponeses, o ideal político geral. Os nacionalistas do tipo ocidental deram liderança

A ERA DAS REVOLUÇÕES

e um alcance pan-helênico, em vez de meramente local, às rebeliões de homens como Kolokotrones, bandoleiro e comerciante de gado. Por seu turno, os bandoleiros produziram esta coisa única e terrível, a insurreição em massa de um povo armado.

O novo nacionalismo grego foi suficiente para conquistar a independência, embora a combinação da liderança de classe média com a desorganização dos bandoleiros e com a intervenção de uma grande potência produzisse uma destas pobres caricaturas do ideal ocidental de liberdade, que viriam a se tornar tão familiares em áreas como a América Latina. Mas teve também o resultado paradoxal de confinar o helenismo à Hellas, criando ou intensificando assim o nacionalismo latente de outros povos balcânicos. Enquanto o fato de ser grego fora apenas pouco mais do que a habilitação profissional do cristão ortodoxo balcânico alfabetizado, a helenização progrediu. Quando passou a significar o apoio político à Hellas, ela retrocedeu, mesmo entre as classes alfabetizadas balcânicas assimiladas. Neste sentido, a independência grega foi a condição preliminar essencial para a evolução de outros nacionalismos balcânicos.

Fora da Europa, é difícil falar de nacionalismo. As muitas repúblicas latino-americanas que substituíram os velhos impérios espanhol e português (para sermos exatos, o Brasil se tornou uma monarquia independente e assim permaneceu de 1816 a 1889), com suas fronteiras frequentemente refletindo pouco mais do que a distribuição das propriedades dos nobres que tinham apoiado essa ou aquela rebelião local, começaram a adquirir interesses políticos estáveis e aspirações territoriais. O ideal pan-americano original de Simon Bolívar (1783-1830) na Venezuela e San Martin (1778-1850) na Argentina foi impossível de realizar, embora persistisse como uma poderosa corrente revolucionária em todas as regiões unidas pela língua espanhola, exatamente como o panbalcanismo, o herdeiro da unidade ortodoxa contra a islâmica, persistiu e pode ainda persistir hoje em dia. A grande extensão e variedade

O NACIONALISMO

do continente, a existência de focos de rebelião independentes no México (que deram origem à América Central), na Venezuela e em Buenos Aires, e o especial problema do centro do colonialismo espanhol no Peru, que foi libertado a partir de fora, impunham uma fragmentação automática. Mas as revoluções latino-americanas foram obra de pequenos grupos de aristocratas, soldados e elites afrancesadas "evoluídas", deixando a massa da passiva população branca, católica e pobre, e dos índios indiferente ou hostil. Só no México a independência foi conquistada pela iniciativa de um movimento de massa agrário, isto é, indígena, que marchou sob a bandeira da Virgem de Guadalupe; e por isso o México trilhou desde então um caminho diferente e politicamente mais avançado do que o resto da América Latina continental. Entretanto, mesmo entre a minúscula camada dos latino-americanos politicamente decisivos, seria anacrônico falarmos nesse período de algo mais que o embrião da "consciência nacional" colombiana, venezuelana, equatoriana etc.

Mas algo parecido com um protonacionalismo existia em vários países da Europa oriental, embora paradoxalmente tenha tomado o rumo do conservadorismo em vez da rebelião nacional. Os eslavos se achavam oprimidos em toda parte, exceto na Rússia e em algumas fortalezas selvagens dos Bálcãs, mas na sua perspectiva imediata os opressores eram, como vimos, não os monarcas absolutos, mas os proprietários de terras alemães e magiares e os exploradores urbanos. E o seu nacionalismo não dava nenhuma margem para a existência nacional eslava: mesmo um programa tão radical como o dos Estados Unidos Alemães, proposto pelos republicanos e democratas de Baden, sudoeste da Alemanha, previa a inclusão de uma república Ilíria (isto é, croata e eslovena) com capital na italiana Trieste, uma república morávia com capital em Olomuc, e uma república boêmia com sede em Praga.[10] Logo, a esperança imediata dos nacionalistas eslavos estava nos imperadores da Áustria e da Rússia. Várias versões da solidariedade eslava expressavam a orientação russa e atraíam os rebeldes eslavos — até mesmo os poloneses antirrussos —, especialmente em tempos de derrota e de desesperança, como depois do fracasso dos levantes em 1846. O "ilirianismo" na Croácia e um nacionalismo tcheco moderado expressavam a tendência austríaca, e ambos recebiam apoio deliberado dos Habsburgo, de quem dois dos mais importantes ministros — Kolowrat e o chefe do sistema policial, Sedlnitzky — eram tchecos. As aspirações culturais croatas foram protegidas na década de 1830 e, em 1840, Kolowrat chegou a propor o que mais tarde viria a ser tão útil na Revolução de 1848, a designação de um interventor militar croata (*ban*) como chefe da Croácia, e com controle sobre a fronteira militar com a Hungria, como um contrapeso aos exaltados magiares.[11] Portanto, ser um revolucionário em 1848 equivalia virtualmente a se opor às aspirações nacionais eslavas, e o tácito conflito entre as nações progressistas e reacionárias contribuiu em muito para condenar as revoluções de 1848 ao fracasso.

Nada que se pareça com nacionalismo pode ser descoberto em outras regiões, pois não existiam as condições sociais para isto. De fato, quando muito, as forças que mais tarde viriam a produzir o nacionalismo estavam neste estágio em oposição à aliança da tradição, da religião e da pobreza das massas que produziu a mais poderosa resistência ao abuso dos conquistadores e exploradores ocidentais. Os elementos de uma burguesia local que surgiram em países asiáticos o fizeram à sombra dos exploradores estrangeiros de quem dependiam e eram em grande parte agentes ou intermediários: a comunidade parse de Bombaim é um exemplo. Mesmo que o asiático instruído e "esclarecido" não fosse um comprador ou um funcionário de menor importância de algum governo ou companhia estrangeira (uma situação não diferente daquela da diáspora grega na Turquia), sua primeira tarefa política era a de se ocidentalizar — isto é, introduzir as ideias da Revolução Francesa e da modernização técnica e científica contra a resistência unida de governantes e governados tradicionais (situação não diferente daquela dos cavalheiros jacobinos do sul da Itália). Portanto, ele estava duplamente afastado de seu povo. A mitologia nacionalista tem frequentemente obscurecido este divórcio, em parte pela supressão do elo entre o colonialismo e as primeiras classes médias nativas, em parte por atribuir às mais antigas resistências contra o estrangeiro as cores de um movimento nacionalista posterior. Mas, na Ásia, nos países islâmicos e, mais ainda, na África, a união entre as elites "evoluídas" e o nacionalismo, e entre ambos e as massas só viria a ocorrer no século XX.

O nacionalismo no Oriente foi, portanto, um produto, enfim, da influência e da conquista ocidental. Este elo é talvez mais evidente no país plenamente oriental em que foram implantados os princípios do que viria a se tornar o primeiro movimento nacionalista moderno das colônias:[*] o Egito. A conquista de Napoleão introduziu as ideias, os métodos e as técnicas ocidentais, cujos valores foram logo reconhecidos por um hábil e ambicioso soldado local, Mohammed Ali (Mehemet Ali). Tendo conseguido o poder e a virtual independência da Turquia no confuso período que se seguiu à retirada dos franceses, e com o apoio francês, Mohammed Ali partiu para estabelecer um despotismo eficiente e ocidentalizante com ajuda técnica estrangeira (principalmente francesa). Nas décadas de 1820 e 1830, os esquerdistas europeus exaltaram esse autocrata esclarecido e colocaram seus serviços à sua disposição quando a reação em seus próprios países parecia por demais desanimadora. A extraordinária seita dos saint-simonianos, oscilando entre a defesa do socialismo e do desenvolvimento industrial promovido por engenheiros e investimentos bancários, deu-lhe temporariamente um auxílio coletivo e elaborou os seus planos de desenvolvimento econômico (sobre esses planos, veja o Capítulo 13-2). Assim foram eles também que lançaram a dotação para

---

[*] Além do movimento irlandês.

o Canal de Suez (construído pelo saint-simoniano Lesseps), iniciando a dependência fatal dos governantes egípcios de grandes empréstimos negociados por grupos competidores de trapaceiros europeus, que transformaram o Egito em um centro de rivalidade imperialista e, mais tarde, de rebelião anti-imperialista. Mas Mohammed Ali não era mais nacionalista do que qualquer outro déspota oriental. Sua ocidentalização, não as suas aspirações ou as de seu povo, foi que lançou as bases para o nacionalismo posterior. Se o Egito teve o primeiro movimento nacionalista do mundo islâmico e Marrocos um dos últimos, foi porque Mohammed Ali (por razões geopolíticas perfeitamente compreensíveis) estava enquadrado nos principais caminhos da ocidentalização, enquanto o isolado Império Muçulmano do leste da África (um xerifado, como se autointitulava) não estava nem fez qualquer tentativa para estar. O nacionalismo, como tantas outras características do mundo moderno, é filho da revolução dupla.

SEGUNDA PARTE
RESULTADOS

8. A TERRA

"Eu sou vosso senhor e meu senhor é o czar. O czar tem o direito de me dar ordens e devo obedecer-lhe, mas não de dá-las a vós. Em minha propriedade, sou eu o czar, sou vosso deus na Terra, e terei que ser responsável por vós perante Deus no céu (...). Primeiramente, um cavalo deve ser escovado dez vezes com a almofaça de ferro, e somente então podeis vós limpá-lo com a escova macia. Terei que escovar-vos com violência, e quem sabe se chegarei jamais à escova macia. Deus limpa o ar com trovões e relâmpagos, e, em minha aldeia, eu limparei com trovões e fogo, sempre que assim o julgue necessário."

De um proprietário russo a seus servos[1]

"A posse de uma ou duas vacas, um capado e alguns gansos naturalmente coloca o camponês, segundo sua concepção, acima de seus irmãos do mesmo escalão social. Ao cuidar do gado, ele adquire o hábito da indolência (...). O trabalho diário se torna enfadonho; a aversão cresce com a indulgência; e com o correr do tempo a venda de um bezerro mal alimentado ou de um capado permite adicionar intemperança à preguiça. A venda da vaca é frequentemente bem-sucedida, e seu desgraçado e desapontado dono, relutante em retomar o curso regular e diário do trabalho, do qual retirou sua subsistência anterior (...) extrai do padrão dos pobres o alívio que lhe é absolutamente paradoxal."

Pesquisa do Conselho de Agricultura de Somerset, 1789[2]

A ERA DAS REVOLUÇÕES

1.

O que acontecia à terra determinava a vida e a morte da maioria dos seres humanos entre 1789 e 1848. Consequentemente, o impacto da revolução dupla sobre a propriedade e o aluguel da terra e sobre a agricultura foi o mais catastrófico fenômeno do período. Pois nem a revolução política nem a econômica podiam desprezar a terra, que a primeira escola de economistas, a dos fisiocratas, considerava a única fonte de riqueza, e cuja transformação revolucionária todos concordavam ser a precondição e consequência necessárias da sociedade burguesa, se não de todo desenvolvimento econômico rápido. A grande camada de gelo dos sistemas agrários tradicionais e das relações sociais do campo em todo o mundo cobria o fértil solo do crescimento econômico. Ela tinha de ser derretida a qualquer custo, de maneira que o solo pudesse ser arado pelas forças da empresa privada em busca de lucro. Isto implicava três tipos de mudanças. Em primeiro lugar, a terra tinha que ser transformada em uma mercadoria, possuída por proprietários privados e livremente negociável por eles. Em segundo, tinha que passar a ser propriedade de uma classe de homens desejosos por desenvolver seus recursos produtivos para o mercado e estimulados pela razão, isto é, pelos seus próprios interesses e pelo lucro. Em terceiro lugar, a grande massa da população rural tinha que ser transformada de alguma forma, pelo menos em parte, em trabalhadores assalariados, com liberdade de movimento, para o crescente setor não agrícola da economia. Alguns dos economistas mais radicais e cuidadosos também estavam conscientes de uma quarta mudança desejável, embora difícil, senão impossível de atingir. Pois em uma economia que tomava como premissa a perfeita mobilidade de todos os fatores de produção, a terra como "monopólio natural" não se encaixava muito bem. Visto que o tamanho da terra era limitado e suas várias partes diferiam em fertilidade e facilidade de acesso, era inevitável que os donos das partes mais férteis gozassem de vantagem

A TERRA

especial e arrecadassem aluguéis sobre os demais. Como abolir ou mitigar essa opressão — por exemplo, através de uma tributação adequada, por meio de leis contra a concentração da propriedade ou mesmo através da nacionalização — era assunto de discussões acaloradas, especialmente na Inglaterra industrial. (Estas discussões também afetavam outros "monopólios naturais" como as ferrovias, cuja nacionalização, por esta razão, nunca foi considerada incompatível com uma economia de empresa privada, sendo praticada amplamente.)* Entretanto, estes eram problemas de terra em uma sociedade burguesa. A tarefa imediata era ainda a de instaurar essa sociedade, pô-la em funcionamento.

Havia dois grandes obstáculos para isso, e ambos exigiam uma combinação de ação política e econômica: os proprietários de terra pré-capitalistas e o campesinato tradicional. Por outro lado, a tarefa podia ser cumprida de vários modos. Os mais radicais foram os britânicos e os americanos, pois ambos eliminaram o campesinato e um deles eliminou também o proprietário. A clássica solução britânica produziu um país onde talvez 4.000 proprietários possuíssem cerca de 4/100 da terra[3] cultivada — tomo aqui por base estatísticas de 1851 — por 250.000 fazendeiros (3/4 da área sendo constituída de fazendas que iam de 50 a 500 acres) que empregavam cerca de 1.250.000 serviçais e trabalhadores contratados. Persistiam ainda bolsões de pequenos proprietários, mas, excetuando as montanhas escocesas e partes do País de Gales, só um pedante poderia falar de um campesinato britânico no sentido continental. A clássica solução americana foi a da fazenda comercial cujo ocupante era o próprio proprietário, que compensava com mecanização intensiva a escassez de mão de obra contratada. As ceifadeiras mecânicas de Obed Hussey (1833) e de Cyrus McCormick (1834) foram o complemento para os fazendeiros de espírito puramente comercial ou para os especuladores de terras que, saindo da Nova Inglaterra, levaram para o oeste o *american*

---

* Mesmo na Inglaterra, ela foi seriamente proposta na década de 1840.

A ERA DAS REVOLUÇÕES

way of life, apropriando-se das terras ou, mais tarde, comprando-as do governo a preços mais do que vantajosos. A clássica solução prussiana foi socialmente a menos revolucionária. Consistiu em transformar os próprios proprietários feudais em fazendeiros capitalistas e os servos em trabalhadores contratados. Os *junkers** mantiveram o controle de suas magras propriedades que tinham por muito tempo cultivado para o mercado de exportação com mão de obra servil; mas agora trabalhavam com camponeses "libertos" da servidão e da terra. O exemplo pomeraniano é sem dúvida extremo: posteriormente neste século, cerca de 2.000 grandes propriedades cobriam 61% da terra, cerca de 60 mil pequenas e médias cobriam o resto, e o restante da população não possuía terras;[4] mas o fato é que, enquanto em 1773 a *Enciclopédia de Economia Doméstica e Agrícola*, de Kruniz, nem sequer mencionava a palavra "trabalhador", o que mostra a insignificância de uma classe trabalhadora rural, em 1849 o número de pessoas sem-terras ou de trabalhadores rurais substancialmente assalariados na Prússia era estimado em quase 2 milhões.[5] A única outra solução sistemática do problema agrário em um sentido capitalista foi a dinamarquesa, que também criou uma vasta camada de pequenos e médios fazendeiros comerciais. Entretanto, ela se deveu no fundamental às reformas do período de despotismo esclarecido da década de 1780 e, portanto, foge um pouco dos limites deste livro.

A solução norte-americana foi determinada por esse fato único, o de dispor de um suprimento virtualmente ilimitado de terra desocupada e da ausência de tudo o que era obsoleto e ligado às relações feudais e ao coletivismo camponês tradicional. Praticamente o único obstáculo à propagação da atividade agrícola 100% individualista foram as tribos de peles-vermelhas, cujas terras — normalmente garantidas por tratados assinados com

---

* Nome que se dava aos nobres feudais que estimulavam, sobretudo na Prússia, um partido nacionalista e conservador. Na Alemanha, designava os moços nobres (*Jungherr*, "jovem nobre") incorporados às forças militares. (*Nota da edição brasileira.*)

A TERRA

os britânicos, franceses e americanos — eram possuídas coletivamente, em geral como campo de caça. O conflito total entre uma visão da sociedade que considerava a propriedade individual perfeitamente alienável não somente a única disposição racional, mas também *natural*, e a visão que assim não pensava é talvez mais evidente na confrontação entre os ianques e os índios. "Dentre as causas mais perniciosas e fatais que impediram os índios de aprender os benefícios da civilização", segundo o Comissário para Assuntos Indígenas,[6] "estavam a *sua posse coletiva de extensões demasiadamente grandes de terra* e o direito a vastas anuidades em dinheiro; a primeira delas dando-lhes um grande campo para sua indulgência em seus hábitos nômades e errantes e impedindo que *adquirissem um conhecimento da individualidade na propriedade* e da vantagem de lares fixos; e a segunda estimulando a preguiça e o espírito aproveitador, e dando-lhes os meios para gratificarem seus gostos e apetites depravados." Portanto, privá-los de suas terras por meio de fraudes, roubos e quaisquer outros tipos de pressão era tão moral quanto lucrativo.

Os índios primitivos e nômades não eram as únicas pessoas que não entendiam e não desejavam o racionalismo burguês-individualista a respeito da terra. De fato, com exceção da minoria de camponeses iluminados, informados ou "fortes e sóbrios", a grande maioria da população rural desde o maior proprietário feudal até o mais pobre dos pastores de ovelhas estava unida em abominá-lo. Somente uma revolução político-legal dirigida contra os proprietários e os camponeses tradicionais poderia criar as condições para que a minoria racional se transformasse na maioria racional. A história das relações agrárias na maior parte da Europa ocidental e de suas colônias em nosso período é a história dessa revolução, embora suas consequências totais não fossem sentidas até a segunda metade do século.

Como vimos, seu primeiro objetivo foi transformar a terra em uma mercadoria. Os vínculos e outras proibições de venda ou dispersão que se aplicavam às propriedades nobres tinham que ser quebrados e, portanto, o proprietário tinha de estar sujeito à penalidade salutar da

A ERA DAS REVOLUÇÕES

bancarrota em caso de incompetência econômica, o que permitiria a compradores economicamente mais competentes assumir o controle da situação. Acima de tudo, nos países católicos e muçulmanos (os países protestantes já o tinham feito há muito tempo), o grande bloco de terras eclesiásticas tinha de ser tomado do reino gótico de superstição não econômica e aberto ao mercado e à exploração racional. A secularização e a venda as aguardavam. As terras coletivas igualmente vastas — e, por serem coletivas, mal utilizadas — das comunidades municipais e das aldeias, os campos e os pastos comuns, as florestas etc., tinham de se tornar acessíveis à empresa individual. A divisão em lotes individuais e "cercos" as aguardava. Não poderia haver dúvidas de que os novos compradores seriam os empresários fortes e sóbrios; e assim seria atingido o segundo objetivo da revolução agrária.

Portanto, somente sob a condição de que os camponeses, de cujos escalões muitos deles sem dúvida viriam, se transformassem em uma classe com livre capacidade para dispor de seus recursos; um passo que automaticamente também atingiria o terceiro objetivo, a criação de uma grande força de trabalho "livre" constituída dos que não conseguissem se tornar burgueses. A libertação do camponês dos laços e obrigações não econômicas (servidão, pagamentos aos proprietários, trabalhos forçados, escravidão etc.) também era, portanto, essencial. Isto traria uma vantagem adicional e crucial. Pois se acreditava que o assalariado livre, com o incentivo de recompensas mais altas, ou o fazendeiro livre mostrar-se-iam mais eficientes do que o trabalhador forçado, tanto o servo como o criado ou o escravo. Somente uma outra condição tinha de ser preenchida. O enorme número dos que agora vegetavam na terra a que toda a história humana os prendia, mas que, se ela fosse produtivamente explorada, seriam um mero excedente populacional,* tinha que ser arrancado de

---

* Assim, estimava-se no início da década de 1830 que a proporção do excedente de mão de obra empregável era de 1 para 6 do total da população na Inglaterra urbana e industrial, de 1 para 20 na França e na Alemanha, de 1 para 25 na Áustria e na Itália, de 1 para 30 na Espanha e de 1 para 100 na Rússia.[7]

A TERRA

suas raízes para se mover livremente. Somente assim migrariam para as cidades e as fábricas onde seus músculos eram cada vez mais necessários. Em outras palavras, os camponeses tinham que perder suas terras juntamente com seus outros vínculos.

Na maior parte da Europa, isto significava que o complexo de regras políticas e legais tradicionais comumente conhecido como "feudalismo" tinha que ser abolido onde já não estivesse ausente. Em termos amplos, no período que vai de 1789 a 1848, isto foi alcançado — na maior parte através da intervenção direta ou indireta da Revolução Francesa — de Gibraltar à Prússia Oriental e do Báltico à Sicília. As mudanças equivalentes na Europa central somente tiveram lugar em 1848, e na Rússia e na Romênia na década de 1860. Fora da Europa, algo nominalmente parecido foi alcançado nas Américas, com as grandes exceções do Brasil, de Cuba e do sul dos Estados Unidos, onde a escravidão persistiu até 1862-1888. Em algumas áreas coloniais diretamente administradas por Estados europeus, notadamente em partes da Índia e da Argélia, também foram introduzidas revoluções legais semelhantes. Assim aconteceu na Turquia e, durante um breve período, no Egito.[8]

Com exceção da Grã-Bretanha e de alguns outros países, onde o feudalismo neste sentido já tinha sido abolido ou nunca havia realmente existido (embora tivessem existido as tradicionais coletividades camponesas), os métodos efetivos para se alcançar esta revolução foram muito semelhantes. Na Grã-Bretanha, não era necessária nem politicamente praticável qualquer legislação para expropriar as grandes herdades, pois os grandes proprietários ou seus fazendeiros já estavam afinados com a sociedade burguesa. Sua resistência ao triunfo final das relações burguesas no interior — entre 1795 e 1846 — foi mais árdua. Entretanto, embora ela contivesse de uma maneira desarticulada uma espécie de protesto tradicionalista contra o destrutivo princípio do lucro puramente individualista, a causa de seus mais óbvios descontentamentos foi muito mais

A ERA DAS REVOLUÇÕES

simples: o desejo de manter em um período de depressão de pós-guerra os altos preços e os altos aluguéis das terras que vigoraram durante as guerras revolucionárias e napoleônicas. Era antes um grupo de pressão agrária do que uma reação feudal. O principal gume da lei voltou-se portanto contra os aspectos retrógrados do campesinato, dos agricultores e dos trabalhadores. Uns 5.000 "cercados" estabelecidos por decretos gerais e particulares ocuparam cerca de 6 milhões de acres de campos e terras comuns a partir de 1760, transformando-os em propriedades privadas, e foram reforçados por numerosas regulamentações menos formais. A *Lei dos Pobres* de 1834 foi projetada para tornar a vida tão intolerável aos pobres do campo para que eles se vissem forçados a abandonar a terra em busca de qualquer emprego que lhes fosse oferecido. E, de fato, logo começaram a fazê-lo. Na década de 1840, vários condados já estavam à beira de uma perda *absoluta* de população, e a partir de 1850 a fuga do campo se tornou generalizada.

As reformas da década de 1780 aboliram o feudalismo na *Dinamarca*, embora seus principais beneficiários não tenham sido os senhores de terra, mas os camponeses arrendatários e pequenos proprietários que se sentiram encorajados, após a abolição dos campos abertos, a consolidar suas faixas de terra como propriedades individuais: um processo análogo ao do "encercamento" que tinha praticamente se completado por volta de 1800. As propriedades tendiam a ser divididas em parcelas e vendidas a seus antigos arrendatários, embora a depressão pós-napoleônica, à qual os pequenos proprietários tiveram mais dificuldade de sobreviver do que os arrendatários, tenha desacelerado este processo entre 1816 e cerca de 1830. Por volta de 1865, a Dinamarca era primordialmente um país de proprietários camponeses independentes. Na Suécia, reformas semelhantes, porém menos drásticas, tiveram os mesmos efeitos, de modo que por volta da segunda metade do século XIX o tradicional cultivo comunal, o sistema de faixas de terra, tinha virtualmente desaparecido. As antigas

A TERRA

áreas feudais foram assimiladas ao resto do país, no qual o campesinato livre sempre fora predominante, do mesmo modo que na Noruega (após 1815, parte da Suécia, e, antes, da Dinamarca). Uma tendência a subdividir as fazendas maiores, compensada por uma outra a consolidar a posse, fez-se sentir em algumas regiões. O resultado disso foi que aumentou rapidamente a produtividade da agricultura — na Dinamarca, o número de cabeças de gado duplicou no último quarto do século XVIII[9] —, mas com o rápido crescimento da população um número cada vez maior de camponeses pobres não encontrava emprego. Na segunda metade do século XIX, sua miséria levou ao que foi proporcionalmente o maior movimento de emigração do século (principalmente para o Meio-Oeste americano): da infértil Noruega e, um pouco mais tarde, da Suécia, embora menos da Dinamarca.

2.

Como vimos, na França, a abolição do feudalismo foi obra da Revolução. A pressão camponesa e o jacobinismo levaram a reforma agrária além do ponto em que os baluartes do desenvolvimento capitalista teriam desejado que ela parasse (veja o Capítulo 2-5, 3-3). A França como um todo, portanto, não se tornou nem um país de senhores de terras e trabalhadores agrícolas nem de fazendeiros comerciais, mas em grande parte de vários tipos de proprietários camponeses, que se tornaram o principal amparo de todos os regimes políticos subsequentes que não ameaçaram tomar suas terras. A suposição de que o número de proprietários camponeses aumentou em mais de 50% — de 4 para 6,5 milhões — é velha e plausível, mas não prontamente verificável. Tudo o que sabemos com certeza é que o número destes proprietários não diminuiu e que em algumas áreas aumentou mais do que em outras; mas se o departamento da Mosela, onde aumentou 40% entre 1789 e 1801, é mais típico do que o

A ERA DAS REVOLUÇÕES

departamento normando de Eure, onde permaneceu imutável,[10] é algo que requer um estudo mais detalhado. As condições nos campos eram, em geral, boas. Mesmo em 1847-1848 não houve privação real, exceto entre um setor de assalariados.[11] O fluxo de mão de obra excedente da aldeia para a cidade foi, portanto, pequeno, um fato que ajudou a retardar o desenvolvimento industrial francês.

Na maior parte da Europa latina, nos Países Baixos, na Suíça e na Alemanha Ocidental a abolição do feudalismo foi obra dos exércitos conquistadores franceses, determinados a "proclamar imediatamente em nome da nação francesa... a abolição dos dízimos, do feudalismo e dos direitos senhoriais",[12] ou então de liberais nativos que cooperaram com eles ou neles se inspiraram. Por volta de 1799, a revolução legal tinha, assim, vencido nos países adjacentes ao leste da França e no norte e centro da Itália, frequentemente apenas completando uma evolução já bastante avançada. A volta dos Bourbon depois da abortada revolução napolitana de 1798-1799 adiou-a no sul da Itália continental até 1808; a ocupação britânica manteve-a fora da Sicília, embora o feudalismo fosse formalmente abolido naquela ilha entre 1812 e 1843. Na Espanha, as cortes liberais antifrancesas de Cádiz aboliram o feudalismo em 1811 e certos vínculos em 1813, embora, como era costume fora das áreas profundamente transformadas por uma longa incorporação à França, o retorno dos velhos regimes retardasse a aplicação prática destes princípios. As reformas francesas, portanto, começaram ou continuaram, em vez de terem completado, a revolução legal em áreas como o noroeste da Alemanha a leste do Reno e nas Províncias Ilírias" (Ístria, Dalmácia, Ragusa, mais tarde também a Eslovênia e parte da Croácia), que só vieram a cair sob administração ou dominação francesa depois de 1805.

Entretanto, a Revolução Francesa não foi a única força que impulsionava uma revolução total das relações agrárias. O puro argumento econômico em favor de uma utilização racional da terra tinha impressionado grandemente os déspotas esclarecidos do período pré-revolucionário, e

A TERRA

produzira respostas muito semelhantes. No Império Habsburgo, José II tinha de fato abolido a servidão e secularizado muitas das terras da Igreja na década de 1780. Por motivos semelhantes, e devido a suas persistentes rebeliões, os servos da Livônia russa foram formalmente reconduzidos ao *status* de proprietários camponeses de que tinham desfrutado um pouco antes sob administração sueca. Isso não os ajudou em nada, pois a ganância dos todo-poderosos proprietários de terras logo transformou a emancipação em um mero instrumento de expropriação camponesa. Depois das guerras napoleônicas as poucas garantias legais dos camponeses foram eliminadas, e entre 1819 e 1850 eles perderam no mínimo um quinto de suas terras enquanto os domínios senhoriais cresciam entre 60% e 180%.[13] Elas agora eram cultivadas por uma classe de trabalhadores sem-terras.

Estes três fatores — a influência da Revolução Francesa, o argumento econômico racional dos servidores civis e a ganância da nobreza — determinaram a emancipação dos camponeses na Prússia entre 1807 e 1816. A influência da Revolução foi claramente decisiva, pois seus exércitos tinham acabado de pulverizar a Prússia e assim demonstrado com força dramática o abandono dos velhos regimes que não adotaram métodos modernos, isto é, aqueles padronizados pela França. Como na Livônia, a emancipação combinou-se com a abolição da modesta proteção legal de que o campesinato tinha anteriormente desfrutado. Em troca da abolição do trabalho forçado e das obrigações feudais e por seus novos direitos de propriedade, o camponês se viu obrigado, entre outras perdas, a dar a seu antigo senhor um terço ou a metade de seu antigo pedaço de terra, ou um vultoso equivalente em dinheiro. O longo e complexo processo legal de transição estava longe de ser completado por volta de 1848, mas já era evidente que, enquanto os proprietários de herdades tinham-se beneficiado grandemente e que um número menor de camponeses bem--sucedidos tinham-se beneficiado um pouco, graças a seus novos direitos

A ERA DAS REVOLUÇÕES

de propriedade, o grosso do campesinato estava nitidamente em piores condições, e o número de trabalhadores sem-terras crescia rapidamente.* Economicamente o resultado foi benéfico a longo prazo, embora as perdas tenham sido sérias a curto prazo — como era frequente nas grandes mudanças agrárias. Por volta de 1830-1831, a Prússia voltou a ter o número de cabeças de gado bovino e ovino do início do século, com os proprietários de terras agora possuindo uma porção maior e os camponeses uma porção menor. Por outro lado, aproximadamente durante a primeira metade do século, a área cultivada cresceu bem mais de um terço e a produtividade 50%.[15] A população rural excedente cresceu rapidamente, e já que as condições rurais eram bem ruins — a fome de 1846-1848 foi provavelmente pior na Alemanha do que em qualquer outra parte, exceto na Irlanda e na Bélgica —, esse excedente teve bastante incentivo para emigrar. E, de fato, antes da Fome Irlandesa, os alemães foram o povo que deu a maior quantidade de emigrantes.

Os passos legais efetivos para os sistemas burgueses de propriedade da terra foram dados assim na maior parte, como vimos, entre 1789 e 1812. Suas consequências, fora da França e de algumas áreas adjacentes, fizeram-se sentir muito mais vagarosamente, principalmente devido à força da reação econômica e social após a derrota de Napoleão. Em geral, cada novo avanço do liberalismo fazia as revoluções legais darem mais um passo da teoria à prática, e cada recuperação dos velhos regimes as retardava, principalmente nos países católicos onde a secularização e a venda das terras da Igreja era uma das mais urgentes exigências dos libe-

---

* O surgimento de trabalhadores sem-terra de grandes propriedades foi estimulado pela falta de desenvolvimento industrial local e pela produção de uma ou duas principais safras para a exportação (principalmente cereais). Isto se presta facilmente a tal organização. (Na Rússia, nesta época, 90% das vendas comerciais de cereais vinham das grandes fazendas, e apenas 10% das propriedades camponesas.) Por outro lado, onde o desenvolvimento industrial local criou um mercado *variado* e em expansão para os alimentos produzidos nos campos vizinhos, o camponês ou pequeno fazendeiro levou vantagem. Logo, enquanto na Prússia a emancipação camponesa expropriou o servo, na Boêmia o camponês deu um salto da libertação, depois de 1848, para a independência.[14]

A TERRA

rais. Na Espanha, assim, o triunfo temporário de uma revolução liberal em 1820 trouxe uma nova lei de desvinculação que permitiu aos nobres vender suas terras livremente; a restauração do absolutismo anulou-a em 1823; a nova vitória do liberalismo reafirmou-a em 1836, e assim por diante. Portanto, o volume efetivo de transferências de terras no período que focalizamos foi ainda modesto, até onde podemos medi-lo, exceto em áreas onde um ativo grupo de compradores e especuladores de terras da classe média estava pronto para lançar mão das oportunidades que se lhe apresentavam: na planície de Bolonha, norte da Itália, as terras nobres caíram de 78% do valor total das terras em 1789 para 66% em 1804 e 51% em 1835.[16] Por outro lado, na Sicília, 90% de todas as terras continuaram nas mãos dos nobres até muito mais tarde.[17]*

Havia uma exceção: as terras da Igreja. Estas enormes propriedades, quase invariavelmente mal utilizadas e em ruínas — já se disse que dois terços das terras do Reino de Nápoles, por volta de 1760, eram eclesiásticos[19] —, tinham poucos defensores e muitos lobos rondando à sua volta. Mesmo durante a reação absolutista na Áustria católica, depois do colapso do despotismo esclarecido de José II, ninguém sugeriu a volta das secularizadas e dissipadas terras monásticas. Assim, em uma comuna na Romagna italiana as terras da Igreja caíram de 42,5% da área em 1783 para 11,5% em 1812, mas as terras perdidas pela Igreja passaram não apenas para proprietários burgueses (que aumentaram de 24% para 47%) mas também aos nobres (que aumentaram de 34% para 41%).[20] Consequentemente, não constitui surpresa que mesmo na católica Espanha os governos liberais intermitentes tenham conseguido por volta de 1845 vender mais da metade das terras da Igreja, principalmente nas províncias em que a propriedade eclesiástica estava mais concentrada ou em que o

---

* Há uma afirmação plausível segundo a qual esta poderosa burguesia rural, que, "como classe social, e em substância o guia e regulador da marcha para a unidade italiana", pela sua própria orientação agrária, tendia à doutrina do livre comércio, que conquistou para a unidade italiana muito boa vontade da Grã-Bretanha, mas que também retardou a industrialização italiana.[18]

A ERA DAS REVOLUÇÕES

desenvolvimento econômico era maior (em 15 províncias mais de três quartos de todas as propriedades da Igreja foram vendidos).[21]

Infelizmente, para a teoria econômica liberal, esta redistribuição de terra em larga escala não produziu aquela classe de senhores ou fazendeiros empreendedores e progressistas que confiantemente se esperara. Por que deveria até mesmo um comprador da classe média — um advogado, comerciante ou especulador da cidade — em áreas economicamente não desenvolvidas e inacessíveis envolver-se com os problemas e o investimento necessário para a transformação da terra em uma empresa comercial sólida, em vez de meramente ocupar o lugar, que até então lhe fora vedado, do antigo proprietário nobre ou eclesiástico, cujos poderes ele podia agora exercer preocupado mais com o dinheiro vivo do que com a tradição e os costumes? Em enormes áreas do sul da Europa somou-se assim ao velho um novo e mais duro grupo de "barões". As grandes concentrações latifundiárias foram ligeiramente diminuídas, como no sul da Itália continental, ou não se alteraram, como na Sicília, ou foram mesmo reforçadas, como na Espanha. Em tais regimes a revolução legal reforçou dessa forma o velho feudalismo com um novo; ainda mais que o pequeno comprador, e especialmente o camponês, pouco se beneficiou das vendas de terras. Entretanto, na maior parte do sul da Europa a velha estrutura social permaneceu forte o bastante para tornar até mesmo o pensamento de uma emigração em massa impossível. Os homens e as mulheres viviam onde tinham vivido seus antepassados e, se fossem obrigados, ali morreriam de fome. O êxodo em massa do sul da Itália, por exemplo, só se daria meio século depois.

Mas, mesmo onde os camponeses realmente receberam a terra ou tiveram confirmada a sua posse, como na França, em partes da Alemanha ou na Escandinávia, eles não se transformaram automaticamente, como se esperava, na classe empreendedora de pequenos fazendeiros. E isto pelo simples fato de que, conquanto quisessem a terra, os camponeses raramente queriam uma economia agrária burguesa.

A TERRA

3.

Pois o velho sistema tradicional, embora ineficaz e opressor, era também um sistema de considerável certeza social e, em um nível bastante miserável, de alguma segurança econômica, para não mencionarmos que era consagrado pelo costume e tradição. As fomes periódicas, o peso do trabalho, que faziam os homens se tornarem velhos aos 40 anos de idade e as mulheres aos 30, eram atos de Deus; só se transformaram em atos pelos quais os homens eram considerados responsáveis em tempos de miséria anormal ou de revolução. A revolução legal, do ponto de vista do camponês, não lhe deu nada, exceto alguns direitos legais, mas lhe tomou bastante; por exemplo, na Prússia, a emancipação deu-lhe dois terços ou a metade da terra que ele já cultivava e a libertação do trabalho forçado e de outras obrigações; mas formalmente lhe tomou: sua possibilidade de reivindicar a assistência do senhor feudal em tempos de colheita ruim ou de praga do gado; seu direito de retirar ou comprar combustível barato das florestas do senhor; seu direito à assistência do senhor para reparos ou reconstrução de sua casa; seu direito, no caso de extrema pobreza, de pedir ajuda ao senhor para pagar os impostos; e seu direito de dar de pastar aos animais nos campos do senhor. Para o camponês pobre parecia uma troca nitidamente desfavorável. Aí propriedades da Igreja podiam ser improdutivas, mas é exatamente isto que as recomendava aos camponeses, pois nelas seus costumes tendiam a se transformar em direito consuetudinário. A divisão do campo comum, do pasto e da floresta, com a colocação de cercas, simplesmente retirou do camponês pobre ou do aldeão os recursos e reservas a que ele (ou melhor, ele como parte da comunidade) sentia ter direito. O mercado de terras livres significava que ele provavelmente teria que vender sua terra; e a criação de uma classe rural de empresários, que os mais empedernidos e duros o explorariam em lugar dos antigos senhores ou junto com eles. Além disso, a introdução do liberalismo na terra foi uma espécie de bombardeio silencioso que destruiu a estrutura social em

A ERA DAS REVOLUÇÕES

que sempre habitaram os camponeses, não deixando nada intacto, exceto os ricos: uma solidão chamada liberdade.

Nada mais natural que o camponês pobre ou toda a população rural resistisse da melhor maneira que pudesse, e nada mais natural também que resistisse em nome do velho ideal consuetudinário de uma sociedade justa e estável, isto é, em nome da igreja e do rei legítimo. Se excetuarmos a revolução camponesa da França (e nem mesmo ela foi, em 1789, generalizadamente anticlerical ou antimonárquica), virtualmente todos os movimentos camponeses importantes em nosso período que não foram dirigidos contra um rei ou igreja *estrangeiros* o foram ostensivamente a favor do sacerdote e do governante. Os camponeses do sul da Itália juntaram-se ao subproletariado urbano para fazer uma contrarrevolução social contra os jacobinos napolitanos e os franceses, em 1799, em nome da Sagrada Fé e dos Bourbon; e estes também foram os *slogans* das guerrilhas dos bandoleiros da Apúlia e da Calábria contra a ocupação francesa, como mais tarde contra a unidade italiana. Foram os padres e os heróis-bandoleiros que lideraram os camponeses espanhóis em sua guerra de guerrilha contra Napoleão. A Igreja, o rei e um tradicionalismo tão extremado a ponto de estar deslocado até mesmo no início do século XIX é que inspiraram as guerrilhas carlistas do País Basco, de Navarra, de Castela, de Leão e de Aragão em sua luta implacável contra os liberais espanhóis nas décadas de 1830 e 1840. A Virgem de Guadalupe liderou os camponeses mexicanos em 1810. A Igreja e o imperador é que combateram no Tirol os bávaros e os franceses sob o comando do coletor de impostos Andreas Hofer, em 1809. Foram o czar e a Sagrada Ortodoxia que os russos defenderam em 1812-1813. Os revolucionários poloneses na Galícia sabiam que sua única chance de levantar os camponeses ucranianos era através dos padres da Igreja ortodoxa grega; eles fracassaram, pois os camponeses preferiram o imperador ao cavalheiro. Fora da França, onde o republicanismo ou o bonapartismo haviam conquistado uma importante fração do campesinato entre 1791 e 1815, e onde a Igreja tinha em muitas regiões definhado mesmo antes da Revolução, havia umas poucas áreas — talvez mais claramente aquelas em

CLASSE

1. O monarca absoluto: Luís XVI da França, 1754-1793.

2 e 3. A aristocracia e a pequena nobreza: *(acima)* uma dama e um cavalheiro ingleses a passeio e *(abaixo)* cavalheiros alemães caçando coelhos no início do século XIX.

4. Oficial e cavalheiro: príncipe Augusto da Prússia, trajando uniforme completo.

5 e 6. As classes médias: *(acima)* a família Flaquer da Espanha, no princípio do século XIX, e *(abaixo)* o acadêmico alemão, professor Claassen com sua família, em 1820.

7. A burguesia vitoriosa: a família Stamarty, desenho de Ingres, 1818.

8 e 9. Os intelectuais: (*acima*) o boêmio – autorretrato do artista alemão Karl Blechen, 1836, e (*abaixo*) os estudantes – uma classe revolucionária. Estudantes vianenses na sala da guarda da Universidade de Viena.

10. O financista Nathan Meyer Rothschild (1777-1836), por Dighton na Real Bolsa de Valores.

11. Advogados franceses, por Daumier.

12. O campesinato: insurreição camponesa na Morávia no início do século XIX.

13. Representação estilística dos tártaros maltratando os camponeses russos no início do século XIX.

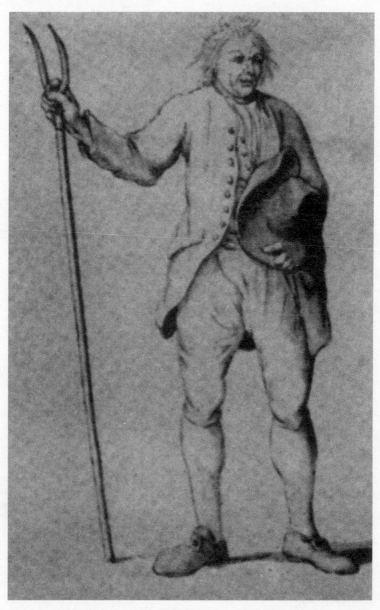
14. Trabalhador agrícola do princípio do século XIX.

15. Dois camponeses russos, em 1823.

16 e 17. *(acima)* Fabricantes de aço de Sheffield; o "Hull", ou oficina de amoladores de lâminas, e o uso do abanador. *(abaixo)* A nova ordem social: o rei Hudson, magnata da ferrovia, recebe a homenagem da velha hierarquia social.

CENÁRIO

18. Vista do princípio da era industrial na Europa: a fumaça do progresso paira sobre as fábricas e os armazéns, invadindo os campos vizinhos enquanto navios a vela são ancorados lado a lado com os primeiros vapores.

19. Cenário da vida de um nobre: Carlton House, originalmente construída para o príncipe regente.

20. O bairro pobre: Church Lane, St. Giles, na década de 1840.

21. Cenário da vida da classe média: interior de Beidemeier, Áustria, na década de 1830.

22. Outro aspecto de St. Giles: o notório cortiço.

23. A cena industrial: a mina de Percy, segundo esboço de G.H. Harris a propósito das minas de carvão em Northumberland e Durnham.

24. Diversões: a visão de Cruikshank sobre os passeios nos jardins de Kensington, em 1829.

25. Diversões: uma parada militar *"unter den Linden"*, em Berlim, 1827.

26. A religião: um aspecto do não conformismo protestante; exterior da capela de Wesley na City Road de Londres; modesta e clássica.

27. O gótico austero do interior da capela de Great Ilford.

28. A catedral de S. Isaac, S. Petersburgo, construída entre 1817 e 1858.

A GUERRA E A REVOLUÇÃO

29. A Revolução Francesa: a tomada da Bastilha em 14 de julho de 1789.

30. Transportes militares subindo para Montmartre em 15 de julho de 1789.

31. O povo entrando no palácio Real das Tulherias em outubro de 1789.

32. "A Marselhesa", escrita por Rouget de Lisle, em 25 de abril de 1792, como marcha para as tropas de Marselha, tornou-se a mais popular canção da Revolução Francesa, sendo hoje o hino nacional francês.

33. Um modelo da guilhotina. Foi primeiro usada na França em 1791, sob o comando do Dr. Joseph Ignace Guillotin, como um substituto humanitário para o método mais rude da decapitação por espada ou machado. O próprio Dr. Guillotin morreu na guilhotina durante o Reinado do Terror.

34. A rainha Maria Antonieta a caminho da execução, esboço do famoso pintor jacobino J. L. David.

35. Robespierre, 1758-1794, foi, em grande parte, responsável pelo Reinado do Terror. Com inimigos de ambos os lados, foi denunciado na Convenção Nacional, preso e executado após um julgamento sumário em 28 de julho de 1794.

36. Marat, 1743-1793, foi uma forte liderança extremista durante a Revolução. Ajudou a provocar a queda dos girondinos. Foi assassinado em sua banheira por Charlotte Corday.

37. Danton, 1759-1794, conduziu a revolta das Tulherias em 1792. Fora durante certo tempo chefe do Comitê de Salvação Pública. Acabou banido por Robespierre e guilhotinado.

38. Saint-Just, 1756-1794, propôs uma ditadura como a única solução para as doenças do homem e para o turbilhão que se encontrava a sociedade. Foi guilhotinado em 28 de julho de 1794.

39. Mirabeau, 1749-1701, tentou uma monarquia constitucional. Prevendo a violência posterior, procurou em vão detê-la, mas sempre conservou sua popularidade.

40. As guerras da revolução, em versão idealizada: a morte do general Marceau em 21 de setembro de 1796. Notem-se o herói fenecendo e os homens fortes tomados pela dor.

41. A guerra sem idealização: soldados franceses a ponto de matarem os espanhóis, "Com ou Sem Razão", da série Os Desastres da Guerra, de Goya, 1863.

42. A Guerra Napoleônica: a campanha russa vista, como de costume, pelo artista oficial. Os couraceiros franceses atacando na batalha de Moscou, em 1812.

43. O mito secular: a famosa idealização por Jean Louis David de Napoleão Bonaparte atravessando os Alpes, nos moldes de Aníbal e Carlos Magno, transforma-o em super-homem.

44 e 45. A revolução, a guerra e a expansão: *(acima)* a independência venezuelana é proclamada em Caracas em 1821. *(abaixo)* Rebeldes poloneses um tanto romantizados, forçados à emigração após a derrota na revolta de 1830-1831.

46. Diplomacia de canhoneira: a Marinha Britânica abre a China à investida da econômica ocidental na primeira Guerra do Ópio de 1840-1842. A canhoneira Nemesis aparece aqui na Baía de Anson, em 7 de janeiro de 1841.

47, 48 e 49. A difusão da revolução: (*acima, à esquerda*) Mohammed Ali, governante do Egito e pioneiro da descoberta de que os Estados não europeus podem sobreviver melhor se adotarem o equipamento tecnológico e econômico do Ocidente. (*abaixo, à esquerda*) Retrato do jovem Giuseppe Mazzini, 1805-1872, apóstolo do nacionalismo italiano, o mais típico de uma grande variedade de movimentos nacionalistas. (*acima*) Toussaint Louverture, 1745-1803, líder da bem-sucedida revolução dos escravos no Haiti e o primeiro grande revolucionário negro dos tempos modernos.

50. O povo ateando fogo ao trono, em 1848, ao pé da Coluna de Julho.

51. Um popular, armado, Viena, 1848.

52. Homens da Garde Mobile: uma força que cresceu a partir da revolução de 1849. Ela atraiu homens de todas as classes da estrutura social.

53. Apoteose da revolução pós-napoleônica: a famosa pintura de Delacroix simboliza não só a Revolução Francesa de 1830, mas toda a era e a concepção romântica da revolta.

MONUMENTO DO TRIUNFO

54. Clássico e funcional: a pedra e o ferro comemoram os vitoriosos da idade da revolução. Na década de 1830, o triunfal arco dórico anuncia a estação da estrada de ferro de Euston, em Londres, com uma pompa maciça e racional.

55 e 56. *(acima)* A ponte suspensa de Isambard Kingdom Brunel, iniciada em 1836, estende-se sobre a garganta Clifton com a soberba arrogância do triunfo técnico. *(abaixo)* Fachada do Museu Britânico, Londres (1842-1847), expressando a fé do poderoso classicismo tradicional no conhecimento.

57. O Arco do Triunfo em Paris celebrou a vitória de Napoleão com autodramatização e um toque de vulgaridade adequado ao mundo dos homens que se fizeram por si mesmos. O quadro mostra o enterro das cinzas de Napoleão em 15 de dezembro de 1840.

OS DERROTADOS

58. Os derrotados não têm direito a monumentos arquitetônicos: prisão de conspiradores da rua Cato, um grupo de rebeldes ingleses, 1819.

59 e 60. *(acima)* O massacre de Peterloo, Manchester, 1819. *(abaixo)* O criminoso famoso, objeto de admiração aterrorizada entre os pobres, é celebrado em numerosos cartazes.

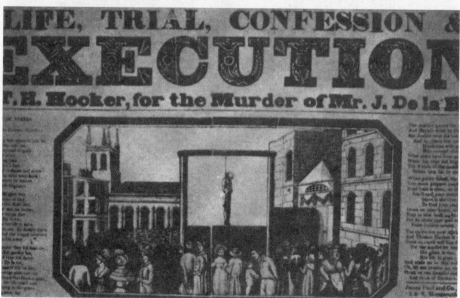

61. Refúgio de pobres: ala masculina de um abrigo de indigentes.

62 e 63. (*acima*) Nem mesmo esta estampa contemporânea de um funeral em Skibbereen pode expressar o horror da Fome Irlandesa de 1847. (*abaixo*) Uma gravura de acorrentados em Hobart. Condenados comuns e políticos são transportados da Grã-Bretanha para terras distantes.

O CLÁSSICO E O ROMÂNTICO

64. O estilo da arquitetura romântica era neogótico, conservador, medieval e frequentemente religioso. O monumento a Walter Scott em Edimburgo comemora essa nostalgia por um passado desaparecido ou em vias de desaparecimento.

65. A classe média liberal ainda preferia o classicismo para sua face oficial arquitetônica. Parece adequado que a Bolsa de Paris tivesse escolhido esse estilo.

66. Os gostos clássico e romântico em artigos de luxo divergiam. O indefinido rodopio da bailarina Fanny Elssler simboliza a preferência romântica.

67. Por outro lado, a clássica dama encara o mundo com precisão aguçada quanto ao vestuário, inspirado na antiguidade clássica, conforme interpretada pela Revolução Francesa. Quadro de J.L. David, Madame Recamier.

68 e 69. *(acima)* O cavalo clássico – adequadamente um cavalo de corrida, "Molly Longlegs", pertencente a um aristocrata inglês e pintado com apurada elegância por Stubbs – frente ao cavalo romântico. *(abaixo)* Este animal, em um quadro de Delacroix, é uma força da natureza, um símbolo de ilimitado poder, paixão e liberdade, contra um fundo de tormentas.

70 e 71. Como de costume, a linguagem predominante na arquitetura permanece sendo clássica. (*acima*) Paisagem de Berlim, Unter den Linden, estruturada pelo gênio neoclássico de Schinkel. (*abaixo*) Cenário para o primeiro ato de Otelo, de Rossini, projetado por Schinkel para a Ópera de Berlim.

72.73. A pintura, por outro lado, é a linguagem que se presta com exatidão aos românticos. (*acima*) Caspar David Friedrich, prussiano convertido ao catolicismo, expressa a solidão, a nostalgia e os mistérios da natureza entre símbolos de eternidade e imprecisão, enquanto (*abaixo*) a idealização e os sonhos exóticos fornecem uma saída para a vida real.

74 e 75. O exotismo contrasta com as realidades da vida. (*acima*) A fábrica Swainson & Cia., próxima de Preston, é rigidamente funcional. (*abaixo*) Joseph Wright, de Derby, idealizando seu povo, inspira-se diretamente através de apuradas observações dos processos industriais; criou o quadro *A forja de ferro*.

76. *O mercado dos escravos*, de Hotace Vernet (1836), é o descanso do fatigado homem de negócios, tornado socialmente aceitável sob o rótulo de "belas artes". A mulher branca representa uma luxuriante versão do ideal feminino de acanhamento e abandono das décadas de 1830 e 1840.

77 e 78. Uma forma menos burguesa de exotismo – e uma arte bem mais séria – reflete-se nas odaliscas argelinas de Delacroix; 1834. (*abaixo*) Para contraste, (*acima*) o verdadeiro encontro do Ocidente com o Oriente visto pelos orientais: oficiais britânicos sendo entretidos em uma dança na Índia, antes que a chegada do homem branco e a revolta indiana segregassem as duas raças.

A CIÊNCIA E A INDÚSTRIA

79 e 80. *(acima)* Rocket, de George Stepherson, demonstrava a praticabilidade da ferrovia movida a vapor em 1829. *(abaixo)* Um modelo do navio a vapor P.S. Britannia.

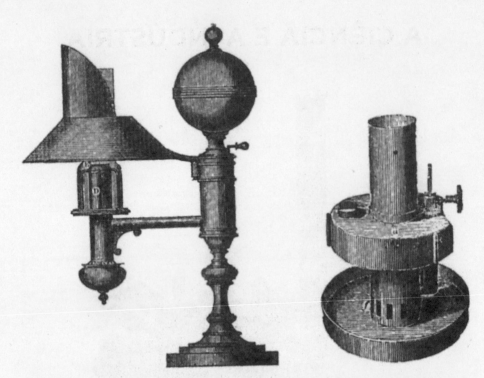

81. A lâmpada a óleo de Argand (1784) foi o primeiro avanço revolucionário na iluminação artificial desde os tempos pré-históricos. Foi desenvolvida por um químico suíço com experiência adquirida na França e treinado na Inglaterra. A lâmpada química de Argand aparece à direita.

82. Ainda mais revolucionária foi a lâmpada a gás, usada pela primeira vez em 1805 em uma fábrica, e em Pall Mall, para iluminar as ruas.

83. A fabricação de gás foi fundamentalmente um amplo processo de laboratório. Com ele, a ciência moderna entra na indústria de uma maneira (literalmente) mais visível. Por um lado, o cientista e o engenheiro; por outro, o trabalhador não qualificado em um cenário de suor e drama, conforme mostrado em *Desenhando retortas no grande estabelecimento de gás*, Brick Lane.

84. A nova tecnologia tornou possível, por exemplo, a construção do túnel Tâmisa (1825-1843) entre Rotherhithe e Wapping. Como tantos outros empreendimentos ousados, foi obra de Isambard Kingdom Brunel.

85. A nova indústria traz a nova loja com sua enorme vitrine de espelhos.

86. Também forneceu os meios para uma revolução da arquitetura realizada pioneiramente pelos engenheiros. A Casa das Palmeiras, de Decimus Burton, no Jardim Botânico, em Kew, foi uma ousada experiência em vidro e ferro, antecipando em um século os modernos hangares de aviões. Sua beleza é funcional.

87. O velho contrasta com o novo. As elegantes carruagens dos correios, como a de Brighton, vistas aqui em frente aos Correios de Londres (1814), eram a última palavra em rapidez e facilidade de transporte, e foram muito melhoradas durante as últimas décadas. Passaram a correr em estradas de cascalho (macadame), construídas pelos grandes engenheiros civis como Telford e Macadam.

88. A nova ferrovia tornou as carruagens imediatamente obsoletas. Nos arredores da Baía de Nápoles, que não era conhecida por ser um berço do progresso técnico, foi inaugurada em 1849 a primeira ferrovia italiana de Nápoles a Portici.

89. Para o sofrido trabalhador, a indústria não era um triunfo, mas um fardo. As ilustrações da Real Comissão sobre o Emprego de Crianças (Minas), 1842, dispensam comentários.

90. As mulheres e as crianças formavam a mão de obra mais barata e dócil e foram, portanto, empregadas em grande escala. Nos trabalhos pesados das minas não, eram presença comum, e portanto, vê-lá ali era mais chocante.

91. (*acima*) A polaina de Whitworth, 1842. (*abaixo*) Um exemplo de tear comum por volta de 1830, acionado a motor.

92 e 93. Os triunfos da pesquisa estavam protegidos do sofrimento da massa. (*acima*) Michael Faraday demonstra suas descobertas em uma conferência no Instituto Real, em 1846. (*abaixo*) A sala de minérios o globo do poeta Goethe.

RETRATOS

95. Alexander Sergeivich Pushkin, 1799-1831, o maior poeta da língua russa.

94. Alexander von Humboldt, 1789-1859, viajante e cientista de renome internacional.

96. Ludwig van Beethoven, 1770-1827. Inspirado pelo liberalismo revolucionário da época, trabalhou incessantemente para aumentar seu domínio e o desenvolvimento dos meios musicais que corresponderiam à sagacidade de espírito e à profundidade emocional de sua alma tempestuosa.

97. Johan Wolfgang von Goethe, 1749-1832, grande figura da literatura alemã e homem de gênio universal. Viveu o ideal do conhecimento humano – devotado à melhoria da humanidade – bem como o representou em sua obra *Fausto*.

98. George Wilhelm Friedrich Hegel, 1770-1831, em cuja obra a filosofia clássica alemã atingiu seu ponto máximo.

99. Autorretrato do pintor espanhol Francisco de Goya y Lucientes, 1746-1828.

100. Charles Dickens, 1812-1870 – romancista inglês. Sua obra é marcada por uma combinação maravilhosamente rica de sátira, caricatura, sentimento e humor, e por um firme conhecimento da sociedade de seu período.

101. Honoré de Balzac, 1799-1850, é considerado o maior dos romancistas franceses. Sendo tanto analítico quanto científico, coloca as paixões humanas sob o microscópio. Sua influência é imensurável.

A TERRA

que a Igreja era um governante estrangeiro de há muito odiado, como na Romagna Papal e na Emília — em que existia o que nós hoje chamaríamos de agitação camponesa de esquerda. E até mesmo na França, a Bretanha e a Vendeia permaneceram fortalezas do bourbonismo popular. O fato de os camponeses europeus não se insurgirem junto com os jacobinos e os liberais, quer dizer, com os advogados, os lojistas, os administradores de fazendas, os funcionários civis e os proprietários de terras, condenou ao fracasso as revoluções de 1848 nos países em que a Revolução Francesa não lhes tinha dado a terra; e onde ela lhes dera, seu medo conservador de perdê-la ou o seu contentamento mantiveram-nos igualmente inativos.

É claro que os camponeses não se levantaram em defesa do rei verdadeiro, a quem eles mal conheciam, mas do ideal do rei justo que bastaria ser informado das transgressões de seus lordes e súditos para imediatamente puni-los; mas frequentemente tinham-se levantado em defesa da verdadeira Igreja, pois o padre da aldeia era um deles, os santos certamente eram deles e de ninguém mais, e até mesmo as dilapidadas propriedades eclesiásticas eram, às vezes, de senhores mais toleráveis do que o leigo ávido. Onde o campesinato tinha terras e era livre, como no Tirol, em Navarra, ou (com a ausência de um rei) nos cantões católicos da Suíça original, ou seja, na terra de Guilherme Tell; seu tradicionalismo foi uma defesa da sua relativa liberdade contra a usurpação do liberalismo. Onde ele não tinha terras, era mais revolucionário. Qualquer apelo para resistir a conquista estrangeira e burguesa, fosse feito por um rei, um padre ou qualquer outra pessoa, tinha possibilidade de produzir não somente a pilhagem das casas dos homens e dos advogados nas cidades, como também a marcha cerimonial (com tambores e insígnias dos santos) para ocupar e dividir a terra, o assassinato de senhores feudais, o estupro de suas mulheres e a queima de documentos legais. Pois certamente era contra o verdadeiro desejo de Cristo e do rei que o camponês fosse pobre e sem-terras. Foi esta sólida base de intranquilidade sociorrevolucionária que fez dos movimentos camponeses nas áreas de servidão e de grandes fazendas, ou nas áreas de propriedades extremamente pequenas e subdi-

A ERA DAS REVOLUÇÕES

vididas, um aliado tão incerto da reação. Tudo o que eles necessitavam para passar de uma agitação formalmente legalista para uma formalmente esquerdista era a consciência de que o rei e a Igreja tinham-se passado para o lado dos ricos locais, além de um movimento revolucionário de homens como eles, que falassem sua própria linguagem. O radicalismo populista de Garibaldi foi talvez o primeiro destes movimentos, e os bandoleiros napolitanos saudaram-no com entusiasmo, ao mesmo tempo que continuavam saudando a Sagrada Igreja e os Bourbon. O marxismo e o bakuninismo seriam ainda mais eficazes. Mas a passagem política da rebelião camponesa da direita para a esquerda mal começara antes de 1848, pois o grande impacto da economia burguesa sobre a terra, que transformaria a endêmica rebeldia camponesa em uma rebeldia epidêmica, realmente só começou a se fazer sentir após a metade do século, e especialmente durante e depois da grande depressão agrária de 1880.

4.

Em grandes partes da Europa, como vimos, a revolução legal veio como algo imposto de fora e de cima, uma espécie de terremoto artificial em vez de deslizamento de terra há muito solta. Isto foi mais óbvio ainda nos lugares onde ela foi imposta a uma economia totalmente não burguesa conquistada por uma economia burguesa, como na África e na Ásia.

Assim, na Argélia, os conquistadores franceses encontraram uma sociedade caracteristicamente medieval com um sistema razoavelmente florescente e firmemente estabelecido de escolas religiosas — já se disse que os soldados camponeses franceses eram menos alfabetizados do que os povos que eles conquistavam[22] — financiadas pelas numerosas fundações religiosas.* As escolas foram consideradas meramente como creches

---

* Estas terras correspondem às terras doadas à Igreja, com fins rituais e de caridade, nos países cristãos medievais.

A TERRA

de superstição e foram fechadas; permitiu-se que as terras religiosas fossem compradas por europeus que não entendiam seu propósito nem sua inalienabilidade legal; e os professores, normalmente membros das poderosas irmandades religiosas, emigraram para as áreas não conquistadas onde fortaleceram as forças da revolta sob a liderança de Abd-el-Kader. Começou então a sistemática passagem da terra à simples propriedade privada alienável, embora seus efeitos totais somente viessem a ser sentidos muito mais tarde. De fato, como poderia o liberal europeu entender a complexa teia de direito coletivo e privado que evitava que a terra, em uma região como Kabília, sucumbisse em uma anarquia de diminutas faixas e fragmentos com figueiras possuídas individualmente?

Por volta de 1818, a Argélia mal tinha sido conquistada. Vastas áreas da Índia já eram então diretamente administradas pelos britânicos há mais de uma geração. Visto que nenhum grupo de colonos europeus desejava adquirir terra indiana, não surgiu qualquer problema de expropriação pura e simples. O impacto do liberalismo sobre a vida agrária indiana foi, em primeira instância, uma consequência da busca dos governantes britânicos de um método eficaz e conveniente de tributação sobre a terra. Foi sua combinação de ganância e individualismo legal que produziu a catástrofe. Os direitos de posse territorial da Índia pré-britânica eram tão complexos como em qualquer sociedade tradicional porém não tão estagnada que se deixasse periodicamente ser invadida por conquistadores estrangeiros, mas repousavam, de maneira genérica, em dois firmes pilares: a terra pertencia — *de jure* ou *de facto* — a coletividades autogovernadas (tribos, clãs, comunas de aldeias, irmandades etc.), e o governo recebia uma porcentagem de sua produção. Embora algumas terras fossem de certa forma alienáveis, e algumas relações agrárias pudessem ser interpretadas como arrendamentos e alguns pagamentos rurais como renda, não havia de fato nem senhores feudais, nem arrendatários, nem propriedade individual da terra ou arrendamento no sentido inglês. Era uma situação totalmente desagradável e incompreensível para os governantes e administradores britânicos, que então trataram de inventar a organização

A ERA DAS REVOLUÇÕES

rural com que estavam familiarizados. Em Bengala, a primeira grande área sob domínio direto britânico, o imposto territorial era cobrado por uma espécie de arrecadador fiscal ou agente comissionado, o zemindar. Teria sido este, com certeza, o equivalente do senhor de terras britânico, que pagava impostos avaliados (como no contemporâneo imposto territorial inglês) sobre o total de suas propriedades, a classe através da qual a cobrança de impostos devia ser organizada, cujo interesse econômico sobre a terra deveria introduzir melhoramentos em sua exploração, e cuja estabilidade derivava do apoio de um regime estrangeiro? Escreveu *Lord* Teignmouth na Minuta de 18 de junho de 1789 que delineou o "Ajuste Permanente" da tributação da terra em Bengala: "Considero os zemindares proprietários do solo, a cuja posse têm direito por herança (...). O privilégio de dispor da terra pela venda ou hipoteca decorre deste direito fundamental (...)."[23] Algumas variedades do chamado sistema zemindar foram aplicadas a cerca de 19% da área da Índia posteriormente conquistada pelos britânicos.

A ganância e não a conveniência ditou o segundo tipo de sistema de tributos, que finalmente foi aplicado a uma região que correspondia a pouco mais da metade da Índia britânica, o *Ryotwari*. Aqui os governantes britânicos, considerando-se os sucessores de um despotismo oriental que, em sua visão não totalmente ingênua, foi o supremo senhor de *toda* a terra, tentaram a hercúlea tarefa de fazer uma avaliação individual de impostos para cada camponês, considerando-o um pequeno proprietário ou, antes, um arrendatário. O princípio que norteava esse método, expresso com a habitual clareza do funcionário hábil, era o liberalismo agrário em sua forma mais pura. Ele exigia, nas palavras de Goldsmid e Wingate, "a limitação da responsabilidade conjunta a alguns casos em que os campos são possuídos em comum ou tenham sido subdivididos por coerdeiros; a identificação da propriedade no terreno; total liberdade do proprietário para subarrendar ou vender suas terras; e facilidades para efetuar vendas ou transferências de terra, pela avaliação separada

A TERRA

dos campos".[24] A comunidade de aldeia era inteiramente ignorada, a despeito das fortes objeções da Câmara Fiscal de Madras (1808-1818), que corretamente considerava bem mais realistas os ajustes coletivos de impostos com as comunidades de aldeia, enquanto também (e muito caracteristicamente) as defendia como a melhor garantia da propriedade privada. O doutrinarismo e a ganância venceram, e "a bênção da propriedade privada" foi concedida ao campesinato indiano.

Suas desvantagens eram tão óbvias que os ajustes de terras das partes subsequentemente conquistadas ou ocupadas do norte da Índia (que cobriam cerca de 30% da área posterior da Índia britânica) voltaram ao sistema zemindar modificado, mas com algumas tentativas de reconhecimento das coletividades existentes, mais notadamente no Punjab.

A doutrina liberal juntou-se a uma imparcial capacidade para dar mais uma volta no parafuso que apertava os camponeses: aumentou-se violentamente o peso dos tributos. (O imposto territorial de Bombaim foi mais do que duplicado nos primeiros quatro anos após a conquista da província em 1817-1818.) A doutrina do arrendamento de Malthus e Ricardo tornou-se a base da teoria de tributos indianos, através da influência do líder utilitarista James Mill. Esta doutrina considerava o imposto sobre a propriedade territorial como um simples excedente, que nada tinha a ver com o valor, e surgiu simplesmente porque algumas terras eram mais férteis do que outras, sendo encampada, com resultados cada vez mais perniciosos para toda a economia, pelos grandes proprietários de terras. Portanto, confiscar toda a terra não tinha qualquer efeito sobre a riqueza de um país, exceto talvez evitar o crescimento de uma aristocracia proprietária de terras capaz de manter prósperos homens de negócio como reféns. Em um país como a Grã-Bretanha, a força política dos interesses agrários teria impossibilitado uma solução tão radical — que equivalia a uma virtual nacionalização da terra —, mas na Índia o poder despótico de um conquistador ideológico podia impô-la. É consenso geral que, neste particular, confrontavam-se duas linhas de pensamento liberais. Os

A ERA DAS REVOLUÇÕES

administradores do partido *Whig* no século XVIII e os interesses comerciais mais antigos partilhavam o ponto de vista do senso comum segundo o qual os pequenos proprietários ignorantes e operando quase em nível de subsistência jamais acumulariam capital agrário para impulsionar a economia. Portanto, defenderam "Ajustes Permanentes" do tipo do de Bengala, que estimulou uma classe de grandes proprietários de terras, fixou níveis de impostos para sempre (isto é, a uma taxa decrescente), encorajando assim a poupança e o investimento. Os administradores utilitaristas, encabeçados pelo temível Mill, preferiam a nacionalização da terra e uma massa de pequenos arrendatários ao perigo de uma outra aristocracia de proprietários de terras. Se a Índia tivesse uma semelhança mínima com a Grã-Bretanha, a fórmula liberal certamente teria sido irresistivelmente mais persuasiva (depois do motim indiano de 1857, ela se impôs por razões políticas). Mas, como não tinha, ambas as visões eram igualmente irrelevantes para a agricultura indiana. Além do mais, com o desenvolvimento da revolução industrial na metrópole, os interesses setoriais da velha Companhia das Índias Orientais (a Índia, entre outras coisas, viria a ser uma colônia razoavelmente florescente para explorar) estavam cada vez mais subordinados aos interesses gerais da indústria britânica (que era, acima de tudo, manter a Índia como mercado, uma fonte de renda, não como um competidor). Consequentemente, teve preferência a política utilitarista, que assegurava o estrito controle britânico e uma colheita de impostos sensivelmente mais alta. O limite pré-britânico tradicional de tributação era de um terço da renda; a base padrão da avaliação britânica era da metade. Só depois que o utilitarismo doutrinário levou ao óbvio empobrecimento e à Revolta de 1857 é que a tributação foi reduzida a um nível menos extorsivo.

A aplicação do liberalismo econômico à terra indiana não criou nem um grupo de grandes proprietários esclarecidos nem um campesinato forte. Simplesmente introduziu um outro elemento de incerteza, uma outra teia complexa de parasitas e exploradores da aldeia (por exem-

A TERRA

plo os novos funcionários britânicos),[25] uma considerável mudança e concentração da propriedade e um crescimento da dívida e da pobreza camponesas. No distrito de Cawnpore (Uttar Pradesh), mais de 84% das propriedades eram de proprietários hereditários na época em que a Companhia das Índias Orientais assumiu o controle da situação. Por volta de 1840, 40% de todas as propriedades tinham sido compradas por seus donos, e, por volta de 1872, 62,6%. Além disso, das mais de 3.000 propriedades ou aldeias — aproximadamente três quintos do total — transformadas pelos donos originais em três distritos das províncias do noroeste (Uttar Pradesh) por volta de 1846-1847, mais de 750 tinham sido transferidas para agiotas.[26]

Há muito o que dizer em favor do sistemático despotismo esclarecido dos burocratas utilitaristas que construíram o domínio britânico neste período. Eles trouxeram a paz, um grande desenvolvimento para os serviços públicos, eficiência administrativa, uma legislação de confiança e um governo sem corrupção nos altos escalões. Mas, economicamente, fracassaram da maneira mais sensacional. De todos os territórios sob administração de governos europeus ou de governos do tipo europeu, inclusive a Rússia czarista, a Índia era o que se via perseguido pelas epidemias de fome mais gigantescas e mortíferas, talvez — embora as estatísticas sejam falhas em relação ao período inicial — cada vez piores à medida que o século passava.

A única outra grande área colonial (ou ex-colonial) onde foram feitas tentativas de aplicação da lei liberal sobre a terra foi a América Latina, onde a velha colonização feudal dos espanhóis jamais demonstrou qualquer preconceito contra a posse indígena fundamentalmente coletiva e comunal da terra, desde que os colonizadores brancos pudessem abocanhar a terra que quisessem. Os governos independentes, entretanto, procederam à liberalização nos moldes das doutrinas de Bentham e da Revolução Francesa que os inspiraram. Assim, Bolívar decretou a individualização da terra comunitária no Peru (1824) e a maioria das repúblicas aboliu os vínculos

A ERA DAS REVOLUÇÕES

à maneira dos liberais espanhóis. A liberação das terras dos nobres pode ter levado a alguma redistribuição e dispersão das propriedades, embora a grande *hacienda* (estância, finca, fundo) continuasse sendo a unidade dominante da propriedade de terra na maioria das repúblicas. O ataque contra a propriedade comunal continuou muito ineficiente. De fato, ele não foi realmente desfechado com seriedade antes de 1850, e a liberalização da economia política continuou tão artificial quanto a liberalização do sistema político. Em substância, os parlamentos, as eleições, as leis territoriais etc. pouco mudaram o continente.

5.

A revolução da propriedade de terras foi o aspecto político do rompimento da tradicional sociedade agrária; sua invasão pela nova economia rural e pelo mercado mundial, o aspecto econômico. No período de 1787 a 1848, essa transformação econômica foi ainda imperfeita, como se pode medir pelas modestíssimas taxas de emigração. As ferrovias e os navios a vapor mal tinham começado a criar um único mercado mundial agrícola quando da grande depressão agrária do final do século XIX. A agricultura local era, portanto, grandemente protegida da competição internacional ou até mesmo interprovincial. A competição industrial pouco efeito produzia sobre os inúmeros ofícios de aldeia ou manufaturas domésticas, exceto talvez o de direcioná-los para a produção para mercados maiores. Os novos métodos agrícolas — fora das áreas de agricultura capitalista bem-sucedida — eram lentos para penetrar na aldeia, embora as novas culturas industriais, notadamente o açúcar de beterraba, que se difundiu em consequência da discriminação napoleônica contra a cana-de-açúcar (britânica) e as novas culturas de alimentos (também britânicos), principalmente o milho e a batata, fizessem surpreendentes avanços. Era preciso uma extraordinária conjuntura econômica, tal como

A TERRA

a proximidade imediata de uma economia altamente industrial e a inibição do desenvolvimento normal, para produzir um verdadeiro cataclismo em uma sociedade agrária por meios puramente econômicos.

Esta conjuntura de fato existia, e este cataclismo de fato ocorreu na Irlanda e, até certo ponto, na Índia. O que aconteceu na Índia foi simplesmente a virtual destruição, em algumas décadas, do que tinha sido uma florescente indústria doméstica e de aldeia que suplementava os rendimentos rurais; em outras palavras, a desindustrialização da Índia. Entre 1815 e 1832, o valor das exportações de produtos de algodão da Índia caiu de 1,3 milhão de libras para menos de 100.000 libras, enquanto a importação de produtos de algodão britânicos aumentou 16 vezes. Em 1840, um observador já protestava contra os desastrosos efeitos da transformação da Índia na "fazenda agrícola da Inglaterra; ela é um país manufatureiro, suas manufaturas de várias espécies existem há anos e nunca qualquer outra nação pôde competir com elas quando o jogo era limpo (...). Reduzi-la agora a um país agrícola seria uma injustiça para com a Índia".[27] A descrição era enganadora, pois um certo fermento manufatureiro constituía, na Índia como em muitos outros países, parte integrante da economia agrícola em muitas regiões. Consequentemente, a desindustrialização fez a própria aldeia camponesa mais dependente da sorte exclusiva e flutuante da colheita.

A situação na Irlanda era mais dramática. Aqui, uma população de pequenos arrendatários economicamente atrasados, extremamente inseguros e praticando uma agricultura de subsistência pagava rendas altíssimas a um pequeno grupo de proprietários de terras estrangeiros, geralmente ausentes e que não cultivavam a terra. Exceto no nordeste (Ulster), o país tinha de há muito sido desindustrializado pela política mercantilista do governo britânico colonialista e, mais tarde, pela competição da indústria britânica. Uma simples inovação técnica — a substituição pela batata dos tipos anteriormente prevalecentes de agricultura — tornara possível um grande aumento da população, pois um acre de terra plantado com ba-

A ERA DAS REVOLUÇÕES

tatas pode alimentar muito mais gente do que um acre dedicado a pasto ou outros tipos de cultura. A demanda dos proprietários de terra por um número máximo de rendeiros que lhes proporcionassem dividendos e também, mais tarde, por uma força de trabalho para cultivar as novas fazendas que exportavam alimentos para o crescente mercado britânico encorajou a multiplicação de minúsculas propriedades: em 1841, em Connacht, 64% de todas as propriedades maiores tinham menos de cinco acres, sem contar o número desconhecido de propriedades anãs com menos de um acre. Assim, durante o século XVIII e princípios do século XIX, a população se multiplicou nestas faixas de terra, vivendo à base de 10-12 libras de batata por dia para cada pessoa e — pelo menos até a década de 1820 — à base de leite e de um pedaço ocasional de peixe; uma população cuja pobreza não tinha paralelo na Europa ocidental.[28]

Visto que não havia emprego alternativo — pois a industrialização estava excluída —, o resultado dessa evolução era matematicamente previsível. Quando a população tivesse crescido até os limites do último pequeno pedaço de terra plantado de batatas haveria uma catástrofe. Logo após o fim das guerras francesas, os sinais de avanço dessa catástrofe apareceram. A escassez de alimentos e as enfermidades epidêmicas começaram uma vez mais a dizimar um povo cujo descontentamento agrário em massa é muito facilmente explicável. As más colheitas e as doenças das plantações na metade da década de 1840 forneceram apenas o pelotão de fuzilamento para um povo já condenado. Ninguém sabe, ou jamais saberá precisamente, o custo humano da Grande Fome Irlandesa de 1847, que foi, de longe, a maior catástrofe humana da história europeia no período que focalizamos. Estimativas grosseiras permitem supor que perto de 1 milhão de pessoas morreram de fome e que outro tanto emigrou da ilha entre 1846 e 1851. Em 1820, a Irlanda tinha pouco menos de 7 milhões de habitantes. Em 1846, talvez tivesse 8,5 milhões. Em 1851, estava reduzida a 6,5 milhões de habitantes e, desde então, sua população tem decrescido constantemente com a emigração. "*Heu*

A TERRA

dira fames! Heu saeva hujus memorabilis anni pestilentia!,*[29] escreveu um pregador de paróquia, empregando o tom dos cronistas da era das trevas, naqueles meses em que nenhuma criança foi batizada nas paróquias de Galway e Mayo, simplesmente porque não nasceram crianças.

A Índia e a Irlanda eram talvez os piores países para um camponês viver entre 1789 e 1848, mas ninguém que pudesse fazer uma escolha tampouco teria desejado ser trabalhador de fazenda na Inglaterra. Há um consenso geral de que a situação desta classe infeliz se deteriorou marcadamente depois da metade da década de 1790, em parte devido às forças econômicas, em parte com o pauperizante "Sistema de Speenhamland" (1795), uma tentativa bem-intencionada, mas errada, de garantir ao trabalhador um salário mínimo. Seu principal efeito foi o de desmoralizar os trabalhadores e encorajar os fazendeiros a baixar os salários. As débeis e ignorantes manifestações de revolta dos trabalhadores podem ser medidas pelo aumento das infrações contra as leis do jogo na década de 1820, por incêndios culposos e violações da propriedade nas décadas de 1830 e 1840, mas acima de tudo pelo desesperado "levante dos últimos trabalhadores", uma epidemia de rebelião que se difundiu espontaneamente, a partir de Kent, por inúmeros condados no fim de 1830 e que foi selvagemente reprimida. O liberalismo econômico se propôs a solucionar o problema dos trabalhadores de sua maneira usual, brusca e impiedosa, forçando-os a encontrar trabalho a um salário vil ou a emigrar. A *Nova Lei dos Pobres* de 1834, um estatuto de insensibilidade incomum, deu aos trabalhadores o auxílio-pobreza somente dentro das novas *workhouses*** (onde tinham de se separar da mulher e dos filhos para desestimular o hábito sentimental e não malthusiano de procriação impensada) e retirou a garantia paroquial de uma manutenção mínima.

---

* Citação latina: em latim no original: "Infeliz e calamitosa fome! Infeliz e cruel pestilência deste ano memorável." (*N.T.*)

** *Workhouses*: uma casa, quase de detenção, onde eram abrigados os desempregados e os pobres aptos ao trabalho (resultado das leis contra a vagabundagem). (*N.T.*)

A ERA DAS REVOLUÇÕES

O custo da lei dos pobres decresceu drasticamente (embora no mínimo 1 milhão de britânicos permanecessem pobres até o fim de nosso período), e os trabalhadores começaram lentamente a se mover. Visto que a agricultura estava em depressão, sua situação continuou sendo muito miserável e não melhorou substancialmente até a década de 1850.

Os trabalhadores de fazenda eram, de fato, muito pobres em toda parte, embora talvez nas áreas mais retrógradas e isoladas não estivessem em situação pior do que a de costume. A infeliz descoberta da batata tornou fácil enfraquecer seu padrão de vida em grandes partes do norte da Europa, e uma melhoria substancial em sua situação só veio a ocorrer, por exemplo, na Prússia, nas décadas de 1850 e 1860. A situação do camponês autossuficiente era provavelmente bem melhor, embora a do pequeno proprietário fosse bastante desesperadora em tempos de fome. Um país camponês como a França foi provavelmente menos afetado que qualquer outro pela depressão geral da agricultura que se seguiu ao *boom* das guerras napoleônicas. De fato, um camponês francês que olhasse para o outro lado do Canal da Mancha em 1840 e comparasse sua situação e a do trabalhador inglês com o que era em 1788 dificilmente teria dúvidas sobre qual dos dois tinha feito o melhor negócio.* Enquanto isso, do outro lado do Atlântico, os fazendeiros americanos observavam os camponeses do Velho Mundo e se congratulavam por sua sorte em não pertencer ao grupo.

---

* "Tendo vivido muito tempo entre os camponeses e as classes trabalhadoras tanto em meu próprio país quanto no exterior, devo na verdade dizer que (...) nunca conheci uma gente, nessas condições, mais civilizada, limpa, trabalhadora, frugal, sóbria e mais bem-vestida, que o camponês francês. Nisso, eles fornecem um contraste marcante com uma considerável porção dos trabalhadores agrícolas escoceses, que são excessivamente sujos e esquálidos; com muitos dos ingleses, que são subservientes, desmoralizados e severamente limitados em seus meios de vida; com os pobres irlandeses, que vivem seminus e em condições selvagens (...)" (H. Colman, *A economia rural e agrícola da França, Bélgica, Holanda e Suíça* (1848), p. 25-26.

9. RUMO A UM MUNDO INDUSTRIAL

"De fato, estes são tempos gloriosos para os engenheiros."

James Nasmyth,
inventor do martelo a vapor[1]

*"Devant de tels témoins, o secte progressive,
Vantez-nous le pouvoir de la locomotive,
Vantez-nous le vapeur et les chemins de fer."**

A. Pommier[2]

1.

Em 1848, somente uma economia estava efetivamente industrializada — a inglesa — e consequentemente dominava o mundo. Provavelmente na década de 1840, os Estados Unidos e uma boa parte da Europa ocidental e central já tinham ultrapassado ou se encontravam na soleira da revolução industrial. Já era razoavelmente certo que os Estados Unidos seriam finalmente considerados — dentro de 20 anos, pensava Richard Cobden na metade da década de 1830[3] — um sério competidor dos ingleses, e em torno da década de 1840 os alemães, embora talvez ninguém mais, já apontavam para o rápido avanço industrial. Mas perspectivas não são realizações, e, por volta da década de 1840, as efetivas transformações

---

* Em francês no original: "Diante de tais testemunhas, Ó seita progressiva, vangloriemo-nos do poder da locomotiva, vangloriemo-nos do vapor e das estradas de ferro." (*N.T.*)

A ERA DAS REVOLUÇÕES

industriais do mundo que não falava a língua inglesa ainda eram modestas. Havia, por exemplo, em 1850, um total de pouco menos que 100 milhas* de ferrovias em toda a Espanha, Portugal, Escandinávia, Suíça e toda a Península Balcânica, e, tirando os Estados Unidos, menos do que isto em todos os continentes não europeus juntos. Se excluirmos a Grã-Bretanha e algumas outras partes, o mundo social e econômico da década de 1840 pode facilmente ser visto de uma maneira não muito diferente daquele de 1788. A maioria da população do mundo, então como anteriormente, era de camponeses. Em 1830, havia, afinal de contas, somente uma cidade ocidental de mais de 1 milhão de habitantes (Londres), uma de mais de meio milhão (Paris) e — tirando a Grã-Bretanha — somente 19 cidades europeias de mais de 100 mil habitantes.

Esta lentidão de mudança no mundo não britânico significava que seus movimentos econômicos continuaram, até o fim de nosso período, a serem controlados pelo antiquado ritmo de boas e más colheitas, em vez de pelo novo ritmo de *booms* e recessões industriais que se alternavam. A crise de 1857 foi provavelmente a primeira de alcance mundial causada por acontecimentos diferentes da catástrofe agrária. Este fato, por acaso, teve as mais extensas consequências políticas. O ritmo de mudança nas áreas industriais e não industriais foi muito variado entre 1780 e 1848.**

A crise econômica que ateou fogo a tamanha parte da Europa em 1846-1848 foi uma depressão do velho estilo, predominantemente agrária. Foi de certa forma a última, e talvez a pior, catástrofe econômica do *ancien régime*. Tal não se deu na Grã-Bretanha, onde a pior recessão do período inicial do industrialismo ocorreu entre 1839 e 1842 por razões puramente "modernas", coincidindo de fato com baixíssimos preços do

---

* 1 milha = 1.609,34 metros. *(Nota da edição brasileira)*

** O triunfo mundial do setor industrial tendeu a convergir novamente esse ritmo, embora de maneira diferente.

RUMO A UM MUNDO INDUSTRIAL

trigo. O ponto de combustão social espontânea na Grã-Bretanha foi alcançado na não planejada greve geral dos cartistas, no verão de 1842 (os chamados *plug-riots*). Quando esse ponto foi alcançado no continente, em 1848, a Grã-Bretanha estava simplesmente sofrendo a primeira depressão cíclica da longa era de expansão vitoriana, como também a Bélgica, a outra economia mais ou menos industrial da Europa. Uma revolução continental sem um correspondente movimento britânico, como previu Marx, estava condenada. O que ele não havia previsto foi que a disparidade entre o desenvolvimento britânico e o continental tornasse inevitável que o continente se insurgisse sozinho.

Contudo, o que é importante sobre o período que vai de 1789 a 1848 não é que, por padrões posteriores, suas mudanças econômicas fossem pequenas, mas sim que as mudanças fundamentais estavam claramente acontecendo. A primeira destas mudanças foi demográfica. A população mundial — e em especial a população do mundo dentro da órbita da revolução dupla — tinha iniciado uma "explosão" sem precedentes, que tem multiplicado seu número no curso dos últimos 150 anos. Visto que poucos países, antes do século XIX, tinham qualquer coisa que se parecesse com um censo, sendo os existentes de pouca confiança,* não sabemos com precisão com que rapidez a população aumentou neste período; mas foi certamente um aumento sem precedentes e maior (exceto talvez em países pouco populosos que cobriam espaços vazios e até então mal utilizados, como a Rússia) nas áreas economicamente mais avançadas. A população dos Estados Unidos (aumentada pela imigração, encorajada pelos ilimitados recursos e espaços de um continente) aumentou quase seis vezes de 1790 a 1850, ou seja, de 4 para 23 milhões de habitantes. A população do Reino Unido quase duplicou entre 1800 e 1850, quase triplicou entre 1750 e 1850. A população da Prússia (considerando as

---

* O primeiro censo britânico foi feito em 1801; o primeiro razoavelmente adequado, em 1831.

fronteiras de 1846) quase duplicou entre 1800 e 1846, o mesmo acontecendo na Rússia europeia (sem a Finlândia). As populações da Noruega, da Dinamarca, da Suécia, da Holanda e de grandes partes da Itália quase duplicaram entre 1750 e 1850, mas cresceram a uma taxa menos extraordinária durante nosso período; as da Espanha e Portugal aumentaram um terço.

Fora da Europa, estamos menos bem informados, embora pareça que a população da China tenha aumentado a uma rápida taxa nos séculos XVIII e início do XIX, até que a intervenção europeia e o tradicional movimento cíclico da história política chinesa produzisse a derrocada da florescente administração da dinastia Manchu, que se achava no auge da eficiência neste período.* Na América Latina, a população provavelmente cresceu a uma taxa comparável à da Espanha.[4] Não há nenhum sinal de qualquer explosão populacional em outras partes da Ásia. A população da África provavelmente permaneceu estável. Somente certos espaços vazios habitados por colonizadores brancos aumentaram a uma taxa realmente extraordinária, como a Austrália, que em 1790 virtualmente não tinha habitantes brancos, mas, por volta de 1851, tinha meio milhão.

O extraordinário aumento da população naturalmente estimulou muito a economia, embora devêssemos considerá-lo antes como uma consequência do que uma causa exterior da revolução econômica, pois sem ela um crescimento populacional tão rápido não poderia ter sido mantido durante mais do que um limitado período. (De fato, na Irlanda, onde não foi suplementado por uma revolução econômica constante, esse crescimento não foi mantido.) Ele produziu mais trabalho, sobretudo mais trabalho *jovem* e mais consumidores. O mundo desse período foi

---

* O costumeiro ciclo dinástico na China durava cerca de 300 anos; a dinastia Manchu subiu ao poder na metade do século XVII.

RUMO A UM MUNDO INDUSTRIAL

bem mais jovem do que qualquer outro anterior: cheio de crianças, com jovens casais ou pessoas no auge da juventude.

A segunda maior mudança foi nas comunicações. Segundo consenso geral, as ferrovias estavam apenas na infância em 1848, embora já fossem de considerável importância prática na Grã-Bretanha, nos Estados Unidos, na Bélgica, na França e na Alemanha. Mas, mesmo antes da ferrovia, o desenvolvimento das comunicações foi, pelos padrões anteriores, empolgante. O Império Austríaco, por exemplo (excluindo a Hungria) acrescentou mais de 30 mil milhas de estradas entre 1830 e 1847, multiplicando assim sua rede de estradas quase duas vezes e meia.[5] A Bélgica quase duplicou sua rede de estradas entre 1830 e 1850, e até mesmo a Espanha, graças em grande parte à ocupação francesa, quase duplicou sua diminuta teia viária. Os Estados Unidos, como de costume mais gigantescos em seus empreendimentos do que qualquer outro país, multiplicou seu sistema viário para carruagens em mais de oito vezes — de 21.000 milhas em 1800 para 170.000 em 1850.[6] Enquanto a Grã-Bretanha adquiria seu sistema de canais, a França construía 2.000 milhas deles entre 1800 e 1847 e os Estados Unidos abriam rotas fluviais tão importantes como as do Lago Erie, do Chesapeake e Ohio. O total da tonelagem mercante do mundo ocidental mais do que duplicou entre 1800 e o início da década de 1840, e já os navios a vapor uniam a Grã-Bretanha e a França (1822) e subiam e desciam o Danúbio. (Em 1840, havia cerca de 370 mil toneladas de navios a vapor comparadas a 9 milhões de toneladas de navios a vela, embora isto já representasse na verdade cerca de um sexto da capacidade de carga.) Novamente aqui os americanos ultrapassaram o mundo, competindo até mesmo com os britânicos quanto à posse da maior frota mercante.*

---

* Eles quase atingiram seu objetivo por volta de 1860, antes que os navios de ferro mais uma vez dessem a supremacia aos ingleses.

A ERA DAS REVOLUÇÕES

Também não devemos subestimar a melhoria da velocidade e da capacidade de carga assim alcançadas. Sem dúvida que o serviço de carruagens que conduziu o czar de todas as Rússias de São Petersburgo a Berlim em quatro dias (1834) não estava à disposição de pessoas menos importantes, mas já era disponível o novo e rápido correio (copiado dos franceses e dos ingleses) que depois de 1824 ia de Berlim a Magdeburgo em 15 horas, em vez de dois dias e meio. A ferrovia e a brilhante invenção de Rowland Hill da cobrança padronizada para a matéria postal em 1839 (suplementada pela invenção do selo adesivo em 1841) multiplicaram os correios, mas, mesmo antes de ambas as invenções, e em países menos adiantados que a Grã-Bretanha, ele cresceu rapidamente: entre 1830 e 1840, o número de cartas anualmente despachadas na França subiu de 64 para 94 milhões. Os navios a vela não eram simplesmente mais rápidos e mais seguros: eram em média maiores também.[7]

Tecnicamente, sem dúvida, estas melhorias não foram tão inspiradoras quanto as ferrovias, embora as arrebatadoras pontes, que se curvavam sobre os rios, as grandes vias aquáticas artificiais e as docas, os esplêndidos veleiros deslizando como cisnes a toda vela e as novas e elegantes carruagens do serviço postal fossem e continuem a ser alguns dos mais belos produtos do desenho industrial. Mas, como meio para facilitar as viagens e os transportes, para unir a cidade ao campo, as regiões pobres às ricas, as ferrovias foram admiravelmente eficientes. O crescimento da população deveu muito a elas, pois o que em tempos pré-industriais o retardava não era tanto a alta taxa de mortalidade mas sim as catástrofes periódicas — frequentemente muito localizadas — de fome e escassez de alimentos. Se a fome se tornou menos ameaçadora no mundo ocidental neste período (exceto em anos de fracasso quase universal nas colheitas, como em 1816-1817 e 1846-1848), foi primordialmente devido a essas melhorias no transporte, bem como, é claro, à melhoria geral na eficiência de governo e administração (veja o Capítulo 10).

A terceira grande mudança foi, naturalmente, no volume do comércio e da emigração. Não em toda a parte, sem dúvida. Não há, por exemplo, qualquer sinal de que os camponeses da Calábria e da Apúlia já estivessem preparados para emigrar, nem que o montante de mercadorias trazido para a grande feira de Nijniy Novgorod tivesse aumentado de forma surpreendente.[8] Mas, tomando-se o mundo da revolução dupla como um todo, o movimento de homens e mercadorias já tinha o ímpeto de um deslizamento de terra. Entre 1816 e 1850, perto de 5 milhões de europeus deixaram seus países nativos (quase 4/5 deles para as Américas), e dentro dos países as correntes de migração interna eram bem maiores. Entre 1780 e 1840, o comércio internacional em todo o mundo ocidental mais do que triplicou; entre 1780 e 1850, ele se multiplicou em mais de quatro vezes. Por padrões posteriores, tudo isto foi sem dúvida muito modesto,* mas, por padrões anteriores, e afinal de contas estes eram os padrões utilizados pelos contemporâneos para estabelecer comparações com sua época, eles estavam além dos sonhos mais loucos.

2.

O que foi mais relevante, depois de 1830 — o ponto-chave que o historiador de nosso período não pode perder, qualquer que seja seu campo de interesse particular —, é que o ritmo de mudança social e econômica acelerou-se visível e rapidamente. Fora da Grã-Bretanha, o período da Revolução Francesa e de suas guerras trouxe relativamente pouco avanço imediato, exceto nos Estados Unidos, que saltaram à frente depois de

---

* Assim, entre 1850 e 1888, 22 milhões de europeus emigraram, e em 1889 o volume total do comércio internacional chegou a quase 3.400 milhões de libras, comparado com menos de 600 milhões de libras, em 1840.

A ERA DAS REVOLUÇÕES

sua guerra de independência, duplicando a área cultivada por volta de 1810, multiplicando a frota mercante em sete vezes e demonstrando suas capacidades futuras de uma maneira geral. (Não só o descaroçador de algodão, mas também o navio a vapor, o desenvolvimento inicial da produção em série — o moinho de farinha sobre uma correia de transmissão, de Oliver Evans são avanços americanos deste período.) As bases de uma boa parte da indústria posterior, especialmente da indústria de equipamento pesado, foram lançadas na Europa napoleônica, mas muito pouco sobreviveu ao fim das guerras, que trouxe a crise para toda a parte. No todo, o período que vai de 1815 a 1830 foi um período de reveses ou, na melhor das hipóteses, de recuperação lenta. Os Estados colocaram suas finanças em ordem normalmente por meio de uma rigorosa deflação (os russos foram os últimos a fazê-lo em 1841). As indústrias cambalearam sob os golpes da crise e da competição estrangeira; a indústria algodoeira americana foi severamente atingida, a urbanização era lenta: até 1828, a população rural francesa cresceu tão rapidamente quanto a das cidades. A agricultura definhava, especialmente na Alemanha. Ninguém que se pusesse a observar o crescimento econômico do período, mesmo fora do âmbito da formidável expansão econômica britânica, se sentiria inclinado ao pessimismo, mas poucos julgariam que qualquer outro país, a não ser a Grã-Bretanha e talvez os Estados Unidos, estivesse no portal imediato da revolução industrial. Para tomarmos um índice óbvio da nova indústria: fora da Grã-Bretanha, dos EUA e da França, o número de máquinas a vapor e a quantidade de energia a vapor no resto do mundo eram, na década de 1820, de chamar muito pouco a atenção do estatístico.

Depois de 1830 (ou por esta época) a situação mudou rápida e drasticamente, a ponto de, por volta de 1840, os problemas sociais característicos do industrialismo — o novo proletariado, os horrores da incontrolável urbanização — se transformarem no lugar-comum de sérias discussões na Europa ocidental e no pesadelo dos políticos e administradores. O número de máquinas a vapor na Bélgica duplicou, sua potência em cavalos-força também triplicou, entre 1830 e 1838: de 354 (com 11 mil hp) para 712 (com 30 mil hp). Por volta de 1850, o pequeno país, agora maciçamente industrializado, tinha quase 2.300 máquinas de 66 mil hp,[9] e quase 6 milhões de toneladas de produção de carvão (aproximadamente três vezes mais que em 1830). Em 1830, não havia qualquer companhia de capital social na mineração belga; por volta de 1841, quase metade da produção de carvão vinha destas companhias.

Seria monótono citarmos dados análogos para a França, para os Estados alemães, a Áustria e outros países e áreas onde os princípios da moderna indústria foram lançados nestes 20 anos: os Krupp na Alemanha, por exemplo, instalaram sua primeira máquina a vapor em 1835, as primeiras minas do grande campo de carvão do Ruhr foram abertas em 1837, o primeiro forno movido a coque foi instalado no grande centro siderúrgico tcheco de Vítkovice em 1836, e o primeiro moinho de rolo de Falck, na Lombardia, em 1839-1840. Tanto mais monótono porque a industrialização realmente maciça — com exceção da Bélgica e talvez a França — só ocorreu depois de 1848. Os anos que vão de 1830 a 1848 marcam o nascimento de áreas industriais, de famosos centros e firmas industriais cujos nomes se tornaram conhecidos até nossos dias, mas não determinam nem mesmo sua adolescência, quanto mais sua maturidade. Observando-se a década de 1830, sabemos o que significou aquela atmosfera de excitada experimentação técnica, de empreendimento inovador e insatisfeito. Significou a abertura do Meio-Oeste americano. Mas a primeira ceifeira mecânica de Cyrus McCormick (1834) e os primeiros 78 alqueires de trigo enviados de Chicago para o leste em 1838 somente têm lugar na História por causa do que provocaram depois de 1850. Em 1846, a fábrica que arriscasse a produção de uma centena de ceifeiras ainda deveria ser parabenizada por sua ousadia: "era de fato difícil achar grupos com suficiente coragem e energia para enfrentar a arriscada em-

A ERA DAS REVOLUÇÕES

presa de fabricar ceifeiras, e quase tão difícil persuadir os fazendeiros a usarem essas máquinas para cortar os cereais ou encarar favoravelmente essa inovação".[10] Significou a construção sistemática de ferrovias e de indústrias pesadas na Europa e, consequentemente, uma revolução nas técnicas de investimento. Mas se os irmãos Pereire não se tivessem transformado nos grandes aventureiros das finanças industriais depois de 1851, prestaríamos pouca atenção ao projeto que eles apresentaram em vão ao novo governo francês em 1830: o de um *escritório de empréstimos* onde a indústria pediria emprestado a todos os capitalistas nos termos mais favoráveis, através do intermédio dos banqueiros mais ricos atuando como fiadores.[11]

Como na Grã-Bretanha, os bens de consumo — geralmente têxteis, mas às vezes também produtos alimentícios — lideraram estas explosões de industrialização; mas os bens de capital — ferro, aço, carvão etc. — já eram mais importantes do que na primeira revolução industrial inglesa: em 1846, 17% dos empregos industriais belgas eram em indústrias de bens de capital, contrastando com os 8% ou 9% da Grã-Bretanha. Por volta de 1850, três quartos de toda a potência-vapor belga estava na mineração e metalurgia.[12] Como na Grã-Bretanha, o novo estabelecimento industrial médio — a fábrica, a forja ou a mina — era pequeno e cercado por uma grande quantidade de mão de obra barata, doméstica, subcontratada e tecnicamente retrógrada, que cresceu com as exigências das fábricas e do mercado e seria finalmente destruída pelos posteriores avanços de ambos. Em 1846, na Bélgica, o número médio de empregados em um estabelecimento fabril de lã, de fibra de linho e de algodão era de apenas 30, 35 e 43 trabalhadores; na Suécia, em 1838, a média por "fábrica" têxtil era meramente de 6 a 7 trabalhadores.[13] Por outro lado, há indícios de uma concentração bem mais maciça do que na Grã--Bretanha, como era mesmo de esperar, onde a indústria se desenvolveu mais tarde, às vezes como um enclave em ambientes agrícolas, usando

RUMO A UM MUNDO INDUSTRIAL

a experiência dos primeiros pioneiros, baseada em uma tecnologia bem mais desenvolvida e frequentemente gozando de um maior apoio planificado por parte do governo. Em 1841, na Boêmia, três quartos de todas as fiandeiras automáticas de algodão eram empregadas em fábricas com mais de 100 trabalhadores cada uma, e quase a metade em 15 fábricas com mais de 200 trabalhadores cada.[14] (Por outro lado, virtualmente toda a tecelagem até a década de 1850 era feita em teares manuais.) Naturalmente, isto era ainda mais acentuado nas indústrias pesadas que agora assumiam a vanguarda: a fundição belga média tinha, em 1838, 80 trabalhadores; a mina belga média tinha, em 1846, perto de 150;[15] para não mencionarmos os gigantes industriais como a Cockerill's de Seraing, que empregava 2.000 trabalhadores.

O panorama industrial era, assim, muito semelhante a uma série de lagos cobertos de ilhas. Se tomarmos o campo em geral como o lago, as ilhas representam as cidades industriais, os complexos rurais (tais como as redes de aldeias manufatureiras tão comuns nas montanhas da Alemanha Central e da Boêmia) ou as áreas industriais: cidades têxteis como Mulhouse, Lille ou Rouen, na França, Elberfeld-Barmen (terra natal da religiosa família de mestres algodoeiros de Frederick Engels) ou Krefeld, na Prússia, o sul da Bélgica ou a Saxônia. Se tomarmos como o lago a massa de artesãos independentes, os camponeses produzindo mercadorias para vendê-las durante o inverno e os trabalhadores domésticos, as ilhas representam os engenhos, as fábricas, as minas e as fundições de variado tamanho. A maior parte da paisagem ainda era de muita água ou — para adaptarmos a metáfora um pouco mais à realidade — de juncais de produção em pequena escala ou dependente que se formavam ao redor dos centros industriais e comerciais. As indústrias domésticas e outras fundadas anteriormente como apêndices do feudalismo também existiam. A maioria delas — por exemplo, a indústria silesiana do linho — se achava em rápido e trágico declínio.[16] As grandes cidades quase não eram industrializadas, embora mantivessem uma vasta população de trabalhadores e artesãos para servirem às necessidades de consumo, transporte e serviços. Das cidades do mundo com mais de 100.000 habitantes, fora Lyon, só as inglesas e americanas tinham centros nitidamente industriais: Milão, por exemplo, em 1841, tinha somente duas pequenas máquinas a vapor. De fato, o típico centro industrial — tanto na Grã-Bretanha quanto no continente europeu — era uma cidade provinciana pequena ou de tamanho médio ou ainda um complexo de aldeias.

Sob um importante aspecto, entretanto, a industrialização continental — e até certo ponto a americana — diferia da inglesa. As precondições para seu desenvolvimento espontâneo, através da empresa privada, foram menos favoráveis. Como vimos, na Grã-Bretanha, após uma lenta preparação de cerca de 200 anos, não houve escassez real de quaisquer dos fatores de produção e nenhum obstáculo institucional para o pleno desenvolvimento capitalista. O mesmo não aconteceu em outros países. Na Alemanha, por exemplo, houve uma nítida escassez de capital; a própria modéstia do padrão de vida das classes médias alemãs (maravilhosamente transformado, embora dentro da encantadora austeridade da decoração de interiores de Biedermeier) o demonstra. Frequentemente se esquece que, pelos padrões alemães contemporâneos, Goethe, cuja casa em Weimar apresenta um pouco mais de conforto — embora não muito mais — do que o padrão dos modestos banqueiros da seita britânica de Clapham, era deveras um homem muito rico. Na década de 1820, as senhoras da corte e até mesmo as princesas em Berlim usavam simples vestidos de percal durante todo o ano; se possuíam um vestido de seda, guardavam-no para ocasiões especiais.[17] Os tradicionais sistemas de grêmios ou guildas de mestres, artífices e aprendizes ainda se constituíam um obstáculo para o empreendimento capitalista, para a mobilidade da mão de obra qualificada e mesmo para qualquer mudança econômica: a obrigação de que um artesão pertencesse a uma guilda foi abolida

RUMO A UM MUNDO INDUSTRIAL

na Prússia em 1811, embora não o fossem as próprias guildas, cujos membros eram, além disso, fortalecidos politicamente pela legislação municipal do período. A produção dos grêmios permaneceu quase intacta até as décadas de 1830 e 1840. Em outros países, a introdução plena da *Gewerbefreiheit** teve que esperar até a década de 1850.

A multiplicidade de Estados diminutos, cada um com seus controles e interesses estabelecidos, ainda inibia o desenvolvimento racional. A simples construção de uma União Aduaneira Geral, como a que a Prússia conseguiu realizar em seu próprio interesse e pela pressão de sua posição estratégica entre 1818 e 1834, era (com a exceção da Áustria) um triunfo. Todo governo, mercantilista ou paternal, baixava seus regulamentos e disposições administrativas sobre o assunto, para benefício da estabilidade social, porém para a irritação do empresário privado. O Estado prussiano controlava a qualidade e o justo preço da produção artesanal, as atividades da indústria doméstica silesiana de tecelagem de linho e as operações dos proprietários de minas na margem direita do Reno. Era necessária uma permissão governamental para se abrir uma mina, e ela podia ser retirada já depois de iniciado o negócio.

Obviamente, em tais circunstâncias (que têm paralelo em inúmeros outros Estados), o desenvolvimento industrial tinha que funcionar de um modo bastante diferente do modelo britânico. Assim, em todo o continente europeu, o governo tinha um controle muito maior sobre a indústria, não apenas porque já estivesse acostumado a isto, mas porque tinha que fazê-lo. Guilherme I, Rei dos Países Baixos Unidos, fundou, em 1822, a *Société Générale pour favoriser l'Industrie Nationale des Pays Bas*, dotada de terras do Estado, com mais ou menos 40% de suas ações subscritas pelo rei e 5% garantidas a todos os outros subscritores. O Estado prussiano continuou a controlar a operação de uma grande proporção das

---

* Em alemão no original: liberdade de ofício, livre exercício profissional. (*Nota da edição brasileira.*)

minas do país. Sem exceção, todos os novos sistemas ferroviários foram planejados pelos governos e, se não foram efetivamente construídos por eles, foram incentivados pela subvenção de concessões favoráveis e pela garantia de investimentos. De fato, até hoje a Grã-Bretanha é o único país cujo sistema ferroviário foi totalmente construído por empresas particulares, assumindo os riscos na sua busca de lucros, sem o incentivo de bônus e garantias aos investidores e empresários. A primeira e mais bem planejada destas redes foi a belga, projetada em princípios da década de 1830, com o intuito de separar o país, recém-independente, do sistema de comunicações (primordialmente fluvial) baseado na Holanda. As dificuldades políticas e a relutância da grande burguesia conservadora em trocar investimentos seguros por especulativos adiaram a construção estruturada da rede francesa, que a Câmara tinha decidido executar em 1833; a pobreza de recursos adiou a construção da rede austríaca, que o Estado decidiu construir em 1842; e da prussiana.

Por razões semelhantes, a empresa do continente europeu dependia muito mais do que a britânica de um aparato financeiro e de uma moderna legislação bancária, comercial e de negócios. De fato, a Revolução Francesa forneceu os dois: os códigos legais de Napoleão, com sua ênfase na liberdade contratual garantida legalmente, seu reconhecimento das letras de câmbio e outros papéis comerciais, e suas disposições em prol das empresas de capital social (como a *société anonyme* e a *commandite*, sociedade em que um dos sócios entra com o capital e o outro com o trabalho, adotadas em toda a Europa, exceto na Grã-Bretanha e na Escandinávia) tornaram-se por esta razão os modelos gerais para o mundo. Além do mais, os instrumentos para o financiamento da indústria que nasceram do cérebro fértil daqueles jovens revolucionários saint-simonianos, os irmãos Pereire, foram bem recebidos no exterior. Sua maior vitória ainda teve que esperar a era do *boom* mundial da década de 1850; mas já na década de 1830 a *Société Générale* belga começou a praticar o investimento bancário do tipo que os irmãos Pereire tinham imaginado e,

RUMO A UM MUNDO INDUSTRIAL

na Holanda, os financistas (embora ainda não ouvidos pela massa de negociantes) adotaram as ideias saint-simonianas. Em essência, estas ideias almejavam mobilizar, através de bancos e empresas de investimento, uma variedade de recursos de capital nacional que não teria espontaneamente entrado no desenvolvimento industrial e cujos donos não teriam sabido onde investir se assim o tivessem desejado. Depois de 1850, deu-se o fenômeno continental característico (especialmente alemão) do grande banco atuando também como investidor e dessa forma dominando a indústria e facilitando sua concentração precoce.

3.

Entretanto, o desenvolvimento econômico deste período contém um gigantesco paradoxo: a França. Teoricamente, nenhum país deveria ter avançado mais rapidamente. Ela possuía, como já vimos, instituições ajustadas de forma ideal ao desenvolvimento capitalista. O talento e a capacidade inventiva de seus empresários não tinham paralelo na Europa. Os franceses inventaram ou foram os primeiros a desenvolver as grandes lojas de departamentos, a propaganda e, guiados pela supremacia da ciência francesa, todos os tipos de inovações e realizações técnicas — a fotografia (com Nicephore Nièpce e Daguerre), o processo de soda de Leblanc, o descolorante à base de cloro de Berthollet, a galvanoplastia e a galvanização. Os financistas franceses foram os mais inventivos do mundo. O país possuía grandes reservas de capital, que exportava, auxiliado por sua capacidade técnica, para todo o continente europeu — e até mesmo, depois de 1850, para coisas tais como a Companhia Geral de Coletivos de Londres, para a Grã-Bretanha. Por volta de 1847, cerca de 2,25 bilhões de francos tinham saído para o exterior[18] — valor este só superado pelas astronômicas cifras britânicas, maiores do que as de qualquer outro país. Paris era um centro internacional de finanças que seguia Londres bem de perto; na verdade, em tempos de crise como em 1847, Paris chegou a superar Londres nesse campo. O empreendimento francês, na década de 1840, fundou as companhias de gás da Europa — em Florença, Veneza, Pádua e Verona — e obteve privilégios para fundá-las em toda a Espanha, na Argélia, no Cairo e em Alexandria. E estava para financiar as ferrovias do continente europeu (exceto as da Alemanha e da Escandinávia).

Ainda assim, basicamente, o desenvolvimento econômico francês era na verdade mais lento do que o de outros países. Sua população crescia silenciosamente, porém sem dar grandes saltos. Suas cidades (com a exceção de Paris) expandiam-se modestamente; de fato, no princípio da década de 1830, algumas delas diminuíram. Seu poderio industrial no final da década de 1840 era sem dúvida maior do que o dos outros países europeus — possuía tanta energia a vapor quanto todo o resto do continente junto —, mas tinha perdido terreno para a Grã-Bretanha e estava a ponto de perdê-lo também para a Alemanha. De fato, a despeito de suas vantagens e do início pioneiro, a França nunca se tornou uma potência industrial de maior importância em comparação com a Grã-Bretanha, a Alemanha e os Estados Unidos.

A explicação para este paradoxo é, como já vimos (veja o Capítulo 3-3), a própria Revolução Francesa, que tomou com Robespierre muito daquilo que havia oferecido com a Assembleia Constituinte. A parte capitalista da economia francesa era uma superestrutura erguida sobre a base imóvel do campesinato e da pequena burguesia. Os trabalhadores livres destituídos de terras simplesmente vinham pouco a pouco para as cidades; as mercadorias baratas e padronizadas que fizeram as fortunas dos industriais progressistas em outros países ressentiam-se da falta de um mercado suficientemente grande e em expansão. Economizava-se muito capital, mas por que deveria este capital ser investido na indústria

RUMO A UM MUNDO INDUSTRIAL

doméstica?[19] O empresário francês inteligente fabricava mercadorias de luxo e não mercadorias para o consumo de massa; o financista inteligente promovia as indústrias estrangeiras em vez das domésticas. A empresa privada e o crescimento econômico caminham juntos somente quando este último propicia lucros mais altos para a primeira do que para outras formas de negócio. Na França ele não o fez, embora através da França tenha fertilizado o crescimento econômico de outros países.

No extremo oposto da França, estavam os Estados Unidos da América. O país sofria de uma escassez de capital, mas estava pronto a importá-lo em quaisquer quantidades, e a Grã-Bretanha estava pronta a exportá-lo. Sofria de uma aguda escassez de mão de obra, mas as Ilhas Britânicas e a Alemanha exportavam aos milhões seus excedentes populacionais após a grande fome da metade da década de 1840. Ressentia-se da falta de homens com qualificações técnicas, mas até mesmo estes — os trabalhadores de algodão de Lancashire, os mineiros do País de Gales e os trabalhadores siderúrgicos — podiam ser importados dos setores já industrializados do mundo, e a típica aptidão americana para criar uma economia de mão de obra e, acima de tudo, para a criação de máquinas simplificadoras da necessidade de mão de obra já se achava totalmente desenvolvida. Os Estados Unidos ressentiam-se da falta pura e simples de uma colonização e de meios de transporte para explorar seu imenso território e seus recursos aparentemente ilimitados. O mero processo de expansão interna foi bastante para manter sua economia em um crescimento quase ilimitado, embora os colonizadores, governos, missionários e comerciantes americanos já estivessem se expandindo em direção à costa do Pacífico ou levando o seu comércio — apoiado pela segunda maior frota mercante do mundo — através dos oceanos, de Zanzibar ao Havaí. O Pacífico e o Caribe já eram os campos escolhidos do Império Americano.

Toda instituição da nova república incitava a acumulação, a engenhosidade e a iniciativa privada. Uma vasta população nova, estabelecida nas cidades litorâneas e nos novos estados interioranos recentemente ocupados, exigia os mesmos bens e equipamentos agrícolas, domésticos e pessoais padronizados e fornecia um mercado de homogeneidade ideal. As necessidades de invenção e iniciativa eram grandes, e sucessivamente vieram atendê-las os inventores do navio a vapor (1807-1813), da humilde tachinha (1807), da máquina de fazer parafusos (1809), da dentadura postiça (1822), do fio encapado (1827-1831), do revólver (1835), da ideia da máquina de escrever e da máquina de costura (1843-1846), da prensa rotativa (1846) de uma série de máquinas agrícolas. Nenhuma economia se expandiu mais rapidamente neste período do que a americana, embora sua arrancada realmente decisiva só viesse a ocorrer depois de 1860.

Só um grande obstáculo atrapalhava a conversão dos Estados Unidos na potência econômica mundial em que logo se tornaria: o conflito entre o norte agrícola e industrial e o sul semicolonial. Enquanto o norte se beneficiava do capital, da mão de obra e das habilidades da Europa — e notadamente da Grã-Bretanha — como uma economia independente, o sul (que importava poucos destes recursos) era uma economia tipicamente dependente da Grã-Bretanha. O próprio sucesso em suprir as fábricas em expansão de Lancashire com quase todo o seu algodão perpetuava a dependência, comparável àquela em que a Austrália estava prestes a cair com a lã e a Argentina com a carne. O sul era favorável ao livre comércio, que lhe possibilitava vender à Grã-Bretanha e, em troca, comprar as baratas mercadorias britânicas: o norte, quase desde o princípio (1816), protegia firmemente o industrial nativo contra qualquer estrangeiro — isto é britânico — que pudesse competir naquela época com ele a preços inferiores. O norte e o sul competiam pelos territórios do oeste — o sul, para as plantações escravas e os posseiros retrógrados com suas culturas de subsistência em terras devolutas das montanhas, e o norte, para as segadoras mecânicas e os matadouros de grande porte; e até a era da ferrovia transcontinental, o sul, que controlava o delta do

RUMO A UM MUNDO INDUSTRIAL

Mississippi, onde o Meio-Oeste encontrou seu principal escoamento, tinha alguns fortes trunfos econômicos. O futuro da economia americana só seria decidido na Guerra Civil de 1861-1865 — que foi, de fato, a unificação da América através do capitalismo do norte.

O outro futuro gigante do mundo econômico, a Rússia, era até então economicamente desprezível, embora observadores de larga visão já previssem que seus vastos recursos, sua população e seu tamanho iriam mais cedo ou mais tarde projetá-la mundialmente. As minas e as manufaturas criadas pelos czares do século XVIII, tendo senhores ou mercadores feudais como empregadores e os servos como operários, estavam declinando lentamente. As novas indústrias — fábricas têxteis domésticas, de pequeno porte — somente começaram a apresentar uma expansão realmente digna de nota na década de 1860. Mesmo a exportação para o Ocidente do trigo extraído no fértil cinturão de terra preta da Ucrânia fazia um progresso apenas moderado. A Polônia russa era bem mais adiantada, mas, como no resto da Europa oriental, da Escandinávia, no norte, à Península Balcânica, no sul, ainda não se podia divisar a era da grande transformação econômica. Nem mesmo na Espanha ou no sul da Itália, com exceção de pequenos trechos da Catalunha e do País Basco. E mesmo no norte da Itália, onde as mudanças econômicas foram muito maiores, elas eram até então bem mais óbvias na agricultura (sempre, nesta região, uma importante saída para o investimento de capital e a atividade de negócios), no comércio e na frota mercante do que nas manufaturas. Mas o desenvolvimento destas mudanças foi prejudicado em todo o sul da Europa pela grande escassez do que era então, ainda, a única fonte importante de poderio industrial, o carvão.

Assim, uma parte do mundo saltou na dianteira do poderio industrial, enquanto a outra ficava para trás. Mas estes dois fenômenos não são desligados um do outro. A estagnação econômica, a lentidão ou mesmo a regressão foram produtos do avanço econômico, pois como poderiam as economias relativamente atrasadas resistir à força — ou, em certos casos, à atração — dos novos centros de riqueza, indústria e comércio? Os ingleses e algumas outras áreas da Europa podiam claramente vender a seus competidores a preços mais baixos. Convinha-lhes ser a oficina do mundo. Nada parecia mais "natural" do que os menos evoluídos produzirem alimentos e talvez minérios, trocando estas mercadorias não competitivas por manufaturas britânicas (ou de outros países da Europa ocidental). "O sol", disse Richard Cobden aos italianos, "é o vosso carvão".[20] Onde o poder local estava nas mãos de grandes proprietários de terra ou mesmo de fazendeiros ou rancheiros progressistas, essa troca servia a ambos os lados. Os plantadores cubanos estavam muito felizes em fazer dinheiro com o açúcar e importar as mercadorias que permitiam aos estrangeiros comprar o açúcar. Onde os donos de manufaturas podiam se fazer ouvir ou onde os governos locais apreciavam as vantagens do desenvolvimento econômico equilibrado ou meramente consideravam as desvantagens da dependência, a disposição de ânimo era menor.

Friedrich List, o economista alemão — como de hábito fazendo uso do costume congênito da abstração filosófica —, rejeitou uma economia internacional que, na verdade, fez da Grã-Bretanha a principal ou única potência industrial e exigiu protecionismo, assim como o fizeram também, conforme já vimos, embora sem filosofia, os americanos.

Tudo isto supondo que uma economia fosse politicamente independente e forte o bastante para aceitar ou rejeitar o papel para o qual a industrialização pioneira de um pequeno setor do mundo a havia destinado. Onde não fosse independente, como nas colônias, não tinha escolha. A Índia, como já vimos, estava no processo de desindustrialização, e o Egito era uma ilustração ainda mais viva do processo, pois o governante local, Mohammed Ali, tinha de fato e sistematicamente começado a transformar o país em uma economia moderna, isto é, entre outras coisas, em uma economia industrial. Ele não só incentivou o cultivo do algodão para suprir o mercado mundial (a partir de 1821), mas também tinha investido, por volta de 1838, a considerável quantia de 12 milhões de libras na indústria, que empregava talvez 30 ou 40.000 trabalhadores. O que teria acontecido se o Egito tivesse sido deixado ao sabor de sua própria sorte não sabemos; pois o que de fato se deu foi que a Convenção Anglo-Turca de 1838 impôs comerciantes estrangeiros ao país, minando assim o monopólio do comércio externo através do qual Mohammed Ali tinha operado; e a derrota do Egito ante o Ocidente em 1839-1841 forçou-o a reduzir seu exército e, portanto, retirou a maior parte do incentivo que o tinha levado à industrialização.[21] Esta não foi a primeira nem a última vez que as canhoneiras do Ocidente "abriram" um país ao comércio, isto é, à competição superior do setor industrializado do mundo. Quem, ao observar o Egito na época do protetorado britânico no final do século, teria reconhecido o país que fora — 50 anos antes — e para o desgosto de Richard Cobden* — o primeiro Estado não pertencente à raça branca a procurar a maneira moderna de sair do atraso econômico?

De todas as consequências econômicas da época da revolução dupla, esta divisão entre os países "adiantados" e os "subdesenvolvidos" provou ser a mais profunda e a mais duradoura. Falando genericamente, por volta de 1848 estava claro que os países deviam seguir o exemplo do primeiro grupo, isto é, da Europa ocidental (exceto a Península Ibérica), da Alemanha, do norte da Itália e partes da Europa central, da Escandinávia, dos Estados Unidos e talvez das colônias controladas pelos imigrantes de língua inglesa. Mas também era claro que o resto do mundo estava, com exceção de alguns pedaços, muito atrasado ou se transformando — sob a pressão informal das exportações e importações

---

* "Todo este desperdício está acontecendo ao algodão *in natura*, que deveria ser vendido a nós (...). Este não é todo o prejuízo, pois as próprias mãos que são levadas para estas manufaturas são arrancadas do cultivo do solo." Morley. *Life of Cobden*, capítulo 3.

ocidentais ou sob a pressão militar das canhoneiras e das expedições militares ocidentais — em dependências econômicas do Ocidente. Até que os russos tivessem desenvolvido, na década de 1930, meios de transpor este fosso entre "atrasado" e "adiantado", ele permaneceria imóvel, intransponível, e mesmo crescendo, entre a minoria e a maioria dos habitantes do mundo. Nenhum outro fato determinou a história do século XX de maneira mais firme.

10. A CARREIRA ABERTA AO TALENTO

"Um dia andei por Manchester com um destes cavalheiros da classe média. Falei-lhe das desgraçadas favelas insalubres e chamei-lhe a atenção para a repulsiva condição daquela parte da cidade em que moravam os trabalhadores fabris. Declarei nunca ter visto uma cidade tão mal construída em minha vida. Ele ouviu-me pacientemente e na esquina da rua onde nos separamos comentou: 'E ainda assim, ganham-se fortunas aqui. Bom dia, senhor!'"

F. Engels. As condições da classe
trabalhadora na Inglaterra[1]

"*L'habitude prévalut parmi les nouveaux financiers de faire publier dans les journaux le menu des diners et les noms des convives.*"*

M. Capefigue[2]

1.

As instituições formais derrubadas ou criadas por uma revolução são fáceis de distinguir, mas não dão a medida de seus efeitos. O principal resultado da Revolução na França foi o de pôr fim à sociedade aristocrática. Não à "aristocracia", no sentido da hierarquia de *status* social distinguido por títulos ou outras marcas visíveis de exclusividade, e que

---

* Em francês no original: "Há o hábito entre os novos financistas de fazer publicar nos jornais o cardápio dos jantares e os nomes dos convivas." (*Nota da edição brasileira.*)

A ERA DAS REVOLUÇÕES

muitas vezes se moldava no protótipo dessas hierarquias, a nobreza "de sangue". As sociedades construídas sobre o carreirismo individual saúdam estas marcas de sucesso visíveis e estabelecidas. Napoleão chegou a recriar uma nobreza formal, de categorias, que se juntou depois de 1815 aos velhos aristocratas remanescentes.

O fim da sociedade aristocrática também não significou o fim da influência aristocrática. As classes em ascensão naturalmente tendem a ver os símbolos de sua riqueza e poder em termos daquilo que seus antigos grupos superiores tinham estabelecido como os padrões de conforto, luxo e pompa. As esposas dos ricos comerciantes de tecidos de Cheshire tornar-se-iam "senhoras", educadas pelos inúmeros livros de etiqueta e de vida elegante que se multiplicaram para este fim a partir da década de 1840, pela mesma razão que os que lucravam com as guerras napoleônicas apreciavam um título de barão ou que os salões burgueses se enchiam de "veludo, ouro, espelhos, algumas más imitações de cadeiras e outras peças de mobília do estilo Luís XV (...) com estilos ingleses para os criados e os cavalos, mas sem o espírito aristocrático". O que poderia ser mais orgulhoso do que o vangloriar-se de algum banqueiro, saído Deus sabe de onde, de que "quando apareço em meu camarote no teatro, todos os binóculos se voltam para mim e recebo quase que uma ovação real?"[3]

Além do mais, uma cultura tão profundamente formada pela corte e pela aristocracia como a francesa não perderia a estampa. Assim, a preocupação marcante da prosa literária francesa com análises psicológicas sutis das relações pessoais (que podem ser observadas até mesmo nos escritores aristocráticos do século XVII), ou o padrão formalizado do século XVIII de exaltação sexual e decantação dos amantes e concubinas, tornou-se uma parte integrante da civilização burguesa parisiense. Anteriormente, os reis tinham suas amantes oficiais; agora os bem-sucedidos investidores da bolsa de valores os acompanhavam. As cortesãs garantiam seus bem remunerados favores propagandeando o sucesso de banqueiros que podiam pagar por elas, assim como o de jovens de sangue azul que levavam suas propriedades

A CARREIRA ABERTA AO TALENTO

à ruína por causa delas. De fato, a Revolução preservou de muitas maneiras as características aristocráticas da cultura francesa de forma excepcionalmente pura, pela mesma razão que a Revolução Russa preservou, com excepcional fidelidade, o balé clássico e a típica mentalidade burguesa do século XIX em relação à "boa literatura". Estas características foram tomadas e assimiladas como uma herança desejável do passado, e daí em diante protegidas contra a erosão evolutiva normal.

E, ainda assim, o velho regime estava morto, embora os pescadores de Brest, em 1832, considerassem a cólera um castigo de Deus pela deposição do legítimo rei. O republicanismo formal entre os camponeses demorou a se difundir para além do Midi jacobino e de algumas áreas de há muito descristianizadas, mas na primeira eleição universal genuína, a de maio de 1848, o legitimismo já se achava confinado à região oeste e aos departamentos mais pobres do centro do país. A geografia política da França rural moderna já era substancialmente discernível. Subindo na escala social: a Restauração dos Bourbon não restaurou o velho regime, ou melhor, quando Carlos X tentou fazê-lo, foi deposto. A sociedade do período da Restauração foi a dos capitalistas e carreiristas de Balzac, do Julien Sorel de Stendhal, e não a dos duques emigrantes que retomaram. Uma era geológica separa-a da "doçura da vida" da década de 1780, analisada por Talleyrand. O Rastignac de Balzac está bem mais próximo do *Bel-Ami* de Maupassant, a figura típica da década de 1880, ou mesmo de Sammy Glick, a figura típica de Hollywood na década de 1940, do que de Fígaro, o sucesso não aristocrático da década de 1780.

Em uma palavra, a sociedade da França pós-revolucionária era burguesa em sua estrutura e em seus valores. Era a sociedade do *parvenu*,* isto é, do homem que se fez por si mesmo, o *self-made-man*, embora isto não fosse completamente óbvio antes que o próprio país fosse governado

---

* Em francês no original: indivíduo de origem humilde que alcançou subitamente uma melhoria social e econômica (em inglês, um *upstart*). (*Nota da edição brasileira.*)

A ERA DAS REVOLUÇÕES

pelos *parvenus,* isto é, antes que se tornasse republicano ou bonapartista. Pode não parecer excessivamente revolucionário a nós que metade da nobreza francesa, em 1840, pertencesse a famílias da velha nobreza, mas para os burgueses franceses contemporâneos, o fato de que a metade tinha sido gente do povo em 1789 era muito mais surpreendente, especialmente quando eles olhavam para as exclusivistas hierarquias sociais do resto da Europa continental. A frase "quando os bons americanos morrem, eles vão para Paris" expressa aquilo em que Paris se transformou no século XIX, embora só tenha se tornado plenamente o paraíso dos *parvenus* no Segundo Império. Londres ou, mais ainda, Viena, São Petersburgo ou Berlim eram capitais em que o dinheiro ainda não podia comprar tudo, ao menos na primeira geração. Em Paris, havia pouca coisa que valesse a pena comprar que não estivesse a seu alcance.

Este domínio da nova sociedade não era peculiar à França, mas, se excetuarmos a democracia dos Estados Unidos, era, em certos aspectos superficiais, mais óbvio e mais oficial na França, embora não fosse de fato mais profundo do que na Grã-Bretanha ou nos Países Baixos. Na Grã-Bretanha, os grandes *chefs* da culinária ainda eram os que trabalhavam para os nobres, como Carême para o Duque de Wellington (tinha anteriormente servido a Talleyrand), ou para os clubes oligárquicos, como Alexis Soyer, do Clube da Reforma. Na França, o caro restaurante público, inaugurado por cozinheiros da nobreza que perderam seus empregos durante a Revolução, já estava estabelecido. Uma transformação do mundo está implícita na página-título do manual da culinária francesa clássica, onde se lê: "Par A. Beauvilliers, ancien officier de MONSIEUR, Comte de Provence ... et actuellement Restaurateur, rue de Richelieu nº 26, la Grande Taverne de Londres".* [4] O gastrônomo — uma espécie inventada durante a Res-

---

* Em francês no original: "por A. Beauvillers, ex-empregado de Monsieur (o irmão do Rei) Conde de Provença (...) e atualmente restaurateur (dono de restaurante) à rua de Richelieu nº 26, A Grande Taverna de Londres". (*Nota da edição brasileira.*)

A CARREIRA ABERTA AO TALENTO

tauração e difundida pelo *Almanaque dos gastrônomos*, de autoria de Brillat-Savarin, a partir de 1817 — já ia ao Café Anglais ou ao Café de Paris para jantares não presididos por anfitriãs. Na Grã-Bretanha, a imprensa ainda era um veículo de instrução, de invectiva e de pressão política. Foi na França que Emile Girardin, em 1836, fundou o jornal moderno — *La Presse* —, político e barato, objetivando a acumulação de renda com anúncios e escrito de maneira atraente para seus leitores através da fofoca, das novelas seriadas e várias outras proezas.* (O pioneirismo francês nestes duvidosos campos ainda é lembrado pelas próprias palavras "jornalismo" e "publicidade", "reclame" e "anúncio".) A moda, as grandes lojas, a vitrine, louvada por Balzac,** foram invenções francesas, o produto da década de 1820. A Revolução trouxe o teatro, essa óbvia carreira aberta aos talentos, para dentro da "boa sociedade" em uma época em que seu *status* social na Grã-Bretanha permanecia análogo ao dos boxeadores e jóqueis: nas Maisons-Lafitte (nome tirado de um banqueiro que transformou os subúrbios em coisa da moda), Lablache, Talma e outras pessoas de teatro estabeleceram-se ao lado da esplêndida casa do Príncipe de la Moskowa.

O efeito da revolução industrial sobre a estrutura da sociedade burguesa foi superficialmente menos drástico, mas na verdade bem mais profundo, pois criou novos *blocs* burgueses que coexistiam com a sociedade oficial, muito grandes para serem absorvidos por ela, exceto por uma pequena assimilação no topo, e muito autoconfiantes e dinâmicos para desejar uma absorção, exceto em seus próprios termos. Em 1820, estes grandes exércitos de sólidos homens de negócios ainda eram pouco visíveis de Westminster, onde os pares e seus parentes ainda dominavam o

---

* Em 1835, o *Journal des Débats* (com uma circulação em torno de 10 mil exemplares) recebeu cerca de 20 mil francos em anúncios. Em 1838, a quarta página do jornal *La Press* foi alugada por 150 mil francos anuais; em 1845, por 300 mil francos.[5]

** Citação francesa: "O grande poema das prateleiras canta suas estrofes coloridas desde *Madeleine* até a *Porte Saint-Denis.*" "Le grand poème de l'étalage chame ses strophes de couleur depuis la Madeleine jusqu'à la Porte Saint-Denis."

A ERA DAS REVOLUÇÕES

Parlamento não reformado, ou do Hyde Park, onde senhoras totalmente não puritanas como Harriete Wilson dirigiam seus faetontes cercadas de ousados admiradores das Forças Armadas, da diplomacia e da nobreza, sem excluirmos o próprio Duque de Wellington. Os mercadores, os banqueiros e até mesmo os industriais do século XVIII eram poucos e foram assim assimilados pela sociedade oficial; de fato, a primeira geração de milionários do algodão, encabeçada por *Sir* Robert Peel, o velho, cujo filho estava sendo treinado para o cargo de primeiro-ministro, era solidamente formada de *tories*,* embora de um tipo moderado. Entretanto, o arado de ferro da industrialização multiplicou as carrancudas safras de homens de negócio sob as pesadas nuvens do norte.

Manchester não estava mais de acordo com Londres. Com o grito de guerra "o que Manchester pensa hoje, Londres pensará amanhã", a cidade do norte se preparou para impor termos à capital.

Os novos homens das províncias eram um formidável exército, tanto mais que se tornavam cada vez mais conscientes de ser uma *classe* e não um "escalão mediano" entre os setores mais altos e mais baixos. (O termo "classe média" aparece pela primeira vez por volta de 1812.) Já em 1834, John Stuart Mill podia queixar-se de que os comentaristas sociais "giraram em seu eterno círculo de proprietários de terras, capitalistas e trabalhadores, até que pareceram aceitar a divisão da sociedade nestas três classes como se fosse um dos mandamentos de Deus".[6] Além do mais, eles não se constituíam simplesmente em uma classe, mas em uma classe militar de combate, organizada a princípio em combinação com os "trabalhadores pobres" (que deviam, pensavam eles, seguir sua liderança)** contra a sociedade aristocrática, e mais tarde contra o proletariado e os proprietários

---

* *Tory* — Nome que se dá a um membro do Partido Conservador britânico. (*Nota da edição brasileira.*)

** "As opiniões daquela classe de pessoas que estão abaixo do escalão médio são formadas e seus espíritos são comandados pelo virtuoso e inteligente escalão que se acha mais imediatamente em contato com elas." James Mill, *An Essay on Government*, 1823.

A CARREIRA ABERTA AO TALENTO

de terras, principalmente naquela associação com grande consciência de classe denominada Liga Contra a Lei do Trigo. Eles eram homens que se fizeram por si mesmos ou, pelo menos, sendo de origem modesta, deviam pouca coisa ao nascimento, à família ou a uma educação formal superior. (Como o Sr. Bounderby, do romance *Tempos difíceis*, de Charles Dickens, não esqueciam de propagandear esse fato.) Eram ricos e a cada ano ficavam mais ricos. Acima de tudo, estavam imbuídos da dinâmica e feroz autoconfiança daqueles cujas carreiras lhes provavam que a divina providência, a ciência e a história se combinaram para servir-lhes a terra em uma bandeja.

"A economia política", traduzida para algumas proposições dogmáticas simples por editores-jornalistas independentes que louvavam as virtudes do capitalismo — Edward Baines, do *Leeds Mercury* (1774-1848), John Edward Taylor, do *Manchester Guardian* (1791-1844), Archibald Prentice, do *Manchester Times* (1792-1857), Samuel Smiles (1812-1904) —, deu-lhes a certeza intelectual. A dissidência protestante do gênero independente, unitário, batista e *quaker*, e não do gênero metodista emotivo, deu-lhes a certeza espiritual e um desprezo pelos inúteis aristocratas. Nem o medo, nem a raiva, nem mesmo a pena emocionavam o empregador que dizia a seus trabalhadores:

> O Deus da Natureza estabeleceu uma lei justa e imparcial que o homem não tem o direito de contestar; quando se arrisca a fazê-lo, é sempre certo que, mais cedo ou mais tarde, encontra o castigo merecido (...). Assim, quando os patrões audaciosamente combinam que por uma união de poder eles podem oprimir seus empregados de modo mais eficaz, insultam dessa forma a Majestade Divina e trazem para si a maldição de Deus, enquanto, por outro lado, quando os empregados se unem para extorquir de seus empregadores aquela parte do lucro que por direito pertence ao patrão, eles igualmente violam a lei da equidade.[7]

Havia uma ordem no universo, mas já não era a ordem do passado. Havia somente um Deus, cujo nome era vapor e que falava com a voz de Malthus, McCulloch e de qualquer um que usasse máquinas.

A ERA DAS REVOLUÇÕES

O punhado de intelectuais, escritores e eruditos agnósticos do século XVIII que falavam por eles não deve obscurecer o fato de que a maioria deles estava muito ocupada em ganhar dinheiro para se aborrecer com qualquer coisa que não estivesse ligada a este fim. Eles apreciavam seus intelectuais, até mesmo quando, como no caso de Richard Cobden (1804-1865), não eram homens de negócio particularmente bem-sucedidos, desde que evitassem ideias pouco práticas e excessivamente sofisticadas, pois eles eram homens práticos cuja própria falta de instrução fazia-os suspeitar de qualquer coisa que fosse muito além do empirismo. O cientista Charles Babbage (1792-1871) propôs-lhes seus métodos científicos em vão. *Sir* Henry Cole, o pioneiro do desenho industrial, da educação técnica e da racionalização do transporte, deu-lhes (com a inestimável ajuda do Príncipe Consorte alemão) o mais brilhante monumento a seus esforços, a Grande Exposição de 1851. Mas foi forçado a se retirar da vida pública em virtude de ser um intrometido com certo gosto pela burocracia, o que, como toda interferência governamental, eles detestavam, quando não se associasse diretamente com seus lucros. George Stephenson, mecânico de minas que se fez por si mesmo, dominou as novas ferrovias, impondo-lhes a medida do velho cavalo e da carroça — nunca pensou em outra coisa —, ao contrário do sofisticado, criativo e ousado engenheiro Isambard Kingdom Brunel, que não possui monumento no panteon de engenheiros construído por Samuel Smiles, exceto a frase condenatória: "em termos de resultados práticos e lucrativos, os Stephenson foram inquestionavelmente os homens mais seguros para se seguir".[8] Os filósofos radicais fizeram todo o possível para construir uma rede de "Institutos de Mecânicos" — expurgados dos desastrosos erros políticos que os operadores insistiam, contra a natureza, em ouvir nesses lugares — a fim de treinar os técnicos das novas indústrias de bases científicas. Já em 1848, a maioria deles se encontrava moribunda por falta de qualquer reconhecimento geral de que tal instrução tecno-

A CARREIRA ABERTA AO TALENTO

lógica poderia ensinar aos ingleses (em comparação com os alemães e os franceses) qualquer coisa de útil. Havia muitos industriais inteligentes, de espírito experimentador, e até mesmo cultos, que lotavam as reuniões da Associação Britânica para o Progresso da Ciência, mas seria um erro supor que eles representavam o conjunto de sua classe.

Uma geração destes homens cresceu nos anos entre Trafalgar e a Grande Exposição. Seus antecessores, criados dentro de um quadro social de comerciantes provincianos racionalistas e cultos e de ministros protestantes dissidentes e apoiados no quadro intelectual do século liberal, foram talvez um grupo menos bárbaro: o oleiro Josiah Wedgwood (1730-1795) era membro da Real Sociedade, sócio da Sociedade de Antiquários e da Sociedade Lunar juntamente com Matthew Boulton, seu sócio James Watt e o químico e revolucionário Priestley. (Seu filho Thomas fez experiências com a fotografia, publicou trabalhos científicos e ajudou o poeta Coleridge.) O fabricante do século XVIII naturalmente construía suas fábricas segundo o estilo de desenho constante nos livros de construtores georgianos. Seus sucessores, senão mais cultos, foram ao menos mais pródigos, pois já na década de 1840 ganharam dinheiro suficiente para gastar com liberalidade em residências pseudonobres, em prefeituras pseudogóticas ou pseudorrenascentistas, e para reconstruir suas capelas modestas e utilitárias ou clássicas no estilo perpendicular. Mas entre a era georgiana e a vitoriana aconteceu o que foi corretamente chamado de a gélida era da burguesia, bem como das classes trabalhadoras, cujos contornos ficaram para sempre perpetuados por Charles Dickens em *Tempos difíceis*.

Um protestantismo beato, rígido, farisaico, sem intelectualismo, obcecado com a moralidade puritana a ponto de tornar a hipocrisia sua companheira automática, dominou essa desolada época. "A virtude", dizia G. M. Young, "avançou numa frente ampla e invencível e foi pisando os que não tinham virtude, os fracos, os pecadores (isto é, aqueles que nem ganhavam dinheiro nem controlavam seus gastos emocionais ou financeiros), levando-os para a lama a que eles tão claramente pertenciam, merecendo na melhor das hipóteses a caridade dos mais bondosos. Havia nisto algum sentido econômico capitalista. Os pequenos empresários tinham que empregar muito dos seus lucros nos negócios se quisessem se transformar em grandes empresários. As massas de novos proletários tinham que se adaptar ao ritmo industrial de trabalho por meio da mais cruel disciplina ou então eram largadas para apodrecerem caso não a aceitassem. E, ainda assim, até hoje, o coração se contrai ante a visão do panorama construído por aquela geração:[9]

> Nada vistes em Coketown exceto o severamente funcional. Se os membros de uma seita religiosa construíam ali uma capela — como fizeram os membros de dezoito seitas religiosas —, faziam-na como um armazém de tijolo vermelho, às vezes com um sino em uma gaiola colocada no alto (mas isto só em exemplos de muita ornamentação). (...) Todas as inscrições públicas existentes na cidade eram pintadas de maneira semelhante, com letras severas em preto e branco. A cadeia poderia ser o hospital, o hospital poderia ser a cadeia, a prefeitura poderia ser uma coisa ou outra, ou ambas, ou ainda qualquer coisa diferente, qualquer coisa que parecesse o contrário do que é em virtude de sua construção. Fatos, fatos e mais fatos em todos os aspectos materiais da cidade; fatos, fatos e mais fatos também em todos os aspectos imateriais. (...) Tudo era fato, do hospital ao cemitério, e o que não pudesse se afirmar em números ou ser comprável no mercado mais barato e vendável no mais caro não existia nem nunca existiria, ó mundo sem fim, amém.*

Esta sombria devoção ao utilitarismo burguês, que os evangelistas e puritanos partilhavam com os agnósticos "filósofos radicais" do século XVIII, que a verbalizaram em termos lógicos para eles, produziu sua

---

* Cf. Léon Faucher, *Manchester in* (1844) p. 24-25: "A cidade de certa forma realiza a utopia de Bentham. Tudo é medido em seus resultados pelos padrões de utilidade: e se o BELO, o GRANDE e o NOBRE alguma vez fincarem suas raízes em Manchester, serão desenvolvidos de acordo com esse padrão."

A CARREIRA ABERTA AO TALENTO

própria beleza funcional nas estradas de ferro, pontes e armazéns, e seu horror romântico nas infindáveis fileiras de casinhas cinzentas ou avermelhadas envoltas em fumaça e dominadas pelas fortalezas das fábricas. A nova burguesia vivia fora dessa paisagem (se tivesse acumulado dinheiro suficiente para se mudar), ministrando autoridade, educação moral e assistência ao esforço missionário entre os pagãos negros no exterior. Seus homens personificavam o dinheiro, que provava seu direito de dominar o mundo; suas mulheres, que o dinheiro dos maridos privava até da satisfação de executar o trabalho doméstico, personificavam a virtude da classe: ignorantes ("seja boa, doce donzela, e deixe quem quiser ser inteligente"), sem instrução, pouco práticas, teoricamente assexuadas, sem patrimônio e protegidas. Elas foram o único luxo a que se permitiu a era da frugalidade e do cada um por si.

A burguesia manufatureira britânica foi o mais extremado exemplo da classe, mas em todo o continente havia grupos menores da mesma espécie: católicos nos distritos têxteis do norte da França ou na Catalunha, calvinistas na Alsácia, beatos luteranos na Renânia, judeus em toda a Europa central e oriental. Raramente eram tão rígidos quanto na Grã-Bretanha, pois raramente estavam tão divorciados das mais velhas tradições da vida urbana e do paternalismo. Léon Faucher sentiu-se dolorosamente surpreso, a despeito de seu liberalismo doutrinário, ante a visão de Manchester na década de 1840, e que observador da Europa continental não se sentiu da mesma forma?[10] Mas eles partilhavam com os ingleses a confiança que vinha do enriquecimento constante — entre 1830 e 1856, os dotes para casamentos da família Dansette, em Lille, aumentaram de 15.000 para 50.000 francos[11] —, da fé absoluta no liberalismo econômico e da repulsa pelas atividades não econômicas. As dinastias de fiandeiros de Lille mantiveram seu total desprezo pela carreira das armas até a Primeira Guerra Mundial. Os Dollfus de Mulhouse dissuadiram o jovem F. Engels da ideia de entrar na Escola Politécnica porque temiam que ela pudesse levá-lo a uma carreira militar em vez de uma carreira nos negócios. A aristocracia e seus *pedigrees*, para começar, não os tentava excessivamente: como os marechais de Napoleão, eles próprios eram ancestrais.

2.

A realização crucial das duas revoluções foi, assim, o fato de que elas abriram carreiras para o talento ou, pelo menos, para a energia, a sagacidade, o trabalho duro e a ganância. Não para todas as carreiras nem até os últimos degraus superiores do escalão, exceto talvez nos Estados Unidos. E, ainda assim, como eram extraordinárias as oportunidades, como estava afastado do século XIX o estático ideal hierárquico do passado! O conselheiro de Estado Von Schele, do Reino de Hannover, que recusou o pedido de um jovem e pobre advogado para um cargo no governo, com base no fato de que seu pai era um encadernador de livros e que, assim sendo, ele deveria se ater àquele ofício, pareceria agora odioso e ridículo.[12] Ainda assim, ele nada mais estava fazendo senão repetir a ultrapassada sabedoria proverbial da estável sociedade pré-capitalista, e, em 1750, o filho de um encadernador de livros teria, com toda probabilidade, se agarrado ao ofício do pai. Agora não era mais obrigado a fazê-lo. Havia quatro "caminhos para as estrelas" diante dele: os negócios, a educação (que, por sua vez, levava a três metas: o funcionalismo público, a política e as profissões liberais), as artes e a guerra. O último destes caminhos, bastante importante na França durante o período revolucionário e napoleônico, deixou de sê-lo durante as longas gerações de paz que se sucederam e talvez por esta razão, também deixou de ser muito atraente. O terceiro caminho era novo somente na medida em que as recompensas públicas de uma excepcional capacidade para entreter e emocionar os

A CARREIRA ABERTA AO TALENTO

auditórios eram agora muito maiores do que jamais tinham sido anteriormente, conforme demonstrado pelo crescente *status* social do palco, que finalmente produziria, na Grã-Bretanha eduardiana, fenômenos como o do ator enobrecido e do nobre casado com a corista. Até mesmo no período pós-napoleônico, eles já tinham produzido o fenômeno característico da idolatria ao cantor (p. ex. Jenny Lind, o "Rouxinol Sueco") ou à dançarina (p. ex. Fanny Elssler) e do endeusado concertista (p. ex. Paganini e Franz Liszt).

Nem os negócios nem a educação eram grandes estradas abertas para todos, até mesmo entre os suficientemente emancipados dos grilhões dos costumes e da tradição para acreditarem que "gente como nós" seria aí admitida, para saber como agir em uma sociedade individualista ou para aceitar o desejo de "progredir". Os que desejavam viajar nestes caminhos tinham de pagar um pedágio: sem *alguns* recursos iniciais, ainda que mínimos, era difícil entrar na autoestrada do sucesso. Esse pedágio era inquestionavelmente maior para os que buscassem a estrada da educação do que para os que quisessem escolher a dos negócios, pois até mesmo nos países que adquiriram um sistema público de ensino, a educação primária era muito negligenciada; e, mesmo onde ela existisse, estava restrita, por razões políticas, a um mínimo de alfabetização, obediência moral e conhecimentos de aritmética. Entretanto, à primeira vista e paradoxalmente, o caminho educacional parecia mais atraente do que o caminho dos negócios.

Sem dúvida, isto se devia ao fato de que a educação exigia uma revolução muito menor nos hábitos e modos de vida dos homens. O ensino, ainda que somente sob a forma do ensino eclesiástico, tinha o seu lugar socialmente valorizado e aceito na sociedade tradicional; de fato, tinha um lugar mais eminente do que na sociedade totalmente burguesa. Ter um padre, um ministro ou um rabino na família era talvez a maior honra a que os pobres poderiam aspirar e valiam a pena os sacrifícios titânicos para obtê-la. Esta admiração social podia ser prontamente transferida, uma vez abertas estas carreiras, ao intelectual secular, ao funcionário público, ao professor ou, nos casos mais maravilhosos, ao advogado e ao médico. Além do mais, os estudos não eram tão antissociais como pareciam ser tão claramente os negócios. O homem instruído não se voltaria automaticamente para dilacerar seu semelhante da mesma forma desavergonhada e egoísta com que o faria o comerciante ou o empregador. Frequentemente, de fato, especialmente no caso de um professor, ele ajudava seus concidadãos a saírem da ignorância e da escuridão que pareciam ser responsáveis por suas misérias. Uma sede geral de educação era muito mais fácil de ser criada do que uma sede geral de sucesso individual nos negócios, e a escolaridade era mais facilmente adquirida do que a estranha arte de ganhar dinheiro. As comunidades quase que totalmente compostas de pequenos camponeses, pequenos comerciantes e proletários, como o País de Gales, podiam simultaneamente desenvolver uma fome que empurrasse seus filhos para o ensino e o sacerdócio e criar também um amargo ressentimento contra a riqueza e os negócios.

Contudo, em certo sentido, a educação representava, tão eficazmente quanto os negócios, a competição individualista, a "carreira aberta ao talento" e o triunfo do mérito sobre o nascimento e os parentescos, através do instrumento do exame competitivo. Como de costume, a Revolução Francesa criou a expressão mais lógica dessa competição, as hierarquias paralelas de exames que ainda selecionam progressivamente, dentre o quadro nacional de ganhadores de bolsas de estudos, a elite intelectual que administra e instrui o povo francês. A bolsa de estudos e o exame competitivo eram também o ideal da escola burguesa de pensadores britânicos com maior consciência de classe, os filósofos radicais benthamitas, que consequentemente — mas não antes do final de nosso período — os impôs de uma forma extremamente pura para os mais altos cargos do serviço civil britânico e indiano, contra a dura resistência da aristocracia.

A CARREIRA ABERTA AO TALENTO

A seleção de acordo com os méritos, conforme determinada em exame ou outros testes educacionais, tornou-se o ideal geralmente aceito por todos, exceto pelos serviços públicos europeus mais arcaicos (tais como o do Papado e o do Ministério do Exterior britânico) ou pelos mais democráticos, que tendiam — como nos Estados Unidos — a preferir a eleição em vez do exame como um critério de aptidão para os cargos públicos. Pois, como outras formas de competição individualista, prestar exame era um recurso liberal, mas não democrático ou igualitário.

O principal resultado social da abertura da instrução ao talento foi, assim, paradoxal. Ele criou não a "sociedade aberta" da livre competição comercial, mas sim a "sociedade fechada" da burocracia; mas ambas, em suas várias formas, eram instituições características da era liberal burguesa. O *ethos* dos cargos mais altos do serviço civil do século XIX foi fundamentalmente o do Iluminismo do século XVIII: maçônico e "josefiniano" na Europa central e oriental, napoleônico na França, liberal e anticlerical nos outros países latinos, e benthamista na Grã-Bretanha. A competição era transformada em promoção automática uma vez que o homem de mérito tivesse efetivamente conquistado seu lugar no serviço; embora a rapidez e a importância com que um homem fosse promovido ainda dependessem, na teoria, de seus méritos, a menos que o igualitarismo da corporação impusesse uma promoção pura em função da idade. À primeira vista, portanto, a burocracia parecia muito dessemelhante do ideal da sociedade liberal. E, ainda assim, os homens que exerciam os serviços públicos estavam unidos na consciência de terem sido selecionados por mérito, numa atmosfera predominante de integridade, eficiência prática e educação, e nas origens não aristocráticas. Até mesmo a rígida insistência na promoção automática (que chegou a ter um alcance absurdo na marinha britânica, que era uma organização da classe média) teve ao menos a vantagem de excluir o hábito tipicamente aristocrático e monárquico do favoritismo. Nas sociedades em que o desenvolvimento econômico se arrastava, o serviço público, portanto, fornecia uma alternativa para a ascensão das classes médias.* Não é por mero acidente que, em 1848, no Parlamento de Frankfurt, 68% de todos os deputados fossem funcionários civis (contra somente 12% de "profissionais liberais" e 2,5% de homens de negócios).[13]

Assim, foi uma sorte para quem pensava em fazer carreira o fato que o período pós-napoleônico tenha sido em quase toda parte um período de crescimento marcante do aparelho e das atividades dos governos, embora fosse pouco extenso para absorver o número cada vez maior de cidadãos alfabetizados. Entre 1830 e 1850, os gastos públicos *per capita* aumentaram em 25% na Espanha, em 40% na França, em 44% na Rússia, em 50% na Bélgica, em 70% na Áustria, em 75% nos Estados Unidos e em mais de 90% na Holanda. (Só na Grã-Bretanha, nas colônias britânicas, na Escandinávia e em alguns Estados atrasados é que os gastos governamentais *per capita* permaneceram estáveis ou caíram durante este período, o do apogeu do liberalismo econômico.)[14] Isto não se deveu somente a esse consumidor óbvio de impostos, as Forças Armadas, que continuaram depois das guerras napoleônicas muito maiores do que antes, apesar da inexistência de guerras internacionais de maior importância: dos principais Estados, só a Grã-Bretanha e a França, em 1851, tinham um exército muito menor do que no auge do poderio de Napoleão em 1810, e em vários Estados — por exemplo, a Rússia, a Espanha e diversos Estados italianos e alemães — os exércitos eram de fato maiores. O aumento dos gastos públicos deveu-se também ao desenvolvimento das velhas funções e à aquisição de novas por parte dos Estados. Pois é um erro elementar (não compartilhado por esses protagonistas lógicos do capitalismo, os "filósofos radicais" partidários de Bentham)

---

* Todos os funcionários públicos dos romances de Balzac parecem pertencer ou estar ligados a famílias de pequenos empresários.

A CARREIRA ABERTA AO TALENTO

acreditar que o liberalismo era hostil à burocracia. Ele era somente hostil à burocracia ineficaz, à interferência pública em assuntos que ficariam melhor se deixados para a empresa privada, e à tributação excessiva. O *slogan* liberal vulgar de um Estado reduzido às atrofiadas funções de um vigia noturno obscurece o fato de que o Estado destituído de suas funções ineficazes e inadequadas era um Estado muito mais poderoso e ambicioso do que antes. Por exemplo, já em 1848, era um Estado que tinha adquirido forças policiais modernas e frequentemente nacionais: na França, desde 1798; na Irlanda, a partir de 1823; na Inglaterra, desde 1829; na Espanha (a Guarda Civil) a partir de 1844. Fora da Grã-Bretanha, era normalmente um Estado que tinha um sistema educacional público; fora da Grã-Bretanha e dos Estados Unidos, era um Estado que tinha ou estava a ponto de ter um serviço público de ferrovias: em toda parte, era um Estado que tinha um serviço postal cada vez maior para suprir as crescentes necessidades dos negócios e das comunicações privadas. O crescimento da população obrigou-o a manter um sistema judicial maior; o crescimento das cidades e dos problemas sociais urbanos, um maior sistema de administração municipal. Novas ou velhas, as funções governamentais eram desempenhadas cada vez mais por um único serviço nacional civil constituído de funcionários de carreira em regime de tempo integral, cujos últimos escalões eram promovidos e transferidos livremente pela autoridade central de cada país. Entretanto, enquanto um serviço eficiente deste tipo poderia reduzir o número de funcionários e o custo da administração através da eliminação da corrupção e do serviço em regime de meio expediente, ele criava uma máquina governamental muito mais formidável. As funções mais elementares do Estado liberal, como a eficiência da avaliação e da coleta de tributos por um corpo de funcionários assalariados ou a manutenção de uma força policial rural, organizada regularmente em termos nacionais, teria parecido estar além dos sonhos mais loucos da maioria dos absolutismos pré-revolucionários.

A ERA DAS REVOLUÇÕES

Da mesma forma, o nível de tributação, que realmente já era por vezes um imposto de renda gradativo,* que era tolerado pelo cidadão do Estado liberal: em 1840, os gastos governamentais na Grã-Bretanha liberal foram quatro vezes tão grandes quanto na Rússia autocrática.

Poucos destes novos postos burocráticos equivaliam realmente à dragona do oficial que o proverbial soldado de Napoleão carregava em sua mochila como o primeiro passo para a obtenção do posto de general. Dos 130.000 servidores civis calculados para a França em 1839,[15] a grande maioria era de carteiros, professores, funcionários que recolhiam os impostos, oficiais de justiça e outros; até mesmo os 450 funcionários do Ministério do Interior e os 350 do Ministério das Relações Exteriores eram quase todos escriturários, um tipo de gente que, conforme se vê claramente na literatura desde Dickens até Gogol, não podia ser invejada, exceto talvez devido a seu privilégio de servidor público, à segurança que lhes dava a certeza de não morrer de fome e de sustentar um nível de vida inalterável. Os funcionários que alcançavam um nível social equivalente a uma boa carreira de classe média — financeiramente, nenhum funcionário honesto poderia aspirar a mais do que o conforto decente — eram poucos. Mesmo hoje em dia, a "classe administrativa" de todo o funcionalismo civil britânico, que foi planejada pelos reformadores da metade do século XIX como o equivalente da classe média na hierarquia burocrática, não chega a mais de 3.500 ao todo.

Ainda assim, embora a situação do subfuncionário, do comerciário ou do escriturário fosse modesta, ela se achava muito acima da dos trabalhadores pobres. Seu trabalho não exigia esforço físico. Suas mãos limpas e seus colarinhos brancos os colocavam, embora simbolicamente, ao lado dos ricos. Normalmente, eles carregavam consigo a magia da autoridade

---

* Na Grã-Bretanha, este fato foi temporariamente imposto durante as guerras napoleônicas e de maneira permanente a partir de 1842. Nenhum outro país de importância tinha seguido esta filosofia antes de 1848.

A CARREIRA ABERTA AO TALENTO

pública. Perante eles, os homens e as mulheres tinham que formar filas para a obtenção dos documentos que registravam suas vidas; eles os liberavam ou os retinham; diziam-lhes o que podiam e o que não podiam fazer. Nos países mais atrasados (assim como nos Estados Unidos, com sua democracia), através deles, seus primos e sobrinhos podiam achar bons empregos; em muitos países não tão atrasados, eles tinham que ser subornados. Para inúmeras famílias camponesas e trabalhadoras, para as quais todos os demais caminhos de ascensão social estavam fechados, a burocracia, o ensino e o sacerdócio eram, ao menos teoricamente, himalaias que seus filhos podiam tentar alcançar.

As profissões liberais não estavam tão a seu alcance, pois, para se tornar um médico, um advogado, um professor (que na Europa continental significava tanto professor secundário quanto universitário) ou uma "outra categoria qualquer de pessoa de instrução de diversas atividades",[16] eram necessários longos anos de estudo ou excepcionais talento e oportunidade. Em 1851, a Grã-Bretanha tinha cerca de 16.000 advogados (sem contarmos os juízes) e só 1.700 estudantes de direito;* cerca de 17.000 médicos e cirurgiões e 3.500 estudantes de medicina, menos que 3.000 arquitetos, cerca de 1.300 "editores e escritores". (O termo francês *journalist* ainda não fazia parte do conhecimento oficial.) O direito e a medicina eram as duas das grandes profissões tradicionais. A terceira, o sacerdócio, oferecia menos oportunidades do que se poderia esperar, ainda que somente devido ao fato de estar se expandindo bem mais lentamente do que a população (com exceção dos pregadores das seitas protestantes). De fato, graças ao zelo anticlerical dos governos — José II suprimiu 359 abadias e conventos, os espanhóis em seus intervalos liberais fizeram todo o possível para suprimir todos eles — certas partes da profissão estavam em estado de regressão e não de expansão.

---

* No continente europeu, o número e a proporção de advogados era constantemente maior.

A ERA DAS REVOLUÇÕES

Só havia uma verdadeira saída: o ensino escolar elementar feito por leigos e religiosos. O número de professores, geralmente recrutados entre os filhos de camponeses, artesãos e de outras famílias modestas, não era absolutamente desprezível nos Estados ocidentais: na Grã-Bretanha, em 1851, cerca de 76.000 homens e mulheres consideravam-se mestres ou mestras de escola ou professores privados, para não mencionarmos as 20.000 e tantas governantas, o único recurso bem conhecido de moças instruídas e sem dinheiro, incapazes ou relutantes em ganhar a vida em uma atividade menos respeitável. Além do mais, o ensino era não só uma profissão ampla, mas em expansão. Era mal remunerada, mas fora dos países mais positivistas como a Grã-Bretanha e os Estados Unidos, o professor primário era, com razão, uma figura popular, pois se alguém representava o ideal de uma era em que, pela primeira vez, os homens e as mulheres do povo olhavam por cima de suas cabeças e viam que a ignorância podia ser dissipada, esse alguém era certamente o homem ou a mulher cuja vida e vocação era dar às crianças as oportunidades que seus pais nunca haviam tido, abrir-lhes o mundo, infundir-lhes a verdade e a moralidade.

Claro está que a carreira mais francamente aberta ao talento era a dos negócios. E em uma economia que se expandia rapidamente, as oportunidades de negócios eram cada vez maiores. A pequena escala de muitas empresas, a predominância dos subcontratos, das vendas e compras modestas tornavam-no relativamente fáceis. Ainda assim, nem as condições materiais, sociais ou culturais eram propícias para os pobres. Em primeiro lugar — um fato constantemente desprezado pelos bem-sucedidos —, a evolução da economia industrial dependia de se criar mais depressa trabalhadores assalariados do que empregadores ou empregados autônomos. Para cada homem que ascendia no mundo dos negócios, um grande número necessariamente descia. Em segundo lugar, a independência econômica exigia qualificações técnicas, atitudes de espírito, ou

A CARREIRA ABERTA AO TALENTO

recursos financeiros (mesmo que modestos) que a maioria dos homens e mulheres não possuía. Os que tinham a sorte de possuí-los — por exemplo, os membros de certas minorias religiosas ou seitas, cuja aptidão para tais atividades é bem conhecida dos sociólogos — poderiam sair-se bem: a maioria dos servos de Ivanovo — a "Manchester russa" — que se tornaram fabricantes têxteis pertencia à seita dos "Velhos Crentes".[17] Mas estaria inteiramente fora da realidade esperar que os que não possuíam estas condições — por exemplo, a maioria dos camponeses russos — fizessem o mesmo ou pensassem sequer em competir com aqueles.

3.

Nenhuma parcela da população saudou com maior efusão a abertura da carreira a qualquer espécie de talento do que as minorias que tinham, até então, sido excluídas da eminência, não somente por não serem bem-nascidas, mas também por sofrerem uma discriminação coletiva e oficial. O entusiasmo com que os protestantes franceses se atiraram à vida pública durante e depois da Revolução só foi superado pela vulcânica erupção de talento entre os judeus ocidentais. Antes da emancipação preparada pelo racionalismo do século XVIII e trazida pela Revolução Francesa, só havia dois caminhos de ascensão para os judeus: o comércio ou as finanças, e a interpretação da sagrada lei, e ambos confinavam-os em suas fechadas comunidades — os "guetos" — das quais só um punhado de "judeus da corte" ou outros homens ricos semiemergiram, evitando — até mesmo na Grã-Bretanha e na Holanda — se expor demasiadamente à perigosa e impopular luz da celebridade. Este emergir não era impopular somente entre incrédulos brutais e bêbados que, em conjunto, se opunham a aceitar a emancipação judaica. Séculos de opressão social tinham enclausurado a comunidade judaica em si mesma, rechaçando qualquer passo

A ERA DAS REVOLUÇÕES

fora de suas rígidas ortodoxias como descrença e traição. Os pioneiros da liberalização dos judeus durante o século XVIII, na Alemanha e na Áustria, notadamente Moisés Mendelssohn (1729-1786), foram qualificados de desertores e ateus.

A grande massa judia, que habitava os crescentes "guetos" da parte oriental do antigo Reino da Polônia e Lituânia, continuava a levar suas autocontidas e receosas vidas entre os hostis camponeses, dividida somente em sua fidelidade entre os eruditos rabinos intelectuais da ortodoxia lituana e os estáticos e pobres Chassidim. É característico que de 46 revolucionários galicianos presos pelas autoridades austríacas em 1834, somente *um* fosse judeu.[18] Mas, nas comunidades menores do Ocidente, os judeus agarravam suas novas oportunidades com as mãos, até mesmo quando o preço que tinham que pagar por elas era um batismo nominal, como ainda era o caso nos países semiemancipados, ao menos para os postos oficiais. Os homens de negócios não necessitavam nem mesmo disto. Os Rothschild, reis do judaísmo internacional, não foram apenas ricos. Isto, eles poderiam tê-lo sido até mesmo antes, embora as transformações militares e políticas do período criassem oportunidades sem precedentes para as finanças internacionais. Agora eles também poderiam *ser vistos como ricos,* ocupando uma posição social proporcional à sua riqueza e até mesmo podendo aspirar à nobreza que os príncipes europeus de fato começaram a conceder-lhes em 1816. (Em 1823 seriam promovidos a barões hereditários pelos Habsburgo.)

Mais surpreendente do que a riqueza dos judeus foi o florescimento do seu talento nas artes seculares, nas ciências e nas profissões. Pelos padrões do século XX, este talento ainda era modesto, embora já em 1848 houvesse alcançado a maturidade a maior inteligência judia e o mais bem-sucedido político judeu do século XIX: Karl Marx (1818-1883) e Benjamin Disraeli (1804-1881). Não havia grandes cientistas judeus e somente alguns matemáticos de alta reputação, embora não chegassem à eminência total.

A CARREIRA ABERTA AO TALENTO

Tampouco Meyerbeer (1791-1864) e Mendelson-Bartholdy (1809-1847) eram compositores da mais alta estirpe contemporânea, embora entre os poetas Heinrich Heine (1797-1856) possa figurar entre os melhores de seu tempo. Até então não havia qualquer pintor judeu de importância, nem grandes músicos ou maestros judeus, e somente uma artista de teatro de renome, a atriz Rachel (1821-1858). Mas, de fato, a produção de gênios não é o critério para se avaliar a emancipação de um povo, que melhor se mede pela repentina abundância de judeus menos eminentes participantes da vida pública e cultural da Europa ocidental, especialmente na França e, acima de tudo, nos Estados alemães, que forneceram a linguagem e a ideologia que pouco a pouco fechavam o vão existente entre o medievalismo e o século XIX, abrindo caminho para os imigrantes judeus provenientes do interior.

A dupla revolução proporcionou aos judeus a sensação mais próxima à igualdade que os judeus jamais tinham gozado em uma sociedade cristã. Os que agarraram a oportunidade nada mais desejavam senão ser "assimilados" pela nova sociedade; e suas afinidades eram, por razões óbvias, esmagadoramente liberais. Ainda assim, a situação dos judeus era incerta e incômoda, ainda que o antissemitismo endêmico das massas exploradas, que agora frequentemente identificava de imediato o judeu e o "burguês"* não fosse seriamente explorado pelos políticos demagogos. Na França e na Alemanha Ocidental (mas não em outras partes), alguns judeus jovens sonhavam com uma sociedade ainda mais perfeita: havia um marcante elemento judeu no saint-simonismo francês (Olinde Rodrigues, os irmãos Pereire, Léon Halévy, d'Eichthal) e, com menor intensidade, no comunismo alemão (Moisés Hess, o poeta Heine e, obviamente, Marx, que entretanto demonstrava uma total indiferença por suas origens e parentescos judaicos).

---

* O bandoleiro alemão, Schinderhannes (Johannes Bueckler, 1777-1803) obteve muita popularidade ao eleger muitos judeus como vítimas, e em Praga a intranquilidade industrial na década de 1840 também tomou um caráter antissemita. (Viena, Verwaltungsarchiv, Polizeihofstelle 1186-1845.)

A ERA DAS REVOLUÇÕES

A situação dos judeus tornava-os excepcionalmente preparados para serem assimilados pela sociedade burguesa. Eles eram uma minoria. Eram esmagadoramente urbanos, a ponto de estarem altamente imunizados contra as doenças da urbanização. Nas cidades, sua mortalidade mais baixa já era notada pelos estatísticos. Eram homens cultos e à margem da agricultura. Uma enorme proporção deles já estava envolvida nas profissões livres ou nas atividades comerciais. Sua própria posição os obrigava constantemente a considerar as novas situações e ideias, ainda que só para detectar a ameaça latente que podiam trazer de maneira implícita. A grande massa dos povos do mundo, por outro lado, achava muito mais difícil ajustar-se à nova sociedade.

Isto se dava, em parte, porque a sólida armadura do costume impossibilitava-lhes entender o que se esperava deles — como os jovens cavalheiros argelinos, levados a Paris para adquirir uma educação europeia na década de 1840, que se sentiram chocados ao descobrir que tinham sido convidados para ir à capital do reino para algo que não era o contato social com o rei e a nobreza, que eles sabiam ser seu dever. Além do mais, a nova sociedade não facilitava o ajustamento. Os que aceitavam as evidentes bênçãos da civilização da classe média e das maneiras da classe média podiam gozar de seus benefícios livremente; os que as recusavam ou não eram capazes de obtê-las simplesmente não contavam. Havia mais do que um mero preconceito político na insistência sobre a livre propriedade que caracterizava os governos liberais moderados de 1830; o homem que não tivesse demonstrado a habilidade de chegar a proprietário não era um homem completo e, portanto, dificilmente poderia ser um cidadão completo. Os extremos desta atitude ocorriam nos lugares onde a classe média europeia se punha em contato com o pagão incrédulo, tentando convertê-lo, através de missionários sem sofisticação intelectual, às verdades do cristianismo, ao comércio e ao uso de trajes civilizados (entre tais objetivos não havia uma distinção aguda), ou impondo-lhe

A CARREIRA ABERTA AO TALENTO

as verdades da legislação liberal. Se ele as aceitasse, o liberalismo (em se tratando de revolucionários franceses) estava perfeitamente preparado para conceder-lhe a plena cidadania com todos os seus direitos, ou (em se tratando de um britânico) a esperança de chegar a ser um dia tão bom quanto um inglês. A atitude reflete-se perfeitamente no *senatus-consulte* de Napoleão III que, alguns anos depois do final de nosso período, mas ainda dentro de seu espírito, abria as portas da cidadania francesa ao argelino: "Ele pode, a seu pedido, usufruir dos direitos de cidadão francês e, neste caso, ele é regido pelas leis civis e políticas da França."[19] Na verdade, tudo o que ele tinha a fazer era renunciar ao islamismo; se ele assim não o quisesse — e poucos quiseram —, então ele continuaria a ser um súdito e não um cidadão.

O absoluto desprezo dos "civilizados" pelos "bárbaros" (que incluía a massa dos trabalhadores pobres do próprio país)[20] baseava-se neste sentimento de superioridade declarada. O mundo da classe média estava livremente aberto a todos. Portanto, os que não conseguiam cruzar seus umbrais demonstravam uma falta de inteligência pessoal, de força moral ou de energia que, automaticamente, os condenava, ou, na melhor das hipóteses, uma herança racial ou histórica que deveria invalidá-los eternamente, como se já tivessem feito uso, para sempre, de suas oportunidades. O período que culminou por volta da metade do século foi, portanto, uma época de insensibilidade sem igual, não só porque a pobreza que rodeava a respeitabilidade da classe média era tão chocante que o homem rico preferia não vê-la, deixando que seus horrores provocassem impacto apenas sobre os visitantes estrangeiros (como é o caso hoje em dia das favelas da Índia), mas também porque os pobres, como os bárbaros do exterior, eram tratados como se não fossem seres humanos. Se seu destino era o de se tornarem trabalhadores industriais, eles eram simplesmente massa que deveria ser modelada pela disciplina através da pura coerção, sendo a draconiana disciplina fabril suplementada com a

A ERA DAS REVOLUÇÕES

ajuda do Estado. (É bastante característico que a opinião da classe média contemporânea não percebesse qualquer incompatibilidade entre o princípio de igualdade perante a lei e os códigos trabalhistas deliberadamente discriminatórios que, como no caso do Código Britânico de Patrões e Empregados, de 1823, puniam os trabalhadores com a prisão por quebra de contrato e os empregadores com modestas multas, se tanto).[21] Eles deveriam estar constantemente à beira da indigência, porque, caso contrário, não trabalhariam, sendo inacessíveis às motivações "humanas". "É no próprio interesse do trabalhador", disseram os empregadores a Villermé no final da década de 1830, "que ele deve ser sempre fustigado pela necessidade, pois assim não dará a seus filhos um mau exemplo, e sua pobreza será uma garantia de sua boa conduta."[22] Contudo, havia pobres em demasia para seu próprio bem, mas era de se esperar que os efeitos da lei de Malthus matassem de fome um número suficiente deles para que se estabelecesse um máximo viável, a menos que, naturalmente *per absurdum,* os pobres estabelecessem seus próprios limites racionais no crescimento da população, refreando uma complacência excessiva na procriação.

Era pequeno o passo a ser dado desta atitude para o reconhecimento formal da desigualdade que, como afirmou Henri Baudrillart em sua conferência inaugural no Collège de France em 1835, era um dos três pilares da sociedade humana, e os outros dois eram a propriedade e a herança.[23] A sociedade hierárquica era, assim, reconstruída sobre os princípios da igualdade formal. Mas havia perdido o que a fazia tolerável no passado, a convicção social geral de que os homens tinham deveres e direitos, de que a virtude não era simplesmente equivalente ao dinheiro, e de que as classes mais baixas, embora baixas, tinham direito a suas modestas vidas na condição social a que Deus os havia chamado.

11. OS TRABALHADORES POBRES

"Todo fabricante vive em sua fábrica como os plantadores coloniais no meio de seus escravos, um contra uma centena, e a subversão de Lyon é uma espécie de insurreição de São Domingos. (...) Os bárbaros que ameaçam a sociedade não estão nem no Cáucaso nem nas estepes tártaras; estão nos subúrbios de nossas cidades industriais. (...) A classe média deve reconhecer claramente a natureza da situação e saber onde está pisando."

Saint-Marc Girardin, in *Journal des Débats*, 8 de dezembro de 1931

"Pour gouverner il faut avoir
Manteaux ou rubans en sautoir (bis)
Nous en tissons pour vous, grands de la Terre,
Et nous, pauvres canuts, sans drap on nous enterre.
C'est nous les canuts
Nous sommes tout nus. (bis)
Mais quand notre règne arrivere
Quand votre règne finira.
Alors nous tisserons le linceul du vieux monde
Car on entend déjà la revolte qui gronde.
C'est nous les canuts
Nous n'irons plus nus." *

Canção dos tecelões de Lyon

---

* Em francês no original: "Para governar é preciso ter/Mantos ou condecorações em brasões/ Nós tecemos para vós, grandes da Terra,/E nós, pobres operários, sem lençol onde nos enterrar/ Somos nós os operários/Nós estamos nus/Porém, quando chegar o nosso reino/Quando o vosso reino terminar/ Então nós teceremos a mortalha do velho mundo/Porque já se percebe a revolta que troa/Somos nós os operários/ Não estaremos mais nus." (*N. T.*)

A ERA DAS REVOLUÇÕES

1.

Eram três as possibilidades abertas aos pobres que se encontravam à margem da sociedade burguesa e não mais efetivamente protegidos nas regiões ainda inacessíveis da sociedade tradicional. Eles poderiam lutar para se tornar burgueses, poderiam permitir que fossem oprimidos ou então poderiam se rebelar.

A primeira possibilidade, como já vimos, não só era tecnicamente difícil para quem carecia de um mínimo de bens ou de instrução, como era também profundamente desagradável. A introdução de um sistema individualista puramente utilitário de comportamento social, a selvagem anarquia da sociedade burguesa, teoricamente justificada por seu lema "cada um por si e Deus por todos",* parecia aos homens criados nas sociedades tradicionais pouco melhor do que a maldade desenfreada. "Em nossa época", disse um dos desesperados tecelões da Silésia que se revoltaram em vão contra o próprio destino em 1844,[1] "os homens inventaram excelentes maneiras de enfraquecer e minar suas próprias existências. Mas, meu Deus, ninguém mais pensa no Sétimo Mandamento, que determina e proíbe o seguinte: Não roubarás. Nem têm em mente as palavras de Lutero, quando ele diz: "Amaremos e temeremos o Senhor, assim como não roubaremos a propriedade de nosso vizinho nem o seu dinheiro, nem os obteremos por meios falsos e sim, pelo contrário, devemos ajudá-lo a conservar e melhorar sua existência e sua propriedade." Este homem falava por todos aqueles que se viam arrastados para um abismo pelos que representavam as forças do inferno. Eles não pediam muito. ("Os ricos costumavam tratar os pobres com benevolência, e os pobres viviam de maneira simples, pois naquela época as classes mais baixas necessitavam de muito menos para comprar roupas e fazer outras despesas do que hoje em dia.") Mas até mesmo este modesto lugar na ordem social estava agora, ao que parecia, para lhes ser tomado.

---

* No original: "every man for himself and the devil take the hindmost." (*N.T.*)

OS TRABALHADORES POBRES

Daí sua resistência até mesmo às propostas mais racionais da sociedade burguesa, que estavam de braços dados com a desumanidade. Os nobres rurais apresentaram o sistema Speenhamland, ao qual os trabalhadores se agarraram, embora os argumentos econômicos contra ele fossem contundentes. Como meio de minorar a pobreza, a caridade cristã era tão má como inútil, como se podia ver nos Estados papais, que a praticavam em demasia. Era popular não só entre os ricos tradicionalistas, que a fomentavam como salvaguarda contra o perigo dos direitos iguais (propostos por "aqueles sonhadores que sustentam que a natureza criou os homens com direitos iguais e que as distinções sociais devem ser fundamentadas puramente na utilidade comum"),[2] mas também entre os pobres tradicionalistas, que estavam profundamente convencidos de que tinham um *direito* às migalhas que caíam da mesa dos ricos. Na Grã-Bretanha, um abismo dividia os expoentes das *Sociedades Amistosas* da classe média, que viam nelas uma forma de autoajuda, e os pobres, que as tratavam também e primordialmente como *sociedades,* com reuniões sociais, cerimônias, rituais e festividades, em detrimento de sua integridade militante.

Esta resistência foi reforçada pela oposição até mesmo de burgueses a alguns aspectos da pura e livre competição individual que não os beneficiavam. Ninguém era mais devoto do individualismo do que o bronco fazendeiro ou fabricante americano, e nenhuma Constituição, mais oposta do que a deles — ou assim acreditavam seus advogados até o século XX — a tais interferências na liberdade, como a legislação federal sobre o trabalhador menor de idade. Mas ninguém estava mais firmemente empenhado, como já vimos, na proteção "artificial" de seus negócios. Um dos principais benefícios que eram esperados da empresa privada e da livre iniciativa era a nova maquinaria. Mas não apenas operários "destruidores de máquinas" se ergueram contra ela: os negociantes e fazendeiros de menor porte simpatizavam com eles porque também consideravam os inovadores como destruidores da existência dos homens. De fato, às vezes, os fazendeiros deixavam suas máquinas ao alcance dos

A ERA DAS REVOLUÇÕES

revoltosos para que fossem destruídas, e o governo foi obrigado a enviar uma circular redigida com palavras ásperas, em 1830, para enfatizar que "as máquinas têm tanto direito à proteção da lei quanto quaisquer outros itens patrimoniais".[3] A própria hesitação e a dúvida com que, fora das fortalezas da confiança liberal-burguesa, o novo empresário desempenhava sua histórica tarefa de destruir a ordem moral e social fortaleciam a convicção do homem pobre.

Logicamente, havia trabalhadores que davam o melhor de si para se unir às classes médias, ou ao menos para seguir os preceitos de poupança, de autoajuda e automelhoria. A literatura moral e didática da classe média radical, os movimentos de moderação e o esforço protestante estão cheios deste tipo de homem cujo Homero era Samuel Smiles. De fato, estas associações atraíam e talvez encorajavam o jovem ambicioso. O Seminário Royton de Moderação, fundado em 1843 (limitado a meninos — a maioria deles trabalhadores de algodão — que tinham feito voto de abstinência, se recusavam a participar de jogos a dinheiro e viviam em rigorosa moralidade), havia criado em 20 anos de existência cinco mestres tecedores de algodão, um sacerdote, dois gerentes de fábricas de algodão na Rússia "e muitos outros tinham alcançado posições de respeito, como gerentes, inspetores, mecânicos, mestre de escola diplomados, ou tinham-se tornado respeitáveis donos de lojas".[4] Claramente, estes fenômenos eram menos comuns fora do mundo anglo-saxônico, onde o caminho para fora da classe trabalhadora (a não ser através da emigração) era muito mais estreito — nem mesmo na Grã-Bretanha se podia dizer que fosse amplo — e a influência moral e intelectual da classe média radical sobre o trabalhador qualificado era menor.

Por outro lado, havia muito mais pobres que, diante da catástrofe social que não conseguiam compreender, empobrecidos, explorados, jogados em cortiços onde se misturavam o frio e a imundície, ou nos extensos complexos de aldeias industriais de pequena escala, mergulhavam na total desmoralização. Destituídos das tradicionais instituições e padrões de com-

OS TRABALHADORES POBRES

portamento, como poderiam muitos deles deixar de cair no abismo dos recursos de sobrevivência, em que as famílias penhoravam a cada semana seus cobertores até o dia do pagamento, e em que o álcool era "a maneira mais rápida para se sair de Manchester" (ou de Lille ou de Borinage)? O alcoolismo em massa, companheiro quase invariável de uma industrialização e de uma urbanização bruscas e incontroláveis, disseminou "uma peste de embriaguez"[5] em toda a Europa. Talvez os inúmeros contemporâneos que deploravam o crescimento da embriaguez, como o da prostituição e de outras formas de promiscuidade sexual, estivessem exagerando. Contudo, a repentina aparição, por volta de 1840, de sistemáticas campanhas de agitação em prol da moderação, entre as classes média e trabalhadora, na Inglaterra, Irlanda e Alemanha, mostra que a preocupação com a desmoralização não era nem acadêmica nem tampouco limitada a uma única classe. Seu sucesso imediato teve pouca duração, mas durante o restante do século a hostilidade à embriaguez permaneceu como algo que tanto patrões quanto movimentos trabalhistas tinham em comum.*

Mas naturalmente os contemporâneos que deploravam a desmoralização dos novos pobres industrializados e urbanos não estavam exagerando. Tudo concorria para aumentar esta desmoralização. As cidades e as áreas industriais cresciam rapidamente, sem planejamento ou supervisão, e os serviços mais elementares da vida da cidade fracassavam na tentativa de manter o mesmo passo: a limpeza das ruas, o fornecimento de água, os serviços sanitários, para não mencionarmos as condições habitacionais da classe trabalhadora.[6] A consequência mais patente desta deterioração urbana foi o reaparecimento das grandes epidemias de doenças contagiosas (principalmente transmitidas pela água), notadamente a *cólera*, que reconquistou a Europa a partir de 1831 e varreu o continente de Marselha a São Petersburgo em 1832 e novamente mais tarde. Para darmos um

---

* Esta hostilidade não era verdadeira em relação à cerveja, ao vinho ou a outras bebidas que faziam parte da costumeira dieta cotidiana dos homens. Esta hostilidade se restringia, em grande parte, às seitas protestantes anglo-saxônicas.

A ERA DAS REVOLUÇÕES

só exemplo: em Glasgow, o tifo "não chamou a atenção até 1818".[7] Daí em diante, ele cresceu. Houve duas grandes epidemias (o tifo e a cólera) na cidade na década de 1830, três (o tifo, a cólera e a febre recorrente) na década de 1840, duas na primeira metade da década de 1850, até que o aperfeiçoamento urbano acabou com uma geração de desleixo. Os efeitos deste descuido foram tremendos, mas as classes média e alta não o sentiram. Em nosso período, o desenvolvimento urbano foi um gigantesco processo de segregação de classes, que empurrava os novos trabalhadores pobres para as grandes concentrações de miséria alijadas dos centros de governo e dos negócios, e das novas áreas residenciais da burguesia. A divisão das grandes cidades europeias, de caráter quase universal, em zonas ricas localizadas a oeste e zonas pobres localizadas a leste se desenvolveu neste período.* E que instituições sociais, exceto a taverna e talvez a capela, foram criadas nestas novas aglomerações de trabalhadores, a não ser pela própria iniciativa dos trabalhadores? Só depois de 1848, quando as novas epidemias nascidas nos cortiços começaram a matar também os ricos, e as massas desesperadas que aí cresciam tinham assustado os poderosos com a revolução social, foram tomadas providências para um aperfeiçoamento e uma reconstrução urbana sistemática.

A bebida não era o único sinal desta desmoralização. O infanticídio, a prostituição, o suicídio e a demência têm sido relacionados com este cataclismo econômico e social, graças em grande parte ao trabalho pioneiro

---

* "As circunstâncias que obrigam os trabalhadores a saírem do centro de Paris têm tido geralmente, como já se observou, efeitos deploráveis sobre seu comportamento e sua moral. No passado, eles costumavam habitar os andares mais altos dos edifícios cujos andares mais baixos eram habitados por comerciantes e outros membros das classes relativamente confortáveis. Estabelecia-se então uma espécie de solidariedade entre os inquilinos de um mesmo prédio. Os vizinhos se ajudavam nas mínimas coisas. Quando doentes ou desempregados, os trabalhadores podiam encontrar muito apoio dentro do prédio, enquanto, por outro lado, uma espécie de sentimento de respeito humano imbuía os hábitos da classe trabalhadora com uma certa regularidade." Esta citação foi retirada de um relatório da Câmara de Comércio e da Chefatura de Polícia, mas a novidade da segregação está muito bem apresentada.[8]

OS TRABALHADORES POBRES

na época daquilo que hoje em dia seria chamado de medicina social.* O mesmo se deu em relação ao aumento da criminalidade e da violência crescente e frequentemente despropositada que era uma espécie de ação pessoal cega contra as forças que ameaçavam engolir os elementos passivos. A difusão de seitas e cultos de caráter místico e apocalítico durante este período (veja o Capítulo 12) indica uma incapacidade semelhante em lidar com os terremotos da sociedade que destroçavam vidas humanas. As epidemias de cólera, por exemplo, provocaram renascimentos religiosos na católica cidade de Marselha, bem como no País de Gales, de maioria protestante.

Todas estas formas de distorções do comportamento social tinham algo comum entre si, e incidentalmente com a "autoajuda". Eram tentativas de escapar do destino de ser um trabalhador pobre ou, na melhor das hipóteses, de aceitar ou de esquecer a pobreza e a humilhação. Os que acreditavam na ressurreição, os bêbados, os criminosos, os lunáticos, os vagabundos ou os pequenos negociantes ambiciosos desviavam os olhos das condições da coletividade e (com a exceção dos últimos) se sentiam apáticos em relação à possibilidade de uma ação coletiva. Na história de nosso período, esta apatia da massa desempenha um papel muito mais importante do que se supõe. Não é um mero acidente o fato de que os menos qualificados, os menos instruídos, os menos organizados e, portanto, os menos esperançosos dentre os pobres, naquela época como mais tarde, fossem os mais apáticos: nas eleições de 1848 na cidade prussiana de Halle, 81% dos artesãos independentes e 71% dos pedreiros, carpinteiros e outros trabalhadores qualificados de construção votaram, mas somente 46% dos trabalhadores das fábricas e ferrovias, dos lavradores, dos serviçais domésticos etc. o fizeram.[9]

---

* A extensa lista de médicos a quem devemos tantos de nossos conhecimentos daquela época — e do seu subsequente aperfeiçoamento — contrasta vivamente com a indiferença e a crueldade da opinião burguesa. Villermé e os colaboradores dos *Anais de higiene pública,* que ele fundou em 1829, Kay, Thackrah, Simon, Gaskell e Farr, na Grã-Bretanha, e vários na Alemanha, merecem ser mais lembrados do que de fato o são hoje em dia.

A ERA DAS REVOLUÇÕES

2.

A alternativa da fuga ou da derrota era a rebelião. A situação dos trabalhadores pobres, e especialmente do proletariado industrial que formava seu núcleo, era tal que a rebelião era não somente possível mas virtualmente compulsória. Nada foi mais inevitável na primeira metade do século XIX do que o aparecimento dos movimentos trabalhista e socialista, assim como a intranquilidade revolucionária das massas. A Revolução de 1848 foi sua consequência direta.

Entre 1815 e 1848, nenhum observador consciente podia negar que a situação dos trabalhadores pobres era assustadora. E já em 1840 esses observadores eram muitos e advertiam que tal situação piorava cada vez mais. Na Grã-Bretanha, a teoria populacional de Malthus, que sustentava que o crescimento da população superaria inevitavelmente o crescimento dos meios de subsistência, baseava-se nesta observação e era reforçada pelos argumentos dos economistas ricardianos. Os que tinham um ponto de vista mais auspicioso a respeito das perspectivas da classe trabalhadora eram menos numerosos e tinham menos talento do que os que tinham uma visão pessimista. Na década de 1830, na Alemanha, a crescente pauperização do povo foi o tema específico de pelo menos 14 publicações diferentes, e o debate relativo a se "as reclamações sobre o crescente empobrecimento e a escassez de alimentos" eram justificadas serviu de base para um concurso de ensaios acadêmicos, sendo que o melhor deles receberia um prêmio. (Dez dos dezesseis competidores pensavam que tais reclamações eram justas, e somente dois deles achavam que não).[10] A predominância destas opiniões é, em si mesma, uma prova da miséria universal e aparentemente sem esperanças dos pobres.

Sem dúvida, a verdadeira pobreza era pior no campo, e especialmente entre os trabalhadores assalariados que não possuíam propriedades, os trabalhadores rurais domésticos, e, é claro, entre os camponeses pobres ou entre os que viviam da terra infértil. Uma má colheita, como as de 1789,

OS TRABALHADORES POBRES

1795, 1817, 1832 e 1847, ainda trazia a verdadeira fome, até mesmo sem a intervenção de outras catástrofes adicionais como a competição das mercadorias britânicas de algodão, que destruiu a base da indústria silesiana de fibras de linho. Depois da arruinada safra de 1813 na Lombardia, muitas pessoas se mantiveram vivas somente graças à alimentação baseada em adubo e feno, pão feito de folhas de feijão e de frutas silvestres.[11] Um mau ano como o de 1817, mesmo na tranquila Suíça, pôde produzir um excesso real de mortes sobre os nascimentos.[12] A fome europeia de 1846-1848 se torna pálida diante do cataclismo da fome irlandesa (veja o Capítulo 8-5), mas nem por isso foi menos real. Na Prússia Oriental e Ocidental, em 1847, um terço da população deixara de comer pão, e se alimentava somente de batatas.[13] Nas austeras, respeitáveis e empobrecidas aldeias manufatureiras das montanhas da Alemanha Central, onde homens e mulheres se sentavam em compridos troncos, possuíam pouca roupa de cama e usavam canecas de barro ou de latão por falta de vidro, a população tinha-se tornado tão acostumada à dieta de batatas e de café ralo que durante os tempos de fome os componentes dos serviços de socorro tinham que ensinar-lhes a comer feijão e mingau.[14] A fome e o tifo devastavam os campos de Flanders e da Silésia, onde os tecelões de linho da aldeia travavam uma batalha desesperada contra a moderna indústria.

Mas, de fato, a miséria — a miséria crescente, como pensavam muitos — que chamava tanto a atenção, tão próxima da catástrofe total como a miséria irlandesa, era a das cidades e zonas industriais onde os pobres morriam de fome de uma maneira menos passiva e menos oculta. Se suas verdadeiras rendas estavam caindo é ainda um assunto de debate histórico, embora, como já vimos, não possa haver dúvida de que a situação geral dos pobres nas cidades se deteriorava. As variações entre uma e outra região, entre os diversos tipos de trabalhadores e entre os diferentes períodos econômicos, bem como a deficiência das estatísticas, tornam difícil que as questões sejam respondidas de uma maneira decisiva, embora qualquer significativa melhora geral possa ser excluída

A ERA DAS REVOLUÇÕES

antes de 1848 (ou talvez antes de 1844, na Grã-Bretanha) e o hiato entre os ricos e os pobres certamente estivesse crescendo de uma maneira bastante clara. A época em que a Baronesa de Rothschild usou 1 milhão e meio de francos em joias no baile de máscaras do Duque de Orleans, em 1842, era a mesma em que John Bright assim descreveu as mulheres de Rochdale: "2 mil mulheres e moças passaram pelas ruas cantando hinos — um espetáculo surpreendente e singular —, chegando às raias do sublime. Assustadoramente famintas, devoravam uma bisnaga de pão com indescritível sofreguidão, e se o pedaço de pão estivesse totalmente coberto de lama seria igualmente devorado com avidez".[15]

De fato, é provável que houvesse alguma deterioração generalizada em grandes áreas da Europa, pois não só as instituições urbanas, como já vimos, e os serviços sociais não conseguiam acompanhar o ritmo da impetuosa e inesperada expansão, como também os salários começaram a diminuir a partir de 1815, e a produção e o transporte de alimentos provavelmente decresceram em muitas das grandes cidades até a era da estrada de ferro.[16] Os malthusianos baseavam seu pessimismo em agravamentos desta ordem. Mas fora as circunstâncias agravantes, a simples mudança da dieta alimentar tradicional do homem pré-industrial pela mais austera do industrial e urbanizado era capaz de levar a uma alimentação pior, na mesma medida em que o trabalho e a vida urbana eram capazes de levar a condições de saúde também piores. A extraordinária diferença na aptidão física e saúde entre a população agrícola e industrial (e, claro está, entre as classes alta, média e trabalhadora), na qual os estatísticos franceses e ingleses fixaram sua atenção, se devia claramente a este fato. A expectativa média de vida na década de 1840 era duas vezes maior entre os trabalhadores rurais de Wiltshire e Rutland do que entre os trabalhadores de Manchester ou de Liverpool. Mas — para citarmos somente um exemplo — "até que o vapor fosse introduzido no trabalho, já no final do último século, a doença dos pulmões causada pelas partículas de aço e pó em suspensão no ar era conhecida apenas nas cutelarias de Sheffield". Já em 1841, 50% de todos os polidores de metais com a idade de 30 anos, 79% de todos eles com a idade de 40 anos, e 100% deles com mais de 50 anos tiveram seus pulmões dilacerados por esta doença.[17]

Além do mais, a troca na economia transferiu e deslocou grandes núcleos de trabalhadores, às vezes para seu próprio benefício, mas quase sempre para sua desgraça. Grandes massas da população continuavam até então sem serem absorvidas pelas novas indústrias e cidades, como um substrato permanente de pobreza e desespero, e também as grandes massas eram periodicamente atiradas ao desemprego pelas crises que, até então, mal eram reconhecidas como temporárias e repetitivas. Dois terços dos trabalhadores na indústria têxtil de Bolton (1842) e de Roubaix (1847) seriam despedidos de seus empregos devido a estes colapsos.[18] Vinte por cento dos de Nottingham e um terço dos de Paisley seriam também despedidos.[19] Um movimento como o cartismo na Grã-Bretanha fracassaria repetidas vezes sob sua fraqueza política. Em diversas ocasiões, a fome pura e simples — o intolerável fardo que pesava sobre milhões de trabalhadores pobres — o faria renascer.

Em acréscimo a estas tempestades generalizadas, catástrofes específicas explodiam sobre as cabeças dos diversos tipos de trabalhadores pobres. A fase inicial da revolução industrial, como já vimos, não levou todos os trabalhadores para as fábricas mecanizadas. Pelo contrário, em torno dos poucos setores mecanizados da produção em grande escala, ela multiplicou o número de artesãos pré-industriais, de certos tipos de trabalhadores qualificados, e do exército de mão de obra doméstica, frequentemente melhorando suas condições, especialmente durante os longos anos de escassez de mão de obra no período das guerras. Nas décadas de 1820 e 1830, o avanço impessoal e poderoso da máquina e do mercado começou a deixá-los de lado. Na melhor das hipóteses, este fato fazia com que homens independentes se transformassem em dependentes, e que pessoas se transformassem em "mãos". Na pior das hipóteses, e a mais frequente, criava multidões de desclassificados, empobrecidos e famintos tecelões manuais, tecelões mecânicos etc., cuja miséria gelava o sangue do economista mais insensível. Não se tratava de uma ralé ig-

A ERA DAS REVOLUÇÕES

norante e desqualificada. Comunidades semelhantes às dos tecelões de Dunfermline e Norwich, que se desfizeram e se dispersaram na década de 1830, os fabricantes de móveis de Londres, cujas antiquadas "listas de preços" se tornaram papéis molhados, à medida que eles se afundavam no pantanal das úmidas oficinas, os artífices do continente que se transformaram em proletários itinerantes, os artesãos que perderam sua independência, haviam sido estes os mais habilitados, os mais instruídos, os mais autoconfiantes, em suma, a flor da classe trabalhadora.* Eles não entendiam o que lhes ocorria e era natural que tratassem de descobri-lo, e mais natural ainda que protestassem.**

Materialmente, é provável que o novo proletariado fabril tivesse condições um pouco melhores. Por outro lado, não era livre, encontrava-se sob o rígido controle e a disciplina ainda mais rígida imposta pelo patrão ou por seus supervisores, contra quem realmente não tinha quaisquer recursos legais e só alguns rudimentos de proteção pública. Eles tinham de trabalhar por horas ou turnos, aceitar os castigos e multas com as quais os patrões impunham suas ordens ou aumentavam seus lucros. Em áreas isoladas ou nas indústrias, tinham de fazer compras na loja do patrão, frequentemente recebendo seus pagamentos em *mercadorias miúdas* (permitindo, assim, que os empregadores inescrupulosos aumentassem ainda mais os seus lucros), ou eram obrigados a morar em casas fornecidas pelo patrão. Sem dúvida o jovem da cidade achava que sua vida era tão dependente e depauperada quanto a de seus pais, e nas indústrias do continente europeu com uma forte tradição paternalista o despotismo do patrão era,

---

* De 195 tecelões adultos de Gloucestershire, em 1840, somente 15 não sabiam ler ou escrever, mas dos rebeldes presos nas zonas industriais de Lancashire, Cheshire e Staffdordshire, em 1842, somente 13% sabiam ler e escrever bem, e 32% sabiam fazê-lo com imperfeição.[19a]

** "Cerca de um terço da população trabalhadora (...) é formada por tecelões e operários, cujos rendimentos médios não chegam a ser suficientes para criar e sustentar suas famílias sem a ajuda paroquial. É esta fração da comunidade, em sua maioria decente e respeitável, que mais está sofrendo com a depressão dos salários, e a injustiça dos tempos. É esta classe de meus pobres concidadãos que desejo recomendar o sistema de Cooperação." (F. Baker, Primeira Palestra sobre a Cooperação, Bolton 1830.)

OS TRABALHADORES POBRES

ao menos em parte, contrabalançado pela segurança, instrução e serviços de bem-estar social que por vezes o patrão fornecia. Mas, para o homem livre, entrar em uma fábrica na qualidade de uma simples "mão" era entrar em algo um pouco melhor que a escravidão, e todos, exceto os mais famintos, tratavam de evitá-lo, e quando não tinham mais alternativa, tendiam a resistir contra a disciplina cruel de uma maneira muito mais consistente do que as mulheres e as crianças, a quem os proprietários de fábricas davam, por isso, preferência. Na década de 1830 e em parte na década de 1840, pode-se afirmar que até mesmo a situação material do proletariado fabril apresentou uma tendência a se deteriorar.

Qualquer que fosse a verdadeira situação dos trabalhadores pobres, não pode haver nenhuma dúvida de que todos aqueles que pensavam um pouco sobre a sua situação — isto é, que aceitavam as aflições dos pobres como parte do destino e do eterno rumo das coisas — consideravam que o trabalhador era explorado pelo rico, que cada vez mais enriquecia, ao passo que os pobres ficavam ainda mais pobres. E que os pobres sofriam *porque* os ricos se beneficiavam. O mecanismo social da sociedade burguesa era profundamente cruel, injusto e desumano. "Não pode haver riqueza sem trabalho", escreveu o jornal *Lancashire Co-operator.* "O trabalhador é a fonte de toda a riqueza. Quem tem produzido todos os alimentos? O pobre e mal alimentado lavrador. Quem construiu todas as casas e armazéns, e os palácios, que pertencem aos ricos, que jamais trabalham ou produzem qualquer coisa? O trabalhador. Quem tece todos os fios e faz o tecido? As tecedoras e os tecelões." Ainda assim, "o operário continua pobre, ao passo que os que não trabalham são ricos e possuem abundância em excesso".[20] E o desesperado trabalhador rural (cujos ecos literários ainda se ouvem hoje em dia nas canções evangélicas dos negros americanos) se expressava com menos clareza, mas talvez de maneira mais profunda:

Se a vida fosse coisa que o dinheiro pudesse obter
os ricos viveriam e os pobres deveriam morrer.[21]

A ERA DAS REVOLUÇÕES

3.

O movimento operário proporcionou uma resposta ao grito do homem pobre. Ela não deve ser confundida com a mera reação coletiva contra o sofrimento intolerável, que ocorreu em outros momentos da história, nem sequer com a prática da greve e outras formas de militância que se tornaram características da classe trabalhadora. Estes acontecimentos também têm sua própria história que começa muito antes da revolução industrial. O verdadeiramente novo no movimento operário do princípio do século XIX era a consciência de classe e a ambição de classe. Os "pobres" não mais se defrontavam com os "ricos". Uma *classe* específica, a classe operária, trabalhadores ou proletariado, enfrentava a dos patrões ou capitalistas. A Revolução Francesa deu confiança a esta nova classe; a revolução industrial provocou nela uma necessidade de mobilização permanente. Uma existência decente não podia ser obtida simplesmente por meio de um protesto ocasional que servisse para restabelecer a estabilidade da sociedade perturbada temporariamente. Era necessária uma eterna vigilância, organização e atividade do "movimento" — o sindicato, a sociedade cooperativa ou mútua, instituições trabalhistas, jornais, agitação. Mas a própria novidade e a rapidez da mudança social que os envolvia encorajava os trabalhadores a pensar em termos de uma sociedade totalmente diversa, baseada na sua experiência e em suas ideias em oposição às de seus opressores. Seria cooperativa e não competitiva, coletivista e não individualista. Seria "socialista", e representaria não o eterno sonho da sociedade livre, que os pobres sempre levam no recôndito de suas mentes, mas na qual só pensam em raras ocasiões de revolução social generalizada, e sim uma alternativa praticável e permanente para o sistema em vigor.

Neste sentido, a consciência de classe dos trabalhadores ainda não existia em 1789, ou mesmo durante a Revolução Francesa. Fora da Grã-Bretanha e da França, ela era quase que totalmente inexistente mesmo

OS TRABALHADORES POBRES

em 1848. Mas nos dois países que personificam a revolução dupla, ela certamente passou a existir entre 1815 e 1848, mais especificamente por volta de 1830. A própria expressão "classe trabalhadora" (distinta da menos específica "as classes trabalhadoras") aparece nos escritos trabalhistas ingleses logo após a batalha de Waterloo, e talvez até mesmo um pouco antes, e nos escritos trabalhistas franceses a expressão equivalente se torna frequente depois de 1830.[22] Na Grã-Bretanha, as tentativas para unir todos os operários em "sindicatos gerais", isto é, em entidades que superassem o isolamento local e regional dos grupos particulares de trabalhadores, levando-lhes a uma solidariedade nacional e até universal da classe trabalhadora, começaram em 1818 e foram perseguidas com intensidade febril entre 1829 e 1834. O complemento do "sindicato geral" era a greve geral, formulada como um conceito e uma tática sistemática da classe trabalhadora deste período, notadamente na obra de William Benbow, O *grande feriado nacional e o Congresso das classes produtivas* (1832), sendo seriamente discutida como um método político pelos cartistas. Enquanto isso, tanto na Grã-Bretanha quanto na França, a discussão intelectual deu lugar ao conceito e à palavra "socialismo" na década de 1820, imediatamente adotados pelos trabalhadores, em pequena escala na França (como pelos grêmios parisienses de 1832) e em escala bem maior pelos britânicos, que logo teriam Robert Owen como líder de um vasto movimento de massas, para o qual ele estava singularmente despreparado. Em poucas palavras, por volta do início da década de 1830, já existiam a consciência de classe proletária e as aspirações sociais. Quase certamente, eram mais débeis e menos efetivas do que a consciência da classe média que seus patrões adquiriram ou puseram em prática ao mesmo tempo. Mas elas estavam presentes.

A consciência proletária estava poderosamente conjugada e reforçada pelo que pode ser mais bem descrito como consciência jacobina, ou seja, o conjunto de aspirações, experiências, métodos e atitudes morais com que a Revolução Francesa (e antes a Americana) tinha imbuído os pobres

A ERA DAS REVOLUÇÕES

que pensavam e confiavam em si mesmos. Exatamente como a expressão prática da situação da nova classe trabalhadora era "o movimento trabalhista" e sua ideologia, "a comunidade cooperativa", o movimento democrático era a expressão prática do povo comum, proletário ou não, a quem a Revolução Francesa tinha colocado no palco da História como atores e não como simples vítimas. "Os cidadãos de aparência externa pobre e que em outras épocas não teriam ousado se apresentar nestes locais reservados para pessoas elegantes, saíam a passeio junto com os ricos, de cabeça erguida."[23] Eles queriam respeito, reconhecimento e igualdade. Sabiam que podiam obter tudo isso, pois já o tinham feito em 1793-1794. Nem todos estes cidadãos eram trabalhadores, mas todos os trabalhadores conscientes pertenciam a esta fileira.

As consciências jacobina e proletária se suplementavam. A experiência da classe operária dava aos trabalhadores pobres as maiores instituições para sua autodefesa diária, o sindicato e a sociedade de auxílio mútuo, e as melhores armas para a luta coletiva, a solidariedade e a greve (que por sua vez implicava organização e disciplina).* Entretanto, mesmo onde estas instituições e armas não eram tão débeis, instáveis e localizadas, como no caso do continente europeu, seu alcance era estritamente limitado. A tentativa de usar um modelo puramente unionista ou mutualista não somente para receber maiores salários para grupos organizados de trabalhadores, mas também para derrotar toda a sociedade existente e estabelecer uma nova sociedade, foi feita na Grã-Bretanha entre 1829 e 1834, e depois outra vez durante o cartismo. A tentativa fracassou e este fracasso destroçou um movimento socialista e proletário precoce, mas impressionantemente maduro durante 50 anos. A tentativa para transformar as sociedades operárias em sindicatos nacionais de produtores cooperativos

---

* A greve é uma consequência tão espontânea e lógica da existência da classe trabalhadora, que a maioria das línguas europeias possui palavras nativas bastante independentes para ela (p. ex. *greve, strike, huelga, sciopero, zabastovka*), enquanto as palavras usadas para as instituições são frequentemente emprestadas.

OS TRABALHADORES POBRES

(como no Sindicato dos Construtores Práticos com seu "parlamento de construtores" e seu "grêmio de construtores" — 1831-1834) fracassou igualmente, assim como também fracassou a tentativa para criar uma cooperativa nacional de produção e "intercâmbios de mão de obra equitativa". Os grandes "sindicatos gerais", que reuniam todos os trabalhadores, longe de provarem ser mais fortes do que as sociedades regionais e locais, demonstraram que, de fato, eram débeis e de controle difícil, embora isto se devesse menos às dificuldades inerentes a um sindicato geral do que à falta de disciplina, organização e experiência de suas lideranças. A greve geral demonstrou ser inaplicável durante o cartismo, exceto em 1842, na ocasião de uma revolta espontânea causada pela fome.

De modo inverso, os métodos de agitação política próprios ao jacobinismo e ao radicalismo em geral, mas não especificamente à classe trabalhadora, demonstraram tanto sua eficácia quanto sua flexibilidade: campanhas políticas através de jornais e panfletos, reuniões e manifestações públicas e, onde necessário, motins e insurreições. É verdade que nos locais onde estas campanhas tinham objetivos muito ambiciosos, ou onde assustavam em demasia as classes governantes, elas também fracassaram. Na histérica década de 1810, a tendência era recorrer às Forças Armadas contra qualquer demonstração séria (como em Spa Fields, Londres, em 1816, ou em "Peterloo", Manchester, em 1819, quando 10 revoltosos foram mortos e várias centenas, feridos). Em 1838-1848, os milhões de assinaturas que subscreviam petições não se aproximaram muito mais da *Carta do Povo*. Contudo, a campanha política em uma frente mais limitada *era* efetiva. Sem ela, não teria havido uma Emancipação Católica em 1829, um Decreto Reformista em 1832, e certamente não teria havido um controle legislativo modesto, mas eficiente das condições fabris e das horas de trabalho. Assim, repetidas vezes, encontramos uma classe trabalhadora debilmente organizada que compensava sua fraqueza com os métodos de agitação do radicalismo político. A "agitação das fábricas" da década de 1830, no norte da Inglaterra, compensou a fraqueza dos

A ERA DAS REVOLUÇÕES

sindicatos locais, na mesma medida em que a campanha de protesto em massa contra o exílio dos "mártires de Tolpuddle" (veja o Capítulo 6-3) tentou salvar alguma coisa da destruição dos "sindicatos gerais" que entraram em colapso depois de 1834.

Por sua vez, a tradição jacobina ganhou solidez e continuidade sem precedentes e penetração nas massas a partir da coesiva solidariedade e da lealdade que eram características do novo proletariado. Os proletários não se mantinham unidos pelo simples fato de serem pobres e estarem em um mesmo lugar, mas pelo fato de que trabalhar junto e em grande número, colaborando uns com os outros em uma mesma tarefa e apoiando-se mutuamente o que constituía sua própria vida. A solidariedade inquebrantável era sua única arma, pois somente assim eles poderiam demonstrar seu modesto, mas decisivo ser coletivo. "Não ser furador de greve" (ou palavras de efeito semelhante) era — e continuou sendo — o primeiro mandamento de seu código moral; aquele que deixasse de ser solidário tornava-se o Judas de sua comunidade. Uma vez que adquiriram uma fagulha mínima de consciência política, suas demonstrações deixaram de ser meras erupções ocasionais de uma "turba" exasperada, que se extinguiam rapidamente, e se converteram no rebulir de um exército. Assim, em uma cidade como Sheffield, uma vez que a luta entre a classe média e a trabalhadora se tornou o principal assunto da política local (no princípio da década de 1840), imediatamente surgiu uma forte e estável coligação proletária. Já no final de 1847, havia oito cartistas no conselho municipal, e o colapso nacional do cartismo em 1848 pouco o afetou em uma cidade onde cerca de 10 ou 12.000 habitantes saudaram a Revolução de Paris daquele ano: já em 1849 os cartistas tinham quase a metade das cadeiras do conselho municipal.[24]

Abaixo da classe trabalhadora e da tradição jacobina havia um substrato de tradição ainda mais antiga que reforçava a ambos: a do motim ou protesto público ocasional de homens desesperados. A ação direta dos amotinados, a destruição de máquinas, lojas ou de casas dos riscos

OS TRABALHADORES POBRES

tinham uma longa história. Em geral, essa história expressava a fome ou os sentimentos de homens esgotados, como nas ondas de destruição de máquinas que periodicamente envolviam as indústrias manuais em declínio ameaçadas pelas máquinas (como no caso das indústrias têxteis britânicas em 1810-1811 e novamente em 1826, e no caso das indústrias têxteis do continente europeu na metade da década de 1830 e também na metade da década de 1840). Por vezes, como na Inglaterra, era uma forma reconhecida de pressão coletiva de trabalhadores organizados, e não implicava qualquer hostilidade às máquinas, como entre os mineiros, certos tipos de operários têxteis qualificados ou de cuteleiros, que conciliavam uma moderação política com um terrorismo sistemático contra seus colegas não sindicalizados. Outras vezes expressava o descontentamento dos trabalhadores desempregados ou esgotados fisicamente. Em uma época de revolução em estado de amadurecimento, esta ação direta criada por homens e mulheres politicamente imaturos podia se transformar em uma força decisiva, especialmente se ela ocorresse nas grandes cidades ou em locais politicamente sensíveis. Tanto em 1830 quanto em 1848, tais movimentos pesaram de maneira extraordinária nos sucessos políticos ao converterem-se de expressões de descontentamento em franca insurreição.

4.

O movimento trabalhista deste período, portanto, não foi estritamente um "movimento proletário" nem em sua composição nem em sua ideologia e programa, isto é, não foi apenas um movimento de trabalhadores fabris e industriais ou, nem mesmo, limitado a trabalhadores assalariados. Foi antes uma frente comum de todas as forças e tendências que representavam o trabalhador pobre, principalmente urbano. Esta frente comum existia havia muito tempo, mas desde a Revolução Francesa

A ERA DAS REVOLUÇÕES

sua liderança e inspiração vinha da classe média liberal e radical. Como já vimos o "jacobinismo" e não o "sansculotismo" (e muito menos as aspirações dos proletários imaturos) foi o que deu unidade à tradição popular parisiense. A novidade da situação depois de 1815 era o fato de que a frente comum era de maneira crescente e direta contrária à classe média liberal e aos reis e aristocratas, e que o que lhe dava unidade eram o programa e a ideologia do proletariado, ainda que por essa época a classe trabalhadora fabril e industrial mal existisse, e no seu todo fosse politicamente muito menos madura do que outros grupos de trabalhadores pobres. Tanto os pobres quanto os ricos tinham tendência a assimilar politicamente toda a "massa urbana existente abaixo do nível médio da sociedade"[25] ao "proletariado" ou à "classe trabalhadora". Todos os que se sentiam perturbados pelo "crescente sentimento geral e vivo de que há uma desarmonia interna no atual estado de coisas, e que tal situação não pode durar"[26] se inclinavam para o socialismo como a única crítica alternativa intelectualmente válida.

A liderança do novo movimento refletia uma situação semelhante de coisas. Os trabalhadores pobres mais ativos, militantes e politicamente conscientes não eram os novos proletários fabris, mas os artífices qualificados, os artesãos independentes, os empregados domésticos de pouca importância e outros que viviam e trabalhavam substancialmente da mesma forma que antes da revolução industrial, mas sob pressão bem maior. Os primeiros sindicatos eram quase invariavelmente de impressores, chapeleiros, alfaiates etc. O núcleo da liderança do cartismo em uma cidade como Leeds — e este fato é típico — era constituído de um marceneiro que se transformara em tecelão manual, um par de artífices impressores, um vendedor de livros e um cardador de lã. Os homens que adotaram as doutrinas cooperativas de Owen eram em sua maioria estes "artesãos", "mecânicos" e trabalhadores manuais. Os primeiros comunistas alemães da classe trabalhadora foram artesãos ambulantes, alfaiates, marceneiros e impressores. Os homens que se rebelaram contra

OS TRABALHADORES POBRES

a burguesia parisiense em 1848 foram os habitantes da velha comunidade artesã Faubourg Saint-Antoine, e não (como na Comuna de 1871) os habitantes proletários de Belleville. Na mesma medida em que o avanço da indústria destruía estas mesmas fortalezas da consciência de "classe trabalhadora": fatalmente minava a força destes primeiros movimentos trabalhistas. Entre 1820 e 1850, por exemplo, o movimento britânico criou uma densa rede de instituições para a educação social e política da classe trabalhadora, os "institutos dos mecânicos", os "Salões de Ciências" owenistas e outros. Já em 1850, havia (sem contarmos com os puramente políticos) 700 destes tipos de instituições na Grã-Bretanha — 151 deles só no condado de Yorkshire.[27] Mas já haviam entrado em declínio e em poucas décadas a maioria deles estaria morta ou em letargia.

Havia apenas uma exceção. Somente na Grã-Bretanha, os novos proletários já tinham começado a se organizar e, até mesmo, a criar seus próprios líderes: John Doherty, o fiandeiro de algodão owenista de nacionalidade irlandesa, Tommy Hepburn e Martin Jude, ambos mineiros. Não só os artesãos e os deprimidos empregados domésticos formavam os batalhões do cartismo; também os trabalhadores fabris lutavam com eles, e às vezes os lideravam. Mas fora da Grã-Bretanha os operários fabris e os mineiros ainda eram em grande parte mais vítimas que agentes. Só depois da segunda metade do século eles começaram a participar efetivamente da formação de seus destinos.

O movimento trabalhista foi uma organização de autodefesa, de protesto e de revolução. Mas para os trabalhadores pobres era mais do que um instrumento de luta: era também um modo de vida. A burguesia liberal nada lhes oferecia; a História arrancou-os da vida tradicional que os conservadores, em vão, se ofereciam para manter ou restaurar. Nada podiam esperar do tipo de vida para o qual eles eram crescentemente arrastados. Mas o movimento tinha a ver com este tipo de vida, ou melhor, a vida que eles mesmos criaram para si e que era coletiva, comunal, combativa, idealista e isolada implicava o movimento, pois a luta era

A ERA DAS REVOLUÇÕES

a sua própria essência. E, em troca, o movimento lhe dava coerência e propósito. O mito liberal supunha que os sindicatos eram compostos de trabalhadores imprestáveis instigados por agitadores sem consciência, mas na realidade os imprestáveis eram os menos sindicalizados, enquanto os mais inteligentes e competentes eram os mais firmes em seu apoio aos sindicatos.

Os exemplos mais claros destes "mundos de trabalho" neste período eram provavelmente as velhas indústrias domésticas. Havia a comunidade dos empregados na indústria da seda de Lyon, os sempre rebeldes *canuts* — que se insurgiram em 1831 e 1834 e que, segundo Michelet, "porque este mundo não os satisfazia, criaram um outro mundo na úmida obscuridade de seus becos, um paraíso distante de doces sonhos e visões".[28] Havia comunidades como a dos tecelões de linho da Escócia com seu puritanismo jacobino e republicano, suas heresias baseadas na filosofia do sueco Emanuel Swedenborg, sua biblioteca de artesãos, caixas de poupança, instituto de mecânica, biblioteca e clube científicos, sua academia de desenho, reuniões missionárias, ligas de moderação, escolas infantis, sua sociedade de floricultores e sua revista literária (*Gasometer de Dunfermline*)* e, é claro, o seu cartismo. A consciência de classe, a militância, o ódio e o desprezo ao opressor pertenciam a esta vida tanto quanto os teares em que trabalhavam. Nada deviam aos ricos exceto seus salários. Tudo o mais que possuíam era sua própria criação coletiva.

Mas este silencioso processo de auto-organização não estava limitado aos trabalhadores desta espécie mais antiga. Este processo também se refletiu no "sindicato", frequentemente baseado na primitiva comunidade metodista local, nas minas de Northumberland e de Durham. Refletiu-se na densa concentração de sociedades amistosas e mútuas de trabalhado-

---

* Cf. T. L. Peacock, *A abadia do pesadelo* (1818): "Tu és um filósofo", disse a senhora, "e um amante da liberdade. És o autor de um tratado chamado 'O Gás Filosófico, ou um Projeto para a Iluminação Geral da Mente Humana'."

OS TRABALHADORES POBRES

res nas novas áreas industriais, especialmente em Lancashire.* Acima de tudo, ele se refletia nos milhares de homens, mulheres e crianças que, carregando tochas nas mãos, faziam demonstrações em favor do cartismo, vindos das pequenas cidades industriais de Lancashire, e na rapidez com que as novas lojas cooperativas se espalhavam no final da década de 1840.

5.

E, ainda assim, ao observarmos este período, sentimos uma grande e evidente discrepância entre a força dos trabalhadores pobres temidos pelos ricos — o "espectro do comunismo" que os aterrorizava — e sua verdadeira força organizada, para não mencionarmos a do novo proletariado industrial. A expressão pública de seu protesto era, no sentido literal, um "movimento" mais do que uma organização. O que unia inclusive suas manifestações políticas mais sólidas e amplas — o cartismo — era pouco mais do que um punhado de *slogans* radicais e tradicionais, alguns oradores e jornalistas poderosos que se tornaram porta-vozes dos pobres, como Feargus O'Connor (1794-1855) e alguns jornais como o *Northern Star*. Era o destino comum de combater os ricos e os poderosos que levava os velhos militantes a se recordarem:

> Tínhamos um cachorro chamado Rodney. Minha avó não gostava desse nome porque tinha a curiosa noção de que o Almirante Rodney, tendo sido elevado à condição de nobre, fora hostil para com o povo. A velha também procurava explicar-me que Cobbett e Cobden eram duas pessoas diferentes — que Cobbett era o herói, e que Cobden era um simples advogado da classe média. Um dos quadros de que mais me recordo — ficava ao lado de desenhos estampados e

---

* Em 1821, Lancashire tinha a maior proporção de membros das sociedades amistosas em relação à população total do país (17%); em 1845 quase a metade das lojas da ordem beneficente dos *Oddfellows* se localizava em Lancashire e Yorkshire.[29]

A ERA DAS REVOLUÇÕES

junto de uma estatueta em porcelana de George Washington — era um retrato de John Frost.* Uma linha no alto do quadro indicava que ele pertencia a uma série chamada de Galeria de Personagens dos Amigos do Povo. Acima da cabeça havia uma grinalda de laurel enquanto embaixo havia uma representação do Sr. Frost implorando à Justiça em prol dos esfarrapados proscritos. (...) O mais assíduo de nossos visitantes era um sapateiro aleijado (...) (que) aparecia todas as manhãs de domingo com um exemplar do *Northern Star*, ainda úmido das prensas rotativas, com o intuito de ouvir algum membro de nossa família ler para ele em voz alta "a carta de Feargus". Primeiro, tínhamos que secar o jornal junto ao fogo cuidadosamente para que nenhuma linha daquela sagrada produção fosse danificada. Feito isto, Larry sentava-se para ouvir com todo o reconhecimento de um devoto em um tabernáculo a mensagem do grande Feargus, enquanto fumava placidamente um cachimbo que ocasionalmente ele aproximava do fogo.[30]

Havia pouca liderança ou coordenação. A tentativa mais ambiciosa de transformar o movimento em uma organização, o "sindicato geral" de 1834-1835, fracassou rápida e miseravelmente. No máximo, tanto na Grã-Bretanha quanto no continente europeu, havia uma solidariedade espontânea da comunidade trabalhadora local, homens que, como os empregados na indústria de seda de Lyon, morriam tão miseravelmente como tinham vivido. O que mantinha este movimento unido era a fome, a miséria, o ódio e a esperança, e o que o derrotou, na Grã-Bretanha cartista e no revolucionário continente europeu de 1848, foi que os pobres — famintos, bastante numerosos e suficientemente desesperados para se insurgirem — careciam da organização e maturidade capazes de fazer de sua rebelião mais do que um perigo momentâneo para a ordem social. Já em 1848 o movimento dos trabalhadores pobres ainda teria de desenvolver o seu equivalente ao jacobinismo da classe média revolucionária de 1789-1794.

---

* Líder da fracassada insurreição cartista de Newport, em 1839.

12. A IDEOLOGIA RELIGIOSA

"Deem-me um povo em que as paixões em ebulição e a ganância terrena sejam acalmadas pela fé, a esperança e a caridade; um povo que veja esta Terra como uma peregrinação e a outra vida como sua verdadeira pátria: um povo ensinado a admirar e a acatar no heroísmo cristão sua própria pobreza e seu próprio sofrimento: um povo que ame e adore em Jesus Cristo o primogênito de todos os oprimidos, e em sua cruz adore o instrumento da salvação universal. Deem-me, digo eu, um povo assim moldado, e o socialismo não será somente derrotado com facilidade, mas será impossível mesmo que se pense nele (...)."

Civiltà Cattolica[1]

"Mas, quando Napoleão começou seu avanço, eles (os heréticos camponeses) acreditavam que era o leão do vale de Josafá, que, como diziam seus velhos hinos, estava destinado a destronar o falso czar e a restaurar o trono do verdadeiro czar Branco. E assim os camponeses da província de Tambov escolheram uma delegação entre eles, que deveria ir ao encontro de Napoleão e saudá-lo, vestidos de branco."

Haxthausen, *Studien ueber... Russland*[2]

1.

O que os homens pensam a respeito do mundo é uma coisa, e outra muito distinta são os termos em que o fazem. Durante grande parte da História e na maior parte do mundo (sendo a China talvez a principal exceção), os termos em que todos os homens, exceto um punhado de pessoas emancipadas e instruídas, pensavam o mundo eram os termos da religião tradicional, e tanto isto é verdade que há países nos quais a palavra "cristão" é simplesmente sinônimo de "camponês" ou mesmo de "homem". Em alguma época anterior a 1848, isto deixou de ser verdade em certas partes da Europa, mas ainda dentro da área transformada pelas duas revoluções. A religião, uma coisa semelhante ao céu, da qual ninguém escapa e que abarca tudo o que está sobre a Terra, tornou-se algo parecido com um acúmulo de nuvens, uma grande característica do firmamento humano, embora limitado e variável. De todas as mudanças ideológicas, esta é de longe a mais profunda, embora suas consequências práticas não fossem mais ambíguas e indeterminadas do que então se supunha. Em todo caso, é a transformação mais inaudita e sem precedentes.

Naturalmente, o que não tinha precedentes era a secularização das massas. A indiferença religiosa dos senhores, combinada com o escrupuloso cumprimento dos deveres rituais (para dar um exemplo às classes mais baixas) era de há muito tempo familiar entre os nobres emancipados,[3] embora as damas, como é frequente neste sexo, continuassem a ser muito devotas. Os homens polidos e instruídos poderiam tecnicamente acreditar no ser supremo, embora esse ser não tivesse qualquer função exceto a de existir, e certamente sem interferir nas atividades humanas nem exigir outra forma de veneração do que o reconhecimento benevolente. Mas seus pontos de vista em relação à religião tradicional eram de desprezo e frequentemente hostis, como se estivessem prontos a se declararem francamente ateus. "Senhor", teria dito a Napoleão o grande matemático Laplace, quando lhe foi perguntado em que parte de sua mecânica celeste se encaixava Deus, "não tenho necessidade de tal hipótese". O ateísmo declarado ainda era relativamente raro, mas entre os eruditos, escritores e cavalheiros que ditavam as modas intelectuais do final do século XVIII, o cristianismo franco era ainda mais raro. Se havia

A IDEOLOGIA RELIGIOSA

uma religião florescente entre a elite do final do século XVIII, esta era a maçonaria racionalista, Iluminista e anticlerical.

Esta difundida descristianização dos homens nas classes instruídas data do final do século XVII ou do início do século XVIII, e seus efeitos públicos tinham sido surpreendentes e benéficos. O simples fato de que aos julgamentos por bruxaria, que tinham sido a praga da Europa central e ocidental durante vários séculos, agora se seguiam processos por heresia e *autos de fé* no limbo seria suficiente para justificá-lo. Entretanto, no início do século XVIII, esta mudança mal afetava os escalões mais baixos ou mesmo os escalões médios. O campesinato permanecia totalmente fora do alcance de qualquer linguagem ideológica que não se expressasse em termos da Virgem, dos Santos e da Sagrada Escritura, para não mencionarmos os deuses e os espíritos mais antigos que ainda se escondiam debaixo de uma fachada levemente cristã. Havia agitações de pensamento não religioso entre os artesãos que anteriormente haviam sido levados à heresia. Os sapateiros-remendões, os mais persistentes dos intelectuais da classe trabalhadora, que haviam criado mitos como Jacob Boehme, pareciam ter começado a duvidar de qualquer divindade. Em todo caso, em Viena, era o único grupo de artesãos a simpatizar com os jacobinos, pois se dizia que antes não acreditavam em Deus. Entretanto, não passavam de ligeiras agitações. A grande massa da pobreza desqualificada das cidades continuava (com exceção talvez de algumas cidades do norte da Europa, como Paris e Londres) profundamente devota e supersticiosa.

Mas, mesmo entre os escalões médios, a aberta hostilidade à religião não era popular, embora a ideologia de um Iluminismo antitradicional, progressista e racionalista se encaixasse perfeitamente no esquema da ascendente classe média. Suas associações eram feitas com a aristocracia e a imoralidade, que pertenciam à sociedade dos nobres. E, de fato, os primeiros pensadores realmente livres, os *libertins* da metade do século XVII, viviam de acordo com a conotação popular deste nome: o *Dom*

Juan, de Molière, retrata não somente sua combinação de ateísmo e liberdade sexual, mas também o respeitável horror burguês em relação a ela. Havia boas razões para o paradoxo (particularmente óbvio no século XVII) de que os pensadores intelectualmente mais ousados, que anteciparam muito do que seria mais tarde a ideologia da classe média — por exemplo, Bacon e Hobbes — estiveram associados como indivíduos à velha e corrupta sociedade. Os exércitos da classe média ascendente necessitavam da disciplina e da organização de uma moralidade forte e ingênua para suas batalhas. Teoricamente, o agnosticismo e o ateísmo são perfeitamente compatíveis com ambas, e certamente o cristianismo era desnecessário, e os filósofos do século XVIII não se cansavam de demonstrar que uma moralidade "natural" (da qual eles encontravam ilustrações entre os nobres selvagens) e os altos padrões pessoais do livre-pensador individual eram melhores do que o cristianismo. Mas, na prática, as comprovadas vantagens do velho tipo de religião e os terríveis riscos de abandonar qualquer sanção sobrenatural da moralidade eram imensos, não só para os trabalhadores pobres, que eram geralmente tidos como muito ignorantes e tolos para passarem sem algum tipo de superstição socialmente útil, mas também para a própria classe média.

Na França, as gerações pós-revolucionárias estão cheias de tentativas para criar uma moralidade burguesa anticristã equivalente à cristã: o "culto do ser supremo", inspirado em Rousseau (Robespierre em 1794), as várias pseudorreligiões construídas sobre bases racionalistas não cristãs, embora mantendo o mecanismo do ritual e do culto (os saint-simonianos e a "religião da humanidade" de Comte). Finalmente, a tentativa de manter as aparências dos velhos cultos religiosos foi abandonada, mas não a de estabelecer uma moralidade leiga oficial (baseada em vários conceitos morais tais como a "solidariedade") e, acima de tudo, uma leiga contrapartida do sacerdócio dos professores. O *instituteur* francês, pobre, abnegado, ensinando a seus alunos em cada aldeia a moralidade

A IDEOLOGIA RELIGIOSA

romana da Revolução e da República, antagonista oficial do vigário da aldeia, não triunfou até a Terceira República, que também resolveria os problemas políticos de instaurar uma estabilidade burguesa sobre os princípios da revolução social, pelo menos durante 70 anos. Mas ele já estava prefigurado na lei de Condorcet de 1792, que estabelecia que "as pessoas encarregadas da Instrução nas classes primárias serão chamadas de *instituteurs*", fazendo eco com Cícero e Salústio, que falavam na "instituição do Estado" (*instituere civitatem*) e na "instituição da moralidade do Estado" (*instituere civitatum mores*).[4]

A burguesia permanecia, assim, dividida ideologicamente entre uma minoria cada vez maior de livres-pensadores e uma maioria de católicos, protestantes e judeus devotos. Entretanto, o novo fato histórico era de que dos dois setores, o de livres-pensadores era imensuravelmente mais dinâmico e efetivo. Embora, em termos puramente quantitativos a religião continuasse muito forte e, como veremos, ficaria ainda mais forte, ela não mais era dominante (para usarmos uma analogia biológica) mas recessiva, e assim permaneceria até os dias atuais dentro do mundo transformado pela revolução dupla. Não há dúvida de que a grande massa de cidadãos dos novos Estados Unidos acreditava em alguma forma de religião (principalmente na protestante), mas a Constituição da República foi e continuou sendo agnóstica, apesar de todos os esforços para mudá-la. Também não há qualquer dúvida de que entre as classes médias britânicas de nosso período os devotos protestantes superavam numericamente a minoria de radicais agnósticos. Mas um Bentham moldou as verdadeiras instituições de sua época bem mais do que um Wilberforce.

A prova mais evidente desta decisiva vitória da ideologia secular sobre a religiosa é também seu mais importante resultado. Com as revoluções americana e francesa as principais transformações políticas e sociais foram secularizadas. Os problemas das revoluções holandesa e inglesa dos séculos XVI e XVII ainda foram discutidos na linguagem tradicional do

A ERA DAS REVOLUÇÕES

cristianismo, ortodoxa, cismática e herege. Nas ideologias dos americanos e franceses, pela primeira vez na história da Europa, o cristianismo foi deixado de lado. A linguagem, o simbolismo e o costume de 1789 são puramente não cristãos, se deixarmos de considerar alguns esforços arcaico e populares para a criação de cultos a santos e mártires, análogos aos antigos cultos, em honra dos heróis "sansculottes" mortos. Isto era, de fato, romano. Ao mesmo tempo este secularismo da revolução demonstra a impressionante hegemonia política da classe média liberal, que impunha suas formas ideológicas particulares a um movimento de massas bem vasto. Mesmo admitindo que a liderança intelectual da Revolução Francesa tenha surgido apenas levemente das massas que na realidade a fizeram, não se pode explicar de outra maneira porque sua ideologia mostrou tão poucos sinais de tradicionalismo como fez.*

Assim, o triunfo burguês imbuiu a Revolução Francesa da ideologia moral-secular ou agnóstica do Iluminismo do século XVIII, e desde que o idioma daquela revolução se transformou na linguagem geral de todos os movimentos sociais revolucionários subsequentes, também lhes transmitiu este secularismo. Com algumas exceções sem importância, notadamente entre intelectuais como os saint-simonianos e entre alguns sectários comunistas-cristãos como o alfaiate Weitling (1808-1871), a ideologia da nova classe trabalhadora e dos movimentos socialistas do século XIX foi secular desde o princípio. Thomas Paine, cujas ideias expressavam as aspirações radical-democráticas dos pequenos artesãos e artífices empobrecidos, é tão popular por ter escrito o primeiro livro para provar através de uma linguagem popular que a Bíblia não é a palavra de Deus (*A idade da razão*, 1794) quanto por sua obra *Os direitos do homem* (1791). Os mecânicos da década de 1820 seguiam Robert Owen não só

---

* De fato, só as canções populares do período algumas vezes recolhem ecos da terminologia católica, como a canção *Ça Ira*.

A IDEOLOGIA RELIGIOSA

por sua análise do capitalismo, mas por sua descrença e, muito depois do fracasso do owenismo, por sua obra *Corredores da ciência,* que continuou a disseminar a propaganda racionalista através das cidades. Havia e há socialistas religiosos, e um grande número de homens que, enquanto religiosos, são também socialistas. Mas a ideologia predominante dos modernos movimentos socialista e trabalhista se baseia no racionalismo do século XVIII.

Isto é ainda mais surpreendente pelo fato, como já vimos, de que as massas permaneceram predominantemente religiosas e de que o idioma revolucionário natural das massas criadas em uma tradicional sociedade cristã é um idioma de rebelião (heresia social, milenarismo etc.), sendo a Bíblia um documento altamente incendiário. Entretanto, o secularismo dos novos movimentos socialista e trabalhista se baseava no fato, igualmente novo e mais fundamental, da indiferença religiosa do novo proletariado. Pelos padrões modernos, as classes trabalhadoras e as massas urbanas, que aumentaram no período da revolução industrial, estavam sem dúvida muito influenciadas pela religião; mas pelos padrões da primeira metade do século XIX, não havia precedente para seu distanciamento, ignorância e indiferença em relação à religião organizada. Os observadores de todas as tendências políticas concordam com isto. O Censo Religioso Britânico de 1851 o demonstrou para horror dos contemporâneos. Grande parte deste alijamento se devia ao absoluto fracasso das tradicionais igrejas estabelecidas em lutar com as aglomerações — as grandes cidades e os novos estabelecimentos industriais — e com as classes sociais — o proletariado — estranhos a seus costumes e experiência. Por volta de 1851, havia lugares nas igrejas para somente 34% dos habitantes de Sheffield, somente 31,2% para os de Liverpool e Manchester, e 29% para os de Birmingham. Os problemas do pregador de uma aldeia agrícola não serviam como guia para a cura das almas em uma cidade industrial ou em um cortiço urbano.

A ERA DAS REVOLUÇÕES

As igrejas estabelecidas, portanto, negligenciavam estas novas comunidades e classes, abandonando-as (especialmente nos países católicos e luteranos) quase que inteiramente à fé secular dos novos movimentos trabalhistas, que mais tarde iria capturá-las, já no fim do século XIX. (Como em 1848 não fizeram muito para conservá-las, o esforço para reconquistá-las também não foi muito grande.) As seitas protestantes obtiveram maior sucesso, pelo menos em países como a Grã-Bretanha, em que tais religiões eram um fenômeno político-religioso bem estabelecido. Contudo, há provas de que estas seitas obtiveram maior sucesso em locais onde o meio ambiente social se aproximava mais do tradicionalismo das comunidades aldeãs e pequenas cidades, como por exemplo entre os trabalhadores agrícolas, os mineiros e os pescadores. Além disso, entre as classes trabalhadoras industriais estas seitas nunca eram mais do que uma minoria. A classe trabalhadora como grupo era indubitavelmente menos atingida pela religião organizada do que qualquer outro núcleo de pobres na história mundial.

A tendência geral do período desde 1789 até 1848 foi, portanto, de uma enfática secularização. A ciência se achava em crescente conflito com as Escrituras, à medida que se aventurava pelos caminhos da evolução (veja o Capítulo 15). A erudição histórica, aplicada à Bíblia em doses sem precedentes — em particular a partir da década de 1830 pelos professores de Tuebingen —, dissolvia o único texto inspirado, senão escrito, pelo Senhor em uma coleção de documentos históricos de vários períodos, com todos os defeitos da documentação humana, *O Novum Testamentum* (1842-1852) de Lachmann negava que os Evangelhos fossem relatos de testemunhas oculares e duvidava que Jesus Cristo tivesse tido a intenção de fundar uma nova religião. A controvertida obra de David Strauss, *A Vida de Jesus* (1835), eliminava o elemento sobrenatural de seu biografado. Por volta de 1848, a Europa instruída estava quase madura para o choque de Charles Darwin. A tendência foi reforçada pelo ataque direto

344

A IDEOLOGIA RELIGIOSA

de numerosos regimes políticos contra a propriedade e os privilégios legais das igrejas estabelecidas e de seu clero, e pela crescente tendência dos governos ou de outras agências seculares para assumir as funções até então atribuídas em grande parte às ordens religiosas, especialmente — nos países católicos romanos — a educação e a beneficência social. Entre 1789 e 1848, muitos monastérios foram dissolvidos e suas propriedades, vendidas de Nápoles à Nicarágua. Fora da Europa, é claro, os conquistadores brancos lançavam ataques diretos contra a religião de seus súditos e vítimas, ou como paladinos do Iluminismo contra a superstição — como foi o caso dos administradores britânicos da Índia ao proibir que as viúvas se lançassem à fogueira onde eram queimados os corpos de seus esposos e ao abolir a seita ritualista assassina do *Thugs* hindus na década de 1830 — ou porque mal sabiam que efeitos suas medidas teriam sobre suas vítimas.

2.

Em termos puramente numéricos, é evidente que todas as religiões, a menos que estivessem em decadência, tinham a possibilidade de se expandir com o aumento da população. Ainda assim, duas delas demonstraram uma particular aptidão para o expansionismo em nosso período: o islamismo e as seitas protestantes. Este expansionismo foi ainda mais surpreendente se contrastado com o marcante fracasso de outras religiões cristãs — a católica e algumas modalidades protestantes — para se expandirem, a despeito do violento aumento das atividades missionárias fora da Europa, crescentemente respaldadas pela força econômica, política e militar da penetração europeia. De fato, as décadas napoleônicas e revolucionárias viram o início da sistemática atividade missionária protestante executada em sua maior parte pelos anglo-saxônicos. A Sociedade Missionária Batista (1792), a Sociedade Missionária de Londres (1795),

A ERA DAS REVOLUÇÕES

a evangélica Sociedade Missionária das Igrejas (1799), e a Sociedade Bíblica Estrangeira e Britânica (1864) foram seguidas pela Associação Americana de Encarregados para Missões Estrangeiras (1810), pelos Batistas Americanos (1814), pelos Wesleyans (1813-1818), pela Sociedade Bíblica Americana (1816), pela Igreja Escocesa (1824), pelos Presbiterianos Unidos (1835), pelos Metodistas Americanos (1819) e por outros tipos de organizações. Na Europa continental, apesar de um certo pioneirismo iniciado pela Sociedade Missionária dos Países Baixos (1797) e pelos Missionários da Basileia (1815), a atividade dos protestantes se desenvolveu um pouco mais tarde: as sociedades de Berlim e da região do Reno, na década de 1820, as sociedades suecas de Leipzig e de Bremen, na década de 1830, e a norueguesa, em 1842. As missões do catolicismo, cujas atividades estavam estagnadas e desprezadas, renasceram mais tarde ainda. As razões para esta enxurrada de bíblias e de comércio com os pagãos pertencem tanto à história religiosa como social e econômica da Europa e da América. Aqui basta simplesmente notarmos que, por volta de 1848, o resultado destes movimentos ainda era desprezível, exceto em algumas ilhas do Pacífico, como o Havaí. Algumas fortalezas tinham sido conquistadas na costa, em Serra Leoa (para onde a agitação antiescravagista atraía a atenção durante a década de 1790) e na Libéria, constituída em Estado independente pelos escravos americanos libertados na década de 1820. Em torno das áreas de colonização europeia na África do Sul, os missionários estrangeiros (mas não a estabelecida Igreja da Inglaterra local ou a Igreja Holandesa Reformada) tinham começado a converter os africanos. Mas quando David Livingstone, o famoso missionário e explorador, navegou para a África em 1840, os habitantes nativos daquele continente ainda se achavam totalmente inatingidos por qualquer espécie de cristianismo.

Em contrapartida, o islamismo continuava sua expansão silenciosa, gradativa e irreversível, sem o apoio do esforço missionário organizado ou da conversão forçada, o que é uma característica desta religião. Ele se expandiu tanto para o Oriente (na Indonésia e no noroeste da China) quanto para o Ocidente (do Sudão ao Senegal) e em menor proporção das costas do oceano Índico para o interior do continente. Quando sociedades tradicionais mudam algo tão fundamental como sua religião, é claro que elas devem estar enfrentando novos e maiores problemas. Sem dúvida os comerciantes muçulmanos, que realmente monopolizavam o comércio do interior da África com o mundo, e com isto se multiplicavam, ajudaram a chamar a atenção dos novos povos para o islamismo. O comércio de escravos, que arruinava a vida comunitária, tornava-o atraente, pois o islamismo é um poderoso meio de reintegração das estruturas sociais.[4a] Ao mesmo tempo, a religião maometana atraía as sociedades militares e semifeudais do Sudão, e seu sentido de independência, militância e superioridade supunha um útil contrapeso para a escravidão. Os negros muçulmanos eram maus escravos: os haussas (e outros sudaneses) que foram importados para a Bahia se rebelaram nove vezes entre 1807 e o grande levante de 1835 até que, de fato, foram mortos, em sua maioria, ou deportados de volta para a África. Os comerciantes de escravos aprenderam a evitar importações destas regiões, que tinham sido abertas ao comércio muito recentemente.[5]

Enquanto o elemento de resistência aos brancos era muito pequeno no islamismo africano (onde ainda quase não existia nenhuma resistência), era, por tradição, muito forte no sudoeste da Ásia, onde o islamismo — também precedido pelos comerciantes — tinha, há muito tempo, avançado sobre os cultos locais e o declinante hinduísmo, em grande parte como um meio de resistência mais efetiva contra os portugueses e os holandeses, e como uma espécie de pré-nacionalismo, embora também como um contrapeso popular ante os príncipes que se tinham convertido ao hinduísmo.[6] À medida que estes príncipes se tornavam cada vez mais dependentes dos holandeses, o islamismo fincava suas raízes mais

A ERA DAS REVOLUÇÕES

profundamente na população. Por seu turno, os holandeses aprenderam que os príncipes indonésios podiam, aliando-se aos professores religiosos, provocar um levante popular geral, como na Guerra de Java do Príncipe de Djogjakarta (1825-1830). Consequentemente, eles foram repetidas vezes conduzidos de volta à política de íntima aliança com os governantes locais, governando indiretamente através deles. Enquanto isso, o crescimento do comércio e da navegação que forjava elos mais estreitos entre os muçulmanos do sudoeste da Ásia e de Meca servia para aumentar o número de peregrinos, para tornar mais ortodoxo o islamismo indonésio e, até mesmo, para abri-lo à influência militante e restauradora do wahabismo árabe.*

Dentro do islamismo, os movimentos de reforma e de renovação, que neste período deram à religião muito de seu poder de penetração, também podem ser vistos como um reflexo do impacto da expansão europeia e da crise das antigas sociedades maometanas (notadamente dos Impérios Turco e Persa) e talvez também da crescente crise do Império Chinês. Os puritanos wahabistas tinham surgido na Arábia na metade do século XVIII. Por volta de 1814 tinham conquistado a Arábia e estavam dispostos a conquistar a Síria, até que foram detidos pelas forças combinadas do ocidentalizador Mohammed Ali, do Egito, e das armas ocidentais, mas seus ensinamentos já se estendiam para o leste, invadindo a Pérsia, o Meganistão e a Índia. Inspirado pelo wahabismo, o santo argelino Sidi Mohammed ben Ali el Senussi desenvolveu um movimento semelhante que, a partir da década de 1840, se espalhou desde Trípoli até o deserto do Saara. Na Argélia, Abd-el-Kader, e Shamyl, no Cáucaso, desenvolveram movimentos político-religiosos de resistência aos franceses e russos, respectivamente (veja o Capítulo 7) e anteciparam um pan-islamismo que buscava não só um retorno à pureza original do Profeta, mas também

---

* Fundado pelo reformador maometano árabe Mohammed ibn' Abdu' l-Wahhad (1691-1787). (*N. T.*)

A IDEOLOGIA RELIGIOSA

buscava absorver as inovações ocidentais. Na Pérsia, uma heterodoxia ainda mais obviamente revolucionária e nacionalista, o movimento *bab* de Ali Mohammed, surgiu na década de 1840. Tendia, entre outras coisas, a retomar certas práticas antigas do zoroastrismo persa e exigia que as mulheres retirassem os seus véus.

O fermento e a expansão do islamismo eram tais que, em termos de história puramente religiosa, podemos, talvez, melhor descrever o período que vai de 1789 a 1848 como o período de renascimento do islamismo mundial. Nenhum outro movimento de massa equivalente se desenvolveu em qualquer outra religião não cristã, embora no final do período estivéssemos à beira da grande Rebelião Taiping, que possuía muitas características de um movimento semelhante. Pequenos movimentos de reforma religiosa foram fundados na Índia britânica, notadamente o movimento *Brahmo Samaj*, de Ram Mohan Roy (1772-1833). Nos Estados Unidos, as derrotadas tribos indígenas começaram a desenvolver movimentos proféticos religiosos e sociais de resistência aos brancos, como o movimento que inspiraria a guerra da maior confederação conhecida dos índios das planícies, sob a liderança de Tecumseh, na primeira década do século, e a religião do Lago Simpático (1799), projetada para preservar o modo de vida dos índios iroqueses contra a destruição causada pela sociedade branca americana. Thomas Jefferson, homem de rara erudição, foi quem deu sua bênção oficial a este profeta, que adotou alguns elementos cristãos e especialmente *quakers*. Entretanto, o contato direto entre uma civilização capitalista adiantada e povos animistas ainda era muito raro para produzir muitos dos movimentos proféticos e milenares tão típicos do século XX.

O movimento expansionista do sectarismo protestante difere dos islamistas, na medida em que era quase que inteiramente limitado aos países de civilização capitalista desenvolvida. Seu alcance não pode ser medido, pois alguns movimentos deste tipo (por exemplo, o beatismo alemão ou o

A ERA DAS REVOLUÇÕES

evangelismo inglês) permaneceram dentro da estrutura de suas respectivas igrejas estatais estabelecidas. Entretanto, não se tem dúvida quanto ao seu alcance. Em 1851, aproximadamente metade dos devotos protestantes na Inglaterra e no País de Gales frequentava outros serviços religiosos diversos da Igreja estabelecida. Este extraordinário triunfo das seitas foi o principal resultado do desenvolvimento religioso desde 1790, ou mais precisamente desde os últimos anos das guerras napoleônicas. Assim, em 1790, os metodistas wesleyanos tinham somente 59.000 membros comungantes no Reino Unido, em 1850, eles e suas várias ramificações tinham cerca de dez vezes mais este número.[7] Nos Estados Unidos, um processo muito semelhante de conversão em massa multiplicou o número de batistas, metodistas e presbiterianos (estes últimos um pouco menos) sob as relativas expensas das antigas igrejas dominantes; por volta de 1850, quase três quartos de todas as igrejas nos Estados Unidos pertenciam a estas três denominações.[8] O rompimento das igrejas estabelecidas, a secessão e a ascensão das seitas também marcam a história religiosa deste período na Escócia (o "Grande Rompimento" de 1843), na Holanda, na Noruega e em outros países.

As razões para os limites sociais e geográficos do sectarismo protestante são evidentes. Os países católicos romanos não aceitavam o estabelecimento público de seitas. Neles, o rompimento equivalente com a igreja estabelecida ou com a religião dominante tomava melhor a forma de uma descristianização em massa (especialmente entre os homens) do que um cisma.* (Reciprocamente, o anticlericalismo protestante dos países anglo-saxônicos era, constantemente, a contrapartida do anticlericalismo ateu dos países do continente europeu.) O renascimento religioso tendia a tomar a forma de algum novo culto emocional, de algum santo milagreiro ou de uma peregrinação dentro da estrutura aceita pela religião

---

* As seitas e rupturas para o protestantismo, não muito frequentes, foram numericamente escassas.

A IDEOLOGIA RELIGIOSA

católica romana. Um ou dois destes santos de nosso período chegaram a ter maior importância, como o Curé d'Ars (1786-1859) na França. O cristianismo ortodoxo da Europa oriental se prestava com mais facilidade ao sectarismo, e na Rússia, o crescente rompimento da sociedade retrógrada vinha, desde o final do século XVII, produzindo uma safra de seitas. Várias delas, em particular a autocastradora seita dos Skoptsi, a dos Doukhobors da Ucrânia e a dos Molokanos, foram produtos do fim do século XVIII e do período napoleônico; a seita dos "Velhos Crentes" data do século XVII. Entretanto, geralmente as classes às quais este sectarismo fazia o maior apelo — pequenos artesãos, comerciantes, fazendeiros e outros precursores da burguesia, ou conscientes revolucionários camponeses — ainda não eram numerosas o bastante para produzir um movimento de seitas de grandes proporções.

Nos países protestantes, a situação era diferente. Neles, o impacto da sociedade individualista e comercial era mais forte (pelo menos na Grã-Bretanha e nos Estados Unidos), e a tradição sectarista já estava bem estabelecida. Sua exclusividade e insistência na comunicação individual entre o homem e Deus, bem como sua austeridade moral, tornavam-na atraente para os empresários e pequenos comerciantes em ascensão. Sua sombria e implacável Teologia do Inferno e da maldição e de uma austera salvação pessoal tornavam-na atraente também para homens que levavam vidas difíceis em um meio ambiente muito duro: para o homem das fronteiras e o pescador, para os pequenos cultivadores e os mineiros e para os explorados artesãos. A seita podia facilmente se transformar em uma assembleia igualitária e democrática de fiéis sem hierarquia religiosa ou social, e assim atraía o homem comum. Sua hostilidade ao elaborado ritual e à doutrinação erudita encorajava a profecia e a pregação de caráter amadorista. A persistente tradição do milenarismo se prestava a uma expressão primitiva de rebeldia social. Finalmente, sua associação com a emocionante e subjugadora "conversão" pessoal abriu caminho para

A ERA DAS REVOLUÇÕES

uma "restauração" religiosa massiva de intensidade histórica, na qual os homens e as mulheres poderiam encontrar um bem-vindo relaxamento das tensões de uma sociedade que não proporcionava outras saídas equivalentes para as emoções das massas, e destruía as que tinham existido no passado.

O "despertar religioso" fez muito em prol da propagação das seitas. Assim, o salvacionismo pessoal de John Wesley (1703-1791) e de seus metodistas intensamente irracionalista e emotivo deu ímpeto para o renascimento e a expansão da dissidência protestante, pelo menos na Grã-Bretanha. Por esta razão, as novas seitas e tendências foram inicialmente apolíticas ou, até mesmo (como no caso das seitas wesleyanas metodistas) fortemente conservadoras, pois se afastavam do maléfico mundo exterior em busca da salvação pessoal ou da existência de grupos autocontidos, que constantemente significava que rejeitavam a possibilidade de qualquer alteração coletiva de suas condições seculares. Suas energias "políticas", em geral, eram dirigidas para as campanhas morais e religiosas, como as que multiplicaram as missões estrangeiras, o antiescravagismo e as agitações em prol da moderação dos costumes. Os seguidores de seitas politicamente ativas e radicais no período das revoluções francesa e americana pertenciam antes às mais antigas, rígidas e tranquilas comunidades puritanas que tinham sobrevivido desde o século XVII, estagnadas ou, até mesmo, evoluindo em direção a um deísmo intelectualista sob a influência do racionalismo do século XVIII: os presbiterianos, os congregacionistas, os unitaristas e os *quakers*. O novo tipo metodista de seita era antirrevolucionário, e a imunidade da Grã-Bretanha à revolução em nosso período tem sido mesmo atribuída — erroneamente — a sua crescente influência.

Entretanto, o caráter social das novas seitas combatia sua retirada teológica do mundo. Elas se disseminavam mais prontamente entre os que ficavam entre os ricos e os poderosos de um lado e as massas da

A IDEOLOGIA RELIGIOSA

tradicional sociedade do outro: isto é, entre os que estavam a ponto de galgar os escalões da classe média ou de cair em um novo proletariado, e entre a massa indiscriminada de homens independentes e modestos. A orientação política fundamental de todas estas seitas inclinava-se em direção ao radicalismo jeffersoniano ou jacobino ou, pelo menos, em direção a um liberalismo moderado de classe média. O "não conformismo" na Grã-Bretanha, as igrejas protestantes que predominavam nos Estados Unidos tendiam, portanto, a ocupar um lugar entre as forças políticas de esquerda, embora entre os metodistas britânicos o "torysmo" de seu fundador só fosse ultrapassado no curso de 50 anos de secessões e crises internas que terminaria em 1848.

Somente entre os muito pobres, ou entre os muito abalados, é que a rejeição original ao mundo existente continuou. Mas era muitas vezes uma primitiva rejeição revolucionária, que tomava a forma de uma predição milenar do fim do mundo, e que as aflições do período pós-napoleônico pareciam (em linha com o Apocalipse) antecipar. William Miller, fundador dos adventistas do sétimo dia nos Estados Unidos, predisse-o para 1843 e 1844, época em que já contava com 50 mil seguidores e com o respaldo de 3 mil pregadores. Nas áreas em que o pequeno comércio e o pequeno trabalho camponês individual se achavam sob o impacto imediato do crescimento de uma dinâmica economia capitalista, como no estado de Nova York, este fermento milenar era particularmente poderoso. Seu mais dramático produto foi a seita dos santos dos últimos dias (os mórmons), fundada pelo profeta Joseph Smith, que recebeu sua revelação próxima a Palmyra, Nova York, na década de 1820, e conduziu seu povo em êxodo para algum Sião remoto e que eventualmente o levou aos desertos de Utah.

Também havia grupos entre os quais a histeria coletiva das massas nas reuniões de despertar religioso fazia o maior apelo, tanto porque aliviava a dureza e monotonia de suas vidas ("quando não se oferece nenhuma

A ERA DAS REVOLUÇÕES

outra diversão, o despertar religioso por vezes assumirá este papel", observou uma senhora a respeito das moças nas fábricas de Essex)[9] como porque sua união religiosa coletiva criava uma comunidade temporária de indivíduos desesperados. Em sua forma moderna, esse despertar religioso foi o produto da fronteira americana. "O Grande-Alvorecer" começou em torno de 1800 nas montanhas Apalaches com gigantescas "reuniões campais" — a de Kane Ridge, Kentucky (1801) reuniu cerca de 10 ou 20.000 pessoas sob o comando de 40 pregadores — e um grau de histeria orgiástica difícil de ser concebida: homens e mulheres "sacudiam-se", dançavam até a exaustão, milhares entravam em transe, "falavam 'com espíritos'" "ou então latiam como cães. Um local remoto, um ambiente social e natural áspero, ou uma combinação de tudo isso, encorajavam aquele despertar que pregadores ambulantes importaram para a Europa, produzindo, assim, uma secessão democrático-proletária nos wesleyanos (os chamados metodistas primitivos) depois de 1808, que se estendeu e se disseminou particularmente entre os mineiros do norte da Inglaterra e entre os pequenos fazendeiros das montanhas, entre os pescadores do Mar do Norte, os empregados agrícolas e os oprimidos trabalhadores domésticos das suarentas indústrias da Inglaterra central. Estes ataques de histeria religiosa ocorreram periodicamente durante todo o nosso período — no sul do País de Gales, eclodiram em 1807-1809, 1828-1830, 1839-1842, 1849 e 1859[10] e representaram o maior aumento nas forças numéricas das seitas. Eles não podem ser atribuídos a qualquer simples causa precipitadora. Alguns coincidiram com períodos de violenta tensão e intranquilidade (todas as épocas de ultrarrápida expansão wesleyana em nosso período coincidiram com estas violentas tensões e agitações, exceto uma), outros, com a rápida recuperação que se seguia a uma depressão, e, ocasionalmente, foram precipitados por calamidades sociais como a epidemia de cólera, que ocasionou fenômenos religiosos análogos em outros países cristãos.

A IDEOLOGIA RELIGIOSA

3.

Em termos puramente religiosos, portanto, nosso período foi de uma crescente secularização e de indiferença religiosa (na Europa), combatidas pelo despertar da religião em suas formas mais intransigentes, irracionais e emocionalmente compulsivas. Se Tom Paine está em um dos extremos, no outro se encontra o adventista William Miller. O materialismo mecânico francamente ateu do filósofo alemão Feuerbach (1804-1872), na década 1830 se confrontava com os jovens anti-intelectualistas do "Movimento de Oxford", que defendiam a literal exatidão das vidas dos santos medievais.

Mas este retorno à religião militante, literal e ultrapassada tinha três aspectos. Para as massas, era, principalmente, um método de luta contra a sociedade cada vez mais fria, desumana e tirânica do liberalismo da classe média: segundo Marx (mas ele não foi o único a usar tais palavras), era "o coração de um mundo sem coração, como é o espírito de um mundo sem espírito... o *ópio* do povo".[11] Mais do que isto: era uma tentativa de criar instituições políticas, sociais e educacionais em um ambiente que não proporcionava nenhuma delas, e um meio de dar às pessoas pouco desenvolvidas politicamente uma expressão primitiva de seus descontentamentos e aspirações. Seu literalismo, emocionalismo e superstição tanto protestavam contra toda uma sociedade em que dominava o cálculo racional, como contra as classes superiores que deformavam a religião em sua própria imagem.

Para as classes médias vindas das massas, a religião podia ser um amparo moral poderoso, uma justificativa para sua existência social contra o desprezo e o ódio da sociedade tradicional, e um mecanismo de sua expansão. Quando sectaristas, a religião os libertava dos grilhões daquela sociedade. Dava a seus lucros um título moral maior do que o do mero interesse próprio racional; legitimava sua aspereza em relação aos opri-

A ERA DAS REVOLUÇÕES

midos; unia-os ao comércio que proporcionava civilização aos pagãos, e vendas a seus produtos.

A religião fornecia estabilidade social para as monarquias e aristocracias, e de fato para todos os que se encontravam no alto da pirâmide. Tinham aprendido com a Revolução Francesa que a Igreja era o mais forte amparo do trono. Os povos analfabetos e devotos, como os do sul da Itália, os espanhóis, os tiroleses e os russos tinham-se lançado às armas para defender sua Igreja e seu governante contra os estrangeiros, os infiéis e os revolucionários, abençoados e, em alguns casos, liderados por seus sacerdotes. Os povos analfabetos e religiosos viveriam contentes na pobreza para a qual Deus os havia conclamado, sob a liderança de governantes que lhes foram dados pela Divina Providência, de maneira simples, digna e ordenadamente e imunes aos efeitos subversivos da razão. Para os governos conservadores depois de 1815 — e que governos da Europa continental não o eram? — o encorajamento dos sentimentos religiosos e das Igrejas era uma parte tão indispensável da política quanto a organização da política e da censura: o sacerdote, o policial e o censor eram agora os três principais apoios da reação contra a revolução.

Para a maioria dos governos estabelecidos, bastava que o jacobinismo ameaçasse os tronos e as Igrejas os preservassem. Entretanto, para um grupo de intelectuais e ideólogos românticos, a aliança entre o trono e o altar tinha um significado mais profundo: o de preservar uma velha sociedade viva e orgânica contra a corrosão da razão e o liberalismo; o indivíduo encontrava nesta aliança uma expressão mais adequada de sua trágica condição do que em qualquer solução formulada pelos racionalistas. Na França e na Inglaterra, estas justificativas da aliança entre o trono e o altar não tiveram grande importância política, nem tampouco a busca romântica de uma religião pessoal e trágica. (O mais importante explorador destas profundezas do coração humano, o dinamarquês Sören Kierkegaard, 1813-1855, era oriundo de um pequeno país e atraiu muito

A IDEOLOGIA RELIGIOSA

pouca atenção de seus contemporâneos: sua fama é totalmente póstuma.) Entretanto, nos Estados alemães e na Rússia, os intelectuais romântico-reacionários, bastiões da reação monarquista, tiveram seu papel na política como servidores civis, redatores de manifestos e de programas, e inclusive como conselheiros pessoais onde os monarcas tendiam ao desequilíbrio mental (como Alexandre I, da Rússia, e Frederico Guilherme IV, da Prússia). Em conjunto, entretanto, os Friedrich Gentz e os Adam Mueller eram figuras de menor vulto, e seu medievalismo religioso (do qual o próprio Metternich desconfiava) era simplesmente uma fachada tradicionalista para dissimular os policiais e os censores em quem os reis confiavam. A força da Santa Aliança da Rússia, Áustria e Prússia, destinada a manter a ordem na Europa depois de 1815, baseava-se não em sua aparência de cruzada mística, mas na sua decisão de abolir todo e qualquer movimento subversivo pelas armas russas, prussianas e austríacas. Além do mais, os governos genuinamente conservadores se inclinavam a desconfiar de todos os intelectuais e ideólogos, até dos que eram reacionários, pois, uma vez aceito o princípio do raciocínio em vez da obediência, o fim estaria próximo. Conforme escreveu Friedrich Gentz (secretário de Metternich) a Adam Mueller, em 1819:

> Continuo a defender esta proposição: " fim de que a imprensa não possa abusar, nada será impresso nos próximos anos." Se este princípio viesse a ser aplicado como uma regra obrigatória, sendo as raríssimas exceções autorizadas por um Tribunal claramente superior, dentro em breve estaríamos voltando a Deus e à Verdade.[12]

E, ainda assim, se os ideólogos antiliberais tiveram pequena importância política, sua fuga dos horrores do liberalismo em direção a um passado orgânico e verdadeiramente religioso teve considerável interesse para a religião, já que produziu um marcante despertar do catolicismo romano entre os jovens sensíveis das classes superiores. Pois não havia sido o

A ERA DAS REVOLUÇÕES

próprio protestantismo o precursor direto do individualismo, do racionalismo e do liberalismo? Se uma sociedade verdadeiramente religiosa viesse curar sozinha a doença do século XIX, não seria ela a única sociedade *verdadeiramente* cristã da Idade Média católica?* Como de costume, Gentz expressou a atração do catolicismo com uma clareza inadequada ao assunto:

> O protestantismo é a primeira, a verdadeira e a única fonte de todos os grandes males que nos fazem gemer hoje em dia. Se tivesse simplesmente se limitado ao raciocínio, poderíamos ter sido capazes e obrigados a tolerá-lo, pois há na natureza humana uma tendência enraizada à discussão. Entretanto, já que os governos concordam em aceitar o protestantismo como uma forma permitida de religião, como uma expressão do cristianismo, como um direito do homem; já que eles (...) garantiram-lhe um lugar ao lado do Estado, ou mesmo sobre suas ruínas, a única igreja verdadeira, a ordem política, moral e religiosa do mundo foi imediatamente dissolvida. (...) Toda a Revolução Francesa, e a ainda pior revolução que está para eclodir na Alemanha, nasceram desta mesma fonte.[13]

Assim, grupos de jovens exaltados fugiam dos horrores do intelecto em direção aos hospitaleiros braços de Roma, e abraçavam o celibato, as torturas do ascetismo, os escritos dos padres, ou simplesmente o ritual caloroso e esteticamente satisfatório da Igreja com uma apaixonada entrega. Em sua maioria, eram provenientes, como era de se esperar, de países protestantes: os românticos alemães eram em geral prussianos. O "Movimento de Oxford" da década de 1830 é o fenômeno mais conhecido deste tipo para o leitor anglo-saxônico, embora seja caracteristicamente britânico, visto que só alguns dos jovens fanáticos que assim expressavam o espírito da mais obscurantista e reacionária das universidades, de fato,

---

* Nota da edição inglesa: na Rússia, onde a verdadeira sociedade Cristã da Igreja Ortodoxa ainda floria, a tendência equivalente não procurava tanto o retorno às divindades imaculadas do passado quanto o retiro nas profundidades sem limites do misticismo disponível na Ortodoxia da época.

358

A IDEOLOGIA RELIGIOSA

se uniram à Igreja Romana, notadamente o talentoso J. H. Newman (1801-1890). Os demais encontraram uma posição intermediária na qualidade de "ritualistas" dentro da Igreja Anglicana, que eles diziam ser a verdadeira Igreja Católica, e tentaram, para o horror dos eclesiásticos, adorná-la com paramentos, incenso e outras abominações papais. Os convertidos eram um enigma para as famílias nobres tradicionalmente católicas que encaravam sua religião como um distintivo familiar e para a massa de trabalhadores irlandeses imigrantes que formavam a maior parte do catolicismo britânico; o nobre zelo destes convertidos também não era totalmente apreciado pelos funcionários eclesiásticos do Vaticano, realistas e cautelosos. Mas já que eram de excelentes famílias, e a conversão das classes superiores bem poderia anunciar a conversão das classes inferiores, foram bem recebidos como um sinal estimulante do poder de conquista da Igreja.

Ainda assim, mesmo dentro da religião organizada — ao menos dentro da católica romana, da protestante e da judaica — agiam os sapadores e minadores do liberalismo. Na Igreja Romana, seu principal campo de ação era a França, e sua figura mais importante, Hugues-Felicité-Robert de Lamennais (1782-1854), que caminhou sucessivamente desde o conservadorismo romântico até uma idealização revolucionária do povo, o que o conduziu para perto do socialismo. Sua obra *Paroles d'un Croyant* (1834) criou tumulto no seio dos governos, que não esperavam uma punhalada pelas costas com uma arma tão digna de confiança para a preservação do *status quo*, quanto o catolicismo. Seu autor não demorou a ser condenado por Roma. O catolicismo liberal, entretanto, sobreviveu na França, um país sempre receptivo às tendências eclesiásticas que estivessem em pequeno desacordo com a Igreja de Roma. Também na Itália, a poderosa corrente revolucionária das décadas de 1830 e 1840 arrebanhou para suas fileiras alguns pensadores católicos, como Rosmini e Gioberti (1801-1852), paladino de uma Itália liberal unificada pelo

A ERA DAS REVOLUÇÕES

papa. Entretanto, o corpo principal da Igreja era cada vez mais militantemente antiliberal.

As minorias e seitas protestantes estavam naturalmente mais próximas do liberalismo, sobretudo em termos políticos: ser huguenote francês equivalia a ser um liberal moderno. (Guizot, o primeiro-ministro de Luís Felipe, foi um deles.) As igrejas estatais protestantes, como a anglicana e a luterana, eram politicamente mais conservadoras, mas suas teologias eram talvez menos resistentes à corrosão da erudição bíblica e da investigação racionalista. Os judeus, naturalmente, estavam expostos a toda a força da corrente liberal. Afinal de contas, eles deviam sua emancipação política e social inteiramente a ela. A assimilação cultural era o objetivo de todos os judeus emancipados. Os mais extremistas dentre os emancipados abandonaram sua antiga religião em favor do cristianismo ou do agnosticismo, como o pai de Karl Marx ou o poeta Heinrich Heine (que, entretanto, descobriu que os judeus nunca deixam de ser judeus; ao menos para o mundo exterior, embora deixem de frequentar a sinagoga). Os menos extremistas desenvolveram uma atenuada forma liberal de judaísmo. Somente nos obscuros guetos orientais a Torá e o Talmude continuaram dominando a vida virtualmente inalterada das pequenas cidades.

13. A IDEOLOGIA SECULAR

"(O Sr. Bentham) fabrica utensílios de madeira em um torno por diversão, e fantasia que pode transformar os homens da mesma maneira. Mas não tem grandes dotes para a poesia, e mal sabe extrair a moral de uma obra de Shakespeare. Sua casa é aquecida e iluminada a vapor. Ele é um destes que preferem as coisas artificiais em detrimento das naturais, e pensa que a mente humana é onipotente. Ele sente grande desprezo pelas possibilidades da vida ao ar livre, pelos verdes campos e pelas árvores, e sempre reduz tudo aos termos da utilidade."

W. Hazlitt, *O espírito do século* (1825)

"Os comunistas pouco se importam em esconder seus pontos de vista e objetivos. Declaram abertamente que seus fins podem ser obtidos somente pela destruição pela força de todas as condições existentes. Deixem as classes governantes tremerem ante a revolução comunista. Os proletários nada têm a perder a não ser seus grilhões. Têm um mundo a conquistar. Trabalhadores de todos os países, uni-vos!"

K. Marx e F. Engels, *Manifesto do Partido Comunista* (1848)

1.

A quantidade deve ainda nos fazer dar uma posição de destaque à ideologia religiosa no mundo de 1789-1848; a qualidade dá esta posição de destaque à ideologia leiga ou secular. Com pouquíssimas exceções, todos os pensadores de importância em nosso período falavam o idioma secular, quaisquer que fossem suas crenças religiosas particulares. Muito do que eles pensavam (e do que as pessoas comuns tinham como certo sem uma reflexão maior) será discutido nos termos mais específicos das ciências e das artes; uma outra parte deste pensamento já foi discutida. Neste capítulo nos concentraremos no que foi, afinal, o principal tema que nasceu da revolução dupla: a natureza da sociedade e a direção para a qual ela estava se encaminhando ou deveria se encaminhar. Sobre este problema básico, havia duas principais divisões de opinião: a dos que aceitavam a maneira pela qual o mundo estava se conduzindo e a dos que não a aceitavam; em outras palavras, os que acreditavam no progresso e os outros. Em certo sentido, havia só uma *Weltanschauung* de grande significação, e uma série de outros pontos de vista que, quaisquer que fossem seus méritos, eram, no fundo, basicamente críticas negativas ao "iluminismo" humanista, racionalista e triunfante do século XVIII. Seus expoentes acreditavam firmemente (e com razão) que a história humana era um avanço mais que um retrocesso ou um movimento oscilante ao redor de certo nível. Podiam observar que o conhecimento científico e o controle técnico do homem sobre a natureza aumentavam diariamente. Acreditavam que a sociedade humana e o homem individualmente podiam ser aperfeiçoados pela mesma aplicação da razão, e que estavam destinados a seu aperfeiçoamento na História. Com isto concordavam os liberais burgueses e os revolucionários socialistas proletários.

Até 1789, a formulação mais poderosa e adiantada desta ideologia de progresso tinha sido o clássico liberalismo burguês. De fato, seu sistema fundamental fora elaborado de maneira tão firme nos séculos XVII e XVIII que seu estudo mal pertence a este livro. Era uma filosofia estreita, lúcida e cortante que encontrou seus mais puros expoentes, como poderíamos esperar, na Grã-Bretanha e na França.

Ela era rigorosamente racionalista e secular, isto é, convencida da capacidade dos homens em princípio para compreender tudo e solucionar

A IDEOLOGIA SECULAR

todos os problemas pelo uso da razão, e convencida também da tendência obscurantista das instituições (entre as quais incluíam o tradicionalismo e todas as religiões outras que o racional) e do comportamento irracionais. Filosoficamente, inclinavam-se ao materialismo ou ao empiricismo, que condiziam com uma ideologia que devia suas forças e métodos à ciência, neste caso principalmente à matemática e à física da revolução científica do século XVII. Suas hipóteses gerais sobre o mundo e o homem estavam marcadas por um penetrante individualismo, que se devia mais à introspecção dos indivíduos da classe média ou à observação de seu comportamento do que aos princípios *a priori* nos quais declarava estar fundamentada, e que se expressava em uma psicologia (embora a palavra ainda não existisse em 1789) que fazia eco com a mecânica do século XVII, a chamada escola "associacionista".

Em poucas palavras, para o liberalismo clássico, o mundo humano estava constituído de átomos individuais com certas paixões e necessidades, cada um procurando acima de tudo aumentar ao máximo suas satisfações e diminuir seus desprazeres, nisto igual a todos os outros,* e naturalmente não reconhecendo limites ou direitos de interferência em suas pretensões. Em outras palavras, cada homem era "naturalmente" possuído de vida, liberdade e busca da felicidade, como afirmava a Declaração de Independência dos Estados Unidos, embora os pensadores liberais mais lógicos preferissem não colocar isto na linguagem dos "direitos naturais". No curso da busca desta vantagem pessoal, cada indivíduo nesta anarquia de competidores iguais achava vantajoso ou inevitável entrar em certos tipos de relações com outros indivíduos, e este complexo de acordos úteis constantemente expressos na terminologia francamente comercial do "contrato" constituía a sociedade e os grupos políticos ou sociais. É claro

---

* O grande Thomas Hobbes, de fato, argumentou fortemente a favor da completa igualdade — para fins práticos — de todos os indivíduos, em todos os aspectos, com exceção das "ciências".

A ERA DAS REVOLUÇÕES

que tais acordos e associações implicavam alguma diminuição da naturalmente ilimitada liberdade do homem para fazer aquilo que quisesse, sendo uma das tarefas da política reduzir tal interferência a um mínimo praticável. Exceto, talvez, para certos grupos sexuais irredutíveis como pais e filhos, o "homem" do liberalismo clássico (cujo símbolo literário foi Robinson Crusoe) era um animal social somente na medida em que ele coexistia em grande número. Os objetivos sociais eram, portanto, a soma aritmética dos objetivos individuais. A felicidade (um termo que deu a seus definidores quase tantos problemas quanto a seus perseguidores) era o supremo objetivo de cada indivíduo; a maior felicidade do maior número de pessoas era claramente o objetivo da sociedade.

De fato, o *utilitarismo* puro, que reduzia *todas* as relações humanas inteiramente ao padrão que acabamos de esboçar, esteve limitado no século XVII a filósofos sem modos como o grande Thomas Hobbes, ou a paladinos da classe média muito seguros de si, como a escola de pensadores e propagandistas britânicos associada com os nomes de Jeremy Bentham (1748-1832), James Mill (1773-1836) e acima de tudo os economistas políticos clássicos. Havia duas razões para tanto. Em primeiro lugar, uma ideologia que reduzia tudo, exceto o cálculo racional do "interesse próprio", à "insensatez com pernas de pau"* (para usarmos a expressão de Bentham) entrava em conflito com alguns poderosos instintos do comportamento da classe média empenhada em melhorar.** Assim, poderia ser demonstrado que o próprio interesse racional bem po-

---

* No original, "*nonsense on stilts*". (*N.T.*)

** Não se deve supor que o interesse próprio necessariamente significava um egoísmo antissocial. Os utilitaristas humanos e de espírito social mantinham o ponto de vista de que as satisfações que o indivíduo procurava aumentar incluíam, ou poderiam incluir com a educação adequada, a "benevolência", isto é, o ímpeto para ajudar aos outros. O curioso é que isto não era um dever moral, ou um aspecto da coexistência social, mas algo que fazia o indivíduo feliz. "O interesse", argumentava d'Holbach em sua obra *Système de la Nature* I, p. 268, "nada é senão o que cada um de nós considera necessário para sua felicidade".

A IDEOLOGIA SECULAR

deria justificar uma interferência consideravelmente maior na "liberdade natural" do indivíduo para fazer aquilo que ele desejasse e para guardar o que ganhasse, do que se esperava. (Thomas Hobbes, cujas obras os utilitaristas britânicos colecionavam e publicavam com devoção, na verdade demonstrara que o interesse próprio impedia quaisquer limites *a priori* sobre o poder estatal, e os próprios benthamitas foram paladinos da administração burocrática estatal quando pensaram que podia proporcionar a maior felicidade ao maior número de pessoas tão prontamente quanto o *laissez-faire*.) Consequentemente, os que procuravam salvaguardar a propriedade privada, a liberdade individual e de empresa preferiam constantemente dar-lhes a sanção metafísica de um "direito natural" em vez do vulnerável direito de "utilidade". Além do mais, uma filosofia que eliminava a moralidade e o dever tão completamente através de sua redução ao cálculo racional, bem poderia enfraquecer o sentido da disposição eterna das coisas entre os pobres ignorantes sobre quem a estabilidade social se assentava.

O utilitarismo, por razões como estas, nunca monopolizou, portanto, a ideologia da classe média liberal. Mas proporcionou o mais cortante dos machados radicais com que se poderia derrubar as instituições tradicionais que não sabiam responder às triunfantes perguntas: é racional? É útil? Contribui para a maior felicidade do maior número de pessoas? Contudo, não era forte o suficiente nem para inspirar uma revolução nem para evitá-la. O filosoficamente débil John Locke, mais que o soberbo Thomas Hobbes, continuou sendo o pensador favorito do liberalismo vulgar, pois, ao menos, ele colocava a propriedade privada além do alcance da interferência e do ataque, como o mais fundamental dos "direitos naturais". E os revolucionários franceses acharam magnífica esta declaração para colocar suas exigências de liberdade de iniciativa ("todo cidadão é livre para usar seus braços, sua indústria e seu capital como julgar adequado e útil a si mesmo (...). Ele pode fabricar o que lhe aprouver da maneira que lhe aprouver")[1] sob a forma de um direito natural geral à liberdade ("O exercício dos direitos naturais de cada homem não é mais limitado que aqueles que asseguram aos outros membros da sociedade o gozo dos mesmos direitos").[2]

Em seu pensamento político, o liberalismo clássico separava-se, assim, do rigor e da audácia que fizeram dele uma força revolucionária tão poderosa. Em seu pensamento econômico, entretanto, estava menos inibido, em parte porque a confiança da classe média no triunfo do capitalismo era muito maior do que sua confiança na supremacia política da burguesia sobre o absolutismo ou a turba ignorante, em parte porque as conjecturas clássicas sobre a natureza e o estado natural do homem encaixavam-se, sem dúvida, na situação especial do mercado de uma forma bem melhor do que à situação da humanidade em geral. Consequentemente, as clássicas formas da economia política constituem, com Thomas Hobbes, o mais impressionante monumento intelectual à ideologia liberal. Sua época de apogeu é um pouco anterior ao período estudado neste livro. A publicação da obra de Adam Smith (1723-1790), *A riqueza das nações* (1776), marca o seu início, a de David Ricardo (1792-1823), *Princípios de economia política,* de 1817, determina seu apogeu, e o ano de 1830 assinala o início de seu declínio ou transformação. Entretanto, sua versão vulgarizada continuava a conquistar adeptos entre os homens de negócio durante todo o nosso período.

O argumento social da economia política de Adam Smith era tanto elegante quanto confortador. É verdade que a humanidade consistia essencialmente de indivíduos soberanos de certa constituição psicológica, que buscavam seus próprios interesses através da competição entre uns e outros. Mas poderia ser demonstrado que estas atividades, quando deixadas tanto quanto possível fora de controle, produziam não só uma ordem social "natural" (distinta da artificial imposta pelos interesses estabelecidos, o obscurantismo, a tradição ou a intromissão ignorante da aristocracia),

A IDEOLOGIA SECULAR

mas também o mais rápido aumento possível da "riqueza das nações", quer dizer, do conforto e do bem-estar, e portanto da felicidade, de todos homens. A base desta ordem natural era a divisão social do trabalho. Podia ser cientificamente *provado* que a existência de uma classe de capitalistas donos dos meios de produção beneficiava a todos, inclusive aos trabalhadores que se alugavam a seus membros, exatamente como poderia ser cientificamente comprovado que os interesses da Grã-Bretanha e da Jamaica estariam mais bem servidos se aquela produzisse mercadorias manufaturadas e esta produzisse açúcar natural. O aumento da riqueza das nações continuava com as operações das empresas privadas e a acumulação de capital, e poderia ser demonstrado que qualquer outro método de assegurá-lo iria desacelerá-lo ou mesmo estancá-lo. Além do mais, a sociedade economicamente muito desigual que resultava inevitavelmente das operações de natureza humana não era incompatível com a igualdade natural de todos os homens nem com a justiça, pois, além de assegurar inclusive aos mais pobres condições de vida melhores, ela se baseava na mais equitativa de todas as relações: o intercâmbio de valores equivalentes no mercado. Como disse um moderno erudito: "nada dependia da benevolência dos outros, pois para tudo que se obtinha era devolvido, em troca, um equivalente. Além disso, o livre jogo das forças naturais destruiria todas as posições que não fossem construídas com base em contribuições[3] ao bem comum".

O progresso era, portanto, tão "natural" quanto o capitalismo. Se fossem removidos os obstáculos artificiais que no passado lhe haviam colocado, produzir-se-ia de modo inevitável; e era evidente que o progresso da produção estava de braços dados com o progresso das artes, das ciências e da civilização em geral. Que não se pense que os homens que tinham tais opiniões eram meros advogados dos consumados interesses dos homens de negócios. Eram homens que acreditavam, com considerável justificativa histórica neste período, que o caminho para o avanço da humanidade passava pelo capitalismo.

A ERA DAS REVOLUÇÕES

A força desta visão panglossiana apoiava-se não apenas naquilo que se acreditava ser a irrefutável habilidade de demonstrar seus teoremas econômicos através de um raciocínio dedutivo, mas também no evidente progresso da civilização e do capitalismo do século XVIII. Reciprocamente começou a tropeçar não só porque Ricardo descobrira contradições dentro do sistema que Smith preconizara, mas porque os verdadeiros resultados sociais e econômicos do capitalismo provaram ser menos felizes do que tinham sido previstos. A economia política na primeira metade do século XIX tornou-se uma ciência "lúgubre" mais do que cor-de-rosa. Naturalmente, ainda se poderia sustentar que a miséria dos pobres que (como argumentou Malthus em seu famoso *Ensaio sobre a população,* de 1798) estava condenada a se prolongar até a beira da extenuação, ou (como argumentava Ricardo) a padecer com a introdução das máquinas,* ainda se constituía na maior felicidade do maior número de pessoas, número que simplesmente resultou ser muito menor do que se poderia esperar. Mas tais fatos, bem como as marcantes dificuldades para a expansão capitalista no período entre 1810 e a década de 1840, refrearam o otimismo e estimularam a investigação crítica, especialmente sobre a *distribuição* em contraste com a *produção,* que havia sido a preocupação maior da geração de Smith.

A economia política de David Ricardo, uma obra-prima de rigor dedutivo, introduziu assim consideráveis elementos de discórdia na natural harmonia em que os primeiros economistas tinham apostado. E até mesmo enfatizou, bem mais do que o tinha feito Smith, certos fatores que se poderia esperar que detivessem a máquina do progresso econômico, atenuando o suprimento de seu combustível essencial, tal como uma tendência para o declínio da taxa de lucros. E, mais ainda, David Ricardo criou a teo-

---

* "A opinião mantida pela classe trabalhadora de que o uso de máquinas é constantemente prejudicial a seus interesses não se baseia no preconceito ou no erro, mas é compatível com os corretos princípios da economia política." *Princípios,* p. 383.

A IDEOLOGIA SECULAR

ria geral do valor como trabalho, que só dependia de um leve toque para ser transformada em um argumento potente contra o capitalismo. Contudo, seu domínio técnico como pensador e seu apaixonado apoio aos objetivos práticos que a maioria dos homens de negócios britânicos advogava — o livre comércio e a hostilidade aos proprietários de terras — ajudaram a dar à economia política clássica um lugar ainda mais firme que antes na ideologia liberal. Para efeitos práticos, as tropas de choque da reforma da classe média britânica, no período pós-napoleônico, foram armadas com uma combinação de utilitarismo benthamita e economia ricardiana. Por sua vez, as maciças realizações de Smith e Ricardo, respaldadas pelas do comércio e da indústria britânica, fizeram da economia política uma ciência em grande parte britânica, reduzindo os economistas franceses (que tinham, no mínimo, compartilhado da liderança no século XVIII) a um papel menos importante de simples predecessores ou auxiliares, e os economistas não clássicos a um amontoado de franco-atiradores. Além do mais, transformaram-na em um símbolo essencial dos avanços liberais. O Brasil instituiu uma cátedra de economia política em 1808 — bem antes da França — ocupada por um propagador de Adam Smith, J. B. Say (o principal economista francês) e o anarquista utilitário William Godwin. A Argentina mal tinha ficado independente quando, em 1823, a nova universidade de Buenos Aires começou a ensinar economia política com base nas obras já traduzidas de Ricardo e James Mill; mas não o fez antes de Cuba, que teve sua primeira cátedra já em 1818. O fato de que o verdadeiro comportamento econômico dos governantes latino-americanos arrepiava os cabelos dos financistas e economistas europeus não faz qualquer diferença para a sua ligação com a ortodoxia econômica.

Na política, como vimos a ideologia liberal não era nem tão coerente nem tão consistente. Teoricamente, continuava dividida entre o utilitarismo e as adaptações das antiquadas doutrinas do direito natural e da lei natural, com predominância do primeiro. Em seu programa prático,

A ERA DAS REVOLUÇÕES

a divisão estava entre a crença em um governo popular, quer dizer, governo de maiorias que tinha a lógica a seu lado e refletia o fato de que realmente fazer revoluções e pressionar politicamente para conseguir reformas eficazes não era coisa de classe média, mas uma mobilização de massas* e a crença, mais generalizada, no governo de uma elite de proprietários: quer dizer, entre o "radicalismo" e o "whiggismo", para usarmos os termos britânicos. Pois, se o governo fosse realmente popular, e se a maioria realmente governasse (isto é, se os interesses da minoria fossem sacrificados àquela, como era logicamente inevitável), seria possível acreditar que a verdadeira maioria — "as classes mais numerosas e pobres"[4] — iria salvaguardar a liberdade e cumprir os ditames da razão que coincidiam, como é óbvio, com o programa da classe média liberal?

Antes da Revolução Francesa, a principal causa de alarme neste aspecto era a ignorância e a superstição dos trabalhadores pobres, que estavam constantemente sob o controle do sacerdote ou do rei. A própria revolução introduziu o risco adicional de uma ala à esquerda com um programa anticapitalista implícito (e alguns sustentam que era explícito) em certos aspectos da ditadura jacobina. Os moderados *"whig"* logo se deram conta deste perigo: Edmund Burke, cuja ideologia econômica era a de um puro seguidor de Adam Smith,[5] retrocedia em sua política em direção a uma crença francamente irracionalista nas virtudes da tradição, da continuidade e do lento crescimento orgânico, que sempre haviam fornecido o principal suporte teórico do conservadorismo. No continente europeu, os liberais práticos se assustavam com a democracia política, preferindo uma monarquia constitucional com sufrágio adequado ou, em caso de emergência, qualquer absolutismo ultrapassado que garantisse seus interesses. Depois de 1793-1794, só uma burguesia extremamente descontente, ou então extremamente autoconfiante, como

---

* Condorcet (1743-1794), cujo pensamento é realmente um compêndio de atitudes burguesas "ilustradas", foi convertido pela queda da Bastilha de uma crença no sufrágio limitado para uma crença na democracia, embora com fortes salvaguardas para o indivíduo e para as minorias.

A IDEOLOGIA SECULAR

a da Grã-Bretanha, estava preparada, com James Mill, para confiar em sua própria capacidade de conservar o apoio dos trabalhadores pobres permanentemente, mesmo em uma república democrática.

Os descontentamentos sociais, os movimentos revolucionários e as ideologias socialistas do período pós-napoleônico intensificaram este dilema, e a Revolução de 1830 tornou-o mais agudo. O liberalismo e a democracia pareciam mais adversários que aliados; o tríplice *slogan* da Revolução Francesa — liberdade, igualdade e fraternidade — expressava melhor uma contradição que uma combinação. Naturalmente, isto parecia mais óbvio na pátria da revolução, a França. Alexis de Tocqueville (1805-1859), que dedicou sua impressionante inteligência à análise das tendências inerentes à democracia americana (1835) e mais tarde à Revolução Francesa, sobreviveu como o melhor dos críticos liberais moderados da democracia deste período; poderíamos também dizer que se tornou particularmente apropriado aos liberais moderados do mundo ocidental depois de 1945. Talvez, não estranhamente, em virtude de sua máxima: "Do século XVIII, como nascidos de uma fonte comum, correm dois rios. Um deles carrega os homens para as instituições livres, o outro para o poder absoluto."[6] Na Grã-Bretanha, também a vigorosa confiança de James Mill em uma democracia liderada pela burguesia contrasta de forma marcante com a ansiedade de seu filho John Stuart Mill (1806-1873) em salvaguardar os direitos das minorias contra as maiorias, que predomina em sua obra *A respeito da liberdade* (1859).

2.

Enquanto a ideologia liberal perdia assim sua confiança original — mesmo a inevitabilidade ou a desejabilidade do progresso começava a ser colocada em dúvida por alguns liberais —, uma nova ideologia, o socialismo, voltava a formular os velhos axiomas do século XVIII. A

A ERA DAS REVOLUÇÕES

razão, a ciência e o progresso eram suas bases firmes. O que distinguia os socialistas de nosso período dos paladinos de uma sociedade perfeita de propriedade comum, que periodicamente aparecem na literatura ao longo da história, era a aceitação incondicional da revolução industrial que criava a verdadeira possibilidade do socialismo moderno. O Conde Claude de Saint-Simon (1760-1825), que é por tradição reconhecido como o primeiro "socialista utópico", embora seu pensamento na realidade ocupe uma posição bem mais ambígua, foi antes de tudo o apóstolo do "industrialismo" e dos "industrialistas" (duas palavras criadas por ele). Seus discípulos se tornaram socialistas, audazes técnicos, financistas e industriais, ou tudo isso em sequência. O saint-simonismo ocupa, assim, um lugar especial na história do desenvolvimento capitalista e anticapitalista. Na Grã-Bretanha, Robert Owen (1771-1858) foi um pioneiro muito bem-sucedido da indústria algodoeira, e extraiu sua confiança na possibilidade de uma sociedade melhor não só de sua firme crença no aperfeiçoamento humano através da sociedade, mas também da visível criação de uma sociedade de potencial abundância através da revolução industrial. Embora de maneira relutante, Frederick Engels também se envolveu com os negócios algodoeiros. Nenhum dos novos socialistas desejavam retardar a hora da evolução social, embora muitos de seus seguidores o desejassem. Até mesmo Charles Fourier (1772-1837), o menos entusiasta do industrialismo entre os fundadores do socialismo, sustentava que a solução estava além e não atrás dele.

Além disso, os próprios argumentos do liberalismo clássico podiam e foram prontamente transformados contra a sociedade capitalista que eles tinham ajudado a construir. De fato, a felicidade, como dizia Saint-Just, era "uma ideia nova na Europa",[7] mas nada era mais fácil de observar do que a maior felicidade do maior número de pessoas, que claramente não estava sendo atingida, era a felicidade do trabalhador pobre. Nem era difícil, como William Godwin, Robert Owen, Thomas Hodgskin e

A IDEOLOGIA SECULAR

outros admiradores de Bentham o fizeram, separar a busca da felicidade das conjecturas de um individualismo egoísta. "O objetivo primordial e necessário de toda a existência deve ser a felicidade", escreveu Owen,[8] "mas a felicidade não pode ser obtida individualmente; é inútil esperar-se pela felicidade isolada; todos devem compartilhar dela ou então a minoria nunca será capaz de gozá-la."

Mais ainda, a economia política clássica em sua forma ricardiana podia virar-se contra o capitalismo, fato este que levou os economistas da classe média posteriores a 1830 a ver Ricardo com alarme, e até mesmo a considerá-lo, como o fez o americano Carey (1793-1879), como fonte de inspiração de agitadores e destruidores da sociedade. Se, como argumentava a economia política, o trabalho representava a fonte de todo o valor, então por que a maior parte de seus produtores viviam à beira da privação? Porque, como demonstrava Ricardo — embora ele se sentisse constrangido em relação às conclusões de sua teoria —, o capitalista se apropriava — em forma de lucro — do excedente que o trabalhador produzia além daquilo que ele recebia de volta sob a forma de salário. (O fato de que os proprietários de terras também se apropriassem de uma parte deste excedente não afetou fundamentalmente o assunto.) De fato, o capitalista explorava o trabalhador. Era necessário eliminar os capitalistas para que fosse abolida a exploração. Um grupo de "economistas do trabalho" ricardianos logo surgiu na Grã-Bretanha para fazer a análise e concluir a moral da história.

Se o capitalismo tivesse realmente alcançado aquilo que dele se esperava nos dias otimistas da economia política, tais críticas não teriam tido ressonância. Ao contrário do que frequentemente se supõe, entre os pobres há poucas "revoluções de melhora do nível de vida". Mas no período de formação do socialismo, isto é, entre a publicação da *Nova visão da sociedade,* de Robert Owen, lançado a público em 1813-1814,[9] e o *Manifesto comunista,* de 1848, a depressão, os salários decrescentes, o

373

pesado desemprego tecnológico e as dúvidas sobre as futuras possibilidades de expansão da economia eram simplesmente muito inoportunas.* Portanto, os críticos podiam-se apegar não só à injustiça da economia, mas também aos defeitos de seu funcionamento, a suas "contradições internas". Olhos aguçados pela antipatia detectavam, assim, as flutuações ou "crises" do capitalismo (Sismondi, Wade, Engels) que seus partidários dissimulavam, e cuja possibilidade, de fato, negava uma "lei" associada ao nome de J. B. Say (1767-1832). Dificilmente poderia deixar de advertir que a distribuição crescentemente desigual das rendas nacionais neste período ("os ricos ficando mais ricos e os pobres mais pobres") não era um acidente, mas o produto das operações do sistema. Em poucas palavras, podiam demonstrar não só que o capitalismo era injusto, mas que parecia funcionar mal e, na medida em que funcionava, produzia resultados opostos aos que tinham sido preditos por seus defensores.

Deste modo, os novos socialistas simplesmente se defendiam empurrando os argumentos do liberalismo clássico franco-britânico para além do ponto até onde os liberais burgueses estavam preparados para ir. A nova sociedade por eles defendida também não necessitava abandonar o terreno tradicional do Humanismo clássico e do ideal liberal. Um mundo no qual todos fossem felizes e no qual todo indivíduo realizasse livre e plenamente suas potencialidades, no qual reinasse a liberdade e do qual desaparecesse o governo coercitivo era o objetivo máximo de liberais e socialistas. O que distinguia os vários membros da família ideológica descendente do Humanismo e do Iluminismo — liberais, socialistas, comunistas ou anarquistas não era a amável anarquia que é a utopia de todos eles, mas sim os métodos para alcançá-la. Neste ponto, entretanto, o socialismo se separava da tradição clássica liberal.

Em primeiro lugar, rompia radicalmente com a suposição liberal de que a sociedade era um mero agregado ou combinação de seus átomos

---

* A própria palavra "socialismo" foi criada na década de 1820.

A IDEOLOGIA SECULAR

individuais, e que sua força motriz estava no interesse próprio e na competição. Ao fazer isto, os socialistas voltaram à mais antiga de todas as tradições ideológicas humanas: a crença de que o homem é naturalmente um ser comunitário. Os homens, naturalmente, vivem juntos e se ajudam mutuamente. A sociedade não era uma redução necessária, embora lamentável, do natural e ilimitado direito do homem de fazer o que lhe agradasse, mas o cenário de sua vida, felicidade e individualidade. A ideia smithiana de que o intercâmbio de mercadorias equivalentes no mercado garantia de alguma forma a justiça social lhes chocava como algo incompreensível ou imoral. A maior parte do povo comum compartilhava este ponto de vista mesmo quando não podia expressá-lo. Muitos críticos do capitalismo reagiram contra a óbvia desumanização da sociedade burguesa (o termo técnico "alienação", que os seguidores de Hegel e o próprio Marx, no princípio de sua carreira, usavam, refletia o velho conceito de sociedade mais como o "lar" do homem do que como o simples local das atividades do indivíduo independente), culpando todo o curso da civilização, do racionalismo, da ciência e da tecnologia. Os novos socialistas — ao contrário dos revolucionários do tipo dos velhos artesãos como o poeta William Blake e Jean Jacques Rousseau — tiveram o cuidado de não agir desta forma. Mas partilhavam não só do tradicional ideal da sociedade como o lar do homem, como também do conceito de que antes da instituição da sociedade de classes e da propriedade os homens tinham de uma forma ou de outra, vivido em harmonia, conceito este expresso por Rousseau através da idealização do homem primitivo, e também pelos panfletistas radicais menos sofisticados através do mito da antiga liberdade e irmandade dos povos conquistados por governantes estrangeiros — os saxônicos pelos normandos, os gauleses pelos alemães. "O gênio", disse Fourier, "deve redescobrir os caminhos daquela primitiva felicidade e adaptá-la às condições da indústria moderna."[10] O comunismo primitivo buscava através dos séculos e dos oceanos um modelo a propor ao comunismo do futuro.

Em segundo lugar, o socialismo adotou uma forma de argumentação que, se não estava fora do alcance da clássica tradição liberal, tampouco estava muito dentro dela: a argumentação histórica e evolutiva. Para os liberais clássicos, e de fato para os primeiros socialistas modernos, tais propostas eram naturais e racionais, distintas da sociedade irracional e artificial que a ignorância e a tirania tinham, até então, imposto ao mundo. Agora que o progresso e o Iluminismo tinham mostrado ao mundo o que era racional, tudo o que restava a ser feito era retirar os obstáculos que evitavam que o senso comum seguisse seu caminho. De fato, os socialistas "utópicos" (seguidores de Saint-Simon, Owen, Fourier e outros) tratavam de mostrar-se tão firmemente convencidos de que a verdade bastava ser proclamada para ser instantaneamente adotada por todos os homens sensatos e de instrução, que inicialmente limitaram seus esforços para realizar o socialismo a uma propaganda endereçada em primeiro lugar às classes influentes — os trabalhadores, embora indubitavelmente viessem a se beneficiar com ele, eram infelizmente um grupo retrógrado e ignorante — e, por assim dizer, à construção de plantas-piloto do socialismo — colônias comunistas e empresas cooperativas, a maioria delas situada nos espaços abertos da América, onde não havia tradições de atraso histórico que se opusessem ao avanço dos homens. A "Nova Harmonia" de Owen se instalou em Indiana, e nos Estados Unidos havia cerca de 34 "falanges" seguidoras de Fourier, criadas em termos nacionais ou importadas, e numerosas colônias inspiradas pelo comunista-cristão Cabet e outros. Os seguidores de Saint-Simon, menos afeitos a experimentos comunitários, nunca deixaram de buscar um déspota erudito que pudesse levar a cabo suas propostas, e durante certo tempo acreditaram que o tinham encontrado na inverossímil figura de Mohammed Ali, o governante do Egito.

Havia um elemento de evolução histórica nesta clássica causa racionalista em prol da boa sociedade, já que uma ideologia de progresso implica

A IDEOLOGIA SECULAR

uma ideologia evolutiva, possivelmente de inevitável evolução através dos estágios do desenvolvimento histórico. Mas só depois que Karl Marx (1818-1883) transferiu o centro de gravidade da argumentação socialista de sua racionalidade ou desejabilidade para sua inevitabilidade histórica, o socialismo adquiriu sua mais formidável arma intelectual, contra a qual ainda se erguem defesas polêmicas. Marx extraiu esta linha de argumentação de uma combinação das tradições ideológicas alemãs e franco-britânicas (da economia política inglesa, do socialismo francês e da filosofia alemã). Para Marx a sociedade humana havia inevitavelmente dividido o comunismo primitivo em classes, inevitavelmente se desenvolvia através de uma série de sociedades de classes, cada uma delas "progressista" em seu tempo, a despeito de suas injustiças, cada uma delas contendo as "contradições internas" que, a certa altura, se constituem em obstáculo para o progresso futuro e geram as forças para sua superação. O capitalismo era a última delas, e Marx, longe de limitar-se a atacá-lo, usou toda a sua eloquência abaladora para proclamar seus empreendimentos históricos. Mas era possível demonstrar, por meio da economia política, que o capitalismo apresentava contradições internas que inevitavelmente o convertiam, até certo ponto, em uma barreira para o progresso e que haviam de mergulhá-lo em uma crise da qual não poderia sair. Além do mais, o capitalismo (como também se poderia demonstrar através da economia política) inevitavelmente criava seu próprio coveiro, o proletariado, cujo número e descontentamento crescia à medida que a concentração do poder econômico em mãos cada vez menos numerosas tornavam-no mais vulnerável, mais fácil de ser derrubado. A revolução proletária devia, portanto, inevitavelmente derrubá-lo. Mas também podia-se demonstrar que o sistema social que correspondia aos interesses da classe trabalhadora era o socialismo ou o comunismo. Como o capitalismo predominara, não só porque era mais racional do que o feudalismo, mas também devido à força social da burguesia, também o socialismo predominaria pela inevitável vitória dos trabalhadores. Seria tolice supor que este era um ideal eterno, o qual os homens poderiam ter realizado se tivessem sido suficientemente inteligentes na época de Luís XIV. O socialismo era o filho do capitalismo. Nem mesmo poderia ter sido formulado de uma maneira adequada antes da transformação da sociedade que criou as condições para seu advento. Mas, uma vez que essas condições existiam, a vitória era certa, pois "a humanidade sempre se propõe apenas as tarefas que pode solucionar".[11]

3.

Comparadas com estas relativamente coerentes ideologias do progresso, as de resistência ao progresso mal merecem o nome de sistemas de pensamento. Eram antes atitudes carentes de um método intelectual comum e que confiavam na precisão de sua compreensão das fraquezas da sociedade burguesa e na inabalável convicção de que havia algo mais na vida do que o liberalismo supunha. Consequentemente, exigem pouca atenção.

A carga principal de sua crítica era que o liberalismo destruía a ordem social ou a comunidade que o homem tinha, em outros tempos, considerado como essencial à vida, substituindo-a pela intolerável anarquia da competição de todos contra todos ("cada um por si e Deus por todos") e pela desumanização do mercado. Neste ponto, os antiprogressistas revolucionários e conservadores, ou seja, os representantes dos pobres e dos ricos tendiam a concordar até mesmo com os socialistas, convergência esta que foi muito marcante entre os românticos (veja o Capítulo 14) e produziu fenômenos tão estranhos quanto a "Democracia Conservadora" ou o "Socialismo Feudal". Os conservadores tendiam a identificar a ordem social ideal — ou tão próxima da ideal quanto fosse possível, pois as ambições sociais dos bem acomodados são sempre mais modestas do que as dos

A IDEOLOGIA SECULAR

pobres — com qualquer regime ameaçado pela revolução dupla, ou com alguma específica situação do passado, como, por exemplo, o feudalismo medieval. Também, naturalmente, enfatizavam o elemento de "ordem", que era o que protegia os que se encontravam nos degraus superiores da hierarquia social contra os que se achavam nos degraus inferiores. Como já vimos, os revolucionários pensavam antes em alguma remota época dourada quando as coisas iam bem para o povo, pois nenhuma sociedade atual era realmente satisfatória para os pobres. Também enfatizavam a ajuda mútua e o sentimento comunitário de tais épocas em vez da sua "ordem".

Contudo, ambos concordavam que em alguns importantes aspectos o velho regime tinha sido ou era melhor do que o novo. Nele, Deus os classificara em superiores e inferiores e ordenara sua condição, o que agradava aos conservadores, mas também impunha deveres (embora leves e mal cumpridos) aos superiores. Os homens eram desigualmente humanos, mas não mercadorias valoradas de acordo com o mercado. Acima de tudo, viviam juntos, em estreitas redes de relações pessoais e sociais, guiados pelo claro mapa do costume, das instituições sociais e da obrigação. Sem dúvida Gentz, o secretário de Metternich, o demagogo e radical jornalista britânico William Cobbett (1762-1835) tinham em mente um ideal medieval muito diferente, mas ambos igualmente atacavam a Reforma, que, segundo eles, tinha introduzido os princípios da sociedade burguesa. E, até mesmo Frederick Engels, o mais firme dos que acreditavam no progresso, pintou um quadro ternamente idílico da velha sociedade do século XVIII que a revolução industrial tinha destruído.

Não possuindo uma teoria coerente da evolução, os pensadores antiprogressistas achavam difícil decidir sobre o que tinha acontecido "de errado". Seu réu favorito era a razão, ou mais especificamente, o racionalismo do século XVIII, que procurava de maneira tola e ímpia intrometer-se em assuntos muito complexos para a organização e a compreensão humanas: as sociedades não podiam ser projetadas como máquinas. "Seria melhor esquecer de uma vez por todas", escreveu Burke, "a *Enciclopédia* e todo o conjunto de economistas, e retomar aquelas velhas regras e princípios que fizeram, uma vez, dos príncipes, grandes personagens e felizes as nações."[12] O instinto, a tradição, a fé religiosa, "a natureza humana", a "verdade" em contraste com a "falsa" razão foram alinhados, dependendo da inclinação intelectual do pensador, contra o racionalismo sistemático. Mas, acima de tudo, o conquistador deste racionalismo viria a ser a História.

Se os pensadores conservadores não tinham o sentido do progresso histórico, tinham em troca um sentido muito preciso da diferença entre as sociedades formadas e estabilizadas natural e gradualmente pela História, e aquelas repentinamente estabelecidas por "artifício". Se não sabiam explicar como se talhavam os trajes históricos, e de fato eles negavam que fossem talhados, sabiam explicar admiravelmente como o prolongado uso lhes tornava mais cômodos. O mais sério esforço intelectual da ideologia antiprogressista foi o da análise histórica e reabilitação do passado, a investigação da continuidade contra a revolução. Seus expoentes mais importantes foram, portanto, não os excêntricos franceses emigrados, como De Bonald (1753-1840) e Joseph De Maistre (1753-1821) que procuraram reabilitar um passado morto, constantemente através de argumentações racionalistas que chegavam à beira da loucura, até mesmo quando seus objetivos foram estabelecer as virtudes do irracionalismo, mas homens como Edmund Burke, na Inglaterra, e a "escola histórica" alemã de juristas que legitimou um antigo regime, ainda existente, em termos de sua continuidade histórica.

4.

Resta considerar um grupo de ideologias singularmente equilibradas entre a progressiva e a antiprogressiva ou, em termos sociais, entre a burguesia industrial e o proletariado de um lado, e as classes aristocráticas e

A IDEOLOGIA SECULAR

mercantis e as massas feudais do outro. Seus defensores mais importantes foram os radicais "homens pequenos" da Europa ocidental e dos Estados Unidos e os homens da modesta classe média da Europa central e meridional, abrigados confortavelmente, mas não de maneira totalmente satisfatória, na estrutura de uma sociedade monárquica e aristocrática. Todos acreditavam, de alguma forma, no progresso. Nenhum deles estava preparado para segui-la até suas lógicas conclusões liberais ou socialistas; os primeiros pelo fato de que estas conclusões teriam condenado os pequenos artesãos, os lojistas, os fazendeiros e os pequenos negociantes a serem transformados ou em capitalistas ou em trabalhadores; os últimos porque eram muito fracos e, depois da experiência da ditadura jacobina, muito aterrorizados para desafiar o poderio de seus príncipes, de quem eram, em muitos casos, funcionários. As opiniões destes dois grupos, portanto, combinam os componentes liberais (e, no primeiro caso, implicitamente socialistas) com componentes antiliberais, e componentes progressistas com antiprogressistas. Além disso, esta complexidade essencial e contraditória lhes permitia ver mais profundamente a natureza da sociedade do que os liberais progressistas ou antiprogressistas. Forçava-os no sentido da dialética.

O mais importante pensador (ou melhor, gênio intuitivo) deste primeiro grupo de radicais pequeno-burgueses já estava morto em 1789: Jean-Jacques Rousseau. Indeciso entre o individualismo puro e a convicção de que o homem só é ele mesmo em comunidade, entre o ideal de um Estado baseado na razão e no receio da razão ante o "sentimento", entre o reconhecimento de que o progresso era inevitável e a certeza de que destruiria a harmonia do primitivo homem "natural", ele expressava seu próprio dilema pessoal tanto quanto o das classes que não podiam aceitar as promessas liberais dos donos de fábricas nem as certezas socialistas dos proletários. As opiniões daquele homem neurótico e desagradável, mas também grandioso, não nos devem preocupar detalhadamente, pois não houve uma escola de pensamento especificamente rousseauniana nem de políticos tais, exceto por Robespierre e os jacobinos do Ano II. Sua influência intelectual foi penetrante e forte, especialmente na Alemanha e entre os românticos, mas não foi tanto uma influência de um sistema, mas de atitudes e paixões. Sua influência entre os plebeus e os radicais pequeno-burgueses foi também imensa, mas talvez só entre os de espírito mais confuso, tais como Mazzini e nacionalistas de sua espécie, é que foi predominante. Em geral, essa influência se fundiu com adaptações muito mais ortodoxas do racionalismo do século XVIII, tais como as de Thomas Jefferson (1743-1826) e de Thomas Paine (1737-1809).

As recentes modas acadêmicas apresentam uma tendência para interpretá-la profundamente mal. Têm ridicularizado a tradição que a agrupa junto a Voltaire e aos enciclopedistas como um pioneiro do Iluminismo e da Revolução, já que foi seu crítico. Mas os que foram influenciados por ele então o consideravam parte do Iluminismo, e os que reimprimiram suas obras em pequenas oficinas radicais no princípio do século XIX automaticamente o colocaram ao lado de Voltaire, d'Holbach e outros. Os críticos liberais recentes o têm atacado como o precursor do "totalitarismo" de esquerda. Mas, de fato, ele não exerceu nenhuma influência sobre a principal tradição do comunismo moderno e do marxismo.* Seus seguidores típicos foram durante todo o nosso período, e desde então, os radicais pequeno-burgueses do tipo jacobino, jeffersoniano ou mazziniano: fanáticos da democracia, do nacionalismo e de um Estado de pequenos homens independentes com igual distribuição de propriedade e algumas atividades de beneficência. Em nosso período, ele era considerado, acima de tudo, o paladino da *igualdade,* da liberdade contra a tirania e a exploração ("o homem nasce livre, mas em todas as partes

---

* Em quase 40 anos de correspondência mútua, Marx e Engels mencionaram-no somente três vezes, por acaso, ou de modo bastante negativo. Entretanto, apreciavam, de passagem, seu enfoque dialético que antecipou o enfoque dialético de Hegel.

A IDEOLOGIA SECULAR

do mundo se acha acorrentado"), da democracia contra a oligarquia, do "homem natural", simples, não estragado pelas falsificações do dinheiro e da educação, e do "sentimento" contra o cálculo frio.

O segundo grupo, que talvez possa ser chamado mais adequadamente o da filosofia alemã, era bem mais complexo. Além disso, visto que seus membros não tinham nem poder para derrubar suas sociedades nem os recursos econômicos para fazer uma revolução industrial, tendiam a se concentrar na construção de elaborados sistemas gerais de pensamento. Havia poucos liberais clássicos na Alemanha. Wilhelm von Humboldt (1767-1835), irmão do grande cientista, foi o mais notável. Entre os intelectuais das classes média e superior, a atitude mais comum, bem adequada a uma classe em que figuravam tantos servidores civis e professores a serviço do Estado, era talvez a crença na inevitabilidade do progresso e nos benefícios do avanço econômico e científico, combinada à crença nas virtudes de uma administração burocrática de ilustrado paternalismo e um senso de responsabilidade entre as hierarquias superiores. O grande Goethe, ele mesmo ministro e conselheiro privado de um pequeno Estado, ilustra esta atitude muito bem.[13] As exigências da classe média constantemente formuladas filosoficamente como consequência inevitável das tendências da história — levadas a termo por um Estado erudito: tal representa melhor o liberalismo alemão moderado. O fato de que os Estados alemães, em seu apogeu, tinham sempre tomado uma iniciativa eficiente e viva na organização do progresso econômico e educacional, e que um completo *laissez-faire* não fora uma política particularmente vantajosa para os homens de negócio alemães, não diminuiu a importância desta atitude.

Entretanto, embora assim possamos assimilar a perspectiva prática dos pensadores da classe média alemã (permitida pelas peculiaridades de sua posição histórica) àquela de seus oponentes em outros países, não é certo que possamos desta maneira explicar a frieza muito marcante em relação

A ERA DAS REVOLUÇÕES

ao liberalismo clássico em sua forma pura que atravessa a maior parte do pensamento alemão. Os lugares-comuns liberais — materialismo ou empirismo filosófico, Newton, a análise cartesiana e o resto — desagradavam muito a maioria dos pensadores alemães; em troca, o misticismo, o simbolismo e as vastas generalizações sobre conjuntos orgânicos os atraíam visivelmente. Possivelmente uma reação nacionalista contra a cultura francesa predominante no início do século XVIII intensificava este teutonismo do pensamento alemão. Mais provavelmente, a persistência da atmosfera intelectual da última época em que a Alemanha tinha sido econômica, intelectual e, até certo ponto, politicamente predominante era responsável por isto, pois o declínio do período entre a Reforma e o final do século XVIII tinha preservado o arcaísmo da tradição intelectual alemã exatamente da mesma forma que havia mantido inalterada a aparência das pequenas cidades alemãs do século XVI.

Em todo caso, a atmosfera fundamental do pensamento alemão fosse na filosofia, nas ciências ou nas artes — diferia marcantemente da principal tradição do século XVIII na Europa ocidental.* Em uma época em que a clássica visão do século XVIII estava se aproximando de seus limites, isto deu ao pensamento alemão alguma vantagem, e ajuda a explicar sua crescente influência intelectual no século XIX.

Sua expressão mais monumental foi a filosofia clássica alemã, um corpo de pensamento criado entre 1760 e 1830 juntamente com a literatura clássica alemã e em íntima ligação com ela. (Não se deve esquecer que o poeta Goethe era um cientista e um "filósofo natural" de distinção, e o poeta

---

* Isto não se aplica à Áustria, que tinha passado por uma história muito diferente. A principal característica do pensamento austríaco era de que não havia absolutamente ninguém que merecesse atenção, embora nas artes (especialmente na música, na arquitetura e no teatro) e em algumas ciências aplicadas o Império Austríaco houvesse se distinguido bastante.

A IDEOLOGIA SECULAR

Schiller não só era professor de história* mas autor de inestimáveis tratados filosóficos.) Immanuel Kant (1724-1804) e Georg Wilhelm Friedrich
Hegel (1770-1831) são seus dois grandes luminares. Depois de 1830, o
processo de desintegração que já vimos em ação ao mesmo tempo dentro
da economia política clássica (a flor intelectual do racionalismo do século
XVIII) também ocorreu dentro da filosofia alemã. Suas consequências
foram os "jovens hegelianos" e, finalmente, o marxismo.

A filosofia clássica alemã foi, devemos sempre nos lembrar disto, um
fenômeno verdadeiramente burguês. Todas as suas principais figuras (Kant,
Hegel, Fichte, Schelling) saudaram com entusiasmo a Revolução Francesa
e de fato permaneceram fiéis a ela durante um considerável tempo (Hegel
defendeu Napoleão até a batalha de Iena em 1806). O Iluminismo foi a
estrutura do pensamento típico do século XVIII de Kant e o ponto de
partida de Hegel. A filosofia de ambos era profundamente impregnada
da ideia de progresso: o primeiro grande empreendimento de Kant foi
sugerir uma hipótese da origem e desenvolvimento do sistema solar, enquanto toda a filosofia de Hegel é a da evolução (ou a historicidade em
termos sociais) e do progresso necessário. Assim, enquanto Hegel desde o
início sentiu aversão pela ala de extrema esquerda da Revolução Francesa e
finalmente se tornou extremamente conservador, ele nunca e em nenhum
momento duvidou da necessidade histórica daquela revolução como base
e fundamento da sociedade burguesa. Além disso, ao contrário da maioria
dos filósofos acadêmicos posteriores, Kant, Fichte e notadamente Hegel
estudaram alguns economistas (os fisiocratas no caso de Fichte, os britânicos, no caso de Kant e Hegel), e é razoável acreditar-se que Kant e o jovem
Hegel teriam se considerado persuadidos por Adam Smith.[14]

Esta tendência burguesa da filosofia alemã é, em um aspecto, mais óbvia em Kant, que permaneceu durante toda a sua vida sendo um homem
da esquerda liberal — entre seus últimos escritos (1795) se encontra um

---

* Seus dramas históricos — exceto a trilogia de Wallenstein — contêm algumas inexatidões poéticas
que não eram de se esperar.

nobre apelo em favor da paz universal mediante uma federação mundial de repúblicas que renunciariam à guerra —, mas, em outro aspecto, é mais obscura do que em Hegel. No pensamento de Kant, confinado na modesta e simples residência de um professor na remota região prussiana de Koenigsberg, o conteúdo social tão específico nos pensadores ingleses e franceses é reduzido a uma abstração austera, embora sublime; particularmente a abstração moral da "vontade".* O pensamento de Hegel é, como sabem todos os seus leitores, por penosa experiência, bastante abstrato. Ainda assim, ao menos inicialmente, é evidente que suas abstrações são tentativas de buscar um acordo com a sociedade — a sociedade burguesa; e de fato, em sua análise do *trabalho* como o fator fundamental da humanidade ("o homem faz as ferramentas porque é um ser dotado de razão, e esta é a primeira expressão de sua Vontade", como dizia ele em suas conferências de 1805-1806).[15] Hegel empunhou, de uma maneira abstrata, as mesmas ferramentas que os economistas clássicos liberais, e incidentalmente forneceu um de seus princípios a Marx.

Contudo, desde o princípio, a filosofia alemã diferia do liberalismo clássico em importantes aspectos, mais notadamente em Hegel do que em Kant. Em primeiro lugar, era deliberadamente idealista e rejeitava o materialismo ou o empirismo da tradição clássica. Em segundo lugar, enquanto a unidade básica da filosofia de Kant é o indivíduo — embora sob a forma de consciência individual —, o ponto de partida de Hegel é o coletivo (isto é, a comunidade), que ele vê se desintegrando em indivíduos sob o impacto do desenvolvimento histórico. E, de fato, a famosa *dialética* hegeliana, a teoria do progresso (em qualquer campo) através da interminável resolução de contradições, bem pode ter recebido seu estímulo inicial deste profundo conhecimento da contradição entre o

---

* Assim, Lukács demonstra que o concreto paradoxo smithiano da "mão oculta que produz resultados socialmente benéficos a partir do antagonismo egoísta dos indivíduos, em Kant se transforma na pura abstração de uma "sociabilidade antissocial". (*Der Junge Hegel*, p. 409.)

A IDEOLOGIA SECULAR

individual e o coletivo. Além do mais, desde o início, sua posição à margem da área do impetuoso avanço liberal-burguês, e talvez sua completa inabilidade de participar dele, fez com que os pensadores alemães se sentissem mais conscientes de seus limites e contradições. Sem dúvida era inevitável, mas não foi ela que trouxe grandes perdas e grandes ganhos? Não deveria, por seu turno, ser substituída?

Portanto, concluímos que a filosofia clássica, especialmente a hegeliana corre paralelamente à visão de mundo, impregnada de dilemas, de Rousseau, embora contrariamente a ele os filósofos fizessem esforços titânicos para incluir suas contradições em sistemas únicos, abrangentes e intelectualmente coerentes. (Rousseau, incidentalmente, teve uma enorme influência emocional sobre Immanuel Kant, que, segundo se diz, interrompeu seu invariável hábito de dar um costumeiro passeio vespertino somente duas vezes, uma pela queda da Bastilha e outra — durante vários dias — para a leitura de *Émile*.) Na prática, os desapontados filósofos revolucionários enfrentavam o problema da "reconciliação" com a realidade, que no caso de Hegel tomou a forma, após anos de hesitação — permaneceu indeciso a respeito da Prússia até depois da queda de Napoleão e, como Goethe, não teve interesse nas guerras de libertação — de uma idealização do Estado prussiano. Na teoria, a transitoriedade da sociedade historicamente condenada foi construída dentro de sua filosofia. Não havia verdade absoluta. Nem sequer o mesmo desenvolvimento do processo histórico, que teria lugar através da dialética da contradição e era entendido por um método dialético, ou pelo menos assim o acreditavam os "jovens hegelianos" da década de 1830, prontos a seguir a lógica da filosofia clássica alemã além do ponto em que seu grande professor desejou parar (pois estava ansioso, um tanto ilogicamente, para terminar a história com a noção da Ideia Absoluta), como depois de 1830 estiveram dispostos a retomar a estrada da revolução que seus predecessores haviam abandonado, ou (como Goethe) nunca tinham escolhido para

A ERA DAS REVOLUÇÕES

trilhar. Mas o resultado da revolução em 1830-1848 não foi tão somente a conquista do poder pela classe média liberal. E o intelectual revolucionário que surgiu da desintegração da filosofia clássica alemã não foi um girondino ou um filósofo radical, mas sim Karl Marx.

Assim, o período da revolução dupla viu o triunfo e a mais elaborada expressão das radicais ideologias da classe média liberal e da pequena burguesia e sua desintegração sob o impacto dos Estados e das Sociedades que haviam contribuído para criar, ou pelo menos recebido de braços abertos. O ano de 1830, que marca o renascimento do maior movimento revolucionário da Europa ocidental depois da quietude que se seguiu à vitória de Waterloo, também marca o início de sua crise. Tais ideologias ainda sobreviveriam, embora bastante diminuídas: nenhum economista liberal clássico do último período tinha a estatura de Smith ou de Ricardo (nem sequer J. S. Mill, que se tornou o típico filósofo-economista liberal britânico da década de 1840); nenhum filósofo clássico alemão viria a ter o alcance ou o poder de Kant e Hegel; os girondinos e jacobinos da França de 1830, 1848 e depois seriam pigmeus comparados a seus ancestrais de 1789-1794. Os Mazzinis da metade do século XIX não se podiam comparar de forma alguma com os Jean-Jacques Rousseau do século XVIII. Mas a grande tradição — a principal corrente de desenvolvimento intelectual desde a Renascença — não morreu; foi transformada em seu oposto. Marx foi, em estatura e enfoque, o herdeiro dos economistas e filósofos clássicos. Mas a sociedade da qual ele esperava se tornar profeta e arquiteto era muito diferente da deles.

14. AS ARTES

"Sempre há um gosto da moda: um gosto para escrever as cartas — um gosto para representar Hamlet — um gosto pelas leituras filosóficas — um gosto pelo brilhante — um gosto pelo simples — um gosto pelo tétrico — um gosto pelo terno — um gosto pelo feio — um gosto pelos bandidos — um gosto pelos fantasmas — um gosto pelo diabo — um gosto pelas dançarinas francesas e as cantoras italianas, pelas suíças e tragédias alemãs — um gosto por gozar os prazeres do campo em novembro e os do inverno em Londres até o fim da canícula — um gosto pela fabricação de sapatos — um gosto por viagens pitorescas — um gosto pelo próprio gosto, ou por fazer ensaios sobre o gosto."

A Querida Sra. Pinmoney em
T. L. Peacock, *Melincourt* (1816)

"Em proporção à riqueza do país, quão poucos são os belos prédios na Grã-Bretanha (...), que escasso o emprego de capital em museus, quadros, pérolas, objetos raros, palácios, teatros e outros objetos irreproduzíveis! Isto que é o principal fundamento da grandeza do país, é constantemente verificado pelos viajantes estrangeiros e por alguns de nossos próprios jornalistas, como uma prova de nossa inferioridade."

S. Laing, *Notas de um viajante sobre as condições políticas e sociais da França, Prússia, Suíça, Itália e outras partes da Europa, 1842*[1]

A ERA DAS REVOLUÇÕES

1.

A primeira coisa que surpreende a qualquer um que tente analisar o desenvolvimento das artes neste período de revolução dupla é seu extraordinário florescimento. O meio século que inclui Beethoven e Schubert, o maduro e velho Goethe, os jovens Dickens, Dostoievski; Verdi e Wagner, o último de Mozart e toda ou a maior parte de Goya, Pushkin e Balzac, para não mencionarmos um batalhão de homens que seriam gigantes em qualquer outra companhia, pode servir de comparação com qualquer outro período de mesma duração na história do mundo. Grande parte desta extraordinária abundância se deveu à ressurreição e expansão das artes que atraíram um público erudito em praticamente todos os países europeus.*

Em vez de saturar o leitor com um longo catálogo de nomes, é melhor ilustrarmos a amplitude e profundidade deste renascimento cultural fazendo-se ocasionais cortes transversais em nosso período. Assim, em 1789-1801, o cidadão que sentisse prazer com as inovações artísticas podia se deleitar com as *Baladas líricas* de Wordsworth e Coleridge em inglês, várias obras de Goethe, Schiller, Jean Paul e Novalis em alemão, ao mesmo tempo que ouvia a *Criação* e as *Estações* de Haydn e a *Primeira sinfonia* e os *Primeiros quartetos de cordas* de Beethoven. Nestes anos, J. L. David terminou seu *Retrato de madame Recamier*, e Goya, o seu *Retrato da família do rei Carlos IV*. Em 1824-1826 este cidadão poderia ter lido vários novos romances de Walter Scott em inglês, os poemas de Leopardi e as *Promessi Sposi* de Manzoni em italiano, os poemas de Victor Hugo e Alfred de Vigny em francês e, se fosse capaz, as primeiras partes de *Eugene Onegin* de Pushkin em russo e as recém-editadas sagas nórdicas. A *Nona Sinfonia* de Beethoven, *A morte e a donzela* de Schubert, a primeira

---

* Os países de civilização não europeia não serão considerados aqui, exceto na medida em que tenham sido afetados pela revolução dupla, que neste período foram pouquíssimos.

390

AS ARTES

obra de Chopin e o *Oberon* de Weber datam destes anos, assim como os quadros *O massacre de Chios* de Delacroix e a *Carreta de feno* de Constable. Dez anos mais tarde (1834-1836), a literatura produziu na Rússia *O inspetor geral* de Gogol e *A dama de espadas* de Pushkin; na França, o *Pai Goriot* de Balzac e obras de Musset, Hugo, Théophile Gautier, Vigny, Lamartine e Alexandre Dumas (pai); na Alemanha, as obras de Buchner, Grabbe e Heine; na Áustria, as de Grillparzer e Nestroy; na Dinamarca, as de Hans Andersen; na Polônia, o *Pan Tadeusz* de Mickiewicz; na Finlândia, a edição fundamental da epopeia nacional *Kalevala;* na Grã-Bretanha, a poesia de Browning e Wordsworth. A música criou óperas de Bellini e Donizetti, na Itália; as obras de Chopin, na Polônia, de Glinka, na Rússia; Constable pintava na Inglaterra, Caspar David Friedrich, na Alemanha. Um ou dois anos antes e depois deste triênio nos trazem as *Anotações de Pickwick* de Dickens, *A Revolução Francesa* de Carlyle, a segunda parte do *Fausto* de Goethe, os poemas de Platen, Eichendorff e Moerike, na Alemanha, as importantes contribuições à literatura húngara e flamenga, bem como novas publicações dos mais importantes escritores franceses, poloneses e russos, e na música o *Davidsbuendlertaenze* de Schumann e o *Réquiem* de Berlioz.

Destas amostras casuais, duas coisas ficam patentes. A primeira delas é a difusão extraordinariamente grande dos acontecimentos artísticos entre as nações. Isto era novo. Na primeira metade do século XIX, a literatura e a música russas surgiram repentinamente como uma força mundial, assim como, de maneira bem mais modesta, aconteceu com a literatura americana com Fenimore Cooper (1787-1851), Edgar Allan Poe (1809-1849) e Herman Melville (1819-1891). O mesmo se deu em relação à música e literatura polonesas e húngaras, e, pelo menos sob a forma de publicação de canções folclóricas, contos de fadas e épicos, em relação à literatura nórdica e dos Bálcãs. Além disso, em várias destas recém-criadas culturas literárias, o êxito foi imediato e insuperável: Pushkin (1799-1837), por exemplo, continua sendo o poeta russo clássico; Mickiewicz (1798-1855), o maior dos poloneses; Petoefi (1823-1849), o poeta nacional húngaro.

O segundo fato evidente é o excepcional desenvolvimento de certas artes e gêneros. A literatura, por exemplo, e dentro dela o romance. Provavelmente, nenhum meio século contém uma maior concentração de romancistas imortais: Stendhal e Balzac, na França; Jane Austen, Dickens, Thackeray e as irmãs Brontë, na Inglaterra; Gogol, o jovem Dostoievski, e Turgenev, na Rússia. (O primeiro trabalho de Tolstoi apareceu na década de 1850.) A música talvez seja algo ainda mais surpreendente. O repertório padrão de concertos ainda se baseia grandemente nos compositores ativos neste período — Mozart e Haydn, embora realmente pertençam a uma época anterior, Beethoven e Schubert, Mendelssohn, Schumann, Chopin e Liszt. O período "clássico" da música instrumental foi principalmente o das grandes obras alemãs e austríacas, mas um gênero, a ópera, floresceu mais amplamente e talvez com mais sucesso do que qualquer outro: com Rossini, Donizetti, Bellini e o jovem Verdi, na Itália; com Weber e o jovem Wagner (para não mencionarmos as duas últimas óperas de Mozart), na Alemanha; Glinka, na Rússia, e várias figuras de menor importância, na França. A lista das artes plásticas, por outro lado, é menos brilhante, com a exceção parcial da pintura. A Espanha produziu com Francisco Goya y Lucientes (1746-1828) um de seus grandes artistas, e um dos maiores pintores de todos os tempos. Pode-se dizer que a pintura britânica (com J. M. W. Turner, 1775-1851, e John Constable, 1776-1837) alcançou um nível de maestria e de originalidade um pouco mais alto do que o do século XVIII, e foi certamente mais influente em termos internacionais do que em qualquer época anterior ou posterior; pode-se também sustentar que a pintura francesa (com J. L. David, 1748-1825; J. L. Géricault, 1791-1824; J. D. Ingres, 1780-1867; F. E. Delacroix, 1790-1863; Honoré Daumier, 1808-1879, e o jovem

AS ARTES

Gustave Courbet, 1819-1877) foi tão eminente quanto havia sido em outras épocas de sua história. Por outro lado, a pintura italiana chegou virtualmente ao fim de seus séculos de glória e esplendor, e a pintura alemã nem chegou perto dos extraordinários triunfos da literatura e da música, ou os que lhe foram próprios no século XVI. A escultura em todos os países foi marcantemente menos brilhante do que no século XVIII e o mesmo se deu com a arquitetura, apesar de algumas obras notáveis na Alemanha e na Rússia. De fato, os maiores empreendimentos arquitetônicos do período foram, sem dúvida, obra dos engenheiros.

O que determina o florescimento ou o esgotamento das artes em qualquer período ainda é muito obscuro. Entretanto, não há dúvida de que entre 1789 e 1848, a resposta deve ser buscada em primeiro lugar no impacto da revolução dupla. Se fôssemos resumir as relações entre o artista e a sociedade nesta época em uma só frase, poderíamos dizer que a Revolução Francesa inspirava-o com seu exemplo, que a revolução industrial com seu horror, enquanto a sociedade burguesa, que surgiu de ambas, transformava sua própria experiência e estilos de criação.

Neste período, sem dúvida, os artistas eram diretamente inspirados e envolvidos pelos assuntos públicos. Mozart escreveu uma ópera propagandística para a altamente política maçonaria (*A flauta mágica* em 1790), Beethoven dedicou a *Eroica* a Napoleão como o herdeiro da Revolução Francesa, Goethe foi, pelo menos, um homem de Estado e laborioso funcionário. Dickens escreveu romances para atacar os abusos sociais. Dostoievski foi condenado à morte em 1849 por atividades revolucionárias. Wagner e Goya foram para o exílio político. Pushkin foi punido por se envolver com os dezembristas, e toda a *Comédia humana* de Balzac é um monumento de consciência social. Nunca foi menos verdadeiro definir os artistas criativos como "não comprometidos". Os que assim o faziam, os gentis decoradores de palácios rococó e vestiários de senhoras, ou os fornecedores de peças às coleções dos milordes ingleses

A ERA DAS REVOLUÇÕES

visitantes, foram precisamente aqueles cuja arte definhou. Quantos de nós se recorda de que Fragonard sobreviveu à Revolução por 17 anos? Mesmo a arte aparentemente menos política, a música, teve as mais fortes vinculações políticas. Este talvez tenha sido o único período na História em que as óperas eram escritas ou consideradas manifestos políticos e armas revolucionárias.*

O elo entre os assuntos públicos e as artes é particularmente forte nos países onde a consciência nacional e os movimentos de libertação ou de unificação nacional estavam-se desenvolvendo (veja o Capítulo 7). Não foi por acaso que o despertar ou ressurreição das culturas literárias nacionais na Alemanha, na Rússia, na Polônia, na Hungria, nos países escandinavos e em outras partes coincidisse com — e de fato fossem sua primeira manifestação — a afirmação da supremacia cultural da língua vernácula e do povo nativo, ante uma cultura aristocrática e cosmopolita que constantemente empregava línguas estrangeiras. É bastante natural que este nacionalismo encontrasse sua expressão cultural mais óbvia na literatura e na música, ambas artes públicas, que podiam, além disso, contar com a poderosa herança criadora do povo comum — a linguagem e as canções folclóricas. É igualmente compreensível que as artes tradicionalmente dependentes de comissões das classes dirigentes — cortes, governo, nobreza —, a arquitetura e a escultura, e até certo ponto a pintura, refletissem menos estes renascimentos nacionais.** A ópera italiana

---

* Fora A *flauta mágica*, podemos mencionar as primeiras óperas de Verdi, que foram aplaudidas como expressões do nacionalismo italiano, *La Muette de Portici*, de Auber, que desencadeou a Revolução Belga de 1830, *Uma vida pelo czar*, de Glinka, e várias óperas nacionais como a ópera húngara *Hunvady László* (1844), que ainda têm seu lugar no repertório local por suas associações com os primitivos nacionalismos.

** A ausência de uma população com suficiente cultura literária e consciência política na maior parte da Europa limitou a exploração de algumas artes reprodutoras baratas recém-inventadas como a litografia. Mas as impressionantes realizações de grandes artistas revolucionários neste e em outros meios de expressão — por exemplo, *Os desastres da guerra* de Goya, e também a sua obra *Caprichos*, as ilustrações visionárias de William Blake e as litografias e charges jornalísticas de Daumier — demonstram como era forte a atração destas técnicas de propaganda.

AS ARTES

floresceu, como nunca, mais como uma arte popular do que da corte, enquanto a pintura italiana e sua arquitetura morriam. É claro que não se deve esquecer que estas novas culturas nacionais estavam limitadas a uma minoria de letrados e às classes superiores e médias. Com a provável exceção da ópera italiana, das reproduções gráficas das artes plásticas, e de alguns pequenos poemas e canções, nenhuma das grandes realizações artísticas deste período estava ao alcance dos analfabetos ou dos pobres. A maioria dos habitantes da Europa as desconhecia por completo, até que o nacionalismo de massa ou os movimentos políticos as convertessem em símbolos coletivos. A literatura, é claro, teria a maior circulação, embora principalmente entre as crescentes e novas classes médias, que proporcionavam um mercado particularmente vasto (especialmente entre as mulheres desocupadas) para romances e longas narrativas poéticas. Os autores bem-sucedidos raramente gozaram de uma maior prosperidade relativa: Byron recebeu 2.600 libras pelos três primeiros cantos de *Childe Harold*. O palco, embora socialmente muito mais restrito, também alcançava um público de milhares de pessoas. A música instrumental não marchava tão bem, exceto em países burgueses como a Inglaterra e a França, e países com sede de cultura como as Américas onde grandes concertos públicos eram executados com frequência. (Logo, vários compositores e virtuosos do continente europeu tinham sua atenção voltada para o lucrativo mercado anglo-saxão.) Em outros países, os concertos eram patrocinados pela aristocracia local ou pela iniciativa privada dos aficcionados. A pintura se destinava, desde sempre, ao comprador individual e desaparecia da vista do público, após sua primeira apresentação nas salas de exposição ou nas galerias, embora as exibições públicas fossem agora bem estabelecidas. Os museus e as galerias de arte que foram fundados ou abertos ao público neste período (como o Louvre e a National Gallery de Londres, fundados em 1826) apresentavam mais a arte do passado do que a do presente. A estampa, a gravação e a litografia, por outro lado, estavam muito generalizadas, porque eram baratas e começavam a invadir os jornais. A arquitetura (com exceção de um certo número de construções arriscadas de habitações particulares) continuava a trabalhar principalmente para encargos públicos ou privados.

2.

Mas mesmo as artes de uma pequena minoria social ainda podem fazer ecoar o trovão dos terremotos que abalam toda a humanidade. Assim ocorreu com a literatura e as artes de nosso período, e o resultado foi o "romantismo". Como um estilo, uma escola, uma época artística, nada é mais difícil de definir ou mesmo de descrever em termos de análise formal; nem mesmo o "classicismo" contra o qual o "romantismo" assegurava erguer a bandeira da revolta. Os próprios românticos pouco nos ajudam, pois, embora suas próprias descrições sobre o que buscavam fossem firmes e decididas, também careciam frequentemente de um conteúdo racional. Para Victor Hugo, o Romantismo "surgiu para fazer o que a natureza faz, fundir-se com as criações da natureza, mas ao mesmo tempo não misturá-las: sombra e luz, o grotesco e o sublime — em outras palavras, o corpo e a alma, o animal com o espiritual".[2] Para Charles Nodier, "este último refúgio do coração humano, cansado dos sentimentos comuns, é o que se chama de gênero *romântico*: uma poesia estranha, bastante apropriada à condição moral da sociedade, às necessidades de gerações saciadas que gritam por sensações a qualquer custo (...)".[3] Novalis achava que o Romantismo buscara dar "um maior sentido ao que é costumeiro, um infinito esplendor ao finito".[4] Hegel sustentava que "a essência da arte romântica está na existência livre e concreta do

AS ARTES

objeto artístico, e na ideia espiritual em sua verdadeira essência — tudo isto revelado a partir do interior mais do que pelos sentidos".[5] Pouco se pode inferir destas afirmativas, o que era de se esperar, pois os românticos preferiam as luzes bruxuleantes e difusas à claridade.

E ainda assim, embora escape a uma classificação, já que suas origens e conclusão se dissolvem à medida que se tenta datá-las, e que o critério mais agudo se perca em generalidades tão logo tenta defini-lo, ninguém duvida seriamente da existência do Romantismo ou de nossa capacidade em reconhecê-lo. Em um sentido estrito, o Romantismo surgiu como uma tendência militante e consciente das artes, na Grã-Bretanha, França e Alemanha, por volta de 1800 (no final da década da Revolução Francesa), e em uma área bem mais ampla da Europa e da América do Norte depois da batalha de Waterloo. Foi precedido antes da Revolução (principalmente na Alemanha e na França) pelo que tem sido chamado de "pré-romantismo" de Jean-Jacques Rousseau, e a "tempestade e ímpeto" dos jovens poetas alemães. Provavelmente, a era revolucionária de 1830-1848 assistiu à maior voga europeia do Romantismo. No sentido mais amplo, ele dominou várias das artes criadoras da Europa, desde o começo da Revolução Francesa. Neste sentido, os elementos "românticos" em um compositor como Beethoven, um pintor como Goya, um poeta como Goethe e um romancista como Balzac são fatores cruciais de sua grandeza, assim como não o são, digamos, em Haydn ou Mozart, Fragonard ou Reynolds, Mathias Claudius ou Choderlos de Laclos (todos alcançaram o nosso período), embora nenhum daqueles homens pudesse ser inteiramente tachado de "romântico" nem considerasse a si mesmo como tal.* Em um sentido ainda mais amplo, o enfoque da arte e dos artistas característicos do Romantismo se tornou o enfoque-padrão da classe média do século XIX, e ainda conserva muito de sua influência.

---

* Visto que o "romantismo" sempre foi o *slogan* e o manifesto de grupos restritos de artistas, correríamos o risco de dar-lhe um sentido restritivo e anti-histórico se o limitássemos inteiramente a eles, ou excluíssemos aqueles que não concordavam com eles.

A ERA DAS REVOLUÇÕES

Entretanto, embora não seja absolutamente claro quais eram os propósitos do Romantismo, é bastante evidente o que ele combatia: o meio-termo. Qualquer que seja o seu conteúdo, era um credo extremista. Os artistas e pensadores românticos, no sentido mais estrito, são encontrados na extrema esquerda, como o poeta Shelley, ou na extrema direita, como Chateaubriand e Novalis, saltando da esquerda para a direita, como Wordsworth, Coleridge e numerosos defensores desapontados da Revolução Francesa, saltando do monarquismo para a extrema esquerda como Victor Hugo, mas quase nunca entre os moderados ou liberais ingleses do centro racionalista, que de fato eram os fiéis mantenedores do "classicismo". "Não tenho qualquer respeito pelos *whigh*", disse o velho *tory* Wordsworth, "mas tenho muito do cartismo dentro de mim".[6] Seria demasiado chamá-lo de um credo antiburguês, pois o elemento conquistador e revolucionário das classes jovens, ainda capaz de provocar tempestades, fascinava também os românticos. Napoleão se tornou um de seus heróis míticos, como Satã, Shakespeare, o judeu errante e outros pecadores que se colocavam mais além dos limites comuns da vida. O elemento demoníaco na acumulação capitalista, a busca ininterrupta e ilimitada de *mais,* além dos cálculos da racionalidade ou do propósito, a necessidade ou os extremos do luxo, tudo isso os encantava. Alguns de seus heróis mais característicos, Fausto e Don Juan, compartilhavam esta insaciável ganância com os bucaneiros do mundo dos negócios dos romances de Balzac. E, ainda assim, o elemento romântico permaneceu subordinado, mesmo na fase da revolução burguesa. Rousseau forneceu alguns dos acessórios da Revolução Francesa, mas dominou-a somente na época em que ultrapassou o liberalismo burguês, o período de Robespierre. E, mesmo assim, seu hábito básico era romano, racionalista e neoclássico. David foi seu pintor, a Razão, seu Ser Supremo.

O Romantismo não é, portanto, simplesmente, classificável como um movimento antiburguês. De fato, no pré-romantismo das décadas ante-

AS ARTES

riores à Revolução Francesa, muitos de seus *slogans* característicos tinham sido usados para a glorificação da classe média, cujos sentimentos verdadeiros e simples, para não dizermos insípidos, haviam sido favoravelmente contrastados com a firme camada superior de uma sociedade corrupta, e cuja confiança espontânea na natureza estava destinada, segundo se acreditava, a varrer o artifício da corte e do clericalismo. Entretanto, já que a sociedade burguesa triunfara de fato nas revoluções francesa e industrial, o Romantismo inquestionavelmente se transformou em seu inimigo instintivo, e pode muito justamente ser considerado como tal.

Sem dúvida sua apaixonada, confusa, porém profunda revolta contra a sociedade burguesa se devia aos interesses egoístas dos dois grupos que lhe forneciam suas tropas de choque: os jovens socialmente deslocados e os artistas profissionais. Nunca houve um período para jovens artistas, vivos ou mortos, como o período romântico: as *Baladas líricas* (1789) foram obra de homens com 20 e poucos anos de idade; Byron tornou-se famoso da noite para o dia aos 24 anos, idade em que Shelley já era famoso e em que Keats já estava quase em sua cova. A carreira poética de Victor Hugo começou quando tinha 20 anos, a de Musset, aos 23. Schubert escreveu *Erlkoenig* aos 18 anos, morrendo aos 31. Delacroix pintou o *Massacre de Chios* aos 25 anos e Petoefi publicou seus *Poemas* aos 21. Uma reputação não obtida ou uma obra-prima não produzida até os 30 anos é uma raridade entre os românticos. A juventude — especialmente a estudantil ou intelectual — era o seu *habitat* natural; foi durante este período que o Quartier Latin de Paris voltou a ser, pela primeira vez desde a Idade Média, não só o lugar onde se encontrava a Sorbonne, mas um conceito cultural e político. O contraste entre um mundo na teoria totalmente aberto ao talento e, na prática, com cósmica injustiça, monopolizado pelos burocratas sem alma e barrigudos filisteus, clamava aos céus. As sombras da prisão — o casamento, a carreira respeitável, a absorção pelo filisteísmo — envolvia-os, e os pássaros da noite na forma de seus antecessores lhes agouravam (com frequente precisão) sua inevitável sentença, como o registrador Heerbrand na obra de T. A. Hoffmann, *Goldener Topf*, predisse ("sorrindo maliciosa e misteriosamente") o pavoroso futuro de um conselheiro da corte para o poético estudante Anselmo. Byron tinha o espírito bastante iluminado para prever que só uma morte extemporânea tinha a possibilidade de salvá-lo de uma "respeitável" velhice e A. W. Schlegel demonstrou que ele estava certo. Claro que nada havia de universal nesta revolta dos jovens contra os mais velhos. Não era senão um reflexo da sociedade criada pela revolução dupla. Ainda assim, a forma histórica específica desta alienação certamente coloriu uma grande parte do Romantismo.

Assim, e inclusive com maior alcance, a alienação do artista que reagia contra ela transformando-se em "o gênio" foi uma das invenções mais características da era romântica. Onde a função social do artista é clara, sua relação direta com o público — a pergunta do que deve dizer e como dizê-lo respondida pela tradição, a moralidade, a razão e algum outro padrão aceito —, um artista pode ser um gênio, mas raramente se comporta como tal. Os poucos que se adiantaram ao padrão do século XIX — um Michelangelo, um Caravaggio ou um Salvator Rosa — se destacam do exército de homens do tipo artesãos profissionais e artistas, os Johann Sebastian Bach, os Handel, os Haydn e Mozart, os Fragonard e Gainsborough da era pré-revolucionária. Onde se conservou algo semelhante à antiga situação social depois da revolução dupla, o artista continuou sem considerar-se um gênio, embora não lhe faltasse futilidade. Os arquitetos e engenheiros, que trabalhavam por encomendas específicas, continuavam a produzir estruturas de uso óbvio que se lhes impunham formas claramente compreensíveis. É significativo que a grande maioria de construções características e famosas do período entre 1789 e 1848 sejam neoclássicas, como a Madeleine, o Museu Britânico, a catedral de S. Isaac em Leningrado, a Londres de Nash, a Berlim de Schinkel, ou

AS ARTES

funcionais como as maravilhosas pontes, canais, construções ferroviárias, fábricas e estufas daquela época de beleza técnica.

Entretanto, à parte seus estilos, os arquitetos e engenheiros daquela época se comportavam como profissionais e não como gênios. Também nas formas genuinamente populares de arte como a ópera na Itália ou (em um nível socialmente mais alto) o romance na Inglaterra, compositores e escritores continuavam a trabalhar para divertir os demais e consideravam a supremacia da bilheteria uma condição natural de sua arte, e não uma conspiração contra sua musa. Rossini não gostaria de produzir uma ópera não comercial, da mesma forma que o jovem Dickens de escrever um romance que não pudesse ser apresentado em seriados, ou hoje em dia o libretista de um musical moderno, um texto que fosse representado na forma em que foi rascunhado. (Isto também pode ajudar a explicar por que a ópera italiana desta época era tão arromântica, apesar de seu natural prazer vulgar pelo sangue, o trovão e situações "fortes".)

O problema real era o do artista apartado de uma função reconhecida, patrocinada ou pública, e deixado para lançar sua alma como uma mercadoria em um mercado cego, que seria comprada ou não, ou para trabalhar dentro de um sistema de patronagem que teria sido em geral economicamente insustentável, mesmo se a Revolução Francesa não tivesse estabelecido sua indignidade humana. O artista, portanto, estava só, gritando dentro da noite, sem nem mesmo a certeza de um eco. Era simplesmente natural que se considerasse um gênio, que criasse somente aquilo que levava dentro de si, sem consideração pelo mundo e como desafio a um público cujo único direito em relação a ele era aceitá-lo em seus próprios termos ou rejeitá-lo de todo. Na melhor das hipóteses, esperava ser entendido, como Stendhal, por uns tantos eleitos ou por uma posteridade indefinida; na pior das hipóteses, escrevia dramas impossíveis de serem representados, como Grabbe ou mesmo a segunda parte do *Fausto* de Goethe, ou composições para orquestras irrealisticamente gigantescas como Berlioz; alguns enlouqueciam como Hoelderlin, Grabbe, de Nerval e vários outros. De fato, o gênio incompreendido era, às vezes, amplamente recompensado por príncipes acostumados às excentricidades de amantes ou aos gastos que davam prestígio, ou por uma burguesia enriquecida ansiosa em manter contato com as coisas mais altas da vida. Franz Liszt (1811-1886) jamais passou fome no proverbial sótão romântico. Poucos jamais tiveram sucesso em realizar suas fantasias megalomaníacas como Richard Wagner. Entretanto, entre 1789 e 1848, os príncipes de revoluções frequentemente suspeitavam das artes não líricas* e a burguesia estava mais engajada em acumular dinheiro do que em gastá-lo. Os gênios eram, portanto, em geral, não só incompreendidos mas também pobres. E, a maioria deles, revolucionários.

A juventude e os "gênios" mal compreendidos produziam a reação romântica contra os filisteus, a moda de atormentar e chocar os burgueses, a ligação com o submundo e a boemia (termos estes que adquiriram sua atual conotação durante o período romântico), o gosto pela loucura ou por coisas normalmente censuradas pelos respeitáveis padrões e instituições. Mas isto era só uma pequena parte do Romantismo. A enciclopédia de extremismos eróticos de Mário Praz não é mais representativa da *agonia romântica*[7] do que uma discussão a respeito de esqueletos e espectros no simbolismo elisabetano é uma crítica de Hamlet. Por trás do descontentamento dos românticos como jovens (e ocasionalmente também como mulheres jovens, já que foi este o primeiro período em que as mulheres do continente europeu apareceram como artistas em posse de seus plenos direitos e em considerável número)** e como artistas, havia

---

* O indescritível Ferdinando de Espanha, que patrocinou o revolucionário Goya, apesar de suas provocações artísticas e políticas, é uma exceção.

** Mme de Staël, George Sand, as pintoras Mme Vigée Lebrun e Angélica Kauffmann, na França; Bettina von Arnim, Annette von Droste-Huelshoff, na Alemanha. As romancistas foram muito frequentes na classe média inglesa, onde esta forma de arte era considerada uma forma "respeitável" de se

AS ARTES

um descontentamento mais genérico em relação ao tipo de sociedade que surgia a partir da revolução dupla.

A análise social precisa nunca foi o forte dos românticos e, de fato, desconfiavam do resoluto raciocínio mecânico e materialista do século XVIII (simbolizado por Newton, o "bicho papão" de William Blake e Goethe) que corretamente viam como o século das principais ferramentas com que a sociedade burguesa fora construída. Consequentemente, não podemos esperar que fizessem uma crítica arrazoada da sociedade burguesa, embora algo parecido a uma crítica se envolvesse no místico manto da "filosofia da natureza" e se movesse por entre as agitadas nuvens metafísicas formadas dentro de uma ampla estrutura "romântica", que contribuiu, entre outras coisas, para a filosofia de Hegel (veja o Capítulo 13-2). Uma crítica semelhante também se desenvolveu, em *flashes* visionários muito próximos da excentricidade, ou mesmo da loucura, entre os primeiros socialistas utópicos da França. Os primeiros seguidores de Saint-Simon (embora não o seu líder) e especialmente Fourier dificilmente podem ser considerados outra coisa que românticos. O resultado mais duradouro desta crítica romântica foi o conceito de "alienação" humana, que iria desempenhar um papel crucial em Marx, e a insinuação da perfeita sociedade do futuro. Entretanto, a crítica mais eficaz e poderosa da sociedade burguesa viria não daqueles que a rejeitavam (e com ela as tradições da ciência e do racionalismo clássicos do século XVII) no todo e *a priori,* mas sim daqueles que levaram as tradições do pensamento clássico burguês a suas conclusões antiburguesas. O socialismo de Robert Owen não tinha sequer o mínimo elemento de Romantismo em si mesmo; seus componentes eram inteiramente os do racionalismo do século XVIII e da mais burguesa das ciências, a economia política. O

---

ganhar dinheiro para moças bem-dotadas. Fanny Burney, Mrs. Radcliffe, Jane Austen, Mrs. Gaskell e as irmãs Brontë se encaixavam por completo ou em parte em nosso período, da mesma maneira que Elizabeth Barrett Browning.

A ERA DAS REVOLUÇÕES

próprio Saint-Simon seria mais bem descrito como uma prolongação do "iluminismo". É significativo que o jovem Marx, formado na tradição alemã (isto é, primordialmente romântica), se tenha transformado no criador do marxismo só quando combinou seu pensamento com a crítica socialista francesa e a teoria totalmente arromântica da economia política inglesa. E foi a economia política que forneceu a essência de seu pensamento amadurecido.

3.

Nunca é prudente negligenciar as razões do coração que a própria razão desconhece. Como pensadores dentro dos limites de referência ditados pelos economistas e físicos, os poetas se encontravam sobrepujados, mas não só viam mais profundamente que aqueles, como também às vezes com mais clareza. Poucos homens compreenderam o terremoto social causado pela máquina e pela fábrica antes de William Blake na década de 1790, quando em Londres havia ainda pouco mais que algumas oficinas e olarias. Com algumas exceções, os melhores comentários sobre os problemas da urbanização na Inglaterra se deveram aos escritores criativos, cujas observações, frequentemente de aparência irrealista, demonstraram ser um indicador utilíssimo da grande evolução urbana de Paris.[8] Carlyle foi um guia mais confuso, porém mais profundo, para a Inglaterra em 1840 do que o cuidadoso estatístico e compilador J. R. McCulloch, e se J. S. Mill é melhor do que outros utilitaristas, é porque uma crise pessoal fez com que ele sozinho percebesse o valor dos críticos alemães românticos da sociedade: Goethe e Coleridge. A crítica romântica do mundo, embora mal definida, não era portanto desprezível.

A ansiedade que se convertia em obsessão nos românticos era a recuperação da unidade perdida entre o homem e a natureza. O mundo burguês

AS ARTES

era profunda e deliberadamente antissocial. "Ele impiedosamente quebrou os fortes laços feudais que uniam o homem a seus superiores naturais e não deixou nenhum outro vínculo entre os homens a não ser o puro interesse pessoal e o insensível 'pagamento em espécie'. Ele afogou os mais divinos êxtases de fervor religioso, de entusiasmo nobre, de sentimentalismo filisteu, na congelada água do cálculo egoísta. Transformou o valor pessoal em valor de troca, e em lugar das inumeráveis e inquebrantáveis liberdades ergueu uma simples e inescrupulosa liberdade — a liberdade de Comércio." Esta é a voz do *Manifesto comunista,* mas ela fala também por todos os românticos. Um mundo deste tipo podia dar conforto e riqueza aos homens — embora na verdade parecesse evidente que este mundo também tornava os outros, em número infinitamente maior, famintos e miseráveis — mas deixou suas almas desnudas e solitárias. Deixou-os sem pátria e sem lar, perdidos no universo como se fossem seres "alienados". Uma fenda revolucionária na história do mundo impediu-os de evitar esta "alienação" com a decisão de nunca deixar o velho lar. Os poetas do Romantismo alemão sabiam melhor do que ninguém que a salvação consistia somente na simples e modesta vida de trabalho que se desenrolava naquelas idílicas cidadezinhas pré-industriais que salpicavam as paisagens de sonho por eles descritas da maneira mais irresistível. E ainda assim, seus jovens deviam partir para fazer, por definição, a infindável busca da "flor azul" ou simplesmente para vagar para sempre, cheios de melancolia, cantando as líricas de Eichendorff ou as canções de Schubert. A canção dos andarilhos é sua toada, e a nostalgia, sua companheira constante. Novalis chegou mesmo a definir a filosofia nestes termos.[9]

Três fontes abrandaram a sede da perdida harmonia entre o homem e o mundo: a Idade Média, o homem primitivo [ou, o que dá no mesmo, o exotismo e o "povo" (folk)], e a Revolução Francesa.

A primeira atraiu principalmente os românticos da reação. A estável ordem social da idade feudal, o lento produto orgânico das eras, colorido de heráldica, envolto pelos sombrios mistérios das florestas de contos de fada e coberto pelo dossel do inquestionável céu cristão, era o evidente paraíso perdido dos oponentes conservadores da sociedade burguesa, cujo gosto pela devoção, a lealdade e um mínimo de cultura entre os mais modestos a Revolução Francesa havia aguçado. Com as naturais variações locais, esse era o ideal que Burke atirava contra o rosto dos enfurecidos racionalistas da Bastilha em sua obra *Reflexões sobre a Revolução Francesa* (1790). Entretanto, onde este sentimento encontrou sua expressão clássica foi na Alemanha, um país que neste período adquiriu algo assim como o monopólio do sonho medieval, talvez porque a organizada *Gemuetlichkeit,* que parecia reinar sob os castelos do Reno e da Floresta Negra, prestava-se mais prontamente à idealização do que a imundície e a crueldade de países mais genuinamente medievais.* Em todo caso, o medievalismo foi um componente bem mais forte do Romantismo alemão do que qualquer outro, e se irradiou para fora da Alemanha, sob a forma de óperas ou do balé romântico (*Freischuetz* ou *Giselle,* de Weber), dos *Contos de fadas de* Grimm, ou de teorias históricas que inspiraram escritores como Coleridge ou Carlyle. Entretanto, na forma mais genérica de um renascimento gótico, o medievalismo foi o escudo dos conservadores e especialmente dos religiosos antiburgueses em toda a parte. Chateaubriand exaltou o gótico em sua obra *Espírito do cristianismo* (1802) contra a Revolução; os defensores da Igreja da Inglaterra o favoreciam contra os racionalistas e não conformistas cujos prédios permaneceram clássicos; o arquiteto Pugin e o "Movimento de Oxford", ultrarreacionário e de tendência católica, da década de 1830, eram góticos até a raiz dos cabelos. Enquanto isto, da nevoenta Escócia remota — há muito um país capaz de todos os sonhos arcaicos como os poemas forjados e atribuídos ao bardo Ossian —, o con-

---

* "Ó Hermann, Ó Doroteia! Gemuetlichkeit!", escreveu Gautier, que adorava a Alemanha como todos os românticos franceses. "*Ne semble-t-il pas que l'on entend du loin le cor du postillon?*"[10] (citação francesa): "Não parece que se ouve ao longe a corneta do pastilhão?"

AS ARTES

servador Walter Scott supria a Europa com mais um conjunto de imagens medievais em seus romances históricos. O fato de que o melhor de seus romances tratasse de períodos bastante recentes da história escapou da atenção do público.

Ao lado desta preponderância do medievalismo conservador, que os governos reacionários surgidos depois de 1815 procuraram traduzir em periclitantes justificativas do absolutismo (veja o Capítulo 12-3), o medievalismo de esquerda carecia de importância. Na Inglaterra, existia principalmente como uma corrente no movimento radical popular, que tendia a ver o período anterior à Reforma como uma idade de ouro do trabalhador, e a Reforma, como o primeiro grande passo em direção ao capitalismo. Na França, foi muito mais importante, pois ali sua ênfase não era colocada sobre a hierarquia feudal e a ordem católica, mas sim sobre *o povo*, eternamente sofredor, turbulento e criativo: a nação francesa sempre reafirmando sua identidade e sua missão. Jules Michelet, poeta e historiador, foi o maior destes medievalistas democrático-revolucionários; Victor Hugo criou, com o *Corcunda de Notre Dame,* o mais conhecido produto daquela preocupação.

Intimamente aliada ao medievalismo, especialmente através de sua preocupação com as tradições da religiosidade mística, estava a busca dos mais antigos mistérios e fontes da sabedoria irracional do Oriente: os reinos românticos, mas também conservadores, de Kublai Khan ou dos brâmanes. Desde sempre, o descobridor do sânscrito, *Sir* William Jones, foi um sincero *whig* radical que saudou as revoluções francesa e americana como um cavalheiro erudito, mas o resto dos entusiastas do Oriente e os escritores de poemas pseudopersas, de cujo entusiasmo nasceu uma grande parte do moderno orientalismo, pertenciam à tendência antijacobina. É característico que a Índia dos brâmanes fosse sua meta espiritual em vez do racional e irreligioso Império Chinês, que havia preocupado as imaginações exóticas do Iluminismo do século XVIII.

A ERA DAS REVOLUÇÕES

4.

O sonho da perdida harmonia do homem primitivo tem uma história bem mais longa e complexa. Havia sempre sido um sonho avassaladoramente revolucionário, tanto sob a forma da idade de ouro do comunismo, como na da igualdade "quando Adão cavava e Eva fiava",* quando o livre povo anglo-saxônico ainda não havia sido escravizado pela Conquista Normanda, ou então sob a forma do nobre selvagem que apontava as deficiências de uma sociedade corrompida. Consequentemente, o primitivismo romântico prestava-se mais prontamente à rebelião esquerdista, exceto quando servia simplesmente como uma fuga da sociedade burguesa (como no exotismo de um Gautier ou Mérimée que encontraram no nobre selvagem uma atração turística na Espanha da década de 1830), ou quando a continuidade histórica fazia do primitivismo algo exemplarmente conservador. Este foi, sobretudo, o caso do "povo". Entre os românticos de todas as tendências se admitia sem discussão que o "povo" — o camponês ou o artesão pré-industrial — exemplificava todas as virtudes e que sua língua, canções, lendas e costumes se constituíam no verdadeiro repositório da alma do povo. Retomar aquela simplicidade e virtude era o objetivo de Wordsworth das *Baladas líricas;* ser aceito no conjunto de canções folclóricas e de contos de fadas, a ambição — alcançada por vários artistas — de muitos poetas e compositores alemães. O vasto movimento para coletar as canções folclóricas, publicar as antigas narrativas épicas, lexicografar a linguagem viva estava intimamente ligado ao Romantismo; a própria palavra *folclore* (1846) foi uma invenção do período. As *Baladas da fronteira escocesa,* de Walter Scott, datadas de 1803, a obra de Arnim e Brentano *Des Knaben Wunderhorn* (1806), os *Contos de fadas* (1812) de Grimm, as *Melodias*

---

* No original: "When Adam delved and Eve span". (*N.T.*)

AS ARTES

irlandesas (1807-1834) de Moore, a *História da língua boêmia* (1818) de Dobrovski, o *Dicionário servo,* de Vuk Karajic, datado de 1818, e também sua obra *Canções folclóricas da Sérvia* (1823-1833), a obra de Tegnér, *Frithjof's saga* (1825), na Suécia, a edição do *Kalevala,* de Lönnrot, na Finlândia em 1835, a *Mitologia alemã* (1835) de Grimm, e os *Contos folclóricos noruegueses* (1842-1871), de Asbjörnson e Moe são alguns dos monumentos daquela tendência.

"O povo" podia ser um conceito revolucionário, especialmente entre os povos oprimidos que estavam a ponto de descobrir ou reafirmar sua identidade nacional, e particularmente entre os que não possuíam uma classe média ou uma aristocracia locais. Para eles, um dicionário, uma gramática ou uma coletânea de canções folclóricas era um acontecimento de vital importância política, uma primeira declaração de independência. Por outro lado, para aqueles que se sentiam mais atraídos pelas virtudes simples do conformismo, ignorância e devoção, pela sabedoria profunda de sua confiança no papa, no rei ou no czar, o culto nacional do primitivo prestava-se a uma interpretação conservadora. Representavam a unidade da inocência, do mito e da antiga tradição, que a sociedade burguesa destruía dia a dia.*
O capitalista e o racionalista eram os inimigos contra quem o rei, o senhor e o camponês tinham que manter uma sagrada união.

O primitivo existia em cada aldeia, mas existia como um conceito ainda mais revolucionário na hipotética idade de ouro do comunismo do passado, e como o imaginado nobre selvagem do exterior, especialmente o índio americano. De Rousseau, que a sustentava como o ideal do homem social livre, até os socialistas, a sociedade primitiva era uma espécie de modelo para todas as utopias. A tríplice divisão da história feita por Marx — o comunismo primitivo, a sociedade de classe, e o comunismo

---

* Como devemos interpretar a nova popularidade das danças de salão baseadas no folclore neste período, tais como a valsa, a mazurca e o xote, é uma questão de gosto pessoal. Certamente, foi uma moda romântica.

A ERA DAS REVOLUÇÕES

em nível mais elevado — confirma, embora também transforme, aquela tradição. O ideal do primitivismo não foi exclusivamente romântico. De fato, alguns de seus defensores mais ardentes pertenciam à tradição Iluminista do século XVIII. A busca romântica levou seus exploradores até os grandes desertos da Arábia e do norte da África, entre os guerreiros e as odaliscas de Delacroix e Fromentin, a Byron através do mundo mediterrâneo, ou Lermontov até o Cáucaso, onde o homem natural na figura do cossaco lutava contra o homem natural na figura do membro de uma tribo, entre precipícios e cataratas, ao invés de levá-los à inocente utopia erótica e social do Taiti. Mas também os levou à América, onde o homem primitivo lutava condenado, uma situação que o trazia mais para perto do sentimento dos românticos. Os poemas indígenas do Austro-Húngaro Lenau se rebelam contra a expulsão dos pele-vermelhas; se o moicano não tivesse sido o último de sua tribo, teria ele se transformado em um símbolo tão poderoso na cultura europeia? Naturalmente, o nobre selvagem desempenhou um papel imensuravelmente mais importante no Romantismo americano do que no europeu — *Moby Dick* (1815) de Herman Melville é seu maior monumento —, mas nos romances de Fenimore Cooper ele captou o velho mundo como o conservador Natchez de Chateaubriand nunca fora capaz de fazê-lo.

A Idade Média, o povo e a nobreza do selvagem eram ideais firmemente ancorados ao passado. Só a revolução, a "primavera dos povos", apontava exclusivamente para o futuro, e assim mesmo os mais utópicos ainda achavam cômodo recorrer a um precedente em favor do sem precedente. Isto não foi possível até que uma segunda geração romântica tivesse produzido uma safra de jovens para quem a Revolução Francesa e Napoleão eram fatos da História e não um doloroso capítulo autobiográfico. O ano de 1789 havia sido saudado por praticamente todo artista e intelectual da Europa, mas, embora alguns tivessem conservado seu entusiasmo durante a guerra, o terror, a corrupção burguesa e o império,

AS ARTES

seus sonhos não eram facilmente comunicáveis. Mesmo na Grã-Bretanha, onde a primeira geração do Romantismo, de Blake, Wordsworth, Coleridge, Southey, Campbell e Hazlitt, fora totalmente jacobina, os desiludidos e os neoconservadores ainda prevaleciam em 1805. Na França e na Alemanha, de fato, a palavra "romântico" fora realmente inventada como um *slogan* antirrevolucionário pelos conservadores antiburgueses do final da década de 1790 (frequentemente antigos esquerdistas desiludidos), o que esclarece o fato de que um certo número de pensadores e artistas nestes países, que pelos padrões modernos deveriam ser considerados românticos, estejam tradicionalmente excluídos desta classificação. Entretanto, nos últimos anos das guerras napoleônicas, começaram a surgir novas gerações de jovens, para os quais só a grande chama libertadora da Revolução era visível através dos anos, as cinzas de seus excessos e corrupções tendo desaparecido do alcance da vista; depois do exílio de Napoleão, mesmo aquele insensível personagem pôde se transformar em uma fênix ou salvador quase mítico. E, à medida que a Europa avançava, ano após ano, mais profundamente em direção às baixas e inexpressivas planícies da reação, da censura e mediocridade e dos pestilentos pântanos da pobreza, da infelicidade e da opressão, a imagem da revolução libertadora tornava-se ainda mais luminosa.

A segunda geração de românticos britânicos — a de Byron (1788-1824), a do apolítico mas simpatizante Keats (1795-1821) e, acima de tudo, a geração de Shelley (1792-1822) — foi, assim, a primeira a combinar o Romantismo e o revolucionarismo ativo: os desapontamentos da Revolução Francesa, lembrados pela maioria de seus antepassados, empalideciam ao lado dos visíveis horrores da transformação capitalista em seu próprio país. No continente europeu, a ligação entre a arte romântica e a revolução antecipada na década de 1820 só se tornou realidade durante e depois da Revolução Francesa de 1830. Isto também é verdade a propósito do que talvez possa ser chamado de visão romântica da revolução e

A ERA DAS REVOLUÇÕES

estilo romântico de ser revolucionário, cuja expressão mais conhecida é o quadro de Delacroix *Liberdade nas barricadas* (1831). Aqui, melancólicos jovens com barba e chapéus altos, trabalhadores em mangas de camisa, tribunos do povo com esvoaçantes cabeleiras sob *sombreras*, rodeados por bandeiras tricolores e bonés frígios, recriam a Revolução de 1793 — não a moderada Revolução de 1789, mas a glória do Ano II — erguendo suas barricadas em cada cidade do continente.

Desde o início, o revolucionário romântico não foi inteiramente uma novidade. Seu precursor imediato foi o membro das sociedades secretas e das seitas maçônicas revolucionárias — carbonaro ou filo-heleno — cuja inspiração vinha diretamente de velhos jacobinos ou babovistas sobreviventes como Buonarroti. Foi a típica luta revolucionária do período da Restauração, cheia de ousados jovens armados ou vestidos com uniformes hussardos, saindo de óperas, *soirées* e compromissos com duquesas ou de reuniões ritualistas maçônicas para dar um golpe militar ou se colocar à frente de uma nação revoltosa; de fato, seguiam o padrão de Byron. Entretanto, esta moda revolucionária não só estava muito mais diretamente inspirada pelos estilos de pensamento do século XVIII, como talvez fosse socialmente mais exclusiva do que aqueles. Ela também se ressentia de um elemento crucial da visão revolucionária romântica de 1830-1848: as barricadas, as massas, o novo e desesperado proletariado, aquele elemento que a gravura de Daumier sobre o *Massacre na Rue Transnonain* (1834), com seu trabalhador assassinado, acrescentou à imaginação romântica.

A mais surpreendente consequência desta união do Romantismo com a visão de uma nova e mais elevada Revolução Francesa foi a avassaladora vitória da arte política entre 1830 e 1848. Raramente houve um período em que mesmo os artistas menos "ideológicos" tenham sido mais universalmente partidários, frequentemente considerando o serviço à política seu dever primordial. "O romantismo", proclamava Victor Hugo no prefácio de *Hernani,* esse manifesto de rebelião (1830), "é o liberalismo na literatura."[11] "Os escritores", escrevia o poeta Alfred

AS ARTES

de Musset (1810-1857), cujo talento natural — como o do compositor Chopin (1810-1849) ou do introspectivo poeta austro-húngaro Lenau (1802-1850) — se inclinava mais para o pronunciamento privado que público, "tinham uma predileção para falar em seus prefácios a respeito do futuro, do progresso social, da humanidade e da civilização."[12] Vários artistas se tornaram figuras políticas e não só em países com angústias de libertação nacional, onde todos os artistas tendiam a ser profetas ou símbolos nacionais: Chopin, Liszt e até mesmo o jovem Verdi entre os músicos; Mickiewcz (que acreditava representar um papel messiânico), Petöfi e Manzoni entre os poetas da Polônia, Hungria e Itália, respectivamente. O pintor Daumier trabalhava basicamente como um caricaturista político. O poeta Uhland e os irmãos Grimm eram políticos liberais; o vulcânico gênio juvenil Georg Buchner (1810-1837), um ativo revolucionário; Heinrich Heine (1797-1856), um íntimo amigo pessoal de Karl Marx, uma voz ambígua, porém poderosa, da extrema esquerda.* A literatura e o jornalismo se fundiram, sobretudo na França, Alemanha e Itália. Em outra época, um Lamennais ou um Jules Michelet na França, um Carlyle ou um Ruskin na Grã-Bretanha poderiam ter sido poetas ou romancistas com algumas opiniões acerca de assuntos públicos; na sua época foram propagandistas, profetas, filósofos ou historiadores levados por um ímpeto poético. Desta forma, a lava da imaginação poética acompanhou a erupção do jovem intelecto de Marx com uma amplitude inusitada entre filósofos ou economistas. Mesmo o delicado Tennyson e seus amigos de Cambridge colocaram seus corações à disposição da brigada internacional que foi apoiar os liberais contra os clericais na Espanha.

---

* Deve-se notar que este foi um dos raros períodos em que poetas não só simpatizavam com a extrema esquerda, mas escreviam poemas que eram tão bons quanto úteis em termos de agitação. O distinto grupo de poetas socialistas alemães de 1840 — Herwegh, Weerth, Freiligrath, e, claro, Heine — merece menção, embora o "Baile de Máscaras da Anarquia" (1820), de Shelley, uma éplica a Peterloo, talvez seja o mais poderoso destes poemas.

As peculiares teorias estéticas surgidas e desenvolvidas durante este período ratificaram esta unidade da arte e do compromisso social. Os seguidores de Saint-Simon, na França, por um lado, os brilhantes intelectuais revolucionários russos, por outro, desenvolveram as ideias que mais tarde formariam parte dos movimentos marxistas sob nomes tais como "realismo socialista",[13] um nobre ideal, porém não totalmente bem-sucedido, derivado da austera virtude do jacobinismo e da fé romântica no poder do espírito, que fez com que Shelley chamasse os poetas de "legisladores não reconhecidos do mundo". "A arte pelo prazer da arte", embora já formulada principalmente pelos conservadores e diletantes, ainda não podia competir com a arte para o bem da humanidade ou para o bem das nações e do proletariado. Só depois que as revoluções de 1848 tinham destruído as esperanças românticas do grande renascimento do homem, foi que o esteticismo autocontido de alguns artistas aflorou. A evolução de algumas figuras de 1848, como Baudelaire e Flaubert, ilustra esta mudança política e estética, e a *Educação sentimental* de Flaubert permanece sendo seu maior êxito literário. Somente em países como a Rússia, onde a desilusão de 1848 não ocorreu (talvez porque na Rússia 1848 não aconteceu), as artes continuaram a ser socialmente comprometidas ou preocupadas como anteriormente.

5.

O Romantismo é a moda mais característica na arte e na vida do período da revolução dupla, mas não é absolutamente a única. De fato, visto que não dominava nem a cultura da aristocracia, nem a da classe média, e menos ainda a da classe trabalhadora pobre, sua verdadeira importância quantitativa na época foi pequena. As artes que dependiam do patrocínio ou do apoio maciço das classes abastadas toleravam melhor o Roman-

AS ARTES

tismo onde suas características ideológicas eram menos óbvias, como na música. As artes que dependiam do apoio dos pobres quase não tinham nenhum interesse para o artista romântico, embora, de fato, a diversão dos pobres — revistas de contos sentimentaloides, circos, pequenas exibições com uma atração principal, teatros mambembes e coisas semelhantes — tenha sido fonte de muita inspiração para os românticos e, em troca, os artistas populares reforçaram o repertório de emoções oferecidas ao público — cenas de transmutação, fadas, últimas palavras de assassinos, bandoleiros etc. — com adequadas mercadorias adquiridas nos armazéns românticos.

O estilo fundamental da vida e da arte aristocrática permanecia enraizado no século XVIII, embora consideravelmente vulgarizado pela adesão de novos ricos enobrecidos, conforme ocorreu no estilo do *Império* napoleônico, que foi de impressionante feiura e pretensão, e no estilo da Regência Britânica. Uma comparação entre os uniformes do século XVIII e pós-napoleônicos — a forma de arte que mais diretamente expressava os instintos dos funcionários e cavalheiros responsáveis por seu corte — torna clara esta afirmação. A triunfante supremacia da Grã-Bretanha fez do nobre inglês o padrão da cultura, ou melhor, da incultura aristocrática internacional, pois os interesses do *dandy* — bem barbeado, impassível e refulgente — deviam ser limitados a cavalos, cães, carruagens, pugilistas profissionais, caça, jogo, diversões de cavalheiros e sua própria pessoa. Tal extremismo heroico incendiou até mesmo os românticos, que também apreciavam o "dandismo", mas provavelmente excitou as jovens senhoras de origem modesta ainda mais, fazendo-as sonhar (nas palavras de Gautier):

> *Sir* Edward era exatamente o inglês de seus sonhos. O inglês bem barbeado, corado, brilhante, arrumado e polido, que enfrentava os primeiros raios do sol da manhã com um cachecol branco, perfeito, o inglês de impermeável e galochas. Não era ele a própria coroa da civilização? Terei pratarias inglesas, pensava ela, e porcelana de Wedgwood. Haverá tapetes por toda a casa e serviçais empoados e

A ERA DAS REVOLUÇÕES

respirarei o ar ao lado de meu marido, dirigindo uma parelha de quatro cavalos através do Hyde Park (...) Corças malhadas e dóceis brincarão na grama verde do jardim de minha casa de campo, e talvez também algumas crianças coradas e louras. As crianças 'ficam muito bem' no assento dianteiro de um Barouche, ao lado de um cachorro spaniel, com pedigree (...).[14]

Esta era talvez uma visão inspirada, mas não romântica, assim como o quadro das majestades reais ou imperiais graciosamente assistindo a uma ópera ou um baile, cobertas de joias, galanteria e beleza.

A cultura das classes média e baixa não era mais romântica. Sua tônica fundamental era a sobriedade e a modéstia. Somente entre os grandes banqueiros e especuladores, ou entre a primeiríssima geração de milionários industriais, que jamais ou não mais necessitavam reinvestir uma grande parte de seus lucros nos negócios, é que o pseudobarroco opulento do final do século XIX apareceu, e só nos poucos países em que as velhas monarquias e aristocracias não mais dominavam a "sociedade" inteiramente. Os Rothschild, monarcas por direito próprio, já se exibiam como príncipes.[15] A burguesia comum não o fazia. O puritanismo, a religiosidade católica ou evangélica encorajavam a moderação, a poupança, uma sobriedade espartana e um orgulho moral sem precedentes na Grã-Bretanha, nos Estados Unidos, na Alemanha e na França huguenote; a tradição moral do Iluminismo do século XVIII e da maçonaria fazia o mesmo no setor mais emancipado e antirreligioso. Exceto na busca do lucro e na lógica, a vida da classe média era uma vida de emoção controlada e de perspectivas limitadas deliberadamente. A enorme parcela da classe média que, no continente europeu, não estava envolvida em negócios mas em funções governamentais, como funcionários, professores, ou em alguns casos como pastores, estava ausente até mesmo da fronteira expansionista da acumulação de capital, e o mesmo acontecia com o modesto burguês de província que, consciente de que a riqueza da cidade pequena era o limite de suas possibilidades, não se deixava

AS ARTES

impressionar pelos padrões de riqueza e poderio de sua época. De fato, a vida da classe média era "arromântica", e seus padrões ainda eram em grande parte dominados pelas modas do século XVIII.

Isto é perfeitamente evidente no lar da classe média, que era, afinal de contas, o centro da sua cultura mesocrática. O estilo da casa e da rua burguesa pós-napoleônica deriva-se diretamente e quase sempre continua o classicismo ou o rococó do século XVIII. As construções no estilo georgiano continuaram na Grã-Bretanha até a década de 1840, e em outras partes o rompimento arquitetônico (introduzido principalmente por uma redescoberta artisticamente desastrosa da "renascença") chegou mais tarde ainda. O estilo predominante da decoração de interiores e da vida doméstica, melhor chamado de *Biedermeier,* depois de alcançar sua mais perfeita expressão na Alemanha, foi uma espécie de classicismo doméstico acalentado pela intimidade da emoção e pelos sonhos virginais (*Innerlichkeit, Gemuetlichkeit*), que devia alguma coisa ao Romantismo — ou melhor, ao pré-romantismo do final do século XVIII —, mas que reduziu até mesmo esta dívida às dimensões da modesta interpretação burguesa de quartetos nas tardes de domingo na sala de estar. O *Biedermeier* produziu um dos mais belos estilos de decoração jamais criado: cortinas brancas lisas contra paredes foscas, assoalhos vazios, cadeiras e escrivaninhas sólidas mas elegantíssimas, pianos, gabinetes de trabalho e jarrões cheios de flores. Foi essencialmente um estilo clássico tardio. Talvez seu mais nobre exemplo seja a casa de Goethe em Weimar. Assim, ou algo muito semelhante, era o cenário em que viviam as heroínas dos romances de Jane Austen (1775-1817), para os rigores evangélicos e deleites da seita de Clapham, para a alta burguesia de Boston ou para os leitores provincianos franceses do *Jornal de Debates.*

O Romantismo entrou na cultura da classe média talvez principalmente pelo aumento dos devaneios entre as mulheres da família burguesa. Exibir a capacidade do homem em prover o sustento da família para mantê-las em uma grande ociosidade foi uma de suas principais funções sociais, uma acalentada escravidão era seu destino ideal. Em todo caso, as moças burguesas, como as não burguesas, as odaliscas e as ninfas que os pintores antirromânticos como Ingres (1780-1867) levaram do contexto romântico para o ambiente burguês, adaptaram-se rapidamente ao mesmo tipo frágil, pálido, de cabelos macios, a suave flor vestida com um xale e um gorro tão característicos da moda de 1840. Havia sido percorrido um longo caminho desde aquela leoa humilhada, a duquesa de Alba, de Goya, ou as jovens neogregas emancipadas, vestidas com musseline branca, que a Revolução Francesa havia espalhado pelos salões, ou as altivas damas e cortesãs da Regência como *Lady* Lieven ou Harriete Wilson, tão antirromânticas quanto antiburguesas.

As moças burguesas podiam tocar em suas casas a música romântica civilizada de Chopin ou de Schumann (1810-1856). O estilo *Biedermeier* podia encorajar um tipo de lirismo romântico, como o de Eichendorff (1788-1857) ou de Eduard Mörike (1804-1875), no qual a paixão cósmica era transfigurada em nostalgia ou ansiedade passiva. O empresário ativo podia até mesmo, enquanto estivesse em uma viagem de negócios, desfrutar em uma estância montanhosa "a visão mais romântica que jamais vi", descansar em casa fazendo esboços do "Castelo de Udolfo" ou mesmo, como John Cragg de Liverpool, "sendo um homem de gosto artístico" bem como um dono de metalúrgica, "introduzir o ferro fundido na arquitetura gótica".[16] Mas, em seu conjunto, a cultura burguesa não era romântica. O próprio alvoroço do progresso técnico obstruía o Romantismo ortodoxo, pelos menos nos centros industriais avançados. Um homem como James Nasmyth, inventor do martelo a vapor (1808-1890), era tudo menos um bárbaro, só pelo fato de ser filho de um pintor jacobino ("o pai da pintura paisagística na Escócia"), criado entre artistas e intelectuais, amante do pitoresco e do antigo e com toda a grande e sólida instrução de um bom escocês. Ainda assim, seria natural o filho de um pintor se tornar um mecânico, ou que, durante uma excursão feita em sua juventude com seu pai o que mais lhe tenha interessado fora a Metalúrgica de Devon? Para ele, bem como para os educados cidadãos de Edimburgo do século XVIII entre os quais cresceu, as coisas eram sublimes mas não irracionais. Rouen continha simplesmente uma "maravilhosa catedral e a Igreja de S. Ouen, tão exótica em sua beleza, juntamente com os refinados restos de arquitetura gótica espalhados por aquela cidade interessante e pitoresca". O pitoresco era esplêndido; ainda assim, ele não pôde deixar de notar, em suas entusiasmadas férias, que era um produto desdenhável. A beleza era esplêndida, mas certamente o que andava errado com a arquitetura moderna era o fato de que "o *propósito* da construção é (...) encarado como uma coisa secundária". "Relutei em sair de Pisa", escreveu ele, mas "o que mais me interessou na Catedral foram as duas lâmpadas de bronze suspensas no final da nave, que sugeriram a Galileu a invenção do pêndulo."[17] Tais homens não eram nem bárbaros nem filisteus, mas seu mundo estava bem mais próximo do de Voltaire e Josias Wedgwood do que do de John Ruskin. Sem dúvida, o grande inventor de ferramentas Henry Maudslay se sentia muito mais à vontade em Berlim, com seus amigos Humboldt, o rei dos cientistas liberais, e o arquiteto neoclássico Schinkel, do que teria se sentido em companhia do grande mas nebuloso Hegel.

Em qualquer caso, nos centros da sociedade burguesa avançada, as artes como um todo vinham em segundo lugar em relação às ciências. O culto engenheiro ou fabricante, americano ou britânico, poderia apreciá-las, especialmente em momentos de descanso ou férias em família, mas seus verdadeiros esforços culturais se dirigiam para a difusão e o avanço do conhecimento — do seu próprio, em instituições tais como a Associação Britânica para o Progresso da Ciência, ou do povo, através da Sociedade para a Difusão de Conhecimentos Úteis e outras organizações semelhantes. É característico que o produto típico do Iluminismo

A ERA DAS REVOLUÇÕES

do século XVIII, a *Enciclopédia,* tenha florescido como nunca, retendo ainda (como no famoso *Léxico de conversação* dos alemães, de Meyer, um produto da década de 1830) muito de seu liberalismo político militante. Byron ganhou muito dinheiro com seus poemas, mas o editor Constable, em 1812, pagou a Dugald Stewart mil libras por um prefácio sobre o progresso da filosofia para o suplemento da *Enciclopédia britânica.*[18] E, mesmo quando a burguesia era romântica, seus sonhos eram os da tecnologia: os jovens inspirados por Saint-Simon se tornaram os planejadores do Canal de Suez, das gigantescas redes de ferrovias que uniam todas as partes do globo, das finanças faustuosas muito além do tipo natural de interesse dos calmos e racionalistas Rothschild, que sabiam que se podia ganhar muito dinheiro por meios conservadores,[19] com um mínimo de arrojo especulativo. A ciência e a técnica foram as musas da burguesia, e celebraram seu triunfo, a estrada de ferro, no grande pórtico neoclássico (hoje em dia destruído) da estação de Euston.

6.

Enquanto isto, fora do raio de ação da literatura, a cultura do povo comum seguia seu caminho. Nas partes não urbanas e não industriais do mundo, pouco mudou. As canções e festas da década de 1840, os costumes, motivos e cores das artes decorativas do povo, o padrão de seus hábitos continuavam a ser quase os mesmos de 1789. A indústria e o desenvolvimento das cidades começaram a destruí-los. Ninguém poderia viver em uma cidade industrial da mesma maneira que o havia feito em uma aldeia, e todo o complexo da cultura necessariamente teria que se esfacelar com o colapso da armação social que o mantinha unido e lhe dava forma. Quando uma canção tem por tema o cultivo da terra, não pode ser cantada por homens que não a cultivam, e se ainda assim

AS ARTES

o fosse deixava de ser uma canção folclórica e se transformava em uma outra coisa qualquer. A nostalgia do emigrante mantinha os velhos costumes e canções no exílio da cidade, e talvez mesmo tenha intensificado sua atração, pois tais costumes e canções aliviavam a dor da erradicação. Mas, fora das cidades e das fábricas, a revolução dupla transformara — ou mais precisamente, devastara — somente alguns aspectos da antiga vida rural, notadamente em algumas partes da Irlanda e da Grã-Bretanha, até o momento em que as velhas formas de vida se tornaram impossíveis.

De fato, mesmo na indústria, a transformação social não tinha ido longe o suficiente antes da década de 1840 para destruir completamente a cultura antiga, pelo menos nas zonas da Europa ocidental onde as manufaturas e os artífices tinham tido muitos séculos para desenvolver, por assim dizer, um padrão semi-industrial de cultura. No interior, os mineiros e os tecelões expressavam sua esperança e seu protesto através de canções folclóricas tradicionais, e a revolução industrial não fez mais que aumentar seu número e torná-las mais intensas. A fábrica não tinha necessidade de canções de trabalho, mas outras atividades relacionadas com o desenvolvimento econômico tinham esta necessidade, e as desenvolveram à moda antiga: a canção do cabrestante dos marujos empregados em grandes veleiros pertence a esta época de ouro da canção folclórica "industrial" na primeira metade do século XIX, como as baladas dos caçadores de baleia da Groenlândia, a balada do dono da mina e da mulher do mineiro e o lamento do tecelão.[20] Nas cidades pré-industriais, os grêmios de artesãos e empregados domésticos desenvolviam uma intensa cultura, na qual as seitas protestantes colaboravam ou competiam com o radicalismo jacobino para estimular a educação, unindo os nomes de Bunyan e João Calvino aos de Tom Paine e Robert Owen. Bibliotecas, capelas e institutos, jardins e viveiros (onde o artesão "mais extravagante" produzia suas flores artificialmente exageradas, pombos e cães) enchiam estas autoconfiantes e militantes comunidades de homens habilidosos;

A ERA DAS REVOLUÇÕES

Norwich, na Inglaterra, era famosa não só por seu espírito republicano e ateu, mas também por seus canários.* Mas a adaptação de antigas canções folclóricas à vida industrial não sobreviveria (exceto nos Estados Unidos da América) ao impacto da era das ferrovias e do ferro, e as comunidades de velhos homens qualificados — como a dos antigos tecelões de linho de Dunfermline — tampouco sobreviveriam ao avanço da fábrica e da máquina. Depois de 1840, cairiam em ruínas.

Até então, nada substituía a antiga cultura. Na Grã-Bretanha, por exemplo, o novo padrão de uma vida totalmente industrial não surgiria em sua plenitude até as décadas de 1870 e 1880. O período que vai desde os antigos modos tradicionais de vida até então foi, portanto, de muitas maneiras, a parte mais negra daquilo que já era em si uma terrível época negra para o trabalhador pobre. Em nosso período, nem as grandes cidades conseguiram desenvolver um padrão de cultura popular — necessariamente comercial mais do que de criação própria — como nas comunidades menores.

É verdade que a grande cidade, especialmente a grande cidade capital, já possuía importantes instituições que supriam as necessidades culturais dos pobres, ou da "raça miúda", embora frequentemente, coisa curiosa, também as da aristocracia. Entretanto, muitas delas procediam do século XVIII, cuja contribuição para a evolução das artes populares tem sido tão constantemente negligenciada. O teatro popular dos subúrbios de Viena, o teatro dialetal nas cidades italianas, a ópera popular (distinta da ópera da corte), a *commedia dell'arte* e as pantomimas ambulantes, as lutas de boxe e as corridas de cavalo, ou a versão democratizada das tou-

---

* "Ainda há muitas casas antigas", escreveu Francis Horner em 1879, "no fundo da cidade, que costumavam ter seu jardim frequentemente cheio de flores. Por exemplo, aqui está uma janela — curiosamente grande e alegre — junto da qual trabalhava um tecelão manual, capaz de olhar as flores tão de perto quanto o seu trabalho — unindo o útil ao agradável. (...) Mas a fábrica superou sua paciente máquina manual, e as obras de alvenaria tragaram seu jardim."[21]

AS ARTES

radas espanholas* eram produtos do século XVIII; a literatura popular e os livretos de baladas eram produtos de um período anterior. As formas genuinamente novas de diversão urbana na grande cidade eram subprodutos da taberna ou loja de bebidas, que se converteu em uma crescente fonte de consolo secular para o trabalhador pobre em sua desorganização social, e a última trincheira urbana do costume e do cerimonial tradicional, preservada e intensificada por grêmios de artífices, sindicatos e as ritualísticas "sociedades de amigos". O *music-hall* e o salão de bailes surgiram da taberna; mas, por volta de 1848, esta espécie de diversão ainda não havia se desenvolvido totalmente, mesmo na Grã-Bretanha, embora seu aparecimento já tivesse sido notado na década de 1830.[22] As outras novas formas de divertimento urbano das grandes cidades nasceram do conveniente, sempre acompanhadas por seu séquito de artistas mambembes. Na grande cidade, fixaram-se permanentemente, e mesmo na década de 1840, a mistura de exibições variadas com uma atração principal, de teatros, mascates, batedores de carteiras e mendigos em bulevares que proporcionavam diversão ao populacho e inspiração aos intelectuais românticos de Paris.

O gosto popular também determinou a forma e a decoração das relativamente poucas mercadorias que a indústria produzia primordialmente para o mercado dos pobres: as canecas comemorativas do triunfo da Lei da Reforma, a grande ponte de ferro sobre o rio Wear ou ainda os magníficos veleiros que cruzavam o Atlântico; a literatura popular em que se imortalizavam os sentimentos revolucionários ou patrióticos, os crimes famosos e alguns poucos artigos de mobília e de roupas que estavam ao alcance do poder aquisitivo destes. Mas em seu conjunto a cidade, e especialmente a nova cidade industrial, continuava sendo um lugar desolado,

---

* Sua versão original era cavaleiresca, com o principal toureiro montado a cavalo; a inovação da morte do touro, com o toureiro a pé, é tradicionalmente atribuída a um carpinteiro do século XVIII, nascido em Ronda.

cujos poucos atrativos — espaços abertos, festas — iam gradativamente diminuindo pela febre das construções, pela fumaça que empesteava a natureza, e pela obrigatoriedade do trabalho incessante, reforçado em casos adequados pela austera disciplina dominical imposta pela classe média. Só a nova iluminação a gás e as amostras de comércio nas ruas principais, aqui e ali, antecipavam as vivas cores da noite na cidade moderna. Mas a criação da grande cidade moderna e dos modernos estilos urbanos de vida popular teriam que esperar a segunda metade do século XIX.

15. A CIÊNCIA

"Jamais nos esqueçamos que muito antes de nós, as ciências e a filosofia combateram os tiranos. Seus constantes esforços fizeram a revolução. Como homens livres e gratos, devemos estabelecê-las entre nós e para sempre cuidar delas com devoção, pois as ciências e a filosofia manterão a liberdade que conquistamos."

De um membro da Convenção[1]

"'Os problemas da ciência', comentava Goethe, 'são com grande frequência problemas de carreira. Uma única descoberta pode tornar um homem famoso e lançar o princípio de sua fortuna como cidadão. (...) Todo fenômeno observado pela primeira vez é uma descoberta, e toda descoberta é uma propriedade. Mexa-se na propriedade de um homem e logo suas paixões vêm à tona.'"

Diálogos com Eckermann, 21 de dezembro de 1823

1.

Traçar um paralelo entre as artes e as ciências é sempre perigoso, pois as relações entre cada uma delas e a sociedade em que vicejam são muito diferentes. Mas as ciências também refletiram na sua marcha a revolução dupla, em parte porque esta lhes colocou novas e específicas exigências, em parte porque lhes abriu novas possibilidades e confrontou-as com novos problemas, e em parte porque sua própria existência sugeria novos padrões de pensamento. Não desejo deduzir disso que a evolução das

A ERA DAS REVOLUÇÕES

ciências entre 1789 e 1848 possa ser analisada exclusivamente em termos dos movimentos da sociedade que as rodeavam. A maior parte das atividades humanas tem sua lógica interna, que determina ao menos uma parte de seu movimento. O planeta Netuno foi descoberto em 1846, não porque algo alheio à astronomia encorajasse seu descobrimento, mas porque as tabelas de Bouvard, em 1821, demonstraram que a órbita do planeta Urano, descoberto em 1781, apresentava inesperados desvios dos cálculos, e por volta do fim da década de 1830, estes desvios tinham-se tornado maiores experimentalmente atribuídos a distúrbios produzidos por algum corpo celeste desconhecido, e vários astrônomos começaram a calcular a posição deste corpo. Contudo, mesmo o mais apaixonado crente na imaculada ciência pura é consciente de que o pensamento científico pode ser influenciado por questões alheias ao campo específico de uma disciplina. Os cientistas, até mesmo o mais antimundano dos matemáticos, vivem em um mundo mais vasto que o de suas especulações. O progresso da ciência não é um simples avanço linear, cada estágio determinando a solução de problemas anteriormente implícitos ou explícitos nele, e por sua vez colocando novos problemas. Este avanço também acontece pela descoberta de novos problemas, de novas maneiras de abordar os antigos, de novas maneiras de enfrentar ou solucionar velhos problemas, de campos de investigação inteiramente novos, de novos instrumentos práticos e teóricos de investigação. Em todo ele há um grande espaço para o estímulo ou a formação do pensamento através de fatores externos. Se, de fato, a maioria das ciências em nosso período tivesse avançado de uma simples forma linear — como foi o caso da astronomia, que permaneceu substancialmente dentro da sua estrutura newtoniana —, tais considerações poderiam não ser muito importantes. Mas, como veremos, nosso período foi de novos pontos de partida radicais em alguns campos do pensamento (como na matemática), do despertar de ciências até então adormecidas (como a química), da virtual

A CIÊNCIA

criação de novas ciências (como a geologia), e da injeção de novas ideias revolucionárias em outras ciências (como as ciências sociais e biológicas).

Como aconteceu com todas as demais forças externas ao desenvolvimento da forma científica, as exigências diretas feitas aos cientistas pelo governo ou pela indústria estavam entre as menos importantes. A Revolução Francesa mobilizou-os colocando o geômetra e engenheiro Lazare Carnot à frente do esforço de guerra jacobino, o matemático e físico Monge (ministro da Marinha em 1792-1793) e uma equipe de matemáticos e químicos à frente da produção bélica, como antes havia encarregado o químico e economista Lavoisier do preparo de uma estimativa da renda nacional. Aquela foi, talvez, a primeira ocasião na História em que o cientista enquanto tal fez parte do governo, embora isto tenha sido de maior importância para o governo do que para a ciência. Na Grã-Bretanha, as principais indústrias de nosso período foram as têxteis de algodão, as do carvão, do ferro, das ferrovias e da construção de navios mercantes. As habilidades revolucionárias foram as de homens empíricos, talvez demasiadamente empíricos. O herói da revolução da ferrovia britânica foi George Stephenson, que não era culto do ponto de vista científico, mas um intuitivo que adivinhava as possibilidades de uma máquina: um superartesão mais que um técnico. As tentativas de cientistas como Babbage para tornarem os conhecimentos úteis às ferrovias, ou de engenheiros como Brunel para estabelecê-los sobre bases racionais, e não simplesmente empíricas, não deram resultado.

Por outro lado, a ciência se beneficiou tremendamente com o surpreendente estímulo dado à educação científica e técnica, e com o menos surpreendente apoio dado à investigação durante nosso período. Aqui a influência da revolução dupla é bastante clara. A Revolução Francesa transformou a educação técnica e científica de seu país, principalmente devido à criação da *Escola Politécnica* (1795) — que pretendia ser uma escola para técnicos de todas as especialidades — e do primeiro esboço da

A ERA DAS REVOLUÇÕES

Escola Normal Superior (1794), que seria firmemente estabelecida como parte de uma reforma geral da educação secundária e superior feita por Napoleão. Também fez renascer a definhante Academia Real (1795) e criou, no Museu Nacional de História Natural (1794), o primeiro centro genuíno de pesquisa fora das ciências físicas. A supremacia mundial da ciência francesa durante a maior parte de nosso período se deveu quase certamente a estas importantes fundações, notadamente à *Politécnica,* um turbulento centro do jacobinismo e liberalismo que atravessou todo o período pós-napoleônico, e um incomparável criador de grandes matemáticos e físicos. A Escola Politécnica teve imitadores em Praga, Viena e Estocolmo, em São Petersburgo e Copenhague, em toda a Alemanha e Bélgica, em Zurique e Massachusetts, mas não na Inglaterra. O choque da Revolução Francesa também sacudiu a letargia educacional da Prússia, e a nova Universidade de Berlim (1806-1810), fundada como parte do despertar prussiano, tornou-se o modelo da maioria das universidades alemãs que, por sua vez, criariam o padrão das instituições acadêmicas em todo o mundo. Uma vez mais, nenhuma reforma deste tipo se deu na Grã-Bretanha, onde a revolução política nada ganhou nem conquistou. Mas a imensa riqueza do país, que tornava possível a criação de laboratórios particulares como o de Henry Cavendish e o de James Joule, e a pressão geral das pessoas inteligentes da classe média por uma educação técnica e científica obteve bons resultados. O Conde de Rumford, um aventureiro itinerante ilustrado, fundou a *Instituição Real* em 1799. Sua fama entre os leigos baseava-se principalmente em suas famosas conferências públicas, mas sua verdadeira importância reside nas facilidades únicas para a ciência experimental que concedeu a Humphry Davy e Michael Faraday. Foi, de fato, um primeiro exemplo do laboratório de pesquisa. Associações para o progresso da ciência, como a Sociedade Lunar de Birmingham e a Sociedade Filosófica e Literária de Manchester, mobilizaram a ajuda dos industriais nas províncias: John Dalton, fundador

A CIÊNCIA

da teoria atômica, saiu desta última sociedade. Em Londres, os radicais benthamitas fundaram (ou melhor, assumiram o controle e modificaram) o Instituto dos Mecânicos de Londres — atualmente Birkbeck College — como uma escola para técnicos, a Universidade de Londres como uma alternativa para a sonolência de Oxford e Cambridge, e a Associação Britânica para o Progresso da Ciência (1831) como uma alternativa para o torpor aristocrático da degenerada Sociedade Real. Não eram fundações destinadas a acalentar a busca do conhecimento puro por si mesmo, já que este tipo de instituição demorou mais a surgir. Mesmo na Alemanha, o primeiro laboratório universitário de pesquisa química (o de Liebig, em Giessen) não foi instalado até 1825. Seria desnecessário dizer que sua inspiração foi francesa. Havia instituições para formar técnicos, como na França e na Grã-Bretanha, professores, como na França e na Alemanha, ou para criar na juventude um espírito de serviço a seu país.

A era revolucionária, portanto, fez crescer o número de cientistas e eruditos e estendeu a ciência em todos os seus aspectos. E ainda mais, viu o universo geográfico das ciências se alargar em duas direções. Em primeiro lugar, o progresso do comércio e o processo de exploração abriram novos horizontes do mundo ao estudo científico e estimularam o pensamento sobre eles. Um dos maiores gênios científicos de nosso período, Alexandre von Humboldt (1769-1859), contribuiu primordialmente desta forma para o progresso da ciência: como um incansável viajante, observador e teórico nos campos da geografia, etnografia e história natural, embora sua nobre síntese de todo o conhecimento, a obra *Cosmos* (1845-1859), não possa ser definida dentro dos limites de disciplinas particulares.

Em segundo lugar, o universo das ciências se ampliou para abraçar países e povos que até então só tinham dado contribuições insignificantes. A lista de grandes cientistas de, digamos, 1750, contém muito poucos que não sejam franceses, britânicos, alemães, italianos e suíços. Mas a lista menor dos grandes matemáticos da primeira metade do século

A ERA DAS REVOLUÇÕES

XIX contém o nome de Henrik Abel da Noruega, de Janos Bolyai da Hungria e de Nikolai Lobachevsky da remota cidade de Kazan. Aqui, mais uma vez, a ciência parece refletir a ascensão das culturas nacionais fora da Europa ocidental, o que é também um surpreendente produto da era revolucionária. Este elemento nacional na expansão das ciências se refletiu, por seu turno, no declínio do cosmopolitismo que havia sido tão característico das pequenas comunidades científicas dos séculos XVII e XVIII. A era da itinerante celebridade internacional que, como Euler, viajou da Basileia a São Petersburgo, e daí para Berlim, voltando à corte de Catarina a Grande, passou com os velhos regimes. Daí em diante, o cientista permaneceria dentro de sua área linguística, exceto para pequenas visitas, comunicando-se com seus colegas através dos jornais especializados, tão típicos produtos deste período: as *Atas da Real Sociedade* (1831), as *Comptes Rendus de l'Academie des Sciences* (1837), as *Atas da Sociedade Filosófica Americana* (1838), ou as novas revistas especializadas tais como a *Journal fur Reine und Angewandte Mathematick,* de Crelle, ou os *Anais de Química e Física* (1797).

2.

Antes que possamos julgar a natureza do impacto da revolução dupla sobre as ciências, seria conveniente analisar brevemente o que aconteceu com elas. No todo, as clássicas ciências físicas não foram revolucionadas, isto é, permaneceram substancialmente dentro dos termos de referência estabelecidos por Newton, ou continuando as linhas de pesquisa já seguidas no século XVIII ou expandindo as antigas descobertas fragmentárias e coordenando-as em sistemas teóricos mais amplos. Assim, o mais importante dos novos campos abertos, e o único que teve imediatas consequências tecnológicas, foi o da eletricidade, ou melhor,

A CIÊNCIA

o do eletromagnetismo. Cinco datas importantes — quatro delas em nosso período — marcam seu progresso decisivo: 1786, quando Galvani descobriu a corrente elétrica; 1799, quando Volta construiu sua bateria; 1800, quando a eletrólise foi descoberta; 1820, quando Oersted descobriu a conexão entre eletricidade e magnetismo; 1831, quando Faraday estabeleceu as relações entre todas estas forças, e, por acaso, se viu como o pioneiro de um enfoque da física (em termos de "campos", em vez de impulsos mecânicos) que se antecipava à era moderna. A mais importante das novas sínteses teóricas foi a descoberta das leis da termodinâmica, isto é, das relações entre calor e energia.

A revolução que transformou a astronomia e a física em ciências modernas ocorrera no século XVII; a que criou a *química* estava em pleno desenvolvimento no início de nosso período. De todas as ciências, esta foi a mais íntima e imediatamente ligada à prática industrial, especialmente aos processos de tingimento e branqueamento da indústria têxtil. Além do mais, seus criadores foram não só homens práticos, ligados a outros homens práticos, como Dalton na *Sociedade Filosófica e Literária de Manchester* e Priestley na *Sociedade Lunar de Birmingham*, como também, algumas vezes, revolucionários políticos, embora moderados. Dois deles foram vítimas da Revolução Francesa: Priestley, nas mãos da turba conservadora do partido *Tory*, por simpatizar excessivamente com ela, e o grande Lavoisier na guilhotina, por não simpatizar o suficiente, ou melhor, por ser um grande homem de negócios.

A química, como a física, foi proeminentemente uma ciência francesa. Seu verdadeiro fundador, Lavoisier (1743-1794), publicou o seu fundamental *Tratado elementar de química* no próprio ano da Revolução, e a inspiração para os avanços químicos, e especialmente a organização da pesquisa química em outros países — mesmo naqueles que viriam a ser mais tarde os principais centros da pesquisa química, como a Alemanha — foi primeiramente francesa. Os principais avanços antes de

1789 consistiram em estabelecer uma ordem elementar no emaranhado de experiências empíricas, através da elucidação de certos processos químicos fundamentais, tais como a combustão, e de alguns elementos fundamentais, como o oxigênio. Também trouxeram uma medição quantitativa precisa e um programa de ulteriores investigações. O conceito crucial de uma teoria atômica, fundada por Dalton (1803-1810), tornou possível a invenção da fórmula química, e com isto a abertura do estudo da estrutura química, ao que se seguiu uma abundância de novos resultados experimentais. No século XIX, a química viria a ser uma das mais vigorosas de todas as ciências, e consequentemente foi uma ciência que atraiu, como acontece com todo assunto dinâmico, uma massa de homens capazes. Entretanto, a atmosfera e os métodos da química continuaram em grande parte a ser os mesmos do século XVIII.

A química teve, entretanto, uma implicação revolucionária: a descoberta de que a vida podia ser analisada em termos das ciências inorgânicas. Lavoisier descobriu que a respiração é uma forma de combustão do oxigênio. Woehler descobriu, em 1828, que um composto até então só encontrado em coisas vivas — a ureia — podia ser sintetizado no laboratório, abrindo, assim, o vasto e novo campo da *química orgânica*. Ainda assim, apesar de haver sido superado o grande obstáculo para o progresso — a crença de que a matéria viva obedecia a leis naturais fundamentalmente diferentes da matéria inerte — nem o estudo da mecânica nem o da química permitiram ao biólogo avançar muito. O avanço mais fundamental da biologia neste período, a descoberta feita por Schleiden e Schwann de que todas as coisas vivas eram compostas de multiplicidades de *células* (1838-1839), estabeleceu uma espécie de equivalente da teoria atômica para a biologia, mas uma biofísica e uma bioquímica maduras ainda estavam muito longe.

Uma revolução ainda mais profunda mas, pela própria natureza do assunto, menos óbvia do que a ocorrida na química, se deu em relação à *matemática*. Contrariamente à física, que continuou dentro dos termos

A CIÊNCIA

de referência do século XVII, e à química, que respirava forte através da porta aberta no século XVIII, a matemática em nosso período entrou em um universo inteiramente novo, muito além do universo dos gregos, que ainda dominava a aritmética e a geometria plana, e daquele do século XVII que dominava a análise. Poucos, exceto os matemáticos, apreciarão a profundidade da inovação trazida para a ciência pela teoria das funções de complexos variáveis (Gauss, Cauchy, Abel, Jacobi), da teoria dos grupos (Cauchy, Galois) ou dos vetores (Hamilton). Mas até mesmo o leigo é capaz de compreender o alcance da revolução pela qual o russo Lobachevsky (1826-1829) e o húngaro Bolyai (1831) derrubaram a mais permanente das certezas intelectuais, a geometria euclidiana. Toda a majestosa e inabalável estrutura da lógica euclidiana se apoiava em certas suposições, uma das quais, o axioma de que as paralelas nunca se encontram, não é nem evidente nem comprovável. Hoje em dia pode parecer elementar construir uma geometria igualmente lógica com base em alguma outra suposição, por exemplo (Lobachevsky, Bolyaj) de que uma infinidade de paralelas a qualquer linha L pode passar pelo ponto P; ou (Riemann) de que nenhuma linha paralela à linha L passa pelo ponto P, tanto mais quanto podemos construir superfícies reais às quais estas regras se aplicam. (Assim, a Terra, na medida em que é um globo, se adapta às suposições riemannianas e não às euclidianas.) Mas chegar a estas suposições no início do século XIX era um ato de audácia intelectual comparável a colocar o Sol e não a Terra no centro do sistema planetário.

3.

A revolução matemática passou despercebida, exceto para alguns especialistas em assuntos notórios por sua distância da vida cotidiana. A revolução nas *ciências sociais,* por outro lado, não podia deixar de abalar o leigo,

A ERA DAS REVOLUÇÕES

já que o afetava visivelmente, em geral — segundo se acreditava — para pior. Os eruditos e amantes das ciências nos romances de Thomas Love Peacock estão geralmente banhados de simpatia ou de um ridículo afetuoso, não acontecendo o mesmo com os economistas e propagandistas da *Steam Intellect Society.*

Para sermos precisos, houve duas revoluções cujos cursos convergem para produzir o marxismo como a mais abrangente síntese das ciências sociais. A primeira delas, que dava continuidade ao brilhante pioneirismo dos racionalistas dos séculos XVII e XVIII, estabelecia o equivalente das leis físicas para as populações humanas. Seu primeiro triunfo foi a construção de uma sistemática teoria dedutiva de *economia política,* que já estava bastante avançada por volta de 1789. A segunda delas, que em substância pertence a nosso período e está intimamente ligada ao Romantismo, foi a descoberta da evolução histórica (veja também o Capítulo 13-1 e 2).

A ousada inovação dos racionalistas clássicos havia sido demonstrar que algo como leis logicamente compulsórias era aplicável à consciência e ao livre-arbítrio humano. As "leis da economia política" eram deste tipo. A convicção de que eram tão distantes do gostar e do desgostar quanto as leis da gravidade (com as quais eram constantemente comparadas) emprestava uma impiedosa certeza aos capitalistas do início do século XIX, e tendia a imbuir seus oponentes românticos de um antirracionalismo igualmente selvagem. Em princípio, os economistas, é claro, estavam certos, embora exagerassem muito a universalidade dos postulados sobre os quais baseavam suas deduções, a capacidade de "outras coisas" permanecerem "iguais" e também, às vezes, suas próprias capacidades intelectuais. Se a população de uma cidade se duplica e o número de habitações não cresce, então, permanecendo as outras coisas iguais, os aluguéis *devem* subir, queiram ou não. Proposições deste tipo constituíam a força dos sistemas de raciocínio dedutivo criados pela

434

A CIÊNCIA

economia política, principalmente na Grã-Bretanha, embora também, em menor grau de intensidade, nos velhos centros de ciências do século XVIII, a França, a Itália e a Suíça. Como vimos, o período que vai de 1776 a 1830 assistiu ao triunfo desta economia política (veja o Capítulo 13-1). Ela foi suplementada pela primeira apresentação sistemática de uma teoria demográfica que pretendia estabelecer uma relação mecânica, e virtualmente inevitável, entre as proporções matemáticas dos aumentos de população e os meios de subsistência. *Ensaio sobre a população*, de T. R. Malthus (1798), não era nem tão original nem tão indiscutível quanto seus defensores reivindicavam, no entusiasmo da descoberta de que alguém provara que os pobres deviam permanecer sempre pobres, e que a generosidade e a benevolência podiam fazê-los ainda mais pobres. Sua importância não está em seus méritos intelectuais, que foram moderados, mas nos direitos que ele fazia valer para um tratamento científico de um conjunto de decisões tão individuais e caprichosas quanto as decisões sexuais, consideradas um fenômeno social.

A aplicação de métodos matemáticos à sociedade deu mais um passo importante neste período. Também aqui os cientistas de língua francesa lideravam a marcha, assistidos, sem dúvida, pela soberba atmosfera matemática da educação francesa. Assim, Adolphe Quételet, da Bélgica, em sua marcante obra *Sobre o homem* (1835), demonstrou que a distribuição estatística das características humanas obedecia a leis matemáticas conhecidas, do que deduziu, com uma confiança considerada então excessiva, a possibilidade de assimilar as ciências sociais às ciências físicas. A possibilidade de uma generalização estatística sobre as populações humanas e o estabelecimento de firmes prognósticos sobre essa generalização haviam sido antecipados pelos teóricos da probabilidade (o ponto de partida de Quételet nas ciências sociais), e por homens práticos que eram obrigados a confiar nela, como no caso das companhias de seguro. Mas Quételet e o grupo de florescentes estatísticos contemporâneos, antropometristas e

A ERA DAS REVOLUÇÕES

pesquisadores sociais aplicaram estes métodos a campos bem mais amplos e criaram o que ainda é a principal ferramenta matemática para a investigação de fenômenos sociais.

Estes desenvolvimentos nas ciências sociais foram revolucionários da mesma maneira que a química: seguindo os avanços já realizados teoricamente. Mas as ciências sociais também tiveram algo inteiramente novo e original a seu crédito, que por sua vez fertilizou as ciências biológicas e até mesmo as físicas, como no caso da geologia. Foi a descoberta da História como um processo de evolução lógica, e não simplesmente como uma sucessão cronológica de acontecimentos. Os elos desta inovação com a revolução dupla são tão óbvios que não precisam ser explicados. Assim, o que veio a se chamar *sociologia* (a palavra foi inventada por Augusto Comte por volta de 1830) nasceu diretamente da crítica ao capitalismo. O próprio Comte, que normalmente é considerado fundador daquela disciplina, começou sua carreira como secretário particular do pioneiro socialista utópico, o Conde de Saint-Simon,* e o mais formidável teórico contemporâneo em matéria sociológica, Karl Marx, considerava sua teoria primordialmente como um instrumento para a mudança do mundo.

A criação da *História* como uma matéria acadêmica talvez seja o aspecto menos importante desta historiografia das ciências sociais. É verdade que uma epidemia de historiadores tomou conta da Europa na primeira metade do século XIX. Raramente tantos homens se propuseram a interpretar seu mundo escrevendo relatos de muitos volumes a respeito do passado dos vários países, às vezes pela primeira vez: Karamzin, na Rússia (1818-1824), Geijer, na Suécia (1832-1836), Palacky, na Boêmia (1836-1867), são os fundadores da historiografia de seus países. Na França, o ímpeto para entender o presente através do passado era particularmente forte, e a própria Revolução logo se tornou assunto de intensos e partidários estudos

---

* Embora as ideias de Saint-Simon, como vimos, não sejam facilmente classificáveis, parece pedante abandonar a prática estabelecida de chamá-lo de socialista utópico.

A CIÊNCIA

de Thiers (1823, 1843), Mignet (1824), Buonarroti (1828), Lamartine (1847) e do grande Jules Michelet (1847-1853). Foi o período heroico da historiografia, mas sobreviveu muito pouco da obra de *Guiwt,* Augustin Thierry e Michelet na França, do dinamarquês Niebuhr e do suíço Sismondi, de Hallam, Lingard e Carlyle na Grã-Bretanha, e de inúmeros professores alemães, exceto como documento histórico, como literatura ou ocasionalmente como registro de um gênio.

Os resultados mais duradouros deste despertar histórico se deram no campo da documentação e da técnica histórica. Colecionar relíquias do passado, escritas ou não, se transformou em uma paixão universal. Talvez, em parte, fosse uma tentativa de salvaguardá-las contra os ataques do presente, embora o nacionalismo provavelmente fosse seu mais importante estímulo: em nações até então adormecidas, os historiadores, os lexicógrafos e os colecionadores de canções folclóricas foram muitas vezes os verdadeiros fundadores da consciência nacional. E foi assim que os franceses criaram sua *École des Chartes* em 1821, os ingleses, o Departamento de Registros Públicos em 1838, e os alemães começaram a publicar a *Monumental História Alemã,* em 1826, enquanto a doutrina de que a história devia se basear na escrupulosa avaliação dos documentos originais era lançada pelo prolífico Leopold von Ranke (1795-1886). Enquanto isso, como vimos no Capítulo 14, os linguistas e os folcloristas produziam os dicionários fundamentais de seus idiomas e as coletâneas de tradições orais de seus povos.

A inserção da história nas ciências sociais teve seus efeitos mais imediatos no direito, onde Friedrich Karl von Savigny fundou a escola histórica de jurisprudência, em 1815; no estudo da teologia, em que a aplicação de critérios históricos — notadamente no *Leben Jesu* (1835) de D. F. Strauss — horrorizava os fundamentalistas; mas especialmente em uma ciência totalmente nova, a filologia. Esta ciência também se desenvolveu primeiramente na Alemanha, que era de longe o mais vigoroso centro de difusão de estudos históricos. O fato de que Karl Marx fosse alemão não é meramente casual. O ostensivo estímulo para a filologia era a conquista de sociedades não europeias pela Europa. As investigações pioneiras de *Sir* William Jones em relação ao sânscrito, em 1786, foram o resultado da conquista de Bengala pelos britânicos; a decifração dos hieróglifos por Champollion (seu principal trabalho sobre o assunto foi publicado em 1824) foi o resultado da expedição de Napoleão ao Egito; a elucidação de Rawlinson da escrita cuneiforme (1835) refletiu a ubiquidade dos oficiais coloniais britânicos. Mas, de fato, a filologia não se limitava à descoberta, descrição e classificação. Nas mãos de grandes eruditos alemães, principalmente, como Franz Bopp (1791-1867) e os irmãos Grimm, tornou-se a segunda ciência social propriamente dita, isto é, a segunda a descobrir leis genéricas aplicáveis a um campo aparentemente tão caprichoso como o da comunicação humana. (A primeira foi a economia política.) Porém, contrariamente às leis da economia política, as da filologia eram fundamentalmente históricas, ou melhor, evolutivas.*

Seu fundamento foi a descoberta de que uma vasta série de idiomas, os indo-europeus, se relacionava uns com os outros; ao que se acrescentou o fato evidente de que toda língua europeia escrita tinha sido completamente transformada com o decorrer dos séculos e presumivelmente ainda estava sofrendo modificações. O problema não se constituía simplesmente em provar e classificar estas relações mediante comparação científica, tarefa que estava então sendo empreendida a fundo (por exemplo, na anatomia comparada, por Cuvier). Era também, e principalmente, elucidar sua evolução histórica a partir do que deveria ter sido um ancestral comum. A filologia foi a primeira ciência que considerou a evolução como sua verdadeira essência. Desde cedo teve sorte porque

---

* Paradoxalmente, a tentativa de aplicar o método físico-matemático à linguística, considerada parte de uma "teoria da comunicação" mais genérica, não foi iniciada até o século atual.

A CIÊNCIA

a Bíblia é relativamente silenciosa quanto à história das línguas, ao passo que, como sabem os biólogos e os geólogos, é muito explícita em relação à criação e à história primitiva do mundo. Consequentemente, o filólogo estava menos propenso a ser afogado pelas águas do Dilúvio ou derrubado pelos obstáculos do Gênesis I do que seus infelizes colegas. Pelo menos a afirmação bíblica de que "toda a Terra usava a mesma língua e a mesma fala" estava do seu lado. Mas a filologia também teve a sorte de que, de todas as ciências sociais, era a única que não lidava diretamente com seres humanos — que sempre se ressentem com a sugestão de que suas ações são determinadas por algo que não seja seu livre-arbítrio —, mas que se ocupava de palavras, que não se ofendem por isto. Consequentemente, estava livre para enfrentar o que ainda é o problema fundamental das ciências históricas, qual seja, como investigar e descobrir a origem da imensa variedade, frequentemente caprichosa, de indivíduos existentes na vida real, a partir do funcionamento de leis genéricas invariáveis.

Os filólogos pioneiros, na verdade, não avançaram muito quanto à explicação das mudanças linguísticas, embora o próprio Bopp já tivesse proposto uma teoria sobre a origem das inflexões gramaticais. Mas, de fato, estabeleceram uma espécie de árvore genealógica para as línguas indo-europeias. Fizeram uma série de generalizações indutivas a respeito das proporções relativas de mudança nos diferentes elementos linguísticos, e algumas generalizações históricas de grande alcance, como a "Lei de Grimm" (que demonstrou que *todas* as línguas teutônicas sofreram certas alterações consonantais e, vários séculos mais tarde, um grupo de dialetos teutônicos sofreram uma outra mudança semelhante). Entretanto, durante aquelas explorações pioneiras, nunca duvidaram de que a evolução das línguas não era simplesmente uma questão de estabelecer uma sequência cronológica ou registrar mudanças, mas que esta evolução devia ser explicada por leis gerais da linguística, análogas às leis científicas.

A ERA DAS REVOLUÇÕES

4.

Os biólogos e os geólogos tiveram menos sorte. Também para eles a História se constituía o principal problema, embora o estudo da terra estivesse (através da mineração) intimamente ligado à química, e o estudo da vida (através da medicina), intimamente relacionado à fisiologia, e (através da crucial descoberta de que os elementos químicos existentes nas coisas vivas eram os mesmos existentes na natureza inorgânica) à química. Porém, para o geólogo, os problemas mais óbvios envolviam a história: por exemplo, a explicação da distribuição de terra e água, de montanhas e, acima de tudo, a formação das camadas terrestres.

Se o problema histórico da geologia era o de como explicar a evolução da Terra, o do biólogo era duplo: como explicar a formação da vida desde o ovo, a semente ou o esporo, e como explicar a evolução das espécies. Ambos estavam unidos pela prova evidente dos fósseis, dos quais uma seleção particular podia ser encontrada em determinada camada terrestre e não em outra. Um engenheiro inglês, William Smith, descobriu, na década de 1790, que a sucessão histórica das camadas podia mais convenientemente ser datada pelos seus fósseis característicos, lançando assim luz sobre ambas as ciências por meio das operações de escavação da revolução industrial.

O problema fora tão óbvio que já se haviam feito tentativas para criar teorias de evolução, notadamente para o mundo animal, pelo elegante zoólogo, embora às vezes precipitado, Comte de Buffon (*Les Époques de la Nature,* 1778). Na década da Revolução Francesa, estas teorias ganharam terreno rapidamente. O reflexivo James Hutton, de Edimburgo (*Teoria da Terra,* 1795), e o excêntrico Erasmus Darwin, que brilhava na Sociedade Lunar de Birmingham e escrevia parte de sua obra científica em versos (*Zoonomia,* 1794), publicaram teorias evolutivas bastante completas sobre a Terra, as plantas e a espécie animal. Laplace, em 1796,

A CIÊNCIA

antecipado pelo filósofo Immanuel Kant, desenvolveu também uma teoria evolucionista do sistema solar, e Pierre Cabanis, mais ou menos na mesma época, considerou as próprias faculdades mentais do homem produto de sua história evolutiva. Em 1809, Lamarck, da França, propôs a primeira teoria moderna e sistemática da evolução, baseada na herança de caracteres adquiridos.

Nenhuma destas teorias obteve triunfo. Na verdade, logo enfrentaram a apaixonada resistência dos "tories" da *Quarterly Review,* cuja "adesão à causa da revelação é tão decisiva".[2] O que aconteceria ao Dilúvio e à Arca de Noé? O que aconteceria com a distinta criação das espécies, para não mencionar o homem? O que aconteceria, sobretudo, com a estabilidade social? Não só os simples sacerdotes e os menos simples políticos se preocupavam com estas perguntas. O grande Cuvier, fundador do estudo sistemático dos fósseis (*Recherches sur les ossements fossiles,* 1812), rejeitava a evolução em nome da Providência Divina. Seria melhor até mesmo imaginar uma série de catástrofes na história geológica, seguida por uma série de recriações divinas — era difícil considerar a mudança *geológica* distinta da mudança biológica —, do que intrometer-se com a rigidez da Sagrada Escritura e de Aristóteles. O infeliz Dr. Lawrence, que respondeu a Lamarck propondo uma teoria quase darwiniana da evolução pela seleção natural, foi forçado pelo protesto dos conservadores a retirar sua obra *História natural do homem* (1819) de circulação. Ele havia sido suficientemente imaturo para não só discutir a evolução do homem, mas também para enfatizar as consequências de suas ideias para a sociedade contemporânea. Sua retratação preservou seu emprego, assegurou sua carreira futura e perturbou para sempre sua consciência, que tranquilizava adulando os corajosos impressores radicais que, de tempos em tempos, publicavam ilegalmente sua obra incendiária.

Só na década de 1830 — quando a política dera outra guinada para a esquerda — foi que as amadurecidas teorias da evolução irromperam na

A ERA DAS REVOLUÇÕES

geologia, com a publicação da famosa obra de Lyell, *Princípios de Geologia* (1830-1833), que pôs fim à resistência dos netunistas, que sustentavam, com a Bíblia, que todos os minerais haviam surgido das soluções aquosas que em certa época cobriram a Terra (cf. Gênesis I, 7-9), e dos "catastrofistas", que seguiam a desesperada linha de argumentação de Cuvier.

Na mesma década, Schmerling, pesquisando na Bélgica, e Boucher de Perthes, que felizmente preferia seu *hobby* de arqueologia a seu cargo de diretor da alfândega de Abbeville, previram algo ainda mais alarmante: a descoberta dos fósseis do homem pré-histórico, cuja possibilidade havia sido acaloradamente negada.* Mas o conservadorismo científico ainda foi capaz de rejeitar aquela terrível possibilidade alegando a falta de provas definitivas, até a descoberta do homem de Neanderthal, em 1856.

Não havia outra alternativa a não ser aceitar que: *(a)* as causas *agora* em movimento tinham, no transcurso do tempo, transformado a terra de seu estado primitivo para o presente estado; *(b)* que isto levara um tempo muito maior do que se podia deduzir das Escrituras; *(c)* que a sucessão de camadas geológicas revelava uma sucessão de formas animais que implicava uma evolução biológica. Significativamente, os que aceitaram esta ideia prontamente, e na verdade demonstraram o maior interesse no problema da evolução, foram os autoconfiantes leigos radicais das classes médias britânicas (sempre com exceção do egrégio Dr. Andrew Ure, mais conhecido por seus hinos de louvor ao sistema fabril). Os cientistas foram lentos na aceitação da ciência. Este fato é menos surpreendente se nos lembrarmos de que a geologia era a única ciência deste período suficientemente cavalheiresca (talvez porque era praticada ao ar livre, de preferência em dispendiosas "viagens geológicas") para ser seriamente estudada nas Universidades de Oxford e Cambridge.

---

* Sua obra *Antiquités celtiques et antediluviennes* não foi publicada até 1846. Na verdade, vários fósseis humanos tinham sido descobertos, de tempos em tempos, mas continuavam desconhecidos ou simplesmente esquecidos nos cantos de museus provincianos.

A CIÊNCIA

A evolução biológica, entretanto, ainda engatinhava. Só bem depois da derrota das revoluções de 1848 foi que este explosivo assunto voltou a ser examinado. Mesmo então, Charles Darwin teve muito cuidado e ambiguidade ao manejá-lo. Até mesmo a investigação paralela da evolução através da embriologia diminuiu temporariamente. Aqui também os primeiros filósofos especuladores alemães, como Johann Meckel, de Halle (1781-1833), tinham sugerido que durante o seu crescimento o embrião de um organismo recapitulava a evolução de sua espécie. Porém esta "lei biogenética", embora a princípio apoiada por homens como Rathke, que descobriu que os embriões de pássaros atravessam um estágio no qual têm guelras (1829), foi rejeitada pelo notável Von Baer, de Koenigsberg e S. Petersburgo — a fisiologia experimental parece ter exercido uma grande atração sobre os investigadores das áreas eslavônias e bálticas* —, e esta linha de pensamento não foi revivida até o advento do darwinismo.

Enquanto isso, as teorias da evolução tinham feito surpreendentes progressos no estudo da sociedade. Ainda assim, não devemos exagerar este progresso. O período da revolução dupla pertence à pré-história de todas as ciências sociais, com exceção da economia política, da linguística e talvez da estatística. Até mesmo o seu mais formidável empreendimento, a coerente teoria da evolução social de Marx e Engels era, nesta época, pouco mais que uma brilhante suposição publicada em um soberbo panfleto — ou usada como base para o relato histórico. A firme construção de bases científicas para o estudo da sociedade humana não teria lugar até a segunda metade do século.

O mesmo ocorreria nos campos da antropologia ou etnografia social, da pré-história, da sociologia e da psicologia. É importante o fato de que

---

* Rathke lecionou em Dorpat (Tartu), na Estônia; Pander, em Riga; o grande fisiólogo tcheco Purkinje abriu o primeiro laboratório de pesquisas fisiológicas em Breslau, em 1830.

A ERA DAS REVOLUÇÕES

estes campos de estudo foram batizados em nosso período, ou de que reivindicações para considerar cada um deles uma ciência peculiar com suas características próprias foram então formuladas. John Stuart Mill, em 1843, foi talvez o primeiro a reivindicar este *status* para a psicologia. O fato de que sociedades etnológicas especiais foram fundadas na França e na Inglaterra (1839, 1843) para estudar "as raças do homem" é igualmente significativo, como o é a multiplicação de investigações sociais através de meios estatísticos e de sociedades estatísticas entre 1830 e 1848. Porém as "instruções gerais aos viajantes" da Sociedade Etnológica Francesa que os compelia a "descobrir o que as memórias dos povos têm preservado de suas origens (...) o que as revoluções têm significado em seu idioma ou costumes, em sua arte, ciência e riqueza, seu poder ou governo, através de causas internas ou de invasão estrangeira"[3] não passam de um programa, embora profundamente histórico. De fato, o que importa a respeito das ciências sociais em nosso período são menos os seus resultados (embora se acumulasse um considerável material descritivo) do que sua firme predisposição materialista, expressa em uma determinação de explicar as diferenças sociais humanas em termos do meio ambiente, e seu comprometimento igualmente firme em relação à evolução. Em 1787 não havia Chavannes definido a nascente etnologia como "a história do progresso dos povos em direção à civilização"?[4]

Um obscuro subproduto deste desenvolvimento inicial das ciências sociais deve, contudo, ser mencionado rapidamente: as teorias da raça. A existência de diferentes raças (ou melhor, cores) de homens tinha sido muito discutida no século XVIII, quando o problema de uma criação única ou múltipla do homem preocupava também aos espíritos de reflexão. A fronteira entre monogenistas e poligenistas não era simples. O primeiro grupo reunia defensores da evolução e da igualdade humana, com homens que consideravam que, sobre este ponto, a ciência não era conflitante com a Escritura: os pré-darwinianos Prichard e Lawrence,

444

A CIÊNCIA

ao lado de Cuvier. O segundo grupo incluía não só cientistas de boa-fé, mas também racistas e escravagistas provenientes do sul dos Estados Unidos. Estas discussões a respeito das raças produziram uma viva explosão de antropometria, principalmente baseada na coleção, classificação e medida de crânios, prática também encorajada pelo estranho *hobby* contemporâneo da frenologia, que tentava determinar o caráter a partir da configuração do crânio. Na Grã-Bretanha e na França, as sociedades frenológicas foram fundadas em 1823 e 1832, respectivamente, embora o assunto logo tenha sido abandonado pela ciência.

Ao mesmo tempo, uma mistura de nacionalismo, radicalismo, história e observação de campo introduziram o igualmente perigoso tópico das permanentes características raciais ou nacionais na sociedade. Na década de 1820, os irmãos Thierry, historiadores e revolucionários franceses, tinham-se lançado ao estudo da Conquista Normanda e dos gauleses, que se reflete na proverbial frase dos manuais escolares franceses *Nos ancêtres les Gaulois* e nos maços azuis de cigarros *Gauloise*. Como bons radicais, mantinham o ponto de vista de que o povo francês descendia dos gauleses, os aristocratas dos teutões que os conquistaram, argumentação que mais tarde seria usada com fins conservadores por etnógrafos da classe alta, como o Conde de Gobineau. A crença de que uma linhagem racial específica sobrevivia — ideia defendida com compreensível zelo por um naturalista galês, W. Edwards, em favor dos celtas — se encaixava admiravelmente em uma época em que os homens pretendiam descobrir a romântica e misteriosa individualidade de suas nações para reivindicar missões messiânicas para elas se fossem revolucionários, ou para atribuir sua riqueza e poderio a uma "superioridade inata". (Em troca, não demonstravam qualquer tendência a atribuir a pobreza e a opressão a uma inferioridade inata.) Porém, para atenuar a responsabilidade destes homens, deve-se dizer que os piores abusos das teorias racistas ocorreram após o final de nosso período.

5.

Como podemos explicar estes desenvolvimentos científicos? Como, particularmente, relacioná-los com as outras mudanças históricas da revolução dupla? É evidente que há correlações óbvias. Os problemas teóricos da máquina a vapor levaram o brilhante Sadi Carnot, em 1824, ao mais fundamental *insight* da física do século XIX, as duas leis da termodinâmica (*Reflexions sur la puissance motrice du feu*),* embora não fossem as únicas aproximações do problema. O grande avanço da geologia e da paleontologia devia-se em grande parte ao zelo com que os engenheiros e construtores industriais retalhavam a Terra e a grande importância da mineração. Não foi por acaso que a Grã-Bretanha se transformou no país geológico por excelência, instituindo um órgão nacional para a Pesquisa Geológica em 1836. A análise dos recursos minerais deu aos químicos inúmeros compostos inorgânicos para seu estudo; a mineração, a cerâmica, a metalurgia, as artes têxteis, as novas indústrias de iluminação a gás e de produtos químicos, assim como a agricultura estimularam seus trabalhos. E o entusiasmo da sólida burguesia radical britânica e da aristocracia *whig*, não só em relação à pesquisa aplicada, mas também em relação aos ousados avanços no campo do conhecimento, que assustavam a própria ciência oficial, é prova suficiente de que o progresso científico de nosso período não pode ser separado dos estímulos da revolução industrial.

Do mesmo modo, as implicações científicas da Revolução Francesa são evidentes na aberta ou dissimulada hostilidade à ciência com que os políticos conservadores ou moderados encontravam o que consideravam as consequências naturais da subversão racionalista e materialista do século XVIII. A derrota de Napoleão trouxe uma onda de obscurantismo. "A matemática era a algema do pensamento humano", dizia Lamartine,

---

* Sua descoberta da primeira lei, entretanto, não foi publicada até bem mais tarde.

A CIÊNCIA

"respiro, e ela se rompe." A luta entre uma combativa esquerda anticlerical e pró-científica, que em seus raros momentos de vitória havia erigido a maioria das instituições que permitiam aos cientistas franceses funcionar, e uma direita anticientífica, que tudo fez para eliminá-las,[5] continua desde então. Com isto não queremos dizer que, na França ou em outros países, os cientistas fossem particularmente revolucionários. Alguns deles o eram, como o jovem Evariste Galois, que se lançou às barricadas em 1830, sendo perseguido como rebelde e morto em um duelo provocado por fanfarrões políticos, com a idade de 21 anos, em 1832. Gerações de matemáticos se têm alimentado das profundas ideias que ele escreveu febrilmente durante aquela que sabia ser sua última noite de vida. Por outro lado, alguns foram francamente reacionários, como o legitimista Cauchy, embora por razões óbvias a tradição da Escola Politécnica, de que era o orgulho, fosse militantemente antimonarquista. Provavelmente, a maioria dos cientistas pertencia à esquerda moderada durante o período pós-napoleônico, e alguns, especialmente nas novas nações ou nas comunidades até então apolíticas, foram forçados a aceitar importantes cargos políticos, notadamente os historiadores, os linguistas e outros cientistas com óbvias ligações com movimentos nacionais. Palacky se tornou o principal porta-voz dos tchecos em 1848, os sete professores universitários de Göttingen que assinaram uma carta de protesto em 1837 se transformaram em figuras nacionais,* e o Parlamento de Frankfurt, durante a Revolução Alemã de 1848, era notoriamente uma assembleia de professores universitários e de servidores civis de alto escalão. Por outro lado, em comparação com os artistas e filósofos, os cientistas — especialmente os cientistas naturais — demonstravam um grau muito baixo de consciência política, a menos que seus estudos ou experiências exigissem outra coisa. Fora dos países católicos, por exemplo, demonstravam uma

---

* Entre eles estavam os irmãos Grimm.

A ERA DAS REVOLUÇÕES

capacidade notável para combinar a ciência com uma tranquila ortodoxia religiosa que surpreende o estudioso da era pós-darwiniana.

Tais derivações diretas explicam algumas coisas sobre o desenvolvimento científico entre 1789 e 1848, mas não muito. Os efeitos indiretos de acontecimentos contemporâneos foram claramente mais importantes. Ninguém podia deixar de notar que o mundo estava se transformando mais radicalmente nesta era do que em qualquer outra anterior. Nenhuma pessoa que usasse o raciocínio poderia deixar de estar atemorizada, abalada e mentalmente estimulada por estas convulsões e transformações. Quase não surpreende que os padrões de pensamento derivados das rápidas mudanças sociais, das profundas revoluções, da substituição sistemática de instituições tradicionais e costumeiras por inovações racionalistas radicais resultaram aceitáveis. É possível ligar este visível aparecimento da revolução com a presteza dos matemáticos antimundanos em romper com as eficientes barreiras do pensamento até então existentes? Não podemos assegurá-lo, embora saibamos que a adoção de novas linhas revolucionárias de pensamento é normalmente evitada não por sua dificuldade intrínseca, mas por seu conflito com tácitas suposições sobre o que é ou não "natural". Os próprios termos "número irracional" (para números como $\sqrt{2}$) ou "número imaginário" (para números como $\sqrt{-1}$) indicam a natureza da dificuldade. Uma vez que decidimos que não são nem mais nem menos racionais ou reais do que quaisquer outros, tudo fica claro. Porém, pode ser necessária toda uma era de profunda transformação para encorajar os pensadores a tomar tais decisões; e assim as variáveis complexas ou imaginárias em matemática, tratadas com confusa precaução no século XVIII, só alcançaram sua plenitude depois da revolução.

Deixando a matemática de lado, era de se esperar que os padrões retirados das transformações da sociedade tentariam os cientistas em campos aos quais tais analogias pareciam aplicáveis; por exemplo, para introduzir

A CIÊNCIA

os dinâmicos conceitos de evolução em conceitos até então estáticos. Isto poderia ocorrer diretamente ou por intermédio de alguma outra ciência. Assim, o conceito da revolução industrial, fundamental para a História e para a maior parte da economia moderna, foi introduzido na década de 1820 como algo análogo ao de Revolução Francesa. Charles Darwin deduziu o mecanismo da "seleção natural" por analogia com o modelo da competição capitalista, que tomou de Malthus (a "luta pela existência"). A voga de teorias catastróficas em geologia (1790-1830) também pôde dever-se em parte à familiaridade daquela geração com as violentas convulsões da sociedade.

Contudo, fora das ciências mais claramente sociais, não há por que dar muito peso a estas influências externas. O mundo do pensamento é, até certo ponto, autônomo: seus movimentos, por assim dizer, se produzem dentro do mesmo histórico comprimento de onda que os movimentos de fora, mas não são simples ecos destes. Assim, por exemplo, as catastróficas teorias da geologia também se deveram, em parte, à insistência protestante, e especialmente calvinista, na onipotência arbitrária do Senhor. Tais teorias foram, em grande parte, monopólio dos trabalhadores protestantes, tão distintos dos católicos ou agnósticos. Se no campo das ciências se produzem movimentos paralelos aos de outros campos, não é porque cada uma delas possa conectar-se de maneira simples a um aspecto correspondente da política ou da economia.

Ainda assim, as ligações são difíceis de serem negadas. As principais correntes do pensamento geral em nosso período têm sua correspondência no especializado campo da ciência, o que nos habilita a estabelecer um paralelismo entre as ciências e as artes ou entre ambas e as atitudes político-sociais. Assim, o "classicismo" e o "romantismo" existiram também nas ciências e, como já vimos, cada um se ajustava a um enfoque particular da sociedade humana. A adequação do classicismo (ou, em termos intelectuais, o universo newtoniano, racionalista e mecanicista, do

A ERA DAS REVOLUÇÕES

Iluminismo) com o ambiente do liberalismo burguês, e do Romantismo (ou, em termos intelectuais, a chamada "filosofia natural") com seus oponentes, é obviamente de extrema simplificação, e se rompe por completo depois de 1830. Ainda assim, representa um certo aspecto da verdade. Até que a ascensão de teorias como o socialismo moderno tivessem firmemente ancorado o pensamento revolucionário ao passado racionalista (veja o Capítulo 13), ciências tais como a física, a química e a astronomia marcharam com o liberalismo burguês franco-britânico. Por exemplo, os revolucionários plebeus do Ano II estavam inspirados por Rousseau e não por Voltaire, e suspeitavam de Lavoisier (a quem executaram) e de Laplace, não só devido a suas ligações com o velho regime, mas por razões semelhantes àquelas que levaram o poeta William Blake a denunciar Newton.* Reciprocamente, a "história natural" era adequada, pois representava a estrada para a espontaneidade da verdadeira e incorruptível natureza. A ditadura jacobina, que dissolveu a Academia Francesa, fundou nada menos que 12 cadeiras de pesquisa no *Jardin des Plantes*. Da mesma forma ocorreu na Alemanha, onde o liberalismo clássico era fraco (veja o Capítulo 13): uma ideologia científica rival à clássica — a "filosofia natural" — foi mais popular.

É fácil subestimar a "filosofia natural", porque ela entra em conflito com o que viemos acertadamente considerando como ciência. A "filosofia natural" era especulativa e intuitiva. Buscava expressar o espírito do mundo ou da vida, da misteriosa união orgânica de todas as coisas com as demais, e de muitas outras coisas que resistiam a uma precisa aferição quantitativa ou a uma clareza cartesiana. De fato, estava em aberta revolta contra o materialismo mecânico, contra Newton, e às vezes contra a própria razão. O grande Goethe gastou uma considerável quantidade de

---

* Esta suspeita da ciência newtoniana não se estendia a sua aplicação material, cujo valor econômico e militar era evidente.

A CIÊNCIA

seu precioso tempo tentando desmentir a ótica de Newton, pela simples razão de que não se sentia feliz com uma teoria que deixava de explicar as cores pela interação dos princípios da luz e da escuridão. Uma aberração de tal ordem nada causaria senão dolorosa surpresa na *Escola Politécnica*, onde a persistente preferência dos alemães pelo confuso Kepler, com sua carga de misticismo, em detrimento da lúcida perfeição dos *Principia* era incompreensível. O que se poderia compreender desta passagem de Lorenz Oken?

> A ação ou a vida de Deus consiste em manifestar-se e contemplar-se eterna-mente na unidade e na dualidade, dividindo-se externamente e ainda assim permanecendo uno. (...) A polarização é a primeira força que aparece no mundo. (...) A lei da causalidade é uma lei de polarização. A causalidade é um ato de geração. O sexo está enraizado no primeiro movimento do mundo. (...) Em tudo, portanto, há dois processos, um individualizador, vitalizante, e outro universalizador, destrutivo.[6]

O que fazer com tal filosofia? A total incompreensão de Bertrand Russell em relação a Hegel, que operava nestes termos, é um bom exemplo da resposta do racionalista do século XVIII a esta pergunta retórica. Por outro lado, o débito que Marx e Engels reconheceram ter francamente com a filosofia natural* nos adverte que não se pode considerá-la como simples verborragia. A verdade é que exercia certa influência. E produziu não só um esforço científico — Lorenz Oken fundou a liberal *Deutsche Naturforscherversammlung* e inspirou a *Associação Britânica para o Progresso da Ciência* — mas também resultados frutíferos. A teoria celular em biologia, muito da morfologia, embriologia, filologia e muito do elemento histórico e evolutivo em todas as ciências foram primordial-

---

* As obras de Engels, *Anti-Duhring* e *Feuerbach*, contêm uma qualificada defesa dela, bem como a favor de Kepler e contra Newton.

A ERA DAS REVOLUÇÕES

mente de inspiração "romântica". Mas até mesmo em seu campo predileto — a biologia — o "romantismo" teve finalmente de ser substituído pelo frio classicismo de Claude Bernard (1813-1878), fundador da fisiologia moderna. Por outro lado, mesmo nas ciências físico-químicas, que continuaram a ser a fortaleza do "classicismo", as especulações dos filósofos naturais sobre assuntos tão misteriosos como a eletricidade e o magnetismo trouxeram importantes avanços. Em Copenhague, Hans Christian Oersted, discípulo do nebuloso Schelling, buscou e encontrou a ligação entre ambas as forças quando demonstrou o efeito magnético das correntes elétricas em 1820. Ambas as tentativas de aproximação às ciências, de fato, se misturavam, mas quase nunca se fundiam, nem mesmo em Marx, que conhecia perfeitamente as origens intelectuais de seu pensamento. No todo, o caminho "romântico" serviu como um estímulo para novas ideias e pontos de partida, que foram posteriormente e mais uma vez abandonados pela ciência. Mas em nosso período não pode ser desprezado.

Se não pode ser menosprezado como um estímulo puramente científico, menos ainda pode sê-lo pelo historiador de ideias e opiniões, na medida em que até mesmo as ideias falsas e absurdas são fatos e forças históricas. Não podemos subestimar um movimento que captou ou influenciou homens do mais alto calibre intelectual, como Goethe, Hegel e o jovem Marx. Podemos simplesmente buscar compreender a profunda insatisfação com o "clássico" ponto de vista franco-britânico do século XVIII a respeito do mundo, cujos grandes empreendimentos na ciência e na sociedade foram inegáveis, mas cuja estreiteza e limitações foram também terrivelmente evidentes no período das duas revoluções. Estar consciente destes limites e buscar, frequentemente através da intuição e não da análise, os termos com que se poderia construir um quadro mais satisfatório do mundo não era realmente construí-lo. Nem as visões de um universo evolutivo, interligado e dialético, que os filósofos naturais

A CIÊNCIA

expressavam, eram provas ou mesmo formulações adequadas. Porém refletiam problemas reais — até mesmo problemas reais nas ciências físicas — e antecipavam as transformações e ampliações do mundo das ciências que vieram a produzir nosso moderno universo científico. A seu modo, refletiam também o impacto da revolução dupla, que não deixou qualquer aspecto da vida humana inalterado.

16. CONCLUSÃO: RUMO A 1848

"A pobreza e o proletariado são as úlceras que supuraram no organismo dos Estados modernos. Elas podem ser curadas? Os médicos comunistas propõem a completa destruição e aniquilação do organismo existente. (...) Uma coisa é certa, se estes homens receberem o poder para agir, haverá não uma revolução política, mas social, uma guerra contra toda propriedade, uma completa anarquia. Por sua vez, isto daria lugar a novos Estados nacionais, e em que bases morais e sociais? Quem erguerá o véu do futuro? E que papel desempenhará a Rússia? 'Sento-me na praia e espero o vento', diz um velho provérbio russo."

Haxthausen, *Studien ueber... Russland* (1847)[1]

1.

Começamos analisando a situação do mundo em 1789. Concluiremos examinando-o cerca de 50 anos mais tarde, ao final do meio século mais revolucionário da história até hoje registrado.

Foi uma era de superlativos. Os novos e numerosos compêndios de estatística, nos quais esta era de contagens e cálculos buscava registrar todos os aspectos do mundo conhecido,* chegariam com justiça à conclusão de que realmente cada quantidade mensurável era maior (ou menor) do

---

* Cerca de 50 importantes compêndios deste tipo foram publicados entre 1800 e 1848, sem contar com as estatísticas governamentais (censos, pesquisas oficiais etc.) ou com as novas e numerosas publicações econômicas especializadas, cheias de tabelas estatísticas.

A ERA DAS REVOLUÇÕES

que em qualquer época anterior. A área do mundo conhecida, mapeada e em intercomunicação era maior do que em qualquer época anterior e suas comunicações eram incrivelmente mais rápidas. A população do mundo era também maior do que nunca; em vários casos, além de toda expectativa e probabilidade. As cidades de grande tamanho se multiplicavam mais depressa do que em qualquer época anterior. A produção industrial atingia cifras astronômicas: na década de 1840, cerca de 640 milhões de toneladas de carvão foram arrancadas do interior da Terra. Estas cifras só foram suplantadas pelas ainda mais extraordinárias do comércio internacional, que se multiplicara quatro vezes desde 1780 até atingir cerca de 800 milhões de libras esterlinas, e muito mais em outras moedas menos sólidas e estáveis.

A ciência nunca fora tão vitoriosa; o conhecimento nunca fora tão difundido. Mais de 4.000 jornais informavam os cidadãos do mundo, e o número de livros publicados anualmente na Grã-Bretanha, França, Alemanha e Estados Unidos chegava à casa das centenas de milhares. A inventiva humana dava, a cada ano, voos cada vez mais ousados. A lâmpada de Argand (1782-1784) acabava de revolucionar a iluminação artificial — foi o primeiro avanço de importância desde a lâmpada a óleo — quando os gigantescos laboratórios conhecidos como fábricas de gás, enviando seus produtos ao longo de intermináveis tubos subterrâneos, começaram a iluminar as fábricas* e logo depois as cidades da Europa: Londres, a partir de 1807; Dublin, a partir de 1818; Paris, a partir de 1819, e até mesmo a remota Sydney, em 1841. E o arco voltaico já era conhecido. O professor Wheatstone, de Londres, já estava planejando ligar a Inglaterra e a França por meio de um telégrafo elétrico submarino. Quarenta e oito milhões de passageiros utilizaram as ferrovias do Reino

---

* Boulton e Watt introduziram-nas em 1798. As fábricas de algodão de Philips e Lee, em Manchester, empregaram permanentemente mil maçaricos a partir de 1805.

CONCLUSÃO: RUMO A 1848

Unido em um único ano (1845). Homens e mulheres já podiam ser transportados ao longo de 3.000 milhas de via férrea na Grã-Bretanha (1846) — e antes de 1850, mais de 6.000 — e ao longo de 9.000 milhas nos Estados Unidos. Serviços regulares de navio a vapor já ligavam a Europa com a América e com as Índias.

Sem dúvida todos estes triunfos tinham o seu lado obscuro, embora este não figurasse nos quadros estatísticos. Como se poderia encontrar uma expressão quantitativa para o fato, que hoje em dia poucos poderiam negar, de que a revolução industrial transformou o mundo no lugar mais feio já habitado pelo homem, como testemunhavam as lúgubres, fétidas e enevoadas vielas dos bairros baixos de Manchester? Ou, para os homens e mulheres, desarraigados em quantidades sem precedentes e privados de toda segurança, que constituíam provavelmente o mais infeliz dos mundos? Contudo, podemos perdoar os baluartes do progresso na década de 1840 por sua confiança e determinação "de que o comércio pode evoluir livremente, levando a civilização com uma das mãos, e a paz com a outra, para tornar a humanidade mais feliz, inteligente e melhor". "Senhor", disse *Lord* Palmerston, prosseguindo esta rósea afirmação no pior dos anos, 1842, "este é o desígnio da Providência."[2] Ninguém podia negar que havia uma pobreza espantosa. Muitos sustentavam que estava mesmo aumentando e se aprofundando. E, ainda assim, pelos eternos critérios que medem os triunfos da indústria e da ciência, poderia até mesmo o mais soturno dos observadores racionalistas sustentar que, em termos materiais, o mundo estava em condições piores do que em qualquer época anterior, ou mesmo do que em países não industrializados do presente? Não poderia. Já era suficientemente amarga a acusação de que a prosperidade material do trabalhador pobre frequentemente não era maior do que no passado, e, às vezes, pior do que em períodos guardados na memória. Os baluartes do progresso tentavam rechaçá-la com o argumento de que isto não se devia às operações da nova socied

A ERA DAS REVOLUÇÕES

burguesa, mas, pelo contrário, aos obstáculos que o velho feudalismo, a monarquia e a aristocracia ainda colocavam no caminho da perfeita iniciativa livre. Os novos socialistas, pelo contrário, sustentavam que isto se devia às próprias operações daquele sistema. Porém ambos concordavam que a situação era cada vez mais penosa. Uns sustentavam que seria superada dentro da estrutura do capitalismo, enquanto outros discordavam deste ponto de vista, mas ambos, corretamente, acreditavam que a vida humana enfrentava uma possibilidade de melhoria material que traria o controle do homem sobre as forças da natureza.

Quando analisamos a estrutura política e social da década de 1840, entretanto, deixamos o mundo dos superlativos para entrarmos no mundo das afirmações modestas. A maioria dos habitantes da terra continuava sendo de camponeses como antes, embora houvesse poucas áreas — principalmente na Grã-Bretanha — onde a agricultura já era a ocupação de uma pequena minoria, e a população urbana já estava a ponto de ultrapassar a rural, como aconteceu, pela primeira vez, no censo de 1851. Havia proporcionalmente menos escravos, pois seu comércio internacional fora oficialmente abolido em 1815, e a escravidão nas colônias britânicas fora abolida em 1834, e nas colônias francesas e espanholas, durante e depois da Revolução Francesa. Entretanto, enquanto as Antilhas eram agora, com algumas exceções não britânicas, uma área agrícola legalmente livre, numericamente a escravidão continuava a se expandir nos dois grandes bastiões do continente americano, o Brasil e o sul dos Estados Unidos, estimulada pelo próprio progresso da indústria e do comércio que se opunham a todas as restrições de mercadorias e pessoas, e a proibição oficial fazia com que o comércio de escravos fosse mais lucrativo. O preço aproximado de um operário do campo no sul dos Estados Unidos, que era de 300 dólares em 1795, variava entre 1.200 e 1.800 dólares em 1860;[3] o número de escravos nos Estados Unidos aumentou de 700.000 em 1790 para 2.500.000 em 1840, e 3.200.000

CONCLUSÃO: RUMO A 1848

em 1850. Ainda vinham da África, mas eram criados cada vez mais para a venda dentro da área escravista; por exemplo, nos Estados fronteiriços dos Estados Unidos para a venda ao cinturão algodoeiro em expansão. Além disso, já se estavam desenvolvendo sistemas de semiescravidão como a exportação de "mão de obra contratada" da Índia para as ilhas açucareiras do Oceano Índico e as Antilhas.

A servidão ou vínculo legal dos camponeses à gleba fora abolida na maior parte da Europa sem que fosse muito modificada a situação real do trabalhador rural pobre em áreas de tradicional cultivo latifundiário como a Sicília ou a Andaluzia. Entretanto, a servidão persistia em suas principais fortalezas da Europa, embora depois de uma grande expansão inicial seus números permanecessem estáveis na Rússia — entre 10 e 11 milhões de homens depois de 1811 —, o que quer dizer, houve queda em termos relativos.* Contudo, a agricultura servil (ao contrário da agricultura escravista) estava claramente declinando, sendo suas desvantagens econômicas crescentemente evidentes, e — especialmente a partir da década de 1840 — a rebeldia dos camponeses sendo cada vez mais marcante. O maior insurgimento de servos foi, provavelmente, o da Galícia austríaca, em 1846, prelúdio da total emancipação através da Revolução de 1848. Mas, mesmo na Rússia, houve 148 movimentos de agitação camponesa em 1826-1834, 216 em 1835-1844, 348 em 1844-1854, culminando nos 474 movimentos dos últimos anos anteriores à emancipação de 1861.[5]

No outro extremo da pirâmide social, a posição do aristocrata proprietário de terras também mudou menos do que se poderia pensar, exceto em países de revolução camponesa direta, como a França. Sem dúvida agora havia países — por exemplo, França e Estados Unidos — onde os

---

*A extensão da servidão durante o reinado de Catarina II e de Paulo (1762-1801) aumentou-a de cerca de 3,8 milhões de homens para 10,4 milhões em 1811.[4]

A ERA DAS REVOLUÇÕES

homens ricos já não eram os proprietários de terras (exceto na medida em que também compravam terras como um símbolo de seu ingresso na mais alta classe social, como os Rothschild). Entretanto, mesmo na Grã-Bretanha, na década de 1840, as maiores concentrações de riqueza ainda eram certamente as dos nobres, e no sul dos Estados Unidos, os plantadores de algodão até mesmo criaram para si uma caricatura provinciana da sociedade aristocrática, inspirada em Walter Scott, o "cavalheiro", o "romance" e outros conceitos que tinham pouco significado para os escravos negros, como também para os corados fazendeiros puritanos que se alimentavam de mingau de milho e de carne gorda de porco. Está claro que esta firmeza aristocrática ocultava uma mudança: os rendimentos dos nobres dependiam cada vez mais da indústria, dos valores e das ações, e do desenvolvimento das fortunas da desprezada burguesia.

Também as "classes médias" tinham aumentado rapidamente, mas seu número ainda assim não era avassaladoramente grande. Em 1801, cerca de 100.000 contribuintes ganhavam acima de 150 libras esterlinas por ano na Grã-Bretanha; ao fim de nosso período, cerca de 340 mil,[6] em outras palavras, contando com suas grandes famílias, chegavam a um milhão e meio de pessoas, de uma população total de 21 milhões (1851).* Naturalmente, o número daqueles que procuravam seguir os padrões e os modos de vida da classe média era bem maior. Nem todos eram muito ricos; uma boa estimativa** é que o número de pessoas que ganhava mais de 5.000 libras por ano era de aproximadamente 4.000, incluindo a aristocracia; número este não muito incompatível com o dos presumíveis patrões dos 7.579 cocheiros domésticos que enfeitavam as

---

* Estas estimativas são arbitrárias, porém, tomando-se por base que todos os que se classificavam na classe média tinham pelo menos um empregado, as 674 mil "empregadas domésticas" em 1851 nos fornecem um pouco mais do máximo das famílias da "classe média", e as 50 mil cozinheiras (os números relativos a governantas e vigias eram aproximadamente os mesmos) nos fornecem o mínimo.

** Segundo o eminente estatístico William Farr, no *Statistical Journal*, 1857, p. 102.

CONCLUSÃO: RUMO A 1848

ruas britânicas. Podemos admitir que a proporção das "classes médias" em outros países não era maior do que isto, e que de fato era, em geral, bem mais baixa.

A classe trabalhadora (incluindo o novo proletariado da fábrica da mina, da ferrovia etc.) naturalmente crescia de forma vertiginosa. Contudo, exceto na Grã-Bretanha, na melhor das hipóteses podia ser contada em centenas de milhares, mas não em milhões. Comparada com o total da população do mundo, ainda era numericamente desprezível e, em todo caso — uma vez mais com a exceção da Grã-Bretanha e alguns pequenos núcleos em outros países —, era uma classe desorganizada. Ainda assim, como já vimos, sua importância política já era imensa, e muito desproporcional a seu tamanho e realizações.

A estrutura política do mundo também foi grandemente transformada na década de 1840 e, ainda assim, não tanto quanto o observador confiante ou pessimista poderia ter previsto em 1800. A monarquia ainda continuava sendo avassaladoramente o modo mais comum de governo, com exceção do continente americano, e mesmo neste continente, um dos maiores países, o Brasil, era um império, e um outro, o México, tinha ao menos feito experiências imperiais sob o governo do General Iturbide (Agostinho I) de 1822 a 1833. É verdade que vários reinos europeus, inclusive a França, podiam agora ser descritos como monarquias constitucionais, mas com a exceção de um grupo destes regimes ao longo da margem oriental do Atlântico, a monarquia absoluta continuava a prevalecer em toda parte. É verdade que, por volta de 1840, havia vários Estados novos, produtos da revolução; a Bélgica, a Sérvia, a Grécia e alguns Estados latinoamericanos. Ainda assim, embora a Bélgica fosse uma força industrial de importância (até certo ponto porque se movia na órbita de sua vizinha, a França),* o mais importante

---

* Cerca de um terço da produção belga de carvão e de ferro era exportada quase que totalmente para a França.

A ERA DAS REVOLUÇÕES

dos Estados revolucionários eram os Estados Unidos, que já existia em 1789. Os Estados Unidos gozavam de duas enormes vantagens: ausência de quaisquer vizinhos poderosos ou de potências rivais que pudessem ou que de fato quisessem evitar sua expansão através do imenso continente até a costa do Pacífico — os franceses tinham, na realidade, vendido aos Estados Unidos uma área tão grande quanto o próprio país na época: como contrato de compra da Luisiana assinado em 1803 — e uma taxa extraordinariamente rápida de expansão econômica. A primeira vantagem também era partilhada pelo Brasil, que, ao se separar pacificamente de Portugal, evitou a fragmentação trazida para a maioria da América espanhola por uma série de guerras revolucionárias, porém sua riqueza de recursos permanecia quase inexplorada.

Ainda assim, tinha havido grandes mudanças. Além do mais, desde cerca de 1830, tais mudanças cresciam visivelmente. A Revolução de 1830 introduziu constituições moderadamente liberais antidemocráticas mas também claramente antiaristocráticas — nos principais Estados da Europa ocidental. Sem dúvida, havia acordos, impostos pelo temor de uma revolução de massa, que iria além das moderadas aspirações da classe média. Estes acordos deixaram as classes proprietárias de terras super-representadas no governo, como na Grã-Bretanha, e grandes parcelas das novas classes médias — e especialmente das industriais mais dinâmicas — sem representação, como na França. Ainda assim, foram acordos que decisivamente inclinaram a balança política para o lado das classes médias. Em todos os assuntos de importância, os industriais britânicos conseguiram o que queriam depois de 1832; a capacidade de abolir as *Leis do Trigo* valia o sacrifício de sua separação das propostas republicanas e anticlericais mais extremadas dos utilitaristas. Não pode haver dúvida de que, na classe média da Europa ocidental, o liberalismo (embora não o radicalismo democrático) estivesse em ascensão. Seus principais oponentes — os conservadores na Grã-Bretanha, coligações partidárias que

CONCLUSÃO: RUMO A 1848

em geral se alinhavam com a Igreja Católica em outros países — estavam na defensiva e sabiam disso.

Entretanto, até mesmo a democracia radical tinha feito avanços importantes. Após 50 anos de hesitação e hostilidade, a pressão dos homens de fronteira e dos fazendeiros acabou por impô-la aos Estados Unidos durante o governo do presidente Andrew Jackson (1829-1837), aproximadamente na mesma época em que a revolução europeia reconquistava seu elemento essencial. Ao fim de nosso período (1847), instalou-se uma guerra civil entre radicais e católicos na Suíça. Porém poucos liberais da moderada classe média já pensavam que esta forma de governo, defendida principalmente por revolucionários de esquerda, adaptada, ao que parecia, para os rudes e pequenos produtores e negociantes das montanhas ou das pradarias, poderia se converter, um dia, na conjuntura política característica do capitalismo, defendido como tal contra os violentos ataques do próprio povo que, na década de 1840, a proclamava.

Só na política internacional é que tinha havido uma revolução virtual e aparentemente total. O mundo da década de 1840 era completamente dominado pelas potências europeias, política e economicamente, às quais se somavam os Estados Unidos. A Guerra do Ópio de 1839-1842 demonstrara que a única grande potência não europeia sobrevivente, o Império da China, estava inerte em face de uma agressão econômica e militar do Ocidente. Nada, ao que parecia, poderia obstar a invasão de canhoneiras ou de regimentos ocidentais que lhe traziam o comércio e as bíblias. E, dentro deste domínio ocidental, a Grã-Bretanha era a maior potência, graças a seu maior número de canhoneiras, comércio e bíblias. A supremacia britânica era tão absoluta que mal necessitava de um controle político para funcionar. Não restavam quaisquer outras potências coloniais, exceto com a conivência britânica, e consequentemente não havia rivais. O Império Francês estava reduzido a umas poucas ilhas espalhadas e a algumas feitorias comerciais, embora estivesse no processo de se reabilitar no Mediterrâneo e na Argélia. Os holandeses, recuperados na Indonésia sob o olhar vigilante da nova feitoria britânica de Singapura, mal eram competidores; os espanhóis retinham Cuba, as Filipinas e algumas vagas pretensões na África; as colônias portuguesas estavam esquecidas. O comércio britânico dominava a Argentina, o Brasil e o sul dos Estados Unidos tanto quanto a colônia espanhola de Cuba ou as colônias britânicas na Índia. Os investimentos britânicos tinham os seus mais fortes interesses no norte dos Estados Unidos ou em qualquer local que fosse economicamente desenvolvido. Nunca, em toda a história do mundo, uma única potência havia exercido uma hegemonia mundial como a dos britânicos na metade do século XIX, pois mesmo os maiores impérios ou hegemonias do passado tinham sido meramente regionais — como no caso dos chineses, dos maometanos e dos romanos. Desde então, nenhuma outra potência jamais conseguiu estabelecer uma hegemonia comparável, nem há possibilidades de que isto venha a acontecer no futuro, já que nenhuma potência pôde nem poderá reivindicar para si o título de "oficina do mundo".

Contudo, o futuro declínio da Grã-Bretanha já era visível. Observadores inteligentes, mesmo nas décadas de 1830 e 1840, como Tocqueville e Haxthausen, já previam que o tamanho e os recursos potenciais dos Estados Unidos e da Rússia viriam a transformá-los nos gêmeos gigantes do mundo; dentro da Europa, a Alemanha (como previu Frederick Engels em 1844) logo viria também a entrar na competição em termos iguais. Só a França havia decisivamente se retirado da competição pela hegemonia internacional, embora isto ainda não fosse evidente a ponto de dar garantias aos estadistas britânicos ou de outros países.

Em poucas palavras, o mundo da década de 1840 se achava fora de equilíbrio. As forças de mudança econômica, técnica e social desencadea-

CONCLUSÃO: RUMO A 1848

das nos últimos 50 anos não tinham paralelo, eram irresistíveis mesmo para o mais superficial dos observadores. Por exemplo, era inevitável que, mais cedo ou mais tarde, a escravidão ou a servidão (exceto nas remotas regiões ainda não atingidas pela nova economia, onde permaneciam como relíquias) teria de ser abolida, como era inevitável que a Grã-Bretanha não poderia para sempre permanecer como o *único* país industrializado. Era inevitável que as aristocracias proprietárias de terras e as monarquias absolutas perderiam força em todos os países onde uma forte burguesia estava-se desenvolvendo, quaisquer que fossem as fórmulas ou acordos políticos que encontrassem para conservar sua situação econômica, sua influência e sua força política. Além do mais, era inevitável que a injeção de consciência política e de permanente atividade política entre as massas, que foi o grande legado da Revolução Francesa, significaria, mais cedo ou mais tarde, um importante papel dessas mesmas massas na política. E dada a notável aceleração da mudança social desde 1830, e o despertar do movimento revolucionário mundial, era claramente inevitável que as mudanças — quaisquer que fossem seus motivos institucionais — não poderiam mais ser adiadas.*

Tudo isto teria sido o bastante para dar aos homens da década de 1840 a consciência de uma mudança pendente. Mas não o bastante para explicar o que se sentia concretamente em toda a Europa: a consciência de uma revolução social iminente. Era bastante significativo que essa consciência não se limitasse aos revolucionários, que a preparavam meticulosamente, nem às classes governantes, cujo temor das massas pobres é patente em tempos de mudança social. Os próprios pobres sentiam-na e as suas camadas mais cultas a expressavam, como escreveu o cônsul americano em Amsterdã durante a fome de 1847; relatando os

---

* Claro está que isto não significa que todas as mudanças então amplamente previstas como inevitáveis necessariamente ocorressem: por exemplo, a vitória universal do livre comércio, da paz, das soberanas assembleias representativas, ou o desaparecimento das monarquias ou da Igreja Católica Romana.

A ERA DAS REVOLUÇÕES

sentimentos dos emigrantes alemães que passavam pela Holanda: "Todas as pessoas bem informadas expressam a crença de que a atual crise está tão profundamente entrelaçada com os acontecimentos do atual período que *ela não é senão* o começo da grande Revolução, que eles consideram que, mais cedo ou mais tarde,[7] venha a dissolver o atual estado de coisas."

A razão era que a crise do que restava da antiga sociedade parecia coincidir com uma crise da nova sociedade. Analisando a década de 1840, é fácil pensar que os socialistas que previram a iminente crise final do capitalismo eram sonhadores que confundiam suas esperanças com suas possibilidades reais. De fato, o que se seguiu não foi a falência do capitalismo, mas sim seu mais rápido período de expansão e vitória. Ainda assim, nas décadas de 1830 e 1840, era pouco evidente que a nova economia poderia ou buscaria superar suas dificuldades, que pareciam aumentar com seu poder para produzir quantidades cada vez maiores de mercadorias através de métodos cada vez mais revolucionários. Seus próprios teóricos eram perseguidos pela possibilidade do "estado estacionário", do estancamento da força motriz que levava a economia adiante, e que (ao contrário dos teóricos do século XVIII e os do período subsequente) acreditavam ser algo iminente. Seus próprios defensores tinham duas opiniões a respeito de seu futuro. Na França, os homens que viriam a ser os capitães das altas finanças e da indústria pesada (os saint-simonianos) ainda estavam indecisos, na década de 1830, em relação a qual seria o melhor caminho para obter o triunfo da sociedade industrial, se o socialismo ou o capitalismo. Nos Estados Unidos, homens como Horace Greeley, que se tornaram imortais como os profetas da expansão individualista ("Siga para o oeste, jovem" era seu lema), aderiram, na década de 1840, ao socialismo utópico, fundando e explicando os méritos das "falanges" fourieristas, comunas semelhantes ao *kibutz* que tão mal se adaptam ao que hoje se considera o "americanismo". Os próprios empresários estavam desesperados. Retrospectivamente, pode parecer

CONCLUSÃO: RUMO A 1848

incompreensível que alguns negociantes *quakers*, como John Bright, e bem-sucedidos fabricantes de algodão de Lancashire, em pleno período de sua mais dinâmica expansão, estivessem dispostos a levar seu país ao caos, à fome e à revolta, através de um *lock-out* político geral com o único intuito de abolir as tarifas.[8] Ainda assim, no terrível ano de 1841, bem poderia parecer ao capitalista previdente que a indústria enfrentava não só perdas e situações inconvenientes, mas também uma estrangulação geral, a menos que os obstáculos à sua expansão futura fossem imediatamente removidos.

Para a massa do povo comum, o problema era mais simples. Como já vimos, sua condição nas grandes cidades e nos distritos fabris da Europa ocidental e central empurrava-os inevitavelmente em direção a uma revolução social. Seu ódio aos ricos e aos nobres daquele mundo amargo em que viviam, e seus sonhos com um mundo novo e melhor deram a seu desespero um propósito, embora somente alguns deles, principalmente na Grã-Bretanha e na França, tivessem consciência deste significado. Sua organização ou facilidade para uma ação coletiva lhes dava força. O grande despertar da Revolução Francesa lhes ensinara que os homens comuns não necessitavam sofrer injustiças e se calar: "anteriormente, as nações de nada sabiam, e o povo pensava que os reis eram deuses sobre a Terra e que tinham o direito de dizer que qualquer coisa que fizessem estava bem-feita. Através desta atual mudança, é mais difícil governar o povo".[9]

Este era o "espectro do comunismo" que aterrorizava a Europa, o temor do "proletariado", que não só afetava os industriais de Lancashire ou do norte da França, mas também os funcionários públicos da Alemanha rural, os padres de Roma e os professores em todas as partes do mundo. E com justiça, pois a revolução que eclodiu nos primeiros meses de 1848 não foi uma revolução social simplesmente no sentido de que envolveu e mobilizou todas as classes. Foi, no sentido literal, o insurgimento dos trabalhadores pobres nas cidades — especialmente nas capitais — da

A ERA DAS REVOLUÇÕES

Europa ocidental e central. Foi unicamente a sua força que fez cair os antigos regimes desde Palermo até as fronteiras da Rússia. Quando a poeira se assentou sobre suas ruínas, os trabalhadores — na França, de fato, trabalhadores socialistas — eram vistos de pé sobre elas, exigindo não só pão e emprego, mas também uma nova sociedade e um novo Estado.

Enquanto os trabalhadores pobres se agitavam, a crescente fraqueza e obsolescência dos antigos regimes da Europa multiplicavam crises dentro do mundo dos ricos e dos influentes. Em si mesmas, estas crises não tiveram grande importância. Se tivessem ocorrido em uma época diferente, ou em sistemas que permitissem às diferentes parcelas das classes governantes ajustar suas rivalidades pacificamente, não teriam levado à revolução, mais do que as perenes brigas de parcelas da corte na Rússia do século XVIII levaram à queda do czarismo. Na Grã-Bretanha e na Bélgica, por exemplo, houve muitos conflitos entre agrários e industriais, e entre diferentes parcelas de cada um deles. Mas estava claro que as transformações de 1830-1832 tinham decidido o problema do poder em favor dos industriais, que contudo o *status quo* político só poderia ser vencido com o risco de uma revolução, e que isto devia ser evitado a todo custo. Consequentemente, a árdua luta entre os industriais britânicos defensores do livre comércio e os protecionistas agrícolas em relação às *Leis do Trigo* podia ser travada e vencida (1846) em meio da agitação cartista sem, nem por um momento, expor a unidade de todas as classes governantes contra a ameaça do sufrágio universal. Na Bélgica, a vitória dos liberais sobre os católicos nas eleições de 1847 desligou os industriais dos escalões dos revolucionários potenciais e, em 1848, uma reforma eleitoral cuidadosamente elaborada, que duplicou o número de eleitores,* atenuou os descontentamentos de parcelas cruciais da classe média inferior. Não houve Revolução de 1848 embora, em termos de sofrimento real, a Bél-

---

* Não passava ainda de 80.000 votantes em uma população de 4 milhões de habitantes.

CONCLUSÃO: RUMO A 1848

gica (ou melhor, a região de Flanders) estivesse provavelmente em muito piores condições do que qualquer outra parte da Europa ocidental, com exceção da Irlanda.

Porém, na Europa absolutista, a rigidez dos regimes políticos de 1815, que foram projetados para rechaçar *toda* mudança de teor nacional ou liberal, não deixou qualquer escolha até mesmo para o mais moderado dos oposicionistas, a não ser a do *status quo* ou da revolução. Pode ser que não estivessem prontos a se revoltar, mas, a menos que houvesse uma revolução social irreversível, nada ganhariam. Os regimes de 1815 tinham de ser banidos, mais cedo ou mais tarde. Eles próprios o sabiam. A consciência de que a "história estava contra eles" minava sua vontade de resistir. Em 1848, o primeiro sopro de revolução, dentro ou fora, iria atirá-los longe. Porém, a menos que houvesse um sopro desta ordem, eles não cairiam. Mas, ao contrário dos países liberais, as fricções relativamente menores dentro dos regimes absolutistas — os choques dos governantes com as assembleias legislativas da Hungria e da Prússia, a eleição de um papa "liberal" em 1846 (isto é, uma eleição ansiosa para trazer o papado um pouco mais para perto das ideias do século XIX), as mágoas em relação a uma amante na Baviera etc. — se transformaram em vibrações políticas de importância.

Teoricamente, a França de Luís Felipe devia ter partilhado da flexibilidade política da Grã-Bretanha, da Bélgica, da Holanda e dos países escandinavos. Na prática, isto não aconteceu, pois embora fosse claro que a classe governante da França — os banqueiros, financistas e um ou dois grandes industriais — representava somente uma parcela dos interesses da classe média e, além disso, uma parcela cuja política econômica não era apreciada pelos elementos industriais mais dinâmicos, bem como pelos diversos velhos resíduos feudais, a lembrança da Revolução de 1789 se constituía em um obstáculo para a reforma. A oposição consistia não só em uma burguesia descontente, mas também de uma classe média infe-

A ERA DAS REVOLUÇÕES

rior politicamente decisiva, especialmente em Paris (que votou contra o governo a despeito do restrito sufrágio em 1846). Aumentar o direito de voto poderia dar uma abertura aos jacobinos em potencial, os radicais que, ao menos para o veto oficial, eram revolucionários. O primeiro-ministro de Luís Felipe, o historiador Guizot (1840-1848), preferiu assim deixar o alargamento da base social do regime ao desenvolvimento econômico, que automaticamente aumentaria o número de cidadãos com qualificação (de proprietário) para entrar na política. De fato isto aconteceu. O eleitorado subiu de 176.000, em 1831, para 241.000, em 1846. Porém, isto não era o suficiente. O medo da república jacobina manteve rígida a estrutura política francesa, e a situação política se tornou cada vez mais tensa. Nas condições da Inglaterra, uma campanha política pública, através de discursos de banquetes, como a campanha lançada pela oposição francesa em 1847, teria sido perfeitamente inofensiva. Sob as condições francesas, ela foi o prelúdio da revolução.

Como as outras crises na política da classe governante europeia, coincidiu com uma catástrofe social: a grande depressão que varreu o continente a partir da metade da década de 1840. As colheitas — e em especial a safra de batatas — fracassaram. Populações inteiras como as da Irlanda, e até certo ponto também as da Silésia e Flanders, morriam de fome.* Os preços dos gêneros alimentícios subiam. A depressão industrial multiplicava o desemprego, e as massas urbanas de trabalhadores pobres eram privadas de seus modestos rendimentos no exato momento em que o custo de vida atingia proporções gigantescas. A situação variava de um país para outro e dentro de cada um deles, e — felizmente para os regimes existentes — as populações mais miseráveis, como as da Irlanda e de Flanders, ou alguns dos trabalhadores de fábricas nas províncias encontravam-se entre as pessoas politicamente menos maduras: os em-

---

* Nas regiões de cultivo da fibra de linho, em Flanders, a população caiu 5% entre 1846 e 1848.

CONCLUSÃO: RUMO A 1848

pregados da indústria algodoeira dos departamentos do norte da França, por exemplo, vingavam-se de seu desespero nos igualmente desesperados imigrantes belgas que invadiam aquelas regiões, em vez de se vingarem contra o governo ou mesmo contra os empregadores. Além do mais, no mais industrializado dos países, a pior situação de descontentamento fora embotada pelo grande avanço na construção ferroviária e industrial da metade da década de 1840. Os anos de 1846-1848 foram maus, mas não tão maus como os de 1841-1842, e o mais importante é que foram apenas uma pequena depressão no que era agora, visivelmente, uma inclinação ascendente de prosperidade econômica. Porém, tomando-se a Europa ocidental e central como um todo, a catástrofe de 1846-1848 foi universal e o estado de ânimo das massas, sempre dependente do nível de vida, era tenso e apaixonado.

Assim, pois, o cataclismo econômico europeu coincidiu com a visível corrosão dos antigos regimes. Um camponês que se insurgia na Galícia, a eleição de um papa "liberal" no mesmo ano, uma guerra civil entre radicais e católicos na Suíça no fim de 1847, vencida pelos radicais, uma das perenes insurreições autônomas da Sicília, em Palermo, no início de 1848, foram não só uma indicação prévia do que estava para acontecer, mas se constituíam em verdadeiras comoções prévias do grande tufão. Todos sabiam disso. Raras vezes a revolução foi prevista com tamanha certeza, embora não fosse prevista em relação aos países certos ou às datas certas. Todo um continente esperava, já agora pronto a espalhar a notícia da revolução através do telégrafo elétrico. Em 1831, Victor Hugo escrevera que já ouvia o "ronco sonoro da revolução, ainda profundamente encravado nas entranhas da Terra, estendendo por baixo de cada reino da Europa suas galerias subterrâneas a partir do eixo central da mina, que é Paris". Em 1847, o barulho se fazia claro e próximo. Em 1848, a explosão eclodiu.

OS ESTADOS DA EUROPA EM 1836

Nome	População total (milhares)	Número de cidades (mais de 50 mil)	Terras cultivadas em morgen (medida holandesa equivalente a 2.116 acres) (milhões)	Produção de sementes em Scheffel* (milhões)	Gado bovino (milhões)	Ferro (milhões de cwt)	Carvão
Rússia, incluindo Polônia e Cracóvia	49.538	6	276	1.125	19	2,1	0
Áustria, incluindo Hungria e Lombardia	35.000	8	93	225	10,4	1,2	2,3
França	33.000	9	74	254	7	4	20,0
Grã-Bretanha, incluindo a Irlanda	24.273	17	67,5	330	10,5	13	200
Confederação Alemã, (excluindo Áustria e Prússia	14.205	4	37,5	115	6	1,1	2,2

(cont.)

Nome	População total (milhares)	Número de cidades (mais de 50 mil)	Terras cultivadas em morgen (medida holandesa equivalente a 2.116 acres) (milhões)	Produção de sementes em Scheffel* (milhões)	Gado bovino (milhões)	Ferro (milhões de cwt)	Carvão
Espanha	14.032	8	30		3	0,2	0
Portugal	3.530	1	30		3	0,2	0
Prússia	13.093	5	43	145	4,5	2	4,6
Turquia, incluindo Romênia	8.600	5					
Reino de Nápoles	7.622	2	20	116	2,8	0	0,1
Piemonte-Sardenha	4.450	2	20	116	2,8	0	0,1
Resto da Itália	5.000	4	20	116	2,8	0	0,1
Suécia e Noruega	4.000	1	2	21	1,4	1,7	0,6
Bélgica	3.827	4	7	5	2	0,4	55,4
Holanda	2.750	3	7	5	2	0,4	55,4
Suíça	2.000	0	2		0,8	0,1	0
Dinamarca	2.000	1	16		1,6	0	0
Grécia	1.000		0				

*Medida que nesta época equivalia, na Alemanha, a 501, na Prússia, a 54,961, e na Saxônia, a 103,841. (N. T.)

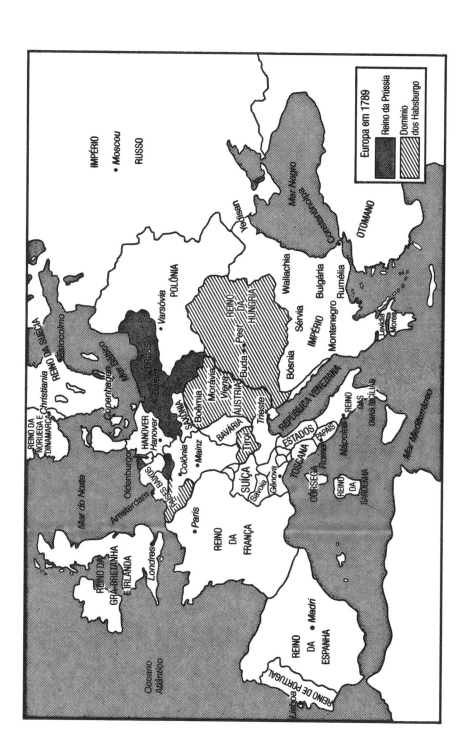

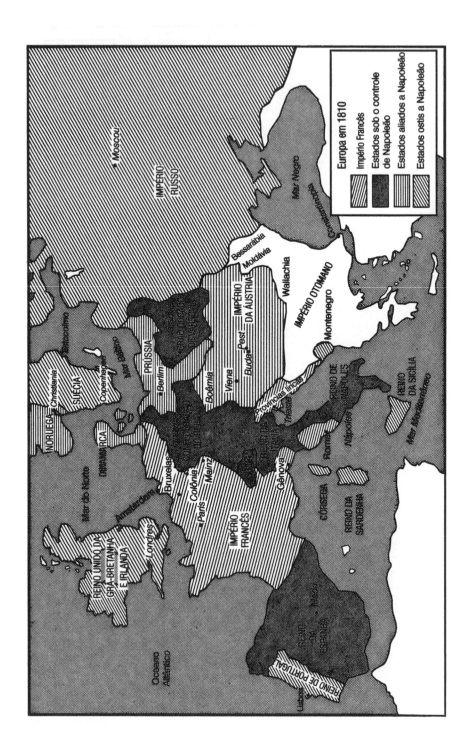

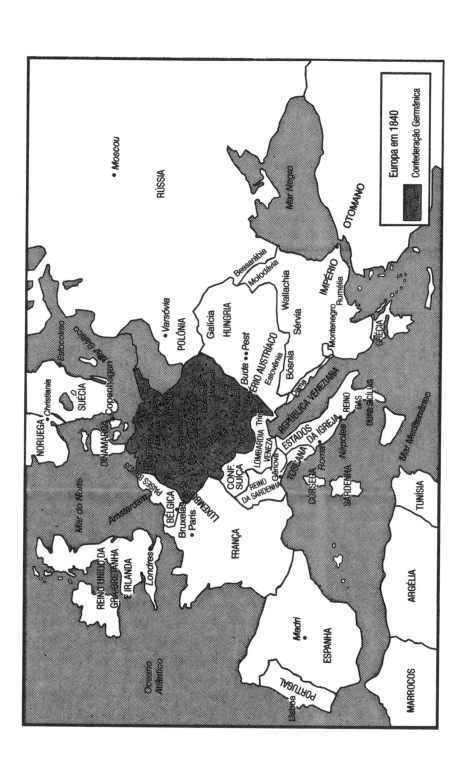

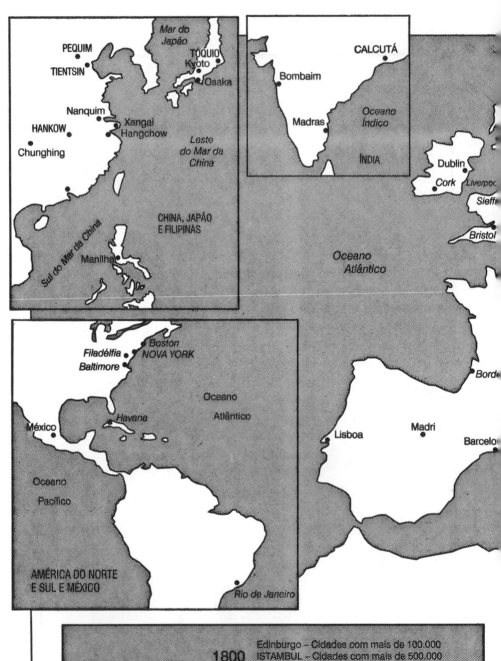

Opera

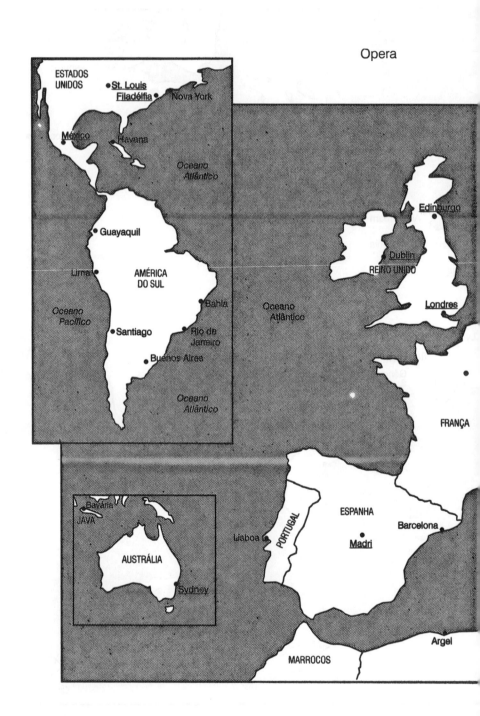

Locais e línguas de apresentações de três óperas populares:
Rossini – Almaviva o sia L'inutele precauzione e La gazza ladra
Auber – La muette de Portice

Corfu – apresentações em francês e italiano
Londres – apresentações também ou oficialmente em vernáculo
BASEL – apresentações em alemão
SÃO PETERSBURGO – apresentações em vernáculo ou alemão

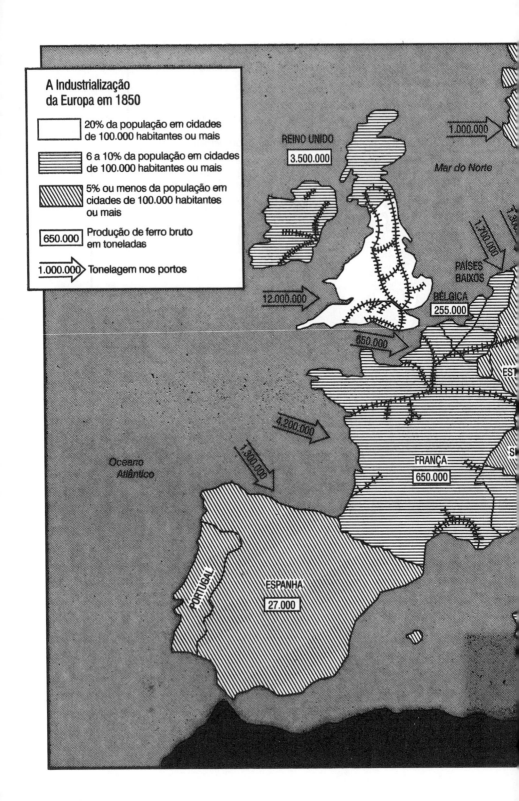

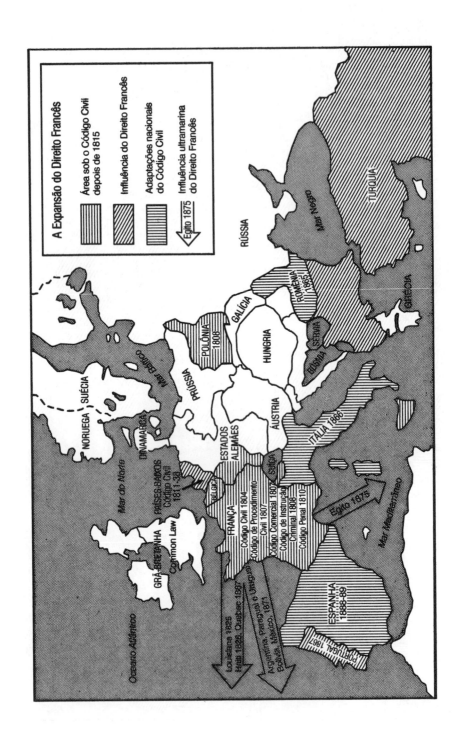

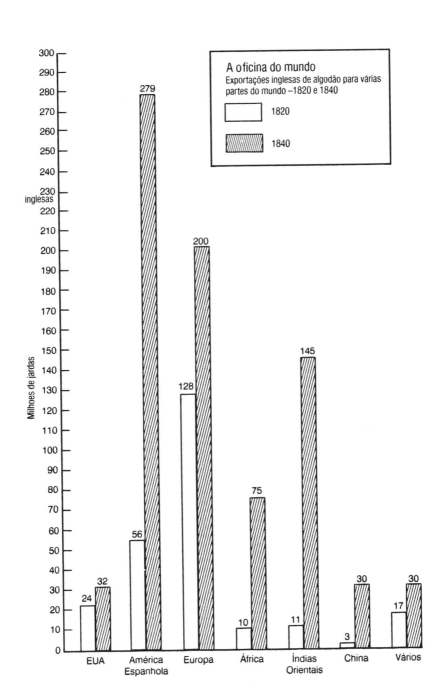

NOTAS

Capítulo 1: O mundo na década de 1780

1. Saint-Just, *Oeuvres completes,* II, p 514.
2. A. Hovelacque, La taille dans un canton ligure, *Revue Mensuelle de l'École d'Anthropologie* (Paris, 1896).
3. L. Dal Pane, *Storia del Lavoro dagli inizi del secolo XVIII al 1815* (1958), p. 135. R. S. Eckers, The North-South Differential in Italian Economic Development, *Journal of Economic History,* XXI, 1961, p. 290.
4. Quêtelet, citado por Manouvrier, Sur la taille des Parisiens, *Bulletin de la Société Anthropologique de Paris,* 1888, p. 171.
5. H. Sée, *Esquisse d'une Histoire du Régime Agraire en Europe au XVIII et XIX siècles* (1921), p. 184, J. Blum, *Lord and Peasant in Russia* (1961), p. 455-60.
6. A. Goodwin ed., *The European Nobility in the Eighteenth Century* (1953), p. 52.
7. L. B. Namier, 1848, *The Revolution of the Intellectuals* (1944); J. Vicens Vives, *Historia Economica de España* (1959).
8. Th. Haebich, *Deutsche Latifundien* (1947), p. 27.
9. Sten Carlsson, *Ständssamhälle och ständspersoner 1700-1865* (1949).
10. Pierre Lebrun et al., La rivoluzione industriale in Belgio, *Studi Storici,* II, 3-4, 1961, p. 564-5.
11. Segundo Turgot (*Oeuvres* V, p. 244): "Ceux qui connaissent la marche du commerce savent aussi que toute entreprise importante, de trafic ou d'industrie, exige le concours de deux espèces d'hommes, d'entrepeneurs (...) et des ouvriers qui travaillent pour le compte des premiers, moyennant un salaire convenu. Telle est la véritable origine de la distinction entre les entrepreneurs et les maîtres, et les ouvriers ou compagnons, laquelle est fondé sur la nature des choses."

Capítulo 2: A revolução industrial

1. Arthur Young, *Tours in England and Wales,* London School of Economics edition, p. 269.
2. A. de Toqueville, *Journeys to England and Ireland,* ed. J. P. Mayer (1958), p. 107-8.
3. Anna Bezanson, The Early Uses of the Term Industrial Revolution, *Quarterly Journal of Economics,* XXXVI, 1921-2, p. 343; G. N. Clark, *The Idea of the Industrial Revolution* (Glasgow, 1953).

A ERA DAS REVOLUÇÕES

4. Cf. A. E. Musson & E. Robinson, Science and Industry in the late Eighteenth Century, *Economic History Review*, XIII, 2, dezembro de 1960, e a obra de R. E. Schofield sobre os industrialistas da Inglaterra Central e a Sociedade Lunar, *Isis* 47 (março de 1956), 48 (1957), *Annals of Science* II (junho de 1956) etc.
5. K. Berrill, International Trade and the Kate of Economic Growrh, *Economic History Review*, XII, 1960, p. 358.
6. W. G. Hoffmann, *The Growth of Industrial Economies* (Manchester, 1958), p. 68.
7. A. P. Wadsworth & J. de L. Mann, *The Cotton Trade and Industrial Lancashire* (1931), capítulo VII.
8. F. Crouzet, *Le Blocus Continental et l'Economie Britannique* (1958), p. 63, sugere que em 1805 atingia dois terços.
9. P. K. O'Brien, British Incomes and Property in the Early Nineteenth Century, *Economic History Review*, XII, 2 (1959), p. 267.
10. Hoffmann, op. cit., p. 73.
11. Baines, *History of the Cotton Manufacture in Great Britain* (Londres, 1835), p. 431.
12. P. Mathias, *The Brewing Industry in England* (Cambridge, 1959).
13. M. Mulhall, *Dictionary of Statistics* (1892), p. 158.
14. Baines, op. cit., p. 112.
15. Cf. Phyllis Deane, Estimates of the British National Income, *Economic History Review* (abril de 1956 e abril de 1957).
16. O'Brien, op. cit., p. 267.
17. Para o estado estacionário, cf. J. Schumpeter, *History of Economic Analysis* (1954), p. 570-1. A formulação crucial é de John Stuart Mill (*Principies of Political Economy*, Livro IV, capítulo IV): "Quando um país possui durante muito tempo uma grande produção e uma ampla renda líquida para fomentar a poupança, e quando, portanto, existiram durante muito tempo condições para que se faça um grande acréscimo anual ao capital, é uma das características deste país o fato de que a proporção de lucro se encontra, por assim dizer, a um palmo do *minimum*, estando o país, portanto, à beira do estado estacionário (...). A mera continuação do atual aumento de capital, caso nada aconteça para contrariar seus efeitos, seria suficiente para reduzir, em poucos anos, esses lucros ao mínimo". Entretanto, quando isto foi publicado em 1848, a força oponente — a onda de desenvolvimento criada pelas ferrovias — já havia se feito presente.
18. Do radical John Wade, *History of the Middle and Working Classes;* do banqueiro *Lord* Overstone, *Reflections Suggested by the Perusal of Mr. J Horsley Palmer's Pamphlet on the Causes and Consequences of the Pressure on the Money Market* (1837); do veterano Anti-Corn Law, J. Wilson, *Fluctuations of Currency, Commerce and Manufacture, Referable to the Corn Laws* (1840); e na França, por A. Blanqui (irmão do famoso revolucionário) em 1837 e M. Briaune em 1840; Indubitavelmente, de muitos outros.
19. Baines, op. cit., p. 441. A. Ure & P. L. Simmonds, *The Cotton Manufacture of Great Britain* (edição de 1861), p. 390 ss.
20. Geo. White, *A Treatise on Weaving* (Glasgow, 1846), p. 272.
21. M. Blaug, The Productivity of Capital in the Lancashire Cotton Industry during the Nineteenth Century, *Economic History Review* (abril de 1961).

NOTAS

22. Thomas Ellison, *The Cotton Trade of Great Britain* (Londres, 1886), p. 61.
23. Baines, op. cit., p. 356.
24. Baines, op. cit., p. 489.
25. Ure & Simmonds, op. cit., vol. I, p. 317.
26. J. H. Clapham, *An Economic History of Modern Britain* (1926), p. 427; Mulhall, op. cit., p. 121, 332; M. Robbins, *The Railway Age* (1962), p. 30-1.
27. Rondo E. Cameron, *France and the Economic Development of Europe 1800-1914* (1961), p. 77.
28. Mulhall, op. cit., p. 501, 497.
29. L. H. Jenks, *The Migration of British Capital to* 1815 (Nova York e Londres, 1927), p. 126.
30. D. Spring, The English Landed Estate in the Age of Coal and Iron, *Journal of Economic History* (XI, 1, 1951).
31. J. Clegg, *A. Chronological History of Bolton* (1876).
32. Albert M. Imlah, British Balance of Payments and Export of Capital, 1816-1913, *Economic History Review V* (1952, 2, p. 24).
33. John Francis, *A History of the English Railway* (1851) II, 136; ver também H. Tuck, *The Railway Shareholder's Manual* (7ª edição, 1846), prefácio, e T. Tooke, *History of Prices* II, p. 275, 333-4 a respeito da pressão dos excedentes acumulados de Lancashire e lançados nas ferrovias.
34. Mulhall, op. cit., p. 14,
35. *Annals of Agric*, XXXVI, p. 214.
36. Wilbert Moore, *Industrialisation and Labour* (Cornell, 1951).
37. Blaug, loc. cit., p. 368. As crianças com menos de treze anos, entretanto, declinaram agudamente na década de 1830.
38. H. Sée, *Histoire Economique de la France*, vol. II, p. 189 n.
39. Mulhall, op. cit.; Imlah, loc. cit., II, 52, p. 228-9. A data correta desta estimativa é 1854.

Capítulo 3: A Revolução Francesa

1. Vide R. R. Palmer, *The Age of Democratic Revolution* (1959); J. Godechot, *La Grande Nation* (1956), vol. I, capítulo I.
2. B. Lewis, The Impact of the French Revolution on Turkey, *Journal of World History,* I (1953-4, p. 105).
3. H. Sée, *Esquisse d'une Histoire du Régime Agraire* (1931), p. 16-17.
4. A. Soboul, *Les Campagnes Montpelliéraines à la fin de l'Ancien Régime* (1958).
5. A. Goodwin, *The French Revolution* (ed. 1959), p. 70.
6. C. Bloch, rémigration française au XIX siècle, *Études d'Histoire Moderne & Contemp.* I (1947), p. 137; D. Greer, *The Incidence of the Emigration During the French Revolution* (1951), sugere, entretanto, valores bem menores.
7. D. Greer, *The Incidence of the Terror* (Harvard, 1935).
8. *Oeuvres Compléts de Saint-Just*, vol. II, p. 147 (ed. C. Vellay, Paris, 1908).

A ERA DAS REVOLUÇÕES

Capítulo 4: A guerra

1. Cf., p. ex., W. von Groote, Die Entstehung d. Nationalbewussteins in Nordwestdeutschland 1790-1830 (1952).
2. M. Lewis, *A Social History of the Navy*, 1793-1815 (1960), p. 370, 373.
3. Gordon Craig, *The Politics of the Prussian Army 1640-1945* (1955), p. 26.
4. A. Sorel, *L'Europe et la Révolution Française*, I (ed. 1922), p. 66.
5. *Considérations sur la France*, capítulo IV.
6. Citado em L. S. Stavrianos, Antecedents to Balkan Revolutions, *Journal of Modern History*, XXIX, 1957, p. 344.
7. G. Bodart, *Losses of Life in Modern Wars* (1916), p. 133.
8. J. Vicens Vives ed., *Historia Social de España y America* (1956), IV, II, p. 15.
9. G. Bruun, *Europe and the French Imperium* (1938), p. 72.
10. J. Levertier, *La Naissance de l'armée nationale 1789-1794* (1939), p. 139; G. Lefebvre, *Napoléon* (1936), p. 198, 527; M. Lewis, op. cit., p. 119; *Parliamentary Papers* XVII, 1859, p. 15.
11. Mulhall, *Dictionary of Statistics:* War.
12. *Cabinet Cyclopedia*, I, p. 55-6 (Manufactures in Metal).
13. E. Tarlé, *Le blocus continental et te royaume d'Italie* (1928), p. 3-4,25-31; H. Sée, *Histoire Economique de la France*, II, p. 52; Mulhall, loc. cit.
14. Gayer, Rostow e Schwartz, *Growth and Fluctuation of the British Economy, 1790-1850* (1953), p. 646-9; F. Crouzet, *Le blocus continental et l'économie britannique* (1958), p. 868.

Capítulo 5: A paz

1. Castlereagh, *Correspondence*, Terceira Série, XI, p. 105.
2. Gentz, *Depêches inédites*, I, p. 371.
3. J. Richardson, *My Dearest Uncle, Leopold of the Belgians* (1961), p. 165.
4. R. Cameron, op. cit., p. 85.
5. F. Ponteil, *Lafayette et la Pologne* (1934).

Capítulo 6: As revoluções

1. Luding Boerne, *Gesammelte Schriften*, III, p. 130-1.
2. *Memoirs of Prince Metternich*, III, p. 468.
3. Viena, Verwaltungsarchiv: Polizeihofstelle H 136/1834, passim.
4. Grigot, *Of Democracy in Modern Societies* (Londres, 1838), p. 32.
5. A discussão mais lúcida desta estratégia revolucionária geral está contida nos artigos de Marx no *Neue Rheinische Zeitung* durante a Revolução de 1848.
6. M. L. Hansen, *The Atlantic Migration* (1945), p. 147.
7. F. C. Mather, The Government and the Chartists, in A. Briggs ed., *Chartists Studies* (1959).

NOTAS

8. Cf. *Parliamentary Papers*, XXXIV, de 1834; responde a pergunta 53 (causas e consequências das insurreições agrícolas de 1830 e 1831), p. ex. Lambourn, Speen (Berks), Steeple Claydon (Bucks), Boningron (Glos), Evenley (Nomthants).

9. R. Daurry, *1848 et la Deuxième République* (1848), p. 80.

10. St. Kiniewicz, La Pologne et l'Italie à l'époque du printemps des peuples. *La Pologne au Xe Congrés International Historique*, 1955, p. 245.

11. D. Cantimori, in F. Fejtö, ed., *The Opening of an Era: 1848* (1948), p. 119.

12. D. Read, *Press and People* (1961), p. 216.

13. Irene Collins, *Government and Newspaper Press in France, 1814-1881* (1959).

14. Cf. E. J. Hobsbawm, *Primitive Rebels* (1959), p. 171-2; V. Volguine, Les idées socialistes et communistes dans les sociétés secrètes (*Questions d'Histoire*, II, 1954, p. 10-37); A. B. Spitzer, *The Revolutionary Theories of Auguste Blanqui* (1957), p. 165-6.

15. G. D. H. Cole e A. W Filson, *British Working Class Movements Select Documents* (1951), p. 402.

16. J. Zubrzycki, Emigration from Poland, *Population Studies*, VI (1952-3), p. 248.

Capítulo 7: O nacionalismo

1. Hoffmann v. Fallersleben, Der Deutsche Zollverein, in *Unpolitische Lieder*.

2. G. Weill, *L'Enseignement Sécondaire en France 1802-1920* (1921), p. 72.

3. E. de Laveleye, *L'Instructiom du Peuple* (1872), p. 278.

4. F. Paulsen, *Geschichte des Gelehrten Unterrichts* (1897), II, p. 703; A. Daumard, Les élèves de l'École Polytechnique 1815-48 (*Rev. d'Hist. Mod. et Contemp.* V, 1958); O número total de estudantes alemãs e belgas em um semestre médio do princípio da década de 1840 era de cerca de 14.000. J. Conrad, Die Frequenzverhältnisse der Universitären der hauptsächlichen Kultärlander, *Jb. f. Nationalök. u. Statistik* LVI, 1895, p. 376).

5. L. Liard, *L'Enseignement Supérieur en France 1789-1889* (1888), p. 11.

6. Paulsen, op. cit., II, p. 690-1.

7. *Handwörterbuch d. Staabwissenschaften* (2ª edição) art. Buchhandel.

8. Laveleye, op. cit., p. 264.

9. W. Wachsmuth, *Europäische Sittengeschichte*, V, 2 (1839), p. 807-8.

10. J. Sigmann, Les radicaux badois et l'idée nationale allemande en 1848. *Études d'Histoire Moderne et Contemporaine*, II, 1948, p. 213-4.

11. J. Miskolczy, *Ungarn und die Habsburger-Monarchie* (1959), p. 85.

Capítulo 8: A terra

1. Haxthausen, *Studien...ueber Russland* (1847), II, p. 3.

2. J. Billingsley, *Survey of the Board of Agriculture for Somerset* (1798), p. 52.

3. Os números se baseiam no *New Domesday Book* de 1871-1873, mas não há razão para se acreditar que não representem a situação em 1848.

4. *Handwörterbuch d. Staabwissenschaften* (2ª edição), art. Grundbesitz.

A ERA DAS REVOLUÇÕES

5. Th. von der Goltz, *Gesch. d. Deutschen Landwirtschaft* (1903), II; Sartorius v. Walterhausen, *Deutsche Wirtschaftsgeschichte 1815-1914* (1923), p. 132.
6. Citado em L. A. White, ed., *The Indian Journals of Lewis, Henry Morgan* (1959), p. 15.
7. L. V. A. de Villeneuve Bargemont, *Economie Politique Chrétienne* (1834), vol. II, p. 3 ss.
8. C. Issawi, Egypt since 1800, *Journal of Economic History*, XXI, I, 1961, p. 5.
9. B. J. Hovde, *The Scandinavian Countries 1720-1860* (1943), vol. I, p. 279. Para o aumento na colheita média de seis milhões de toneladas (1770) para dez milhões, veja *Hwb. d. Staatswissenschaften*, art. Bauernbefreiung.
10. A. Chabert, *Essai sur les mouvements des prix et des revenus 1798-1820* (1949), II, p. 27; F. l'Huillier, *Recherches sur l'Alsace Napoléonienne* (1945), p. 470.
11. P. ex. G. Desert in E. Labrousse, ed., *Aspects de la Crise... 1846-51* (1956), p.58.
12. J. Godechot, *La Grande Nation* (1956), II, p. 584.
13. A. Agthe, *Ursprung u. Lage d. Landarbeiter in Livland* (1909), p. 122-8.
14. Para a Rússia, Lyashchenko, op. cit., p. 360; para a comparação entre a Prússia e a Boêmia, W. Stark, Niedergang und Ende d. Landwirtsch. Grossbetriebs in d. Boehm Laendern (*Jb. f. Nat. Oek.* 146, 1937, p. 434).
15. F. Luetge, Auswirkung der Bauernbefreiung, in *Jb. f. Nat. Oek.* 157, 1943, p. 353.
16. R. Zangheri, *Prime Richerche sulla distribuzione della proprietà fondiaria* (1957).
17. E. Sereni, *Il Capitalismo nelle Campagne* (1948), p. 175-6.
18. Cf. G. Mori, La storia dell'industria italiana contemporanea (*Annali dell-Instituto Giangiacomo Feltrinelli*, II, 1959, p. 278-9); e do mesmo autor, Osservazioni sul liberoscambismo dei moderati nel Risorgimento (*Rivista Storica del Socialismo*, III, 9, 1960).
19. Dal Pane, *Storia del Lavoro in Italia dagli inizi del secolo XVIII al 1815* (1958), p. 119.
20. R. Zangheri, ed., *Le Campagne emiliane nell'epoca moderna* (1957), p. 73.
21. J. Vicens Vives, ed., *Historia Social y Económica de España y America* (1959), IV, p. 92, 95.
22. M. Emerit, L'état intellectuel et moral de l'Algérie en 1830, *Revue d'Histoire Moderne et Contemporaine*, I, 1954, p. 207.
23. R. Dutt, *The Economic History of India under early British Rule* (s/d, 4ª edição), p. 88.
24. R. Dutt, *India and the Victorian Age* (1904), p. 56-7.
25. B. S. Cohn, The initial British impact on India (*Journal of Asian Studies*, 19, 1959-60, p. 418-31), mostra que no distrito de Benares (Uttar Pradesh) os funcionários usavam seus postos para adquirir terras. De 74 donos de grandes propriedades, no fim do século, 23 deviam o direito original de posse da terra a suas ligações com servidores civis (p. 430).
26. Sulekh Chandra Gupta, Land Market in the North Western Provinces (Utter Pradesh), in the first half of the nineteenth century (*Indian Economic Review*, IV, 2, agosto de 1958). Veja também, do mesmo autor, Agrarian Background of 1857 Rebellion in me North-western Provinces (*Enquiry*, N. Delhi, fevereiro de 1959).
27. R. P. Durt, *India Today* (1940), p. 129-30.
28. K. H. Connell, Land and Population in Ireland, *Economic History Review*, II, 3, 1950, p. 285, 288.
29. S. H. Cousens, Regional Death Rates in Ireland during the Great Famine, *Population Studies*, XIV, 1, 1960, p. 65.

NOTAS

Capítulo 9: Rumo a um mundo industrial

1. Citado em W. Armytage, *A Social History of Engineering* (1961), p. 126.
2. Citado em R. Picard, *Le Romantisme Social* (1944), parte 2, cap. 6.
3. J. Morley, *Life of Richard Cobden* (ed. 1903), p. 108.
4. R. Baron Castro, La población hispano-americana, *Journal of World History*, V, 1959-60, p. 339-40.
5. J. Blum, Transportation and Industry in Austria 1815-48, *Journal of Modern History*, XV (1943), p. 27.
6. Mulhall, op. cit., Post Office.
7. Mulhall, ibid.
8. P. A. Khromov, *Ekonomicheskoe Razvitie Rossii v. XIX-XX Vekakh* (1950), Tabela 19, p. 482-3. Porém o montante de vendas aumentou muito mais rapidamente. Cf., também, J. Blum, *Lord and Peasant in Russia*, p. 287.
9. R. E. Cameron, op. cit., p. 347.
10. Citado em S. Giedion, *Mechanisation Takes Command* (1948), p. 152. 11. R. E. Cameron, op. cit., p. 115 ss.
12. R. E. Cameron, op. cit., p. 347; W. Hoffmann, *The Growth of Industrial Economies* (1958), p. 71.
13. W. Hoffmann, op cit., p. 48. Mulhall, op. cit., p. 377.
14. J. Purš, The Industrial Revolution in the Czech Lands (*Historica*, II), 1960, p. 199-200.
15. R. E. Cameron, op cit., p. 347; Mulhall, op cit., p. 377.
16. H. Kisch, The Textile Industries in Silesia and the Rhineland, *Journal of Economic History*, XIX, dezembro de 1959.
17. O. Fischel e M. V Boehm, *Die Mode, 1818-1842* (Munique, 1924), p. 136.
18. R. E. Cameron, op cit., p. 79, 85.
19. O "locus classicus" desta discussão é G. Lefebvre, *La révolution française et les paysans* (1932), reimpresso em *Études sur la Révolution Française* (1954).
20. G. Mori, Osservazioni sul libero-scambismo dei moderati nel Risorgimento, *Riv. Storic. del Socialismo*, III, 1960, p. 8.
21. C. I. Issawi, Egypt since 1800, *Journal of Economic History*, março de 1961, XXI, p. 1.

Capítulo 10: A carreira aberta ao talento

1. F. Engels, *Condition of the Working Class in England*, capítulo XII.
2. M. Capefigue, *Histoires des Grandes Operations Financières*, IV (1860), p. 255.
3. M. Capefigue, loc. cit., p. 254, 248-9.
4. A. Beauvilliers, *L'Art du Cuisinier* (Paris, 1814).
5. H. Sée, *Histoire Economique de la France*, II, p. 216.
6. A. Briggs, Middle Class Consciousness in English Politics 1780-1846, *Past and Present*, 9 de abril de 1956, p. 68.
7. Donald Read, *Press and People 1790-1850* (1961), p. 26.
8. S. Smiles, *Life of George Stephenson* (ed. 1881), p. 183.

493

A ERA DAS REVOLUÇÕES

9. Charles Dickens, *Hard Times*.
10. Léon Faucher, *Études sur l'Angleterre*, I (1842), p. 322.
11. M. J. Lambert-Dansette, *Quelques familles du patronat textile de Lille-Armentières* (Lille, 1954), p. 659.
12. Oppermann, *Geschichte d. Königreichs Hannover*, citado em J. Klein, *1848, Der Vorkampf* (1914), p. 71.
13. G. Schilfert, *Sieg u. Niederlage d. demokratischen Wahlrechts in d. deutschen Revolution 1848-9* (1952), p. 404-5.
14. Mulhall, op. cit., p. 259.
15. W. R. Sharp, *The French Civil Service* (Nova York, 1931), p. 15-16.
16. *The Census of Great Britain in* 1851 (Londres, Longman, Brown, Green and Longmans, 1854), p. 57.
17. R. Portal, La naissance d'une bourgeoisie industrielle en Russie dans la première moitié du XIX siècle. *Bulletin de la Société d'Histoire Moderne*, Douzième série, II, 1959.
18. Viena, *Verwaltungsarchiv*, Polizeihofstelle, H 136/1834.
19. A Girault et L. Milliot, *Principes de Colonisation et de Législation Coloniale* (1938), p. 359.
20. Louis Chevalier, *Classes Laborieuses et Classes Dangereuses* (Paris, 1958) III, parte 2, discute o emprego do termo "bárbaro", tanto pelos que eram hostis quanto pelos que eram simpatizantes dos trabalhadores pobres na década de 1840.
21. D. Simon, Master and Servant in J. Saville, ed., *Democracy and the Labour Movement* (1954).
22. P. Jaccard, *Histoire Social e du Travail* (1960), p. 248.
23. P. Jaccard, op. cit., p. 249.

Capítulo 11: Os trabalhadores pobres

1. O tecelão Hauffe, nascido em 1807, citado em Alexander Schneer, *Ueber die Noth der Leinen-Arbeiter in Schlelesien...* (Berlim, 1844), p 16.
2. O teólogo P. D. Michele Augusti, *Della libertà ed eguaglianza degli uomini nell'ordine naturale e civile* (1790), citado em A. Cherubini, *Dottrine e Metodi Assistenziali dal 1789 al 1848* (Milão, 1958), p. 17.
3. E. J. Hobsbawm, The Machine Breakers, *Past and Present*, I, 1952.
4. "About Some Lancashire Lads" em *The Leisure Hour* (1881). Devo esta referência a A. Jenkin.
5. "Die Schnapspest im ersten Drittel des Jahrunderts", *Handwoerterbuch d. Staatswissenschaften* (2ª edição), art. "Trunksucht".
6. L. Chevalier, *Classes Laborieuses et Classes Dangereuses*, passim.
7. J. B. Russell, *Public Health Administration in Glasgow* (1903), p. 3.
8. A. Chevalier, op. cit., p. 233-4.
9. E. Neuss, *Entstehung u. Entwicklung d. Klasse d. besitzlosen Lohnarbeiter in Halle* (Berlim, 1958), p. 283.
10. J. Kuczynski, *Geschichte der Lage der Arbeiter* (Berlim, 1960), vol. 9, p. 264; vol. 8 (1960), p. 109.

NOTAS

11. R. J. Rath, The Habsburgs and the Great Depression in Lombardo-Venetia 1814-18, *Journal of Modern History,* XIII, p. 311.
12. M. C. Muehlemann, Les prix des vivres et le mouvement de la population dans le canton de Berne 1782-1881, *IV Congrés International d'Hygiène* (1883).
13. F. J. Neumann, Zur Lehre von d. Lohngesetzen, *Jb. f. Nat. Oek.,* 3ª série, IV, 1892, p. 347.
14. R. Scheer, *Entwicklung d. Annaberger Posamentierindustrie im* 19. *Jahrhun-dert (Leipzig,* 1909), p. 27-8, 33.
15. N. McCord, *The Anti-Corn Law League* (1958), p. 127.
16. "Par contre, il est sur que la situation alimentaire, à Paris, s'est deteriorée peu à peu avec le XIX siècle, sans doute jusqu'au voisinage des années 50 ou 60." R. Philippe em *Annales* 16, 3, 1961, 567. Para cálculos análogos em relação a Londres, cf. E. J. Hobsbawm, The British Standard of Living, *Economic History Review,* X, I, 1957. O total de consumo *per capita* de carne na França parece ter permanecido inalterado de 1812 a 1840 (*Congrés Internationale d'Hygiène Paris 1878* (1880), vol. I, p. 432).
17. S. Pollard, *A History of Labour in Sheffield* (1960), p. 62-3.
18. H. Ashworth em *Journal Star. Soc.* V (1842), p. 74; E. Labrousse ed., *Aspects de la Crise... 1846-51* (1956), p. 107.
19. *Statistical Committee appointed by the Anti-Corn Law Conference... March 1842* (s/d), p. 45.
19a. R. K. Webb in *English Historical Review,* LXV (1950), p. 333.
20. Citado em A. E. Musson, The Ideology of Early Co-operation in Lancashire and Cheshire; *Transactions of the Lancashire and Cheshire Antiquarian Society,* LXVIII, 1958, p. 120.
21. A. Williams, *Folksongs of the Upper Thames* (1923), p. 105 reproduz uma versão semelhante bem mais voltada para consciência de classe.
22. A. Briggs, The Language of "class" in early nineteenth century England, in A. Briggs e J. Saville, ed., *Essays in Labour History* (1960); E. Labrousse, *Le mouvement ouvrier et les idées sociales,* III (Cours de la Sorbonne), p. 168-9; E. Coornaert, La pensée ouvriere et la conscience de classe en France 1830-1848, in *Studi in Onore di Gino Luzzato,* III (Milão, 1950), p. 28; G. D. H. Cole, *Attempts at General Union* (1953), p. 161.
23. A. Soboul, *Les Sansculottes de Paris en l'an II* (1958), p. 660.
24. S. Pollard, op. cit., p. 48-9.
25. Th. Mundt, *Der dritte Stand in Deutschlend und Preussen...* (Berlim, 1847), p. 4, citado por J. Kuczynski, Gesch. d. Lage d. Arbeiter 9, p. 169.
26. Karl Biedermann, *Vorlesungen ueber Socialismus und Sociale Fragen* (Leipzig, 1847), citado por Kuczynski, op. cit., p. 71.
27. M. Tylecote, *The Mechanics' Institutes of Lancashire before 1851* (Manchester, 1957), VIII.
28. Citado em *Revue Historique* CCXXI (1959), p. 138.
29. P. Gosden, *The Friendly Societies in England 1815-75* (1961), p. 23, 31.
30. W. E. Adams, *Memoirs of a Social Atom,* I, p. 163-5 (Londres, 1903).

Capítulo 12: A ideologia religiosa

1. Civiltà Cattolica II. 122, citado em L. Dal Pane, il socialismo e le questione sociale nella prima annata della Civiltà Cattolica (*Studi Onome di Gino Luzzato,* Milão, 1950), p. 144.

A ERA DAS REVOLUÇÕES

2. Haxthausen, *Studien ueber... Russland* (1847), I, p. 388.
3. Cf. a descrição feita por Antonio Machado a respeito do cavalheiro da Andaluzia, em *Poesias Completas* (editora Austral), p. 152-4: "Gran pagano,/Se hizo hermano/De una santa cofradia" etc.
4. G. Duveau, *Les Instituteurs* (1957), p. 3-4.
4a. J. S. Trimingham, Islam in West Africa (Oxford, 1959), p. 30.
5. Ramos, *Las culturas negras en el mundo nuevo* (México, 1943), p. 277.
6. W. F. Wertheim, *Indonesian Society in Transition* (1956), p. 204.
7. *Census of Great Britain 1851: Religious Worship in England and Woles* (Londres, 1854).
8. Mulhall, *Dictionary of Statistics:* "Religion".
9. Mary Menryweather, *Experience of Factory Life* (3ª edição, Londres, 1862), p. 18. A referência é em relação à década de 1840.
10. T. Rees, *History of Protestant Non-conformity in Woles* (1861).
11. Marx-Engels, *Werke* (Berlim, 1956), I, p. 378.
12. *Briefwechsel zwishen Fr. Gentz und Adam Müller,* Gentz a Muller, 7 de outubro de 1819.
13. Gentz a Muller, 19 de abril de 1819.

Capítulo 13: A ideologia secular

1. *Archives Parlementaires* 1787-1860, t. VIII, p. 429. Foi este o primeiro rascunho do parágrafo 4 da Declaração do Homem e do Cidadão.
2. *Declaração dos Direitos do Homem e do Cidadão,* 1789, parágrafo 4.
3. E. Roll, *A History of Economic Thought* (edição de 1948), p. 155.
4. *Oeuvres de Condorcet* (edição de 1804), XVIII, p. 412; (*Ce que les citoyens ont le droit d'attendre de leurs représentants*), R. R. Palmer, *The Age of Democratic Revolution,* I (1959), p. 13-20, sustenta — de maneira pouco convincente — que o liberalismo era mais claramente "democrático" do que aqui se sugere.
5. Cf. C. B. Macpherson, Edmund Burke (*Transactions of the Royal Society of Canada,* LIII, Seção II, 1959, p. 19-26).
6. Citado em J. L. Talmon, *Political Messianism* (1960), p. 323.
7. Rapport sur le mode d'exécution du décret du 8 ventôse, an II (*Oeuvres Complèts,* II, 1908, p. 248).
8. *The Book, of the New Moral World,* parte IV, p. 54.
9. R. Owen, *A New View of Society: or Essays on the Principle of the Formation of the Human Character.*
10. Citado em Talmon, op. cit., p. 127.
11. K. Marx, *Preface to the Critique of Political Economy.*
12. *Letter to the Chevalier de Rivarol,* 12 de junho de 1791.
13. Para sua "declaração de fé política", veja Eckermann, *Gespraeche mit Goethe,* 1º de abril de 1824.
14. G. Lukács, *Der junge Hegel,* p. 409 para Kant, passim — esp. II, 5, para Hegel.
15. Lukács, op. cit., p. 411-12.

NOTAS

Capítulo 14: As artes

1. S. Laing, *Notes of a Traveller on the Social and Political State of France, Prussia, Switzerland. Italy and others parts of Europe, 1842* (edição de 1854), p. 275.
2. *Oeuvres Complètes*, XIV, p. 17.
3. H. E. Hugo, *The Portable Romantic Reader* (1957), p. 58.
4. Fragmente Vermischten Inhalts (Novalis, *Schriften*, Iena, 1923), III, p. 45-6.
5. Tirado de *The Philosophy of Fine Art* (Londres, 1920), V. I, p. 106.
6. E. C. Batho, *The Later Wordsworth* (1933), p. 227, veja também p. 46-7, 197-9.
7. Mario Praz, *The Romantic Agony* (Oxford, 1933).
8. L. Chevalier, *Classes Laborieuses et Classes Dangereuses à Paris dans la première moitié du XIX siècle* (Paris, 1958).
9. Ricarda Huch, *Die Romantik*, I, p. 70.
10. P. Jourda, *L'exotisme dans la littérature française depuis Chateaubriand* (1939), p. 79.
11. V. Hugo, *Oeuvres Complètes*, XV, p. 2.
12. *Oeuvres Complètes*, IX (Paris, 1879), p. 212.
13. Cf. M. Thibert, *Le rôle social de l'art d'après les Saint-Simoniens* (Paris, s/d).
14. P. Jourda, op. cit., p. 55-6.
15. M. Capefigue, *Histoire des Grandes Opérations Financières*, IV, p. 252-3.
16. *James Nasmyth, Engineer, an Autobiography*, ed. Samuel Smiles (1897), p. 177.
17. Ibid., p. 243, 246, 251.
18. E. Halévy, *History of the English People in the Nineteenth Century* (brochura), I, p. 509.
19. D. S. Landes, Vieille Banque et Banque Nouvelle, *Revue d'Histoire Moderne et Contemporaine*, III (1956), p. 205.
20. Cf. os discos LP *"Shuttle and Cage" Industrial Folk Ballads* (10 T 13), *Row, Bullies, Row* (T7) e *The Blackball Line*, (T8), todos da Topic, Londres.
21. Citado em G. Taylor, Nineteenth Century Florists and their Flowers (*The Listener*, 23 de junho de 1949). Os tecelões de Paisley eram "floristas" entusiasmados e rigorosos, reconhecendo oito flores que valiam a pena cultivar. Os passamaneiros de Nottingham cultivavam rosas, que ainda não eram — ao contrário da malva-rosa — uma flor do trabalhador.
22. *Select Committee on Drunkenness* (Parl. Papers VIII, 1834) Q 571. Em 1852, 28 bares e 21 cervejarias em Manchester (de um total de 481 bares e 1.298 cervejarias para uma população de 303.000 do bairro) forneciam entretenimento musical. John T. Baylee; *Statistics and Facts in reference to the Lord's Day* (Londres, 1852), p. 20.

Capítulo 15: A ciência

1. Citado em S. Solomon, *Commune*, agosto de 1939, p. 964.
2. G. C. C. Gillispie, *Genesis and Geology* (1951), p. 116.
3. Citado em Encyclopédie de la Pleiade, *Histoire de la Science* (1957), p. 1.465.
4. *Essai sur l'éducation intellectuelle avec le projet d'une science nouvelle* (Lausanne, 1787).
5. Cf. Guerlac, Science and National Strength, in E. M. Earle, ed., *Modern France* (1951).
6. Citado em S. Mason, *A History of the Sciences* (1953), p. 286.

A ERA DAS REVOLUÇÕES

Capítulo 16: Conclusão: rumo a 1848

1. Haxthausen, *Studien ueber... Russland* (1847), I, p. 156-7.
2. Hansard, 16 de fevereiro de 1842, citado em Robinson e Gallagher, *Africa and the Victorians* (1961), p. 2.
3. R. B. Morris, *Encyclopedia of American History* (1953), p. 515, 516.
4. Lyashchenko, op. cit., p. 370.
5. P. Lyashchenko, *History of the Russian National Economy*, p. 273-4.
6. J. Stamp, *British Incomes and Property* (1920), p. 515, 431.
7. M. L. Hansen, *The Atlantic Migration 1607-1860* (Harvard, 1945), p. 252.
8. N. McCord, *The Anti-Corn Law League 1838-46* (Londres, 1958), capítulo V.
9. T. Kolokotrones, citado em L. S. Stavrianos, Antecedents to Balkan Revolutions, *Journal of Modern History*, XXIX, 1957, p. 344.

BIBLIOGRAFIA COMPLEMENTAR

Tanto o assunto quanto a literatura são tão vastos que até mesmo uma bibliografia muito selecionada encheria várias páginas. É impossível referir-se a todos os assuntos que possam interessar aos leitores. A American Historical Association já compilou guias bibliográficos para a maioria dos assuntos (*A Guide to Historical Literature,* revisado periodicamente) bem como alguns professores de Oxford para ajudar os alunos; *A Select List of Works on Europe and Europe Overseas*, 1775-1815, editado por J. S. Bromley e A. Goodwin (Oxford, 1956) e *A Select List of Books on European History,* 1815-1914, editado por Alan Bullock e J. P. Taylor (1957). O primeiro é melhor. Os livros marcados com também contêm bibliografias recomendáveis.

Há várias séries de história geral cobrindo o período ou parte dele. A mais importante é *Peuples et Civilisations,* porque inclui dois volumes de autoria de George Lefebvre, que são obras-primas históricas: *La Révolution Française* (vol. I, 1789-1793, se encontra disponível em inglês, 1962) e *Napoléon* (1953). F. Ponteil, *L'eveil des nationalités*, 1815-1848 (1960), substitui um livro anterior com o mesmo título de autoria de G. Weill, que ainda vale a pena consultar. A série americana equivalente, *The Rise of Modern Europe,* é mais discursiva e geograficamente limitada. Os livros disponíveis são: *A Decade of Revolution* 1789-1799 (1934), de Crane Brinton; *Europe and the French Imperium* (1938), de G. Bruun; e *Reaction and Revolution*, 1814-1832 (1934), de F. B. Artz. Bibliograficamente, o mais útil da série é *Clio,* que tem como objetivo atingir os estudantes e é periodicamente atualizado; note-se especialmente as partes que sumarizam o debate histórico. Os volumes relevantes são: E. Préclin e V. L. Tapié, *Le XVIII siècle* (2 volumes); L. Villat, *La révolution et l'Empire* (2 volumes), J. Droz, L. Genet e J. Vidalenc, *L'époque contemporaine*, vol. I, 18 15-71.

Embora antiquada, a obra de J. Kulischer, *Allgemeine Wirtschaftsgeschichte*, vol. II, *Neuzeit* (reimpresso em 1954), ainda é um bom sumário de história econômica, mas há também numerosos livros americanos de valor aproximadamente igual, como, por exemplo, *Economic History of Europe since 1750* (1937), de W. Bowden, M. Karpovitch e A. P. Usher. O livro de J. Schumpeter, *Business Cycles I* (1939), é mais amplo do que seu título pode sugerir. Para interpretações genéricas, enquanto distintas de histórias, recomenda-se: *Studies in the Development of Capitalism* (1946), de M. H. Dobb; *The Great Transformation*, de K. Polanyi (publicado na Inglaterra em 1945 sob o título de *Origins of our Time)*; bem como a obra de Werner Sombart, mais antiga, *Der moderne Kapitalismus III: Das Wirtschaftsleben im Zeitalter des Hochkapitalismus* (1928). Para estudos relativos à população, recomendamos *Histoire de la population mondiale de 1700 à 1948* (1949), de M. Reinhard, e especialmente *The Economic History of World Population* (1962), de C. Cipolla, breve, porém de excelente qualidade como estudo introdutório. Quanto à tecnologia, *A History of Technology. IV: the Industrial Revolution 1750-1850* (1958), de Singer, Holmyard, Hall e Williams é míope, porém útil para referência. Uma introdução melhor é a obra de W. H. Armygate, *A Social History of Engineering* (1961), e a de W. T. O'Dea, *The Social History of Lighting* (1958) é agradável e sugestiva. Veja também os livros sobre a história da ciência. Quanto à agricultura, a ultrapassada mas conveniente obra de H. Sée, *Esquisse d'une histoire du régime agraire en Europe au 18e et 19e siècles* (1921), ainda não foi substituída por qualquer outra obra tão adequada. Ainda não existe uma boa síntese da moderna pesquisa agrícola. Quanto às obras relativas às finanças, a de Marc Bloch, *Esquisse d'une histoire*

BIBLIOGRAFIA COMPLEMENTAR

monétaire de l'Europe (1954), embora breve, é tão útil quanto a de K. Mackenzie, *The Banking Systems of Great Britain, France, Germany and the USA* (1945). Por falta de uma síntese geral, a obra de R. E. Cameron, *France and the Economic Development of Europe 1800-1914* (1961), uma das mais sólidas pesquisas já feitas pode servir como introdução aos problemas de crédito e investimento, juntamente com a ainda insuperável obra de L. H. Jenks, *The Migration of British Capital to 1875* (1927).

Não existe qualquer bom estudo genérico da revolução industrial, apesar da grande quantidade de trabalhos sobre crescimento econômico, nem sempre de grande interesse para o historiador. A melhor sinopse comparativa se encontra no número especial de *Studi Storici* II, 3-4 (Roma, 1961) e a mais especializada é a *First International Conference of Economic History, Stockholm 1960* (Paris-Haia, 1961). Apesar de sua idade, o livro de P. Mantoux, *The Industrial Revolution of the 18th Century* (1906), continua sendo básico para a Grã-Bretanha. Não há nada tão bom para o período desde 1800. O livro de W. O. Henderson, *Britain and Industrial Europe 1750-1870,* de 1954, descreve a influência britânica, e o estudo de J. Purš, "The Industrial Revolution in the Czech Lands" (*Historica* II, Praga, 1960) contém uma bibliografia conveniente para sete países; outra obra escrita em função do estudante universitário é *The Industrial Revolution on the Continent: Germany, France, Russia 1800-1914* (1961), de W. O. Henderson. Entre as obras de discussão mais geral, O *Capital I,* de Karl Marx, continua sendo um trabalho maravilhoso e quase contemporâneo, e o livro de S. Giedion, *Mechanisation takes Command* (1948) é, entre outras coisas, um trabalho pioneiro sobre a produção em massa, altamente sugestivo e vastamente ilustrado.

De A. Goodwin, ed., *The European Nobility in the 18th Century* (1953), é um estudo comparativo das aristocracias. Não há nada semelhante em relação à burguesia. Por sorte, a melhor fonte de todas, as obras dos grandes romancistas, notadamente as de Balzac, são de fácil acesso.

A ERA DAS REVOLUÇÕES

Em relação às classes trabalhadoras, a obra de J. Kuczynski, *Geschichte der Lage der Arbeiter unter dem Kapitalismus* (Berlim, a ser completada em 38 volumes) é enciclopédica. A melhor análise contemporânea continua sendo a de F. Engels, *Condition of the Working Class in England in 1844*. Para o subproletariado urbano, o livro de L. Chevalier, *Classes laborieuses et classes dangereuses à Paris dans la première moitié du 19e siècle* (1959) é uma brilhante síntese de evidências econômicas e literárias. Embora limitado à Itália e a um período posterior, a mais útil introdução ao estudo do campesinato é o livro de E. Sereni, *Il capitalismo nelle campagne* (1946). Do mesmo autor, *Storia del paesaggio agrario italiano* (1961), analisa as mudanças feitas na paisagem pelas atividades produtivas do homem, discorrendo de forma imaginativa sobre as artes. O livro de R. N. Salaman, *The History and Social Influence of the Potato* (1949), é admirável em razão de sua importância histórica de um tipo de alimentação, porém, apesar das pesquisas, a história da vida material continua pouco conhecida, embora o livro de J. Drummond e A. Wilbraham, *The Englishman's Food* (1939), seja um trabalho pioneiro. Os livros de J. Chalmin, *L'officier français* 1815-1871 (1957), de Georges Duveau, *L'instituteur* (1957) e de Asher Tropp, *The School Teachers* (1957) se acham entre as raras histórias das profissões. Os romancistas continuam de longe a fornecer o melhor guia para as mudanças sociais do capitalismo, por exemplo, o livro de John Galt, *Annals of the Parish,* em relação à Escócia.

A mais estimulante história da ciência é o livro de J. D. Bernal, *Science in History* (1954), e o livro de S. F. Mason, *A History of the Sciences* (1953), é bom em relação à filosofia natural. Como referência, de M. Daumas, ed., *Histoire de la science* (Encyclopédie de la Pleiade, 1957) é recomendável. A obra de J. D. Bernal, *Science and Industry in the 19th Century* (1953), analisa alguns exemplos dessa interação, e o estudo de R. Taton, "The French Revolution and the Progress of Science" (em S. Lilley ed., *Essays in the Social History of Science,* Copenhague, 1953), pode

BIBLIOGRAFIA COMPLEMENTAR

ser a menos inacessível de várias monografias. O livro de C. C. Gillispie, *Genesis and Geology* (1951), é agradável e ilustra as dificuldades entre a ciência e a religião. Quanto à educação, recomendamos a obra de G. Duveau, op. cit., e a de Brian Simon, *Studies in the History of Education 1780-1870* (1960), que ajudarão a compensar a ausência de um moderno estudo comparativo de boa qualidade. Quanto à imprensa, existe a obra de G. Weill, *Le journal* (1934).

Há numerosas histórias do pensamento econômico, pois o assunto é muito ensinado. Uma boa introdução é o livro de E. Roll, *A History of Economic Thought* (em várias edições). Ainda é útil a obra de J. B. Bury, *The Idea of Progress* (1920). O livro de E. Halévy, *The Growth of Philosophic Radicalism* (1938) é um monumento antigo, porém inabalável. O livro de L. Marcuse, *Reason and Revolution: Hegel and the Rise of Social Theory* (1941) é excelente, e o de G. D. H. Cole, *A History of Socialist Thought I 1789-1850,* é um estudo criterioso. A obra de Frank Manuel, *The New World of Henri Saint-Simon* (1956) é um estudo a respeito deste personagem importante e difícil de se compreender. O livro de Auguste Cornu, *Karl Marx und Friedrich Engels, Leben u. Werk I,* 1818-1844 (Berlim, 1954) parece definitivo. O livro de Hans Kohn, *The Idea of Nationalism* (1944) é útil.

Não existe qualquer relato geral da religião, porém a obra de K. S. Latourette, *Christianity in a Revolutionary Age,* I-III (1959-1961) examina todo o mundo. As obras de W. Cantwell Smith, *Islam in Modern History* (1957), e de H. R. Niebuhr, *The Social Sources of Denominationalism* (1929), podem introduzir as duas religiões em expansão do período, e a de V. Lanternani, *Movimenti religiosi di libertà e di salvezza* (1960), introduz o que tem sido chamado de "heresias coloniais". O livro de S. Dubnow, *Weltgeschichte des juedischen Volkes,* VIII e IX (1929), trata do problema dos judeus.

As melhores introduções à história das artes são provavelmente as obras de N. L. B. Pevsner, *Outline of European Architecture* (edição ilus-

A ERA DAS REVOLUÇÕES

trada, 1960), de E. H. Gombrich, *The Story of Art* (1950), e de P. H. Láng, *Music in Western Civilisation* (1942). Infelizmente, não há obras equivalentes em relação à literatura mundial, embora a obra de Arnold Hauser, *The Social History of Art*, II (1951), examine este campo também. Os livros de F. Novotny, *Painting and Sculpture in Europe 1780-1870* (1960), e de H. R. Hitchcock, *Architecture in the 19th and 20th Centuries* (1958), ambos editados pela Penguin History of Art, contêm tanto ilustrações quanto bibliografias. Entre as obras mais especializadas, principalmente em relação às artes visuais, poderíamos mencionar a de F. D. Klingender, *Art and the Industrial Revolution* (1947) e *Goya and the Democratic Tradition* (1948), a de K. Clark, *The Gothic Revival* (1944), a de P. Francastel, *Le Style Empire* (1944), e a de F. Antal, "Reflections on Classicism and Romanticism" (*Burlington Magazine*, 1935, 1936, 1940, 1941), brilhante embora excêntrico. Em relação à música, pode-se ler a obra de A. Einstein, *Music in the Romantic era* (1947) e *Schubert* (1951); para a literatura, há a profunda obra de G. Lukács, *Goethe und Seine Zeit* (1955), *The Historical Novel* (1962) e os capítulos sobre Balzac e Stendhal em *Studies in European Realism* (1950); há também o excelente livro de J. Bronowski, *William Blake — a Man Without Mask* (edição de 1954). Para alguns temas genéricos, consulte-se a obra de R. Wellek, *A History of Modern Criticism 1750-1950*, I (1955), a de R. Gonnard, *Le légende du bon sauvage* (1946), a de H. T. Parker, *The Cult of Antiquity and the French Revolutionaries* (1937), a de P. Trahard, *La Sensibilité Révolutionnaire*, 1791-1794 (1936), a de P. Jourda, *L'exotisme dans la litterature française* (1938), e a de F. Picard, *Le romantisme social* (1944).

Somente alguns tópicos podem ser destacados da história dos acontecimentos neste período. Em relação a revoluções e movimentos revolucionários, a bibliografia é gigantesca para o ano de 1789, e um pouco menos vasta para o período de 1815-1848. As duas obras de G. Lefebvre citadas acima, e seu livro *The Coming of the French Revolution* (1949),

BIBLIOGRAFIA COMPLEMENTAR

são estudos-padrão para a Revolução de 1789; o livro de A. Soboul, *Précis d'histoire de la Révolution Française* (1962), é um texto lúcido, e o de A. Goodwin, *The French Revolution* (1956), é uma sinopse inglesa. A literatura é muito vasta para um sumário. Bromley e Goodwin fornecem um bom guia. Podemos ainda acrescentar o trabalho enciclopédico de A. Soboul, *Les sansculottes en l'an II* (1960), a obra de G. Rudé, *The Crowd in the French Revolution* (1959), e a de J. Godechot, *La contre-révolution* (1961). O livro de C. L. R. James, *The Black Jacobins* (1938), descreve a revolução haitiana. Em relação aos insurrecionistas de 1815-1848, o livro de C. Francovich, *Idee sociali e organizzazione operaria nella prima metà dell' 800* (1959), se constitui um estudo resumido de boa qualidade para um país de importância, e que pode servir como introdução. A obra de E. Eisenstein, *Filippo Michele Buonarroti* (1959), nos leva ao mundo das sociedades secretas. O livro de A. Mazour, *The First Russian Revolution* (1937), trata da questão dos dezembristas, e o de R. F. Leslie, *Polish Politics and the Revolution of November 1830* (1956), é de fato um livro bem mais amplo do que seu título sugere. Em relação aos movimentos trabalhistas, não há um bom estudo genérico, pois a obra de E. Dolléans, *Histoire du mouvement ouvrier* I (1936), trata somente da Grã-Bretanha e da França. Mencione-se também *The Revolutionary Theories of Auguste Blanqui* (1957), de A. B. Spitzer; *Le Socialisme Romantique* (1948), de D. O. Evans; e *Le Mouvement ouvrier au début de la monarchie de Juillet* (1908), de O. Festy.

Sobre as origens de 1848, a obra de F. Fejtö, ed., *The Opening of an Era, 1848* (1948), contém ensaios, a maioria de excelente qualidade, sobre numerosos países. O livro de J. Droz, *Les revolutions allemandes de* 1848 (1957), é de grande valor; e de E. Labrousse, ed., *Aspects de la crise... 1846-51* (1956), é uma coletânea de detalhados estudos econômicos sobre a França. De A. Briggs, ed., *Chartist Studies* (1959), é o trabalho mais atualizado sobre o assunto. O estudo de E. Labrousse, "Comment

A ERA DAS REVOLUÇÕES

naissent les révolutions?" (*Actes du centenaire de* 1848, Paris, 1948), tenta dar uma resposta geral a esta pergunta em função de nosso período.

Sobre questões internacionais, o livro de A. Sorel, *L'Europe et la Révolution Française* I (1895), ainda fornece um bom estudo, e o de J. Godechot, *La Grande Nation,* 2 volumes (1956), descreve a expansão da revolução no exterior. Os volumes IV e V da *Histoire des Relations Internationales* (de autoria de A. Fugier, até 1815, e de P. Renouvin, de 1815 a 1871, ambos publicados em 1954, são guias lúcidos e inteligentes. Sobre o processo da guerra, o livro de B. H. Liddell Hart, *The Ghost of Napoleon* (1933), continua sendo uma excelente introdução à estratégia de terra, e o de E. Tarlé, *Napoleon's Invasion of Russia in 1812* (1942), é um estudo conveniente de uma campanha específica. A obra de G. Lefebvre, *Napoléon,* contém, sem dúvida, o esboço mais conciso da natureza do exército francês, e a de M. Lewis, *A Social History of the Navy* 1789-1815 (1960), é muito instrutiva. A obra de E. f. Heckscher, *The Continental System* (1922), deve ser suplementada pela de F. Crouzet, *Le blocus continental et l'économie britannique* (1958), quanto a aspectos econômicos. O livro de F. Redlich, *De Praeda Militari: Looting and Booty 1500-1815* (1955), faz apresentações interessantes. O de J. N. L. Baker, *A History of Geographical Exploration and Discovery (1937),* e a admirável obra russa *Atlas geograficheskikh otkryti i issledovanii* (1959), fornecem um quadro geral para a conquista europeia do mundo; o de K. Panikkar, *Asia and Western Dominance* (1954), é um relato instrutivo dessa conquista do ponto de vista asiático. O livro de O. Scelle, *Le traité negrière aux Indes de Castille,* 2 volumes (1906), e o de Gaston Martin, *Histoire de l'Esclavage dans les colonies françaises* (1948), continuam sendo básicos em relação ao tráfico de escravos. O livro de E. O. V. Lippmann, *Geschichte des Zuckers* (1929), pode ser suplementado com o de N. Deerr, *The History of Sugar* (1949), em 2 volumes. O de Eric Williams, *Capitalism and Slavery* (1944), é uma interpretação genérica, embora às vezes esquemática.

506

BIBLIOGRAFIA COMPLEMENTAR

Para a típica colonização "informal" do mundo pelo comércio e canhoneiras, as obras de H. S. Ferns, *Britain and Argentina in the 19th Century* (1960), e de M. Greenberg, *British Trade and the Opening of China* (1949), são estudos de caso. Em relação às duas grandes áreas sob exploração europeia direta, o livro de W. F. Wertheim, *Indonesian Society in Transition* (Haia-Bandung, 1959), constitui uma brilhante introdução (veja também *Colonial Policy and Practice*, de J. S. Furnivall, 1956, que faz uma comparação entre a Indonésia e Burma), e da enorme literatura sobre a Índia, em grande parte frustrante, podemos selecionar as seguintes obras: *Rise and Fulfilment of British rule in India* (1934), de O. J. Garrat e E. Thompson; *The English Utilitarians and India* (1959), de Eric Stokes — um trabalho bastante brilhante —, e *The Social Background of Indian Nationalism*, de A. R. Desai (Bombaim, 1948). Não existe um relato adequado em relação ao Egito durante o período de Mohammed Ali, porém pode-se consultar a obra de H. Dodwell, *The Founder of Modern Egypt* (1931).

É impossível fazer mais do que indicar uma ou duas histórias de alguns países ou regiões. Em relação à Grã-Bretanha, o livro de E. Halévy, *History of the English People in the 19th Century*, continua fundamental, especialmente a grande pesquisa da Inglaterra em 1815, no volume I, a ser suplementado pelo de A. Briggs, *The Age of Improvement 1780-1867* (1959). Em relação à França, um clássico da história social fornece o pano de fundo do século XVIII, P. Sagnac, com sua obra *La Formation de la société française moderne*, II (1946), e a de Gordon Wright, *France in Modern Times* (1962), serve como uma boa introdução histórica desde então. O livro de F. Ponteil, *La monarchie parlamentaire 1815-48* (1949), e o de F. Artz, *France under the Bounbon Restoration* (1931), são recomendáveis. Em relação à Rússia, o livro de M. Florinsky, *Russia* II (1953) cobre totalmente o período desde 1800, como também o de M. N. Pokrovsky, *Brief History of Russia* I (1933), juntamente com o de P.

A ERA DAS REVOLUÇÕES

Lyaschchenko, *History of the Russian National Economy* (1947). A obra de R. Pascal, *The Growth of Modern Germany* (1946), é resumida e de boa qualidade; a de K. S. Pinson, *Modern Germany* (1954), é também introdutória. A de J. S. Hamerow, *Restoration, Revolution, Reaction: Economics and Politics in Germany 1815-71* (1958); a de J. Droz, op. cit., e a de Gordon Craig, *The Politics of the Prussian Army* (1955), podem ser lidas com proveito. Em relação à Itália, a melhor obra é a de O. Candeloro, *Storia dell'Italia moderna* II, *1815-46* (1958). Em relação à Espanha, a obra de P. Vilar, *Histoire d'Espagne* (1949), é um soberbo guia resumido, e a de J. Vicens Vives, ed., *Historia social de España y América Latina*, IV/2, (1959), é, entre outros méritos, maravilhosamente ilustrada. A obra de A. J. P. Taylor, *The Habsburg Monarchy* (1949), se constitui em uma boa introdução. Consulte-se também *From Joseph II to the Jocobin Trials*, de E. Wangermann (1959). Quanto aos Bálcãs, existe a obra de L. S. Stavrianos, *The Balkans since* 1453 (1953), e o excelente *The Emergence of Modern Turkey* (1961), de B. Lewis. Quanto aos países nórdicos, será útil o livro de B. J. Hovde, *The Scandinaviam Countries 1720-1865*, em 2 volumes. Quanto aos Países Baixos, indicamos *Histoire de Belgique*, V-VI (1926, 1932), de H. Pirenne; *La révolution de 1830* (1950), de R. Demoulin, e *Free Trade and Protection in the Netherlands 1816-30* (1955), de H. R. C. Wright. Sobre a Irlanda, E. Strauss, *Irich Nationalism and British democracy* e *The great Famine, Studies in Recent Irish History* (1957).

Algumas notas finais sobre obras gerais de referência. A *Encyclopedia of World History* (1948), de W. Langer, ou *Hauptdaten der Weltgeschichte* (1957), de Ploetz, fornecem as principais datas; os admiráveis *Annals of European Civilisation 1501-1900* (1949), de Alfred Mayer, tratam especialmente da cultura, da ciência etc. O *Dictionary of Statistics* (1892), de M. Mulhall, continua sendo o melhor compêndio estatístico. Entre as enciclopédias históricas, a nova *Sovietskaya Istoricheskaya Entsiklopediya,*

BIBLIOGRAFIA COMPLEMENTAR

em 12 volumes, cobre o mundo; a *Encyclopedie de la Pleiade* tem volumes especiais sobre a História Universal (3), a História das Literaturas (2), a Pesquisa Histórica — muito valioso — e a História da Ciência, porém a organização é de ordem narrativa e não em forma de dicionário. A *Cassell's Encyclopedia of Literature* (2 volumes) é útil; E. Blom, ed., do *Dictionary of Music and Musicians,* de Grove, em 9 volumes (1954), embora um pouco britânico, é padrão. A *Encyclopedia of World Art* é extraordinária. A *Encyclopedia of the Social Sciences* (1931), embora esteja ficando antiquada, continua muito útil. Os seguintes atlas, ainda não mencionados, também podem ser consultados com proveito: *Atlas Istorii SSSR (1950); An Atlas of Aftican History* (1958), de J. D. Fage; o *Atlas of Islamic History* (1943), de H. W. Hazard e H. L. Cooke; J. T. Adams, ed., *Atlas of American History* (1957); o de J. Engel et. al., *Grosser Historischer Weltatlas* (1957), e o *Atlas of World History* (1957), de Rand McNally.

ÍNDICE REMISSIVO

Abd-el-Kader, líder argeliano, 255, 348
Abel, Henrik, matemático, 429, 433
Adventistas do sétimo dia, 353
Afeganistão, afegãos, 179-180
África do Sul, sul-africanos, 92, 346
África, africanos, 15, 20, 23, 28, 45, 55, 67-68, 179, 182, 233, 254, 268, 346, 410, 459, 464
Ajustes Permanentes, Bengala, 256, 258
Albaneses, 227
Albert, Príncipe Consorte alemão, 294
Alemanha Jovem. Veja Jovem Alemanha
Alemanha, alemão, 33, 36, 58, 63, 84, 111, 115, 128, 135-136-137, 139-140, 142, 144, 147, 149, 150-151-152, 172, 183, 194, 196, 202, 206, 208-209-210, 213, 215-219, 221, 224, 231, 240, 243, 246, 250, 269, 272, 275, 280, 285, 308, 317, 319, 360, 382-383-384, 391, 397, 406, 411, 416, 428, 431, 437, 450, 456, 464, 467
Alexandre I, Czar da Rússia, 169, 357
Alexandria, 280
Ali, Mohammed (da Pérsia), reformador, 348-349
Ali, Paxá, o Leão de Janina, 227
Almanaque dos gastrônomos, 291
Alsácia. Veja França
América do Norte, norte-americanos, 20, 31, 51, 87-88, 221, 397
América Latina, 15, 28, 69, 96, 99, 168, 174, 182, 199, 210, 230-231, 259, 268. Veja também Bélgica; Holanda

América, americanos, 33, 45, 66, 69, 99, 122, 151, 182, 212, 224, 243, 271, 281, 283, 346, 369, 376, 410, 422, 462
An Essay on Government, de James Mill, 293n
Anais de higiene pública, 318-319n
Anais de Química e Física, 430
Andaluzia. Veja Espanha
Andersen, Hans C., escritor, 391
Anglicanos, 62, 359-360
Anotações de Pickwick, de C. Dickens, 391
Anti-Duhring, de Engels, 451n
Apalaches, 354
Apúlia, 29, 252, 271. Veja Itália
Arábia, Árabes, 226, 347-348, 410. Veja também Beduínos
Aragon. Veja Espanha
Argand, lâmpada, 10, 456
Argélia, 180, 243, 254-255, 280, 348, 464
Argentina, 182, 230-231, 282, 369, 464
Aristóteles, 441
Arkwright, R., inventor, 57
Armênia. Veja Rússia
Arnim, Bettina von, escritora, 402n
Ars, Curé d', padre, 351
Ásia, asiáticos, 28, 69, 168, 173, 180, 182, 232-233, 254, 268, 347-348
Aspern-Essling, batalha de (1809), 147
Assignats (papel-moeda), 120
Associação Americana de Encarregados para Missões Estrangeiras, 346
Associação Britânica para o Progresso da Ciência, 295, 419, 429, 451

A ERA DAS REVOLUÇÕES

Associação Católica, Irlandesa, 224-225
Associação Democrática para a Unificação de Todos os Países, 211
Atas da Real Sociedade, 430
Atas da Sociedade Filosófica Americana, 430
Atlântico, 45, 224, 264, 423, 461
Ato de Reforma (1832), 183, 196, 200, 202
Auber, O. F. E., compositor, 394n, 414
Austen, Jane, romancista, 117, 156, 392, 402n, 417
Austerlitz, batalha de, 147, 158
Austrália, 268, 282
Áustria, 33, 37, 49, 52, 55, 125, 137, 144-145, 147, 150n, 157, 159, 169-173, 175, 194, 204-206, 219, 222, 231, 249, 269, 273,
277, 302, 308, 357, 384, 391, 459, 472
Avignon, 149

Babbage, Charles, cientista, 294, 427
Babeuf, Gracchus, comunista; babovista, 34, 103, 127, 187, 201
Bach, J. S., compositor, 400
Bacon, Francis, filósofo, 340
Baden, 145, 229
Bahia. Veja Brasil
Baile de Máscaras da Anarquia, de Shelley, 415n
Baines, Edward, jornalista-editor, 77n, 293
Bakuninismo, 254
Baladas da fronteira escocesa, de Scott, 408
Baladas líricas, 390, 399, 408
Bálcans, 33, 38, 43, 137, 147, 168, 175, 226-228, 231, 391, 508
Báltico, 39, 45, 154, 170, 243
Balzac, H. de, escritor, 58, 99, 289, 291, 302n, 390-393, 397-398,503,505
Banda Oriental. Veja Uruguai
Baring, financistas, 161
Barlow, Joel, 136n
Baskerville, J., impressor, 48
Bastilha, 32, 58, 97, 110, 387, 406

Batistas, 294, 346, 350
Baudelaire, C. (1821-67), poeta, 414
Baudrillart, Henri, acadêmico, 312
Bavária, bávaros, 145, 252
Beauvilliers, A., gastrônomo, 290
Beduíno, 226
Beethoven, L. von, compositor, 135-136, 390, 392-393, 397
Bel-Ami de Maupassant, 289
Bélgica, 44, 53, 58, 66, 84, 96, 98, 120, 125, 128, 139-140, 152, 156, 168, 170, 173, 183-184, 187, 193, 202, 208, 212, 219, 222, 248, 264, 267, 269, 273-275, 302, 428, 435, 442, 461, 468-469, 473. Veja também Holanda
Belleville, 333
Bellini, V., compositor, 391-392
Benbow, William, panfletário, 327
Bengala, 56, 100, 256, 258, 438
Bentham, Jeremy, reformador, 22, 136n, 189, 259, 302, 341, 361, 364, 373
Béranger, J. P. de, poeta (1780-1857), 201
Berg, Grão-Ducado de, 141
Berlim, 213, 270, 276, 290, 346, 400, 419, 428, 430
Berlioz, H., compositor, 391, 402
Bernard, Claude, fisiologista, 453
Berthollet, C.-L., químico, 279
Bessarábia, 171
Bíblia na Espanha, A, de George Borrow, 193n
Bíblia, Capítulo 12 passim, 193, 342-344, 346, 439, 442, 463
Biedermeier, 276, 417, 418
Birkbeck College. Veja Instituto dos Mecânicos de Londres
Birmânia, 27, 180
Birmingham, 48, 65, 135, 203, 343, 431, 431, 440
Blake, William, poeta, 135, 375, 394n, 403-404, 411, 450, 504

ÍNDICE REMISSIVO

Blanqui, Auguste, revolucionário, 201, 506
Boehme, Jacó, místico, 339
Boêmia, 39, 125, 150n, 231, 248n, 275, 402, 436. Veja também Checoslováquia, checos
Boerne, Ludwig, jornalista, 181
Bolívar, Simon, libertador, 182, 230, 259
Bolívia, 182
Bolonha. Veja Itália
Bolton, 79, 86n, 323, 323
Bolyai, Janos, matemático, 279-230, 433
Bombaim, 232, 257
Bonald, L. de, escritor político, 154, 380
Bonaparte, José, Rei da Espanha, 140. Veja também Napoleão
Bopp, Franz, filólogo, 438-439, 439
Bordeaux, 45
Borinage, 317
Borrow, George, escritor, 193n
Bósnia, bósnios, 227, 227n
Boston, Mass, 31, 417
Boulogne-sur-Mer, 182
Boulton, Mathew, industrial, 48, 295, 456n
Bourbon, bourbonismo, 126, 144, 170, 183, 192, 205, 220, 246, 252-254, 289
Bouvard, A., astrônomo, 426
Brabant. Veja Bélgica
Brahmo Samaj. Veja Roy, Ram Mohan
Brâmane, 407
Brasil, 37, 183, 230, 243, 369, 458, 461-462, 464
Brentano, C., escritor, 408
Breslau, 445n
Brest, 289
Bretanha. Veja França
Bright, John, político, 322, 467
Brillat-Savarin, A., gastrônomo, 291
Brindley, J., engenheiro, 57
Brissot, J. P., político, 119-120
Bristol, 46, 67
Bronte, irmãs escritoras, 392, 402n

Browning, Elizabeth Barrett, poetisa, 402n
Browning, Robert, poeta, 391
Brunel, Isambard Kingdom, engenheiro, 295, 427
Bruxelas, 35n
Buchner, Georg, poeta, 413
Budapeste, 31
Budapeste, Universidade de, 221
Bueckler, Johannes. Veja Schinderhannes, 309n
Buenos Aires, 228, 369
Buffon, Comte de, zoólogo, 440
Bulgária, búlgaros, 15, 227n
Bunyan, John, 421
Buonarroti, Filippo, revolucionário, 190, 197, 201, 412, 436
Burke, Edmund, escritor político, 379-380, 406
Burney, Fanny, romancista, 402
Burns, Robert, poeta, 135-136
Byron, Lord, poeta, 228, 395, 399-400, 410-412, 420

Ça Ira, canção, 342n
Cabanis, Pierre, filósofo, 440
Cabet, E., comunista, 201, 375-376
Cabo da Boa Esperança, 55
Cairo, 280
Calábria. Veja Itália
Calvino, João, calvinismo, 61, 218, 297, 423
Cambridge, 61, 413, 429, 442
Campbell, T., poeta, 411
Campe, D. H., escritor, 136n
Canning, George, político, 169, 174
Caprichos, de Goya, 394
Caravaggio, M. da, pintor, 400
Carbonari, carbonaristas, 190-191, 197, 202, 229
Carême, M. A., chef, 290
Carey, W., economista, 373

A ERA DAS REVOLUÇÕES

Caribe, 37, 281

Caríntia. Veja Ilíria

Carlos IV, Retrato da família do rei, de Goya, 390

Carlos X, da França, 289

Carlyle, T., escritor, 58, 393, 404, 406, 413, 437

Carnot, Lazare, jacobino, 63, 427

Carnot, N. L. Sadi, matemático e físico, 446

Carreta de feno, de Constable, 391

Carta do Povo. Veja Cartista

Cartaginês, 143

Cartismo, cartistas, 75, 202, 112, 224, 267, 468

Castela. Veja Espanha

Castlereagh, secretário de negócios estrangeiros, 167, 174

Catalunha. Veja Espanha

Catarina, a Grande, imperatriz da Rússia, 22, 40, 430, 459n

Cáucaso, caucasiano, 180, 225, 313, 348, 410

Cauchy, A. L., matemático, 433, 447

Cavendish, Henry, cientista, 428

Cawnpore. Veja Índia

Ceilão, 179

Celtas, 445

Champollion, J. F., egiptólogo, 438

Chateaubriand, F. R. de, escritor, 398, 406

Cheshire. Veja Inglaterra

Chicago, 273

Childe Harold, de Byron, 395

Chile, 182

China, o Império Chinês, 28-29, 45n, 84, 179, 268, 337, 347, 463, 507

Chopin, F., compositor, 391-392, 413, 418

Clapham, seita de, 276, 417

Clarkson, T., agitador antiescravocrata, 136n

Claudius, Mathias, poeta, 397

Cloots, Anacharsis, revolucionário, 136n

Clube da Reforma, 290

Cobbett, William, jornalista, 161, 189, 335, 379

Cobden, Richard, político, 265, 284, 285, 294, 336

Cochrane, lorde, marinheiro britânico, 182

Cockerill, industrial, 66, 275

Código Civil francês, 130, 152

Cole, Sir Henry, administrador, 294

Coleridge, S. T., poeta, 135, 295, 390, 398, 404, 406, 411

Colômbia, 182

Colônia, 151

Comédia humana, de H. de Balzac, 58, 393

Companhia das Índias Orientais, 67, 70, 258-259

Companhia Geral de Coletivos de Londres, 279

Comptes Rendus de l'Academie des Sciences, 433

Comte, A., sociólogo, 290, 340

Comunismo, comunista, 23, 58, 100, 211, 310, 335, 375-376, 382, 410. Veja também Socialismo; Babeuf; Marx

Condição da classe trabalhadora na Inglaterra, A, de F. Engels, 58

Condorcet, Marquês de, filósofo, 341, 370n

Confederação Napoleônica do Reno, 145

Congregacionalistas, Independentes, 294

Connacht. Veja Irlanda

Conquista Normanda, 408, 445

Conspiração dos Iguais. Veja Babeuf; Revolução

Constable, A., editor, 420

Constable, John, artista, 392

Constantinopla, 176, 177, 228

Constituição americana, 315, 341

Contos folclóricos noruegueses, de Asbjörnson e Moe, 409

Convenção Nacional francesa, 117, 121, 123, 125, 425

Convenção. Veja Convenção Nacional

Cook, James, marinheiro, 27

Cooper, J. Fenimore, romancista, 391, 410

Copenhague, 219, 428, 452

ÍNDICE REMISSIVO

Corcunda de Notre Dame, de Victor Hugo, 407
Corday, Charlotte, revolucionário, 119-120
Cornwall. Veja Grã-Bretanha
Córsega, 129
Cortes de Cádiz, 246
Cosmos, de A. von Humboldt, 429
Cossaco, 38, 410
Côte d'Or. Veja França
Courbet, Gustave, artista, 393
Couthon, G., jacobino, 125
Cracóvia, 169, 206
Cragg, John, industrial, 418
Crelle, jornais de, 430
Criação, de Haydn, 390
Cristãos, 38, 174, 230, 254, 337, 342, 349, 354, 376, 406
Croata, Croácia, 232, 246
Cuba, 243, 284, 367, 464
Cuvier, G. L. C., cientista, 438, 441-442, 445
Czartoryski, 197, 217

D'Alembert, J. L. R., enciclopedista, 47
D'Eichthal, G., saint-simoniano, 310
D'Holbach, P. H., filósofo, 365n, 382
Da Gama, Vasco, 56
Daguerre, L.-J.-M., inventor, 279
Dalmácia, 152, 172, 246. Veja também Ilíria
Dalton, John, cientista, 429, 431, 432
Dama de espadas, A, de Pushkin, 391
Dansette, industriais, 297
Danton, G. J., revolucionário, 119, 123-124-125
Danúbio, 38, 227-229, 269
Darwin, Charles, cientista, 48, 344, 443
Darwin, Erasmus, cientista, 48, 440
Daumier, Honoré, artista, 392, 394n, 412, 413
David, J. L., artista, 390, 392, 398
Davidsbuendlertaenze, de Schumann, 393
Davout, L.-N., soldado, 146

Davy, Sir Humphry, cientista, 428
Declaração de Independência dos Estados Unidos, 363
Declaração dos Direitos do Homem e do Cidadão, 106, 111
Decretos das Cercas, encercamento (Enclosure Acts), 63, 244
Delacroix, F. E., artista, 393-394, 399, 410-412
Democracia jacksoniana, 184, 198
Democracia na América, de Alexis de Tocqueville, 184
Democratas Fraternos, 209, 211
Departamento de Eure. Veja França
Departamento de Registros Públicos, 437
Des Knaben Wunderhorn, de Arnim e Brentano, 408
Desastres da guerra, Os, de Goya, 394n
Desmoulins, Camille, revolucionário, 139
Desvinculação, 249
Deutsche Naturforscherversammlung, 451
Devonshire, sexto Duque de, 86
Dezembristas, 190-191, 393
Dickens, Charles, romancista, 293, 295, 304, 390-393, 401
Diderot, D., escritor, 47
Dinamarca, 37, 52, 185, 213, 219, 244-245, 268, 391, 473
Dinastia Ch'ing. Veja Manchu
Direitos do homem, Os, de Thomas Paine, 342
Disraeli, Benjamin, político, 308
Djogjakarta, Príncipe de. Veja Guerra de Java
Dobrovski, J., linguista, 409
Doherty, John, sindicalista, 333
Dollfus, industrial, 297
Don Juan, de Molière, 400
Donizetti, G., compositor, 391-392
Dostoievski, F. N., escritor, 390, 392-393
Doukhobors, 351

A ERA DAS REVOLUÇÕES

Dresden, 157

Droste-Huelshoff, Annette von, escritora, 402n

Dubarry, Madame, amante real, 99

Dublin, 73, 456

Ducpetiaux, E., estatístico, 58

Dumas, Alexandre, o Velho, escritor, 393

Dumouriez, L.-F., general, 118

Dundee, 31

Dunfermline, 324, 335, 422

Dupont de Nemours, P. S., economista, 61

Durham, 83, 334

Durham, condado. Veja Grã-Bretanha

Eckermann, J. P., escritor, 425

École des Chartes, 437

Educação sentimental, de Flaubert, 414

Edwards, W., naturalista, 445

Egito, 15, 23, 84, 147, 168, 177, 233-234, 243, 284-285, 348, 376 438

Eichendorff, J. von, poeta, 391, 405, 418

Elba, rio, 37

Elberfeld-Barmen, 275

Elssler, Fanny, dançarina, 299

Émile, de J.-J. Rousseau, 387

Emília. Veja Itália

Enciclopédia Britânica, 420

Enciclopédia de Economia Doméstica e Agrícola, de Kruniz, 240

Enciclopédia, a grande, 47

Engels, Frederick, comunista, 58, 208, 210, 275, 287, 298, 361, 372, 374, 379, 443, 451, 464

Ensaio sobre a população, de T. R. Malthus, 368, 435

Épiro, 227

Époques de la Nature, Les, de Buffon, 440

Equador, 182

Erlkoenig, de Schubert, 499

Escandinávia, 38, 137, 147, 153, 207, 209, 250, 266, 278, 280, 283, 285, 302. Veja também Dinamarca; Finlândia; Noruega; Suécia

Escócia, 33, 61, 136, 334, 350, 408, 420. Veja também Grã-Bretanha

Escola Normal Superior, 439

Escola Politécnica, de Paris, 220, 297, 427-428, 447, 451

Eslavo, 35, 177, 194, 204, 207, 222, 227, 231-232

Eslovênia, 38, 246. Veja também Ilíria

Espanha, 33, 38, 39, 40, 44, 58, 69, 138, 141-142, 147, 152-154, 156, 173, 182-183, 185, 191, 193n, 194-195, 243, 246, 259, 268, 280, 283, 302-303, 392, 408, 413. Veja também Revolução

Espírito do cristianismo, de Chateaubriand, 406

Essex. Veja Grã-Bretanha

Estações, de Haydn, 390

Estadistas, 167, 173, 464

Estados Unidos da América Latina. Veja América Latina

Estados Unidos, 36, 53-54, 58, 66, 68-69, 71, 76, 78, 84, 96, 98, 113, 122, 134, 164, 174, 180, 183-185, 189, 196-199, 207, 213, 222-223, 243, 265-267, 269, 271-272, 280-282, 285, 290, 298, 301-302-303, 305-306, 341, 349, 353, 363, 376, 416, 422, 444, 456-460, 462-464, 466

Esterhazy, 40

Estocolmo, 52, 438

Estônia, 446n

Estrasburgo, 126

euclidiana, 433

Eugene Onegin, de Pushkin, 390

Euler, L., matemático, 430

Europa central, 29, 71, 148, 155, 228, 285, 297, 301, 339, 381

Europa ocidental, 27, 36-37, 39, 41, 45, 52, 145, 150, 168, 184-185, 199, 202-203, 212, 241, 262, 265, 272, 284-285, 309, 381, 384, 388, 421, 430, 462, 467-468-469, 471

516

ÍNDICE REMISSIVO

Europa oriental, 34, 43, 45-46, 204, 207, 224, 231, 283, 351

Europa, 20. Veja também Europa oriental; norte da Europa; sul da Europa; Europa ocidental;

Euston, 420

Evans, Oliver, inventor, 272

Extremo Oriente. Veja Ásia

Eylau, batalha de, 147

Falanges, 375, 466

Falck, 273

Faraday, Michael, cientista, 428, 431

Farr, William, estatístico, 319n, 460n

Faubourg Saint-Antoine, 333

Faucher, Léon, escritor, 296n

Fausto, de Goethe, 391, 403

Feniano. Veja Fraternidade Republicana Irlandesa

Ferdinando VII, Rei da Espanha, 402n

Festival de Hambach, 1832, 215

Feuerbach, de Engels, 453n

Feuerbach, L. A., filósofo, 355

Fichte, J. G., filósofo, 135, 385

Fígaro, 289

Filipinas, 464

Filo-helenismo. Veja Grécia

Finlândia, 171, 268, 391, 409

Fisiocratas, 36, 61, 238, 385

Flanders, flamengo. Veja Bélgica

Flaubert, G., escritor, 414

Flauta mágica, A, de Mozart, 106, 393

Fleurus, batalha de, 125

Florença, 280

Fourier, Charles, socialista, fourieristas, 201, 372, 376, 403

Fragonard, J. H., pintor, 394, 398, 400

França, francês, 20, 22, 31, 33, 41, 48, 54, 58, 61, 81-83, 91, 96, 98-104, 107-108, 110, 113-115, 119-122, 129, 134-142, 144-145, 146-147, 148-152, 154-157, 163-164, 168-178, 183-185, 187, 190-191, 193, 195-197-198, 200, 203, 205, 208, 211-212, 215, 222, 243, 245, 250, 264, 269, 272, 275, 279, 287, 289, 297, 299, 309, 326, 340, 351, 359, 362, 369, 371, 391, 395, 402n, 411, 429, 436, 441, 443, 446, 456, 459, 461, 466-471. Veja também Revolução

Francis, John, escritor, 88

Frankfurt, 161, 302

Franklin, Benjamin, estadista, 48

Fraternidade Republicana Irlandesa, 216

Frederico, o Grande, Rei da Prússia, 145, 153

Freiligrath, F., poeta, 413n

Freischuetz, ópera, de Weber, 406

Friedland, batalha de, 147

Friedrich, C. D., artista, 391

Frithjof's saga, de Tegnér, 409

Fromentin, E., pintor e escritor, 410

Frost, John, líder cartista, 336

Fuessli (Fuseli), J. H., pintor, 135

Gai, L., homem de letras, 221

Gainsborough, T., artista, 400

Galícia, 204, 223, 252, 308, 459, 471

Galilei, G., cientista, 419

Galois, Evariste, matemático, 433, 47

Galvani, A., cientista, 431

Galway. Veja Irlanda

Gandhi, M. K., 225

Garibaldi, G., revolucionário, 212, 218, 254

Gaskell, Mrs. E. C., romancista, 402n

Gaskell, P., escritor, 319n

Gauleses, 376, 445

Gauss, K. F., matemático, 433

Gautier, Théophile, poeta, 391, 406n, 408, 415

Gazeta Croata. Veja Gazeta Nacional Ilírica

Gazeta Nacional Ilírica, 221

Geijer, E. G., historiador, 436

Genebra, 98, 153
Gênova, 151, 218
Gentz, F., oficial, 357-358, 379
Geórgia. Veja Rússia
Géricault, J. L., artista, 392
Gibraltar, 243
Giessen, 429
Gioberti, V., escritor, 359
Girardin, Emile de, jornalista, 291
Gironda, girondinos, 99, 116, 117-119, 121, 187, 388
Giselle, balé, 406
Glasgow, 30, 67, 77, 318
Glinka, M., compositor, 391-392, 394n
Gloucestershire. Veja Grã-Bretanha
Gobineau, A. de J., escritor, 445
Godwin, William, filósofo, 369, 372
Goethe, J. W. von, poeta e filósofo, 31, 130, 276, 383, 385, 387, 390-391, 393, 397, 401, 403-404, 417, 425, 450, 452
Gogol, N. V., escritor, 34, 304, 391-392
Goldener Topf, de E. T. A. Hoffmann, 400
Goldsmid, funcionário público indiano, 256
Gorani, J., publicista italiano, 136n
Gótico, 86, 242, 406
Göttingen, 447
Goya, Francisco Goya y Lucientes, pintor, 390, 392-394, 397, 402, 418
Grabbe, C. D., poeta, 391, 401
Grã-Bretanha, 20, 47, 50, 52-54, 60-61, 63, 66, 69, 72, 74-77, 79, 82, 84-85-86, 88-89, 92, 93-94-96, 97, 99-100-101, 113, 119, 135, 141-143, 147-148, 157, 163-164, 168-176, 183-185, 187, 189, 193-197, 202, 207-209, 210, 222, 224, 243, 249, 257-258, 266, 269-272, 274, 276, 278-282, 284, 290, 297, 299, 301-307, 315, 319, 322, 326, 333, 337, 344, 351, 362, 367, 371, 389, 391, 397, 411, 413, 415-417, 421, 427, 435, 437, 445, 456, 460-465, 472. *Veja também* Inglaterra; Escócia; País de Gales

Grande Exposição de 1851, 294
grande feriado nacional e o Congresso das classes produtivas, O, de William Benbow, 327
Grande Medo (*Grande Peur*), 110
Grande Rompimento, 350
Grécia, grego, 88, 137, 154, 168, 174, 182, 185, 192, 213, 228, 433, 461
Greeley, Horace, jornalista, 466
Grillparzer, F. von, dramaturgo, 391
Grimm, *Contos de fadas* de, 406, 408
Grimm, irmãos, acadêmicos, 406, 408-409, 413, 438-439, 447n
Groenlândia, 421
Guadet, M. E., político, 120
Guarda Civil, 303
Guarda Nacional, 210
Guerra Civil Americana, 156, 283
Guerra da Crimeia, 168, 177
Guerra de Independência Americana. *Veja* Revolução; Americanos
Guerra de Java, 348
Guerra do Ópio, 179, 463
Guerra dos Sete Anos, 54
Guerra dos Trinta Anos, 155
Guerra Peninsular, 222
Guerrilhas carlistas, 252
Guinness, 73
Guizot, F. P. G., historiador e político, 195, 360, 470
Gujerat, 226n

Habsburgo, 53, 137, 150, 164, 172, 185, 194, 199, 232, 247, 308. *Veja também* Áustria; Império Austríaco
Haiti. *Veja* São Domingos
Halévy, Léon, saint-simoniano, 309
Hallam, H. F., historiador, 437
Halle, 319, 443
Hamburgo, 31

ÍNDICE REMISSIVO

Hamilton, Alexander, estadista, 136n
Hamilton, *Sir* W. R., matemático, 433
Hamlet, 389, 402
Handel, G. F., compositor, 400
Hannover, Reino de, 298
Harring, Harro, revolucionário, 212
Haussa, 347
Havaí, 281, 346
Haxthausen, A. von, escritor, 337, 455, 464
Haydn, J., compositor, 40, 390, 392, 397, 400
Hazlitt, W., escritor, 361, 411
Hébert, J.-R., revolucionário, hebertitas, 112, 124
Hegel, G. W. F., filósofo, 135, 375, 382n, 385-388, 396, 403, 419, 451
Hegelianos. *Veja* Hegel
Heine, Heinrich, poeta, 309, 360, 391, 413
Helênica, Hellas, helenismo. *Veja* Grécia, grego
Heligolândia, 170
Helvética, República. *Veja* Suíça
Hepburn, Tommy, líder de mineiros, 333
Herder, J. G., filósofo, 135
Hernani, de Victor Hugo, 412
Herwegh, G., poeta, 413n
Hess, Moisés, comunista, 309
Hill, Rowland, inventor, 270
Hindu, hinduísmo, 100, 224, 226n, 345, 347
História da língua boêmia, de Dobrovski, 409
História natural do homem, de Lawrence, 441
Hobbes, Thomas, filósofo, 340, 364-366
Hodgskin, Thomas, socialista, 372
Hoelderlin, F., poeta, 135, 402
Hofer, Andreas, guerrilheiro tirolês, 141, 252
Hoffmann, E. T. A., escritor, 400
Holanda, holandês, 31, 33, 98, 136n, 139-140, 152, 170, 179, 183, 207, 268, 278, 302, 307, 350, 466, 469. *Veja também* Bélgica
Hollywood, 289
Homens das fitas (Ribbonmen), sociedade secreta irlandesa, 202
Hong Kong, 179

Hotel Lambert, 217
Hugo, Victor, poeta, 390, 396, 398-399, 405, 412, 471
Humboldt, Alexander von, cientista, 27, 419, 429
Humboldt, Wilhelm von, escritor, 383
Hungria, húngaro, 40, 137-138, 150n, 204-206, 209, 217-218, 227, 232, 269, 394, 413, 430, 469
Hunt, Henry, político, 189
Hunvady László (1844), ópera, 394n
Hussey, Obed, inventor, 239
Hutton, James, geólogo, 440

Idade da razão, A, de T. Paine, 342
Iena e Auerstaedt, batalha de, 147, 153, 385
Igreja Católica, católicos, 114, 138, 152, 319, 344, 345, 359, 406-407, 416, 432, 465n
Igreja da Inglaterra. *Veja* Anglicanos
Igreja Escocesa, 346
Igreja Holandesa Reformada, 346
Igreja Ortodoxa, cristãos ortodoxos, 174, 228, 252, 351, 358n
Ilhas Jônicas, 170
Ilíria, 38, 152, 154, 231, 246
Iluminismo, 46-51, 301, 339, 344, 342, 362, 377, 374, 385
Império Austríaco. *Veja* Áustria. *Veja também* Boêmia; Croácia; Galícia; Hungria; Ilíria; Ístria; Itália; Milão; Morávia; Polônia; Salzburgo; Tirol; Veneza
Império Turco, 23, 168, 175, 177, 225, 227-228. *Veja também* Bálcans; Bulgária; Bósnia; Egito; Grécia; Romênia; Sérvia
Índia, indiano, 23, 28-29, 37, 45, 55, 67, 69-70, 101, 133, 171, 175, 179-180, 220, 225-226, 243, 255-259, 261, 263, 284, 300, 311, 345, 348, 376, 407, 457, 459, 464
Índias Ocidentais e Antilhas, 67, 100, 133, 162, 180, 458-459

519

A ERA DAS REVOLUÇÕES

Índias Orientais, 37, 45, 67, 69, 258
Índio (Americano), 37, 199, 231, 241, 349, 409
Indo-europeu, 438
Indonésia, 347, 464
Inglaterra, 20-22, 33, 39, 41-44, 47, 48, 54,
   57-58, 61, 65, 72, 83, 95n, 98, 100, 104,
   136, 149, 153, 160, 202, 239, 239n,
   242n, 261, 263, 287, 304, 317, 329, 346,
   350, 354, 356, 380, 391-392, 395, 401,
   404, 406, 422, 428, 444, 456, 470. *Veja*
   também Grã-Bretanha
Ingres, J. D., artista, 392, 418
Instituição Real, 428
Instituto dos Mecânicos de Londres, 429
Internacional, 211
Irlanda, irlandês, 15, 33, 40, 43, 53, 71, 98,
   136, 138, 183, 185, 202, 222, 225, 248,
   261-263, 268, 303, 317, 421, 469, 470
Irlandeses Unidos. *Veja* Irlanda
Iroqueses. *Veja* Índio (Americano)
Islã, islâmico, 23, 100, 230, 234
Itália Jovem. *Veja* Itália; Jovem Itália
Itália, italiano, 29, 31, 33, 35, 37, 39, 43, 61,
   113, 116, 128, 135, 138-141, 144, 147,
   149, 150, 163, 171-173, 183, 183, 185,
   193-194, 196, 205, 209, 212, 216, 218,
   222, 228, 233, 243n, 246, 249-250, 252,
   268, 283, 285, 356, 359, 391, 395, 401,
   413, 435
Iturbide, A., general, 182, 461
Iugoslávia, 227
Ivanovo, 307

Jackson, Andrew, presidente dos Estados
   Unidos, 463
Jacobi, C. G. J., matemático, 433
Jacobinos, jacobinismo, 99, 112, 119, 122-
   124, 127, 137, 139-141, 169, 178, 187,
   190, 201, 203, 205, 211, 229, 233, 245,
   289, 329, 332, 336, 356, 416, 430, 470

Jacquard, J. M., inventor, 61
Jamaica, 367
Japão, 45n
Jardin des Plantes, 450
Jefferson, Thomas, estadista; jeffersoniano,
   113, 349, 353, 382
Jones, *Sir* William, orientalista, 407, 439
Jorge, o Negro, rei da Sérvia, 227
José II, imperador da Áustria, 52, 247, 249
Joule, James H., cientista, 428
Journal des Débats, 291n, 313
Journal fur Reine und Angewandte Mathema-
   tick, 430
Jovem Alemanha, 197, 215
Jovem Escandinávia. *Veja* Escandinávia
Jovem Europa, 197, 211, 215
Jovem Itália, 197, 213, 215
Jovem Polônia, 197, 215
Jude, Martin, líder mineiro, 333
Judeus, judaísmo, 34, 114, 218, 297, 307-
   310, 341, 360
Junta, de Cádiz, 152

Kabília, 255
Kalevala, 391, 409
Kane Ridge, Kentucky, 354
Kant, Immanuel, filósofo, 110, 135, 385-
   388, 441
Karajic, Vuk S., homem de letras, 409
Karamzin, N. M., historiador, 436
Kauffman, Angélica, pintora, 402n
Kay-Shuttleworth, *Sir* J., reformador, 319n
Kazan, 430
Keats, John, poeta, 399, 411
Kent. *Veja* Inglaterra
Kepler, J., cientista, 451
Kiel, 219
Kierkegaard, Sören, filósofo, 356
Kinsky, 40n
Kirghiz, 180

ÍNDICE REMISSIVO

Klopstock, F. G., poeta, 136n
Koenigsberg, 17, 110, 386, 443
Kolokotrones, T., rebelde grego, 154, 230
Kolowrat, ministro de Habsburgo, 232
Kossovo, 227
Kossuth, Louis, líder húngaro, 203
Kosziusko, T., líder polonês, 136n
Krefeld, 275
Krupp, 273
Kublai Khan, 409
Kügelgen, 156, 223

Lablache, L., cantor, 291
Lachmann, K. C., estudioso, 344
Laclos, P. A. F. Choderlos de, escritor, 397
Lafayette, Marquês de, aristocrata e revolucionário, 119, 178
Lago Simpático, profeta indiano, 349
Lamarck, J.-B.-A. de M., Chevalier de, biólogo, 441
Lamartine, A. de, poeta, 391, 437, 446
Lamennais, H.-F.-R. de, escritor religioso, 187, 359, 413
Lancashire Co-operator, 325
Lancashire, 24, 67-68, 70, 86n, 200, 281, 324n, 467. *Veja também* Inglaterra; Grã-Bretanha
Lancaster, Joseph, pedagogo, 62
Laplace, P.-S., marquês de, matemático e astrônomo, 338, 440, 450
Lardner, Dionísio, escritor técnico, 162
Latim de Quartier. *Veja* Paris
Lavater, J. K., psicólogo, 135
Lavoisier, A.-L., químico, 61, 427, 431-432, 450
Lawrence, *Sir* William, cirurgião, 441, 444
Leben Jesu, de D. F. Strauss, 437
Leblanc, N., químico, 279
Lebrun, Mme Vigée, pintor, 402n
Leeds Mercury, 293

Leeds, 332
Leipzig, batalha de, 148
Leis do Trigo (*Corn-Laws*), 79, 90, 462, 468
Leith, 31
Lenau, N., poeta, 410, 413
Lênin, V. I., 130
Leningrado. *Veja* São Petersburgo
Leon. *Veja* Espanha
Leopardi, G., poeta, 390
Leopoldo I, rei dos belgas, 168
Lermontov, M. Y., poeta, 410
Lesseps, F. de, engenheiro, 234
Levante, 133
Liberdade nas barricadas, de Delacroix, 412
Libéria, 346
Líbia, 226
Liebig, J., químico, 429
Liechtenstein, 40n, 150
Liège, 60, 98
Lieven, Lady, 418
Liga Comunista, 208
Liga Contra a Lei do Trigo, 80, 90, 203, 208
Liga de Proscritos. *Veja* Liga Comunista
Liga dos Justos. *Veja* Liga Comunista
Ligúria, República da. *Veja* Itália
Ligúria. *Veja* Itália
Lille, 275, 297, 317
Lind, Jenny, cantor, 299
Lingard, J., historiador, 437
List, Friedrich, economista, 284
Liszt, Franz, compositor, 299, 392, 402, 413
Lituânia, 308
Liverpool, 45, 67, 85, 322, 343, 418
Livingstone, David, missionário e explorador, 346
Livônia, 247
Lobachevsky, Nikolai I., matemático, 430, 433
Locke, John, filósofo, 365
Lombardia, 33, 148, 156, 205, 273, 321

A ERA DAS REVOLUÇÕES

Londres, 30-31, 33, 82, 161, 266, 279, 290, 292, 324, 329, 339, 346, 389, 395, 400, 404, 429, 456
Lönnrot, E., erudito, 409
Louvre, 395
Lucânia. *Veja* Itália
Luditas, 75
Luebeck, 152
Luís Felipe, rei da França, 203, 360, 469-470
Luís XIV, rei da França, 178, 378
Luís XVI, rei da França, 109, 115
Luís XVIII, rei da França, 170
Luther, Martin, luterano, 297, 314, 344
Lyell, C., geólogo, 442
Lyon, 126, 201, 276, 313, 334, 336

Macedônia, 227n
Mackintosh, *Sir* James, escritor político, 136n
Maçonaria, 48, 106, 139, 191, 339, 393, 416
Madeleine, 291n, 400
Madison, James, político, 136n
Madri, 32, 52
Magdeburgo, 270
Magiar. *Veja* Hungria
Mahmoud II, imperador turco, 175
Mainz, 139, 151
Maisons-Lafitte, 291
Maistre, Joseph de, teorista político, 380
Malta, 147, 168
Malthus, T. R., economista, 76n, 257, 293, 312, 320, 368, 435, 449
Manchester Guardian, 293
Manchester in (1844), de L. Faucher, 296n
Manchester Times, 293
Manchester, 65, 68, 71, 78, 79, 163, 203, 287, 292, 297, 307, 317, 322, 329, 343, 428, 457
Manchu (Ch'ing), dinastia, 55, 268
Manifesto comunista, de Marx e Engels, 24, 58, 210, 373, 405

Manzoni, A., escritor, 390, 413
Mar do Norte, 45, 354
Mar Negro, 39, 228
Marat, J.-P., revolucionário, 112, 119
Maratas, 179
Marrocos, 234
Marselha, 317, 319
Marselhesa, A, 229
Martinovics, Inácio, revolucionário, 137
Mártires de Tolpuddle, 196, 330
Marx, Karl, marxismo, 197, 206, 210, 252, 268, 308, 309, 355, 360-361, 375, 377, 382, 386, 388, 403, 409, 413, 434, 436, 438, 443, 451-452
Massachusetts. *Veja* Estados Unidos
Massacre de Chios, O, de Delacroix, 391, 399
Massacre na Rue Transnonain, de Daumier, 412
Maudslay, Henry, engenheiro, 419
Maupassant, G. de, escritor, 289
Mayo. *Veja* Irlanda
Mazzini, G., revolucionário; mazzinianos, 113, 197-198, 205-206, 211, 213, 214-216, 382
McAdam, J. Loudon, engenheiro, 61
McCormick, Cyrus, inventor, 239, 273
McCulloch, J. R., economista, 79, 87n, 293, 404
Meca, 348
Meckel, Johann, filósofo naturalista, 443
Mecklenburg, 156
Medina Sidonia, duques de, 40
Mediterrâneo, 33, 175, 182, 190, 218, 464
Melincourt, de T. L. Peacock, 389
Melodias irlandesas, de T. Moore, 409
Melville, Herman, autor, 391, 410
Mendelson-Bartholdy, F., compositor, 309
Mendelssohn, Moisés, reformador, 308
Mérimée, P., escritor, 408
Metodistas Americanos, 346
Metodistas primitivos. *Veja* Metodistas

ÍNDICE REMISSIVO

Metodistas, 350, 352-354
Metternich, Príncipe C., político, 169, 179, 181, 187, 357, 379
México, 183, 199, 231, 461
Meyer, Léxico de conversação, de, 420
Meyerbeer, G., compositor, 309
Michelangelo, artista e escultor, 400
Michelet, Jules, historiador, 334, 407, 413, 437
Mickiewicz, A., poeta, 214, 391-392
Mignet, F.-A.-M., historiador, 437
Milão, 207, 276
Mill, James, filósofo, 189, 257, 292n, 364, 369, 371
Mill, John Stuart, filósofo, 292, 371, 444
Miller, William, adventista do sétimo dia, 353, 355
Mirabeau, G.-H de Comte. R. de, revolucionário, 108, 119
Mississippi, 283
Mitologia alemã, de Grimm, 409
Moby Dick, de H. Melville, 410
Moerike, E., poeta, 391
Mohammed Ali, ditador do Egito, 23, 177, 233, 234, 284-285, 348, 376
Molière, J.-B.-P., dramaturgo, 340
Monge, G., matemático, 427
Mongóis, 154
Monroe, Declaração, 174
Montenegro, 226, 227n
Montpellier, 104
Monumental História Alemã, 437
Morávia, 147, 231
Mörike, Eduard, poeta, 418
Mórmons, 353
Morning Post, The, 97
Morte e a donzela, A, de Schubert, 390
Moscou, 39, 148, 154
Mosela. *Veja* França
Motim indiano, 182, 258

Mozart, W. A., compositor, 106, 390, 392-393, 397, 400
Mueller, Adam, escritor, 357
Muette de Portici, La, ópera, de Auber, 394n
Mughal, 56
Mulhouse, 275, 297
Murat, J., soldado, 146
Muridismo. *Veja* Islã
Museu Britânico, 400
Musset, Alfred de, poeta, 391, 399, 413

Napoleão Bonaparte, Imperador da França, 34, 105, 115, 120, 123, 127-132, 140, 145-149, 152, 157, 164, 168-170, 177, 182, 210, 222, 233, 248, 252, 278, 288, 298, 302, 304, 337-338, 385, 387, 393, 398, 428, 438, 446
Napoleão III, imperador da França, 311
Nápoles, 31, 52, 139, 152-153, 182, 205, 249, 345
Nash, John, arquiteto, 400
Nasmyth, James, inventor, 265, 418
National Gallery, Londres, 395
Navarra, 107, 252, 253
Negro, 37, 39, 122, 125, 199, 227
Nepaleses, 179
Nerval, G. de, poeta, 402
Nestroy, Johann N., dramaturgo, 199, 391
Netunistas, 442
Neue Rheinische Zeitung, 210
New Lanark, fábricas de, 71
Newman, J. H., cardeal, 359
Newport, 336n
Newton, Isaac, cientista, 384, 403, 430, 450-451
Ney, marechal, 128, 146
Nicarágua, 345
Nicolau I, czar da Rússia, 169, 212
Niebuhr, B. G., historiador, 437
Nièpce, J.-N., inventor, 279

A ERA DAS REVOLUÇÕES

Nijniy Novgorod, 271
Nodier, Charles, escritor, 396
Nona Sinfonia, de Beethoven, 390
Nono Termidor, termidoriano, 125
Norfolk. *Veja* Inglaterra
Normandia. *Veja* França
Norte da Europa, 264, 339
Northern Star, jornal cartista, 207, 335-336
Northumberland. *Veja* Grã-Bretanha
Noruega, 170, 245, 268, 350, 430
Norwich, 324, 422
Nottingham, 323
Nova Harmonia, 376
Nova Inglaterra. *Veja* Estados Unidos
Nova visão da sociedade, de R. Owen, 373
Nova York, 31, 213, 353
Novalis, F. von, poeta, 390, 396, 398, 405
Novum Testamentum, de Lachmann, 344

O'Connell, Daniel, nacionalista, 224
O'Connor, Feargus, cartista, 224, 335
O'Higgins, Bernardo, revolucionário, 182
Oberon, de Weber, 391
Oceano Índico, 55, 347, 459
Oddfellows, 335n
Odessa, 229
Oersted, Hans Christian, físico, 431, 452
Ohio. *Veja* Estados Unidos
Oken, Lorenz, filósofo natural, 451
Olomuc, 231
Oregon. *Veja* Estados Unidos
Oriente Médio, 55, 180, 212. *Veja também* Levante
Oriente. *Veja* Ásia
Ossian, 407
Owen, Robert, socialista, 71, 188, 195, 200, 327, 332, 342, 372-373, 376, 403, 421
Oxford, 61, 429, 442
Oxford, Movimento de, 355, 358, 406

P e O, linha, 180
Pacífico, 281, 346, 462
Padres da Igreja ortodoxa grega, 252
Pádua, 280
Paganini, N., violinista, 299
Pai Goriot, de Balzac, 391
Paine, Thomas, panfletário, 99, 136n, 137, 189, 342, 355, 382
País Basco, 252, 283
País de Gales, 239, 281, 300, 350, 354
Países Baixos austríacos. *Veja* Bélgica
Países Baixos, 43-44, 52, 136, 138, 147, 170, 246, 277, 290, 346. *Veja também* Bélgica; Holanda
Paisley, 323
Palacky, F., historiador, 219, 436, 447
Palermo, 468, 471
Palmerston, Viscount, político, 169, 178, 457
Palmyra, N. Y., 353
Pan Tadeusz, de Mickiewicz, 391
Pander, C. H., cientista, 443n
Panduros, 38
Pangloss, Dr., 64, 368
Papa, Papal, 140, 149, 222, 253, 359, 409, 469, 471
Paraguai, 182. *Veja também* Argentina
Paris, 30-33, 99, 108, 110, 112, 115, 117, 119-120, 125, 127, 148, 183, 192, 203, 211-213, 216-217, 220, 266, 280, 290, 310, 318n, 330, 339, 399, 404, 423, 456, 470
Parlamento de Frankfurt, 302, 447
Paroles d'un Croyant, de Lamennais, 187, 359
Parse, 232
Partido dos Trabalhadores, 198
Patrões e Empregados, código, 92 (parece senhor e escravo), 312
Paul, Jean, escritor, 390
Paulo I, czar da Rússia, 459n
Pauw, Cornelius de, acadêmico holandês, 136n

524

ÍNDICE REMISSIVO

Peacock, T. L., romancista, 334n, 389, 434
Peel, *Sir* Robert, político, 292
Peles-vermelhas. *Veja* Índio (Americano)
Peloponeso. *Veja* Grécia
Península Ibérica. *Veja* Espanha; Portugal
Pereire, irmãos, financiadores, 274, 278, 309
Péronne, 32
Pérsia, 348-349
Perthes, J. Boucher de, arqueólogo, 442
Peru, 182, 231, 259
Pesquisa Geológica, britânica, 446
Pestalozzi, J. H., pedagogo, 135
Peterloo, 329, 413n
Petoefi, S., poeta, 392, 399
Philiké Hetairía, 229
Piemonte. *Veja* Itália; Savoia
Pio IX, Papa, 196
Pisa, 419
Platen, A. Graf von, poeta, 391
Plymouth, 31
Poe, Edgar Allan, escritor, 391
Politécnica. *Veja* Escola Politécnica
Polônia Jovem. *Veja* Polônia; Jovem Polônia
Polônia, polonês, 33, 39, 40, 50, 121, 128, 136, 138, 144, 148, 152, 155, 171-172, 178, 183, 190, 194, 197, 204-206, 209, 213, 215-217, 283, 308, 391, 394, 413
Pomerânia, pomeraniano, 31, 240
Portugal, 31, 33, 60, 69, 183, 194, 266, 268, 462. *Veja também* América Latina
Posnânia, 206
Potocki, J., 40
Praga, 231, 309n, 341, 428
Praz, Mário, 402
Prentice, Archibald, jornalista, 293
Presbiterianos, 346, 350, 352
Presse, La, 291
Prichard, J. C., médico e etnologista, 444
Priestley, Joseph, químico, 48, 57, 135-136, 295, 431

Primeira Palestra sobre a Cooperação, 324n
Primeiro Cônsul. *Veja* Napoleão
Princípios de economia política, de Ricardo, 366
Princípios de Geologia, de Lyell, 442
Promessi Sposi, de Manzoni, 390
Protestante, 139, 224, 242, 293, 295, 305, 307, 316, 317n, 319, 341, 344-346, 349-353, 358-360, 421, 449
Províncias do Noroeste. *Veja* Índia
Províncias Unidas. *Veja* Holanda
Prússia, 34, 102, 144-145, 147, 150, 152-153, 169-172, 240, 243, 247-248, 251, 264, 269, 275, 277, 321, 357, 387, 389, 428, 469
Pugin, A. W. N., arquiteto, 406
Purkinje, J. E., fisiologista, 443n
Pushkin, A. S., poeta, 390-391, 393

Quakers, 62, 203, 293, 349, 352, 467
Quarterly Review, 441
Quesnay, F., economista, 61
Questão Oriental, 168, 175, 177
Quételet, L.-A.-J., estatístico, 435

Rachel, atriz, 309
Radcliffe, Mrs. A., romancista, 403n
Radetzky, J. von, soldado, 205
Radziwill, 40
Ragusa. *Veja* Ilíria
Raimund, Ferdinand, dramaturgo, 199
Rajputs, 179
Ranke, Leopold von, historiador, 437
Rawlinson, Sir H. L., soldado, 438
Recamier, Retrato de madame, de J. L. David, 390
Recherches sur les ossements fossiles, de Cuvier, 441
Reforma, 21, 137, 183, 196, 202, 290, 379, 384
Reino Unido. *Veja* Grã-Bretanha

A ERA DAS REVOLUÇÕES

Reno, terras do, 140, 145, 152, 170, 175, 193, 210, 246, 277, 346, 406

República Batáva. *Veja* Holanda

República Cisalpina. *Veja* Itália

República espanhola (1931-39), 135, 192

Republicanos, República, 76, 106, 113, 115, 117, 118-120, 122, 125-126, 139, 188, 196, 203, 231

Réquiem, de Berlioz, 391

Respeito da liberdade, A, de J. S. Mill, 371

Restauração, 115, 188-189, 195, 197, 201, 249, 289, 291, 352, 412

Reuter, Fritz, escritor, 156

Revolução Americana (1776), 21, 53, 99, 100n, 104

Revolução Belga (1830), 394n

Revolução de 1820-21, 182, 190-191, 223

Revolução de 1830, 170, 215, 371, 462

Revolução de 1848, 52, 168, 180, 201, 213, 217, 224, 232, 320, 459, 468

Revolução Espanhola, 182-183

Revolução Francesa (1789-1799), 15, 24, 29, 41, 43, 49, 51-52, 60-61, 95, 97-100, 104-105, 111-112, 115, 117, 119, 138, 144, 149, 151-154, 159, 180-181, 184-185, 202, 204, 216, 228-229, 232, 243, 246, 253, 259, 271, 278, 280, 300, 307, 326-328, 332, 342, 356, 358, 370-371, 385, 391, 393, 397-399, 401, 405-406, 410-412, 418, 427-428, 431, 440, 446, 449, 458, 465, 467

Revolução Francesa, A, de Carlyle, 391

Revolução industrial, 15, 37, 57-62, 64-65, 68, 70, 72, 75, 78, 81, 83, 86, 89, 96, 97, 112, 258, 265, 272, 274, 291, 323, 326, 332, 343, 372, 379, 383, 393, 421, 440, 446, 449, 457

Revolução Inglesa (1688), 21

Revolução Russa (1917), 99, 197, 289

Revolução. *Veja* especialmente Capítulo 3; Capítulo 6; Capítulo 15. *Veja também* Áustria; Bélgica; França; Alemanha; Grécia; Hungria; Irlanda; Itália; América Latina; Polônia; Romênia; Rússia; Espanha; Suíça

Révolutions de France et de Brabant, Les, de Camille Desmoulins, 139

Reynolds, *Sir* J., pintor, 397

Rhigas, K., revolucionário, 229

Ricardo, David, economista, 257, 366, 368-369, 373, 388

Riemann, G. F. B., matemático, 433

Riga, 443n

Riqueza das nações, A, de Adam Smith, 366

Robespierre, Maximilien, revolucionário, 22, 34, 117, 119, 121, 123-125, 127, 129, 138, 187, 280, 340, 382, 398

Rochdale, 200, 322

Rodney, Almirante G. B., 335

Rodrigues, Olinde, saint-simoniano, 309

Roland, Madame, 119

Roma, romano, 29, 39, 84, 114, 140, 143, 150, 216, 341, 345, 350, 358, 398, 464

Romagna. *Veja* Itália

Românticos, romantismo, 198, 356, 358. Veja Capítulo 14

Romênia, 185, 221, 228, 243

Ronda, 423n

Rosa, Salvator, pintor, 400

Rosmini, A., escritor católico, 360

Rossini, G., compositor, 392, 401

Rothschild, financistas, 161, 308, 322, 416, 420, 460

Rothschild, Meyer Amschel, financista, 161

Rothschild, Nathan M., financista, 161

Roubaix, 323

Rouen, 275, 419

Rousseau, Jean-Jacques, escritor, 123, 131, 138, 340, 375, 381, 387-388, 397-398, 409, 450

Roy, Ram Mohan, reformador, 100, 349

Ruhr, 140, 273. *Veja também* Berg, Grão-Ducado de

ÍNDICE REMISSIVO

Rumford, Conde Benjamin, 428
Ruskin, John, escritor, 413, 419
Russell, Bertrand, filósofo, 451
Rússia, 22, 33, 38-39, 44, 55, 60, 84, 99, 128,
 137, 144, 147-148, 153, 157, 168-172,
 174-178, 183, 190, 195, 216, 219, 228,
 243, 259, 270, 302, 357, 414, 459, 468.
 Veja também Cáucaso; Finlândia; Polônia
Rutland. *Veja* Inglaterra
Ryotwari, sistema, 256

S. Ouen, 419
Saara, 348
Sagas nórdicas, 390
Sagrado Imperador Romano, 150
Saint-Just, L. A. L. de, jacobino, 22, 97, 119,
 123-125, 133, 187, 201, 372
Saint-Quentin, 34
Saint-Simon, Count Claude de, escritor polí-
 tico; saint-simonianos, 81, 201, 233, 278,
 309, 342, 340, 372, 376, 403, 414, 420,
 436n, 466
Saliceti, A. L., jacobino, 140
Salões de Ciências, 333
Salústio, 341
Salzburgo, 151
San Martin, J. J., revolucionário, 182, 230
Sand, George, romancista, 402n
Sansculottes, 112, 113, 117, 118, 119, 121-
 126, 342
Santa Aliança, 357
Santos do último dia. *Veja* Mórmons
São Domingos, 122, 151, 313
São Petersburgo, 52, 270, 290, 317, 428, 430
Savigny, F. K. von, advogado, 437
Savoia, 52, 136, 196, 198. *Veja também* Pie-
 monte; Itália
Saxão, anglo-saxão, saxônia, 39, 60, 72, 131,
 145, 148, 156, 172, 223, 395
Say, J. B., economista, 369, 374

Scheldt, River, 170
Schelling, F. W. J., filósofo, 135, 385, 452
Schiller, F., poeta, 136n, 384, 390
Schinderhannes, bandido alemão, 309n
Schinkel, K. F., arquiteto, 401, 419
Schlegel, A. W., escritor, 400
Schleiden, M., biólogo, 432
Schleswig-Holstein, 219
Schmerling, A. de, arqueólogo, 442
Schoenborn, 40n
Schubert, F., compositor, 390, 392, 399,
 405, 504
Schumann, R., compositor, 391, 392, 418
Schwann, T., biólogo, 432
Schwarzenberg, 40n
Scott, *Sir.* Walter, romancista, 390, 407, 408,
 460
Sedlnitzky, J. Graf, ministro de Habsburgo, 232
Seminário Royton de Moderação, 316
Sena Inferior. *Veja* França
Senegal, 347
Senussi, 348
Seraing, 275
Serra Leoa, 346
Sérvios, Sérvia, 227n, 409, 461
Sevilha, 31
Shakespeare, William, dramaturgo, 361, 398
Shamyl, líder caucasiano, 226, 348
Sheffield, 322, 330, 343
Shelley, P. B., poeta, 398, 399, 411, 413n, 414
Sicília, 31, 39, 40, 43, 170, 244, 246, 249,
 459, 471
Sidi Mohammed ben Ali el Senussi, profeta,
 348
Sieyès, Abade, E.-J., político, 107
Sikhs, 179, 224
Silésia, 73n, 314, 321, 470
Simon, *Sir.* J., médico reformador, 319n
Sindicato dos Construtores Práticos, 329
Sindis, 179

Sinfonia Heroica. *Veja* Beethoven

Singapura, 179, 464

Síria, 147, 154, 348

Sismondi, C.-L.-S. de, economista e historiador, 76n, 374, 437

Sistema Continental, 145, 148

Skanderbeg, herói albanês, 227

Skoptsi, 351

Smiles, Samuel, publicista, 293, 295, 316

Smith, Adam, economista, 61, 366, 369, 370, 385

Smith, Joseph, fundador dos mórmons, 353

Smith, William, engenheiro, 440

Socialismo, Capítulo 11 *passim*, 19, 24, 98n, 100, 200, 202, 206, 233, 327, 332, 359, 371, 403, 450. *Veja também* Comunismo; St. Simon; Utopia

Sociedade Bíblica Americana, 346

Sociedade Democrática Polonesa, 205

Sociedade Etnológica, 444

Sociedade Filosófica e Literária de Manchester, 428, 430

Sociedade Lunar, 48, 135, 295, 428, 440

Sociedade Missionária Batista, 345

Sociedade para a Difusão de Conhecimentos Úteis, 419

Sociedade Real, 430

Sociedades Correspondentes (*Corresponding Societies*), 136

Sociedades frenológicas, 445

Société Générale pour favoriser l'Industrie Nationale des Pays Bas, 277-278

Southey, R., poeta, 135, 411

Soyer, Alexis, *chef* (*chef* de cozinha), 290

Spa Fields, 329

Speenhamland, sistema, 90, 263, 315

Spithead, 137

St. André, Jeanbon, jacobino, 120

Staël, Madame A.-L.-G. de, escritora, 402n

Staffdordshire. *Veja* Inglaterra

Stendhal, H. Beyle, escritor, 289, 392, 401

Stephenson, George, engenheiro, 83, 294, 427

Stewart, Dugald, filósofo, 420

Stockton-Darlington, Ferroviária, 83

Strauss, David F., teólogo, 344, 437

Sturge, Joseph, quaker, 203

Sudão, 347

Suécia, 31, 38, 41, 155, 171, 244, 268, 274, 409, 436

Suez, 180, 234, 420

Suíça, 136, 138-140, 147, 161n, 183, 185, 193-194, 207, 209, 212, 246, 253, 267, 321, 389, 435, 463, 471

Sul da Europa, 36, 43, 168, 250, 283

Suvorov, general, 145

Swedenborg, Emanuel, heresias baseadas na filosofia do sueco, 334

Sydney, 456

Système de la Nature, de d'Holbach, 364n

Szechenyi, Conde, 217

Tableau de l'état physique et moral des ouvriers, de Villermé, 58

Taiping, 182, 349

Taiti, 410

Talleyrand, príncipe C. M., diplomata, 169, 289-290

Talma, ator, 291

Tártaros, 38

Taylor, Edward, jornalista, 293

Tchecoslováquia, tchecos, 37, 40n, 216, 219, 232, 447. *Veja também* Boêmia

Tecumseh, chefe indígena, 349

Tegnér, E., acadêmico, 409

Teignmouth, Lord, 256

Telford, Thomas, engenheiro, 61, 135

Tempos difíceis, de Dickens, 293, 295

Tennyson, Alfred, Lorde, poeta, 413

Teoria da Terra, de J. Hutton, 440

Terceira República. *Veja* França

ÍNDICE REMISSIVO

Terceiro Estado, 105, 108-109
Termo de Compra da Louisiana, 122n
Terror, o, 118, 120-121, 136. *Veja também*
   Revolução Francesa
Teutões, teutônicas, 384, 439, 445
Thackeray, W. M., romancista, 392
Thackrah, C. T., médico, 319n
Thierry, Augustin, historiador, 437, 445
Thiers, L.-A., historiador e político, 437
Tilak, B. G., nacionalista indiano, 226n
Tilsit, Tratado de, 147-148
Tirol, 141, 150n, 252-253
Tocqueville, Alexis de, escritor, 184, 371, 464
Tolstoi, Conde L. N., escritor, 392
Tory, 183, 292n, 431
Toscana. *Veja* Itália
Tours de France, 34
Toussaint-Louverture, revolucionário, 122
Trafalgar, batalha de, 147, 295
Tratado elementar de química, de Lavoisier,
   431
Treves, 151
Trieste, 37, 231
Trípoli, 348
Tuebingen, 344
Turgenev, I. S., romancista, 392
Turgot, economista, 61, 101
Turner, J. M. W., pintor, 392
Tyneside, 83

Ucrânia, 40, 204, 252, 283, 351
Udolfo, Castelo de, de Mrs. Radcliffe, 418
Uhland, L., poeta, 413
Ulster. *Veja* Irlanda
Uma vida pelo czar, de Glinka, 394n
Úmbria. *Veja* Itália
União pelo Sufrágio Universal, 203
Unitarista, 352
Universidades, 61-62, 131, 219-220, 358,
   428, 442
Unkiar Skelessi, Tratado de, 176

Urais, 180
Urano, planeta, 426
Ure, Dr. Andrew, publicista, 442
URSS. *Veja* Rússia
Uruguai, 182
Utah. *Veja* Estados Unidos
Utilitarista, 257-259, 365, 404, 462. *Veja
   também* Bentham
Uttar Pradesh. *Veja* Índia

Valladolid, 31
Valmy, bombardeio de, 117
Varennes, 115
Varsóvia, Grão-Ducado de, 152
"Velhos Crentes", 307, 351
Vendeia. *Veja* França
Veneza, 151, 280
Venezuela, 182, 230
Veracruz, 31
Verdi, G., compositor, 390, 392, 394n, 413
Vergennes, C. G., Comte, estadista, 153
Vergniaud, P. V., girondino, 120
Verona, 280
Vestfália, reino da, 140, 152
Viagens na Inglaterra e no País de Gales, 57
Viena, 39, 138, 199, 212, 221, 228, 290, 339,
   422, 428
Vigny, Alfred de, poeta, 133, 390, 391
Villermé, L. R., sociólogo, 58, 312, 319n
Virgem de Guadalupe, 231, 252
Vítkovice, 273
Vitória, rainha, 168
Volga, rio, 38
Volta, A. Conde, cientista, 431
Voltaire, F.-M. A. de, escritor, 64, 382, 419,
   450
Vonckists, partido belga, 139

Wade, J., escritor, 374
Wagner, Richard, compositor, 390, 392-393,
   402

A ERA DAS REVOLUÇÕES

Wagram, batalha de, 147

Wahhabitas. *Veja* beduíno

Wallenstein, trilogia de, de F. Schiller, 384n

Washington, George, presidente americano, 136n, 336

Waterloo, batalha de, 82, 148, 158, 327, 388, 397

Watt, James, inventor, 48, 57, 62, 135n, 295, 456n

Weber, M. K. von, compositor, 391-392, 406

Wedgwood, Josiah, industrial, 47, 48, 295, 415, 419

Wedgwood, Thomas, 295

Weerth, G., poeta, 413n

Weimar, 276, 417

Weitling, W., comunista, 342

Wellington, Duque de, general, 290, 292

Wesley, John, 352. *Veja também* Metodistas

Wheatstone, *Sir* C., inventor, 456

Whigs, 135, 136, 183, 258, 370, 398, 446

Whiteboys, sociedade secreta irlandesa, 202

Wieland, C. M., poeta, 135

Wilberforce, W., reformador, 136n, 341

Wilkinson, John, metalúrgico, 135

Williams, David, reformador, 136n

Wilson, Harriete, cortesã, 292, 420

Wiltshire. *Veja* Inglaterra

Wingate, funcionário público indiano, 256

Woehler, F., cientista, 432

Wordsworth, William, poeta, 135, 390-391, 398, 408, 411

Wurtemberg, 145

Yorkshire. Veja Grã-Bretanha

Young, Arthur, agrônomo, 57, 91

Young, G. M., 295

Zagreb, 221

Zanzibar, 281

Zoonomia (1794), de E. Darwin, 440

Zoroastrismo, 349

Zurique, 147, 429

Este livro foi composto na tipografia Adobe Garamond Pro,
em corpo 12/16, e impresso em
papel off-white no Sistema Cameron da
Divisão Gráfica da Distribuidora Record.